KB111920

법대로
사랑하라

법대로
사랑하라 vol.1

초판 1쇄 인쇄일 2022년 09월 13일
초판 1쇄 발행일 2022년 09월 26일

지은이 | 노승아
펴낸이 | 김기선

편집부 | 박신혜, 신현정, 김수린, 한혜정, 강연정, 이아림, 강지원, 김수정
표지디자인 | 우물
내지디자인 | 한주희

펴낸곳 | 주식회사 와이엠북스(YMBOOKS)
출판등록 | 2021년 5월 27일 (제2021-000014호)
주소 | 서울특별시 중랑구 신내역로3길 40-36 B동 710호 (신내동)
전화 | 02)906-7768 / **팩스** | 02)906-7769
E-mail | ymbooks@nate.com

ISBN 979-11-322-6729-4(04810)
ISBN 979-11-322-6728-7(set)

© 노승아 2022 Printed in Korea

값 14,000원

※파본은 구입처에서 교환하여 드립니다.
※저자와 협의하여 인지를 붙이지 않습니다.
※이 책은 저작권법에 따라 보호를 받는 저작물이므로 무단 전재와 복제를 금하며,
이 책 내용의 전부 또는 일부를 사용하려면 반드시 저작권자와 와이엠북스의 동의를 받아야 합니다.

법대로
사랑하라

vol.1

노승아 장편소설

ym
BOOKS

차 례

1. 그녀가 온다

또각. 또각.

가느다란 굽이 바닥에 부딪히는 소리가 유난히 청쾌하였다. 여자는 아찔한 스틸레토 힐을 즐겨 신었다. 허리를 쭉 펴서 걷는 자세 덕분에 더욱 늘씬해 보이기까지 했다.

10년 전, 미스 서울 선으로 선발되어 본선 무대까지 오른 경험이 있는 여자였다. 특유의 당당함과 아름다움이 그대로 서린 발걸음에 소곤거리며 돌아보는 사람이 한둘이 아니었다. 심히 복잡한 속내는 짐작도 되지 않을 만큼 유려하고도 완벽한 워킹이었다.

'포기해요. 이제 그 돈으론 이쪽 절대 못 맞춰. 여긴 임대료가 완전 수직 상승했다니까.'

방금 공인중개사 사무실에서 들은 말이 떠올랐다. 그녀는 속이 바짝 타고 입술이 말라붙었다. 올해 말 한국대학교 정문 앞 6차선 도로 건너 멀티플렉스가 하나 생길 예정이라고 하였다.

예상치 못한 소식이었다. 아니나 다를까, 일대 상가의 임대료도 벌써 껑충 뛰어 버렸다. 덕분에 그녀가 카페를 개업하기 위해 준비하였던 예산은 턱없이 부족해졌다. 덥석 계약했다가는 인테리어 공사할 돈마저 부족할 판이었다.

카페 창업은 꽤 오래전부터 준비해 왔던 일이다. 이대로 주저앉을 수는 없었다. 이제 그녀의 머릿속에는 빨리 끝장을 봐야겠다는 생각만 가득 차올랐다. 모교인 한국대학교의 중앙숲을 가로질러 후문 쪽으로 향하는 걸음이 조금 더 빨라졌다.

'아가씨, 후문 쪽은 어떤가? 꼭 정문 쪽을 고집해야 하는 거 아니면 거기 카페 자리 하나 난 거 있어요. 어때, 한번 가 볼텨? 주택가 들어서는 길 쪽으로 자그마한 상가 건물들이 있는데, 번화하지는 않았어도 조용하고, 주민들이 그나마 잘 지나다니는 길이 긴 하니까……'

알다마다. 모교인 한국대학교다. 후문 쪽 거리는 그녀에게 조금 남다른 의미이기도 했다. 보다 저렴하고 만만한 자리로 유도하려는 속내를 알면서도 그다지 거부감이 들지 않았다.

후문 쪽이라, 그리 싫지는 않다. 사실 교통과 편의시설들 대부분 정문 쪽으로만 몰려 있기에 굳이 후문을 이용하는 학생들은 매우 드물었다. 대학 앞이라기보다는 조용한 주택가라고 해야 옳았다. 물론 그런 이유로 임대료는 정문 쪽 상가들보다 훨씬 낮았다.

어차피 그녀가 개업하고자 하는 카페는 평범한 카페는 아니었다. 타깃도 어린 학생들은 아니었고. 후문 쪽 주택가 초입의 건물이라니, 차라리 더 잘되었다. 애초에 특유의 조용하고 차분한 분위기가 좋아 모교 앞에서 개업하길 원했던 것이니까.

아직 결정하기 전이니 혼자 둘러보기만 하겠다고 하자 공인중개사 실장은 친절하게도 어느 건물인지 알려 주었다. 그리고 건물 위치를 말로 듣는 순간, 그녀의 눈매가 둥글게 휘어졌다.

거기라면 내가 또 잘 알지.

몹시 반가운 마음 반, 그리고 원하는 곳에 개업할 수 없다는 실망 반. 그렇게 여러 가지 감정이 뒤섞인 채로 걸음을 옮기는 중이었다. 정문에서 후문까지는 그리 가까운 거리는 아니었다. 한참 만에 넓은 학교 부지를 가로질러 당도한 그녀는 숄더백을 단단히 어깨에 고쳐 메고 팔짱을 턱 끼었다.

이제 막 초록색 싹을 틔우기 시작한 벚나무들이 길 따라 쭉 늘어서 있다. 이 길에는 지나는 자동차마저 드물다 보니 풀 내음까지 선연히 느껴진다. 그녀는 숨을 크게 한 번 들이켰다. 청량한 기운이 몸속으로 가득 들어왔다.

그래, 여기 이런 곳이 있었지. 잊고 살았다. 왠지 편안해지는 느낌, 참 오랜만이다.

실망과 불안은 내딛는 걸음에 실려 조금씩 옅어져 갔다. 천천히 내뱉는 고른 숨이 공기 중에 가만히 퍼져 나갔다. 정문의 활기찬 분위기와는 다르게 아기자기하면서도 정갈한 느낌을 주는 거리. 겨우 2차선의 작은 도로였다. 이 길을 한참 따라 내려가야지만 버스가 다니고 정문 앞과도 통하는 큰 도로를 만날 수 있었다.

그녀는 천천히 걸음을 옮겼다. 담벼락을 따라 걷는 길 건너편으로는 대학 앞에 없어도 될 것 같은 낡은 세탁소와 조그만 슈퍼, 그리고 허름한 빵집이 차례로 보인다. 아무렴 주택가답다. 그녀가 학교에 다닐 때와 같은 풍경. 하나도 변하지 않았다.

재학 시절 가끔 저 빵집에서 겉은 딱딱하지만 속은 부드러운 하드롤과 생크림을 사서 먹곤 했었다. 아저씨의 빵 굽는 솜씨는 일품이었지만 학생들은 큰 도로의 유명 체인점 빵집을 더 많이 이용했었다.

단골이 된 동네 주민들만 찾는 빵집. 그녀는 마치 숨은 보석처럼 아껴 두고 우울하거나 답답한 날이면 내려와 빵을 사 먹곤 했다. 하드롤을 뜯어 차가운 생크림에 푹 찍어 먹으면, 다이어트고 뭐고 모두 잊을 만큼 고소하고 달콤한 맛을 느낄 수 있었다. 그랬다는 사실 역시 까맣게 잊고 있었다. 이따 집에 돌아가는 길에 하드롤과 생크림, 그리고 팥이 듬뿍 들어간 단팥빵을 사야겠다고 생각했다.

한 걸음, 한 걸음 걷는 그녀의 입가에 미소가 퍼져 나갔다. 곧 이 거리는 눈송이처럼 하얀 벚꽃잎으로 가득 차겠지. 알 수 없는 설렘에 가슴이 두근거리기 시작하였다. 후문에서부터 50여 미터쯤 도보를 따라 내려온 그녀는 곧 걸음을 멈추어 섰다. 그리고 건너편에 있는 건물을 바라보았다.

'1층은 통째로 카페로 사용하는데, 거기 주인 아가씨가 곧 결혼해서 어디 외국으로 가야 한다나. 작년에 오픈해서 공사도 새로 싹 하고 잘 꾸며 놨는데 아깝지 뭐예요. 아가씨 예산이면 시설비 주고도 남을 거예요. 큰 공사도 안 해도 되니 공사비도 아끼고, 조용하면 더 좋다고 했으니 관심 있으면 거기 한번 봐요.'

소담한 3층 건물. 1층에는 들은 대로 한눈에 봐도 공들여 잘 꾸며 놓은 카페가 있고, 2층에는 소아청소년과와 내과를 겸하는 작은 병원, 3층에는 인테리어 디자인 사무실이 있다. 그리고 건물 옥상에 삐죽이 나와 있는 옥탑방은 바로, 그녀의 친한 친구 김정호의 작업실이었다.

여기까지 온 결정적 이유이기도 했다. 건물의 아래위를 훑어보는 그녀의 눈매가 의미심장하게 빛났다.

이 벚꽃 거리에서의 개업은 생각도 못 했는데, 의외로 자신과 잘 맞을 것 같다는 예감이 든다. 잊고 있었지만 유난히 익숙한 이 느낌들도 나쁘지 않았다. 입꼬리가 천천히 말려 올라갔다. 건물을 마주한 순간, 시끄럽던 속내가 거짓말처럼 고요하게 가라앉았다.

여기, 딱 마음에 들었다.

"김유리!"

그녀의 이름을 외치는 소리가 조용한 카페에 울려 퍼졌다. 정호가 뛰어 들어왔다. 이야, 김정호를 겨우 1분 만에 볼 수 있다니. 유리의 입가에 뿌듯한 웃음이 번졌다. 헐레벌떡 뛰어 내려온 정호를 보자 역시 여기가 좋겠다는 생각이 더욱 확고해졌다.

"김유리! 여, 여기 왜 왔어?"

"뭘 또 버선발로 달려오시나. 내가 그렇게 반가워?"

정호가 모교 후문 벚꽃 거리로 작업실을 옮긴 후 유리가 찾아온 적은 없었다. 물론 친구들과 다 함께 온 건 몇 번 있지만 혼자는 오늘이 처음이었다.

"놀란 거야."

"왜 놀라? 반가워야지. 얼굴은 왜 또 하얗게 질렸냐? 다른 사람이 보면 내가 처녀 귀신인 줄 알겠다, 야."

"무슨 소리야. 감히 누가 너한테 귀신이라고 망발을."

딱 여기까지만 해야 한다. 김정호는 꼭 한 발 더 나가니 문제였다. 거친 호흡을 정리하느라 허리를 숙인 상태에서도, 그놈의 경망스러운 입술은 멈추지 않았다.

"어디 처녀 귀신을 감히 너한테 갖다 대. 호러로 치면 김유리가 끝판왕이지. 레벨이 다른데. 특수 분장도 필요 없어요. 이렇게 립스틱만 바르고 있어도 네가 백만 배는 더 무섭……."

"이러니, 맞지."

철썩.

"이러니, 안 맞아?"

철썩.

"아악."

드넓은 등판에 불꽃이 일었다. '맞지', '안 맞아'에 박자 맞춰 강스매싱이 날아든 것이다. 정호가 찡그리며 허리를 비틀었다. 불판 위 오징어도 저렇게 현란하게 움직이진 않을 것이다. 오징어 춤을 추면 통증이 줄어들기라도 하는 걸까.

"으아아아. 어떻게 넌 날이 갈수록 손이 매워지는 거야. 변호사가 아니라 배구 선수가 됐었어야 한다니까."

"더 맞을래?"

"고, 고맙지만 사양할게. 너 그 정도면 국가 대표도 문제없다. 아까운 손바닥, 미천한 내 등짝에 쓰지 말고 지금이라도 국가를 위해 헌신하는 게 어때?"

정호는 긴 팔을 뒤로 젖혀 힘겹게 제 등을 문질렀다. 그 와중에도 쉬지 않는 입을 보며 유리는 어금니를 꽉 깨물었다. 이내 유리의 서늘해진 표정을 보며 정호가 배시시 웃으며 앉았다.

"알았어, 알았어. 그만할게. 뭐야. 여기까지 왜 온 건데."

대답할 새도 없이 곧 커피가 나왔다. 유리는 연하게 부탁한 아메리카노를 제 쪽으로 당겼다. 흰 머그잔에서 따끈한 김이 올라왔다. 정호의 컵에는 다디단 캐러멜마키아토 위에 산처럼 쌓아 올린 생크림, 그것도 모자라 캐러멜 시럽이 가득 뿌려져 있다.

저 단 걸 어찌 그리 좋아하는지 유리로서는 도저히 이해가 되지 않았지만, 정호는 커피의 자태가 꽤 만족스러운 모양이었다. 작은 스푼으로 생크림을 떠먹으며 그가 다시 물었다.

"여기까지 온 거 보니 무슨 할 말 있는 건데, 아니야?"

"있지. 있는데……."

유리는 따뜻한 머그잔을 두 손으로 쥐고 말을 하려다 말았다. 문득 눈에 거슬리는 것이 있으니 말이다. 마주 보고 있자니 눈이 괴로워지는 의상, 바로 정호의 낡은 청록색 추리닝이었다. 시각 공해는 법으로 처벌할 수 없나. 있다면 저놈은 무기징역일 거다.

"야, 너 그 추리닝부터 어떻게 좀 할 수 없냐?"

이 자식이 달리 '추리닝 또라이'라 불릴까! 줄여서 '추또'.

"내 목숨 같은 추리닝에 시비 걸러 납셨군."

예전 모 드라마 남자 주인공이 스팽글 추리닝을 입고 나온 적이 있었다. 이탈리아 장인이 한 땀 한 땀 공들여 만들었다는 말로 온 국민을 빵 터뜨렸는데, 추또를 보고 있자니 그건 진정한 명품이 맞다. 하늘 아래 같은 이름 추리닝인데, 아…… 어쩜 저렇게 다를 수가.

"그 추리닝 입고 동네 돌아다니는 거야, 진짜? 우리 학교 후배들 보기 창피하지도 않냐."

"여기 후문 쪽으로는 학생들 거의 안 다녀. 알면서 그러시네. 그리고 온갖 추리닝 다 입어 봤는데, 이 추리닝이 제일 편해."

저걸 찢어 없애 버리든가 해야지. 아, 물론 똑같은 게 여러 벌 있다는 사실은 이미 알고 있다. 아마 없애면 또 나오고, 버리면 또 나올 거다. 망할 놈의 바퀴벌레 같은 추리닝. 언젠가는 박멸하고야 말 테다.

"너 때문에 이 근방 집값 떨어지는 거 아니냐? 추리닝 또라이 돌아다닌다고."

"양심이 있으니 부정은 못 하겠다."

입은 살아서 따박따박 대꾸하는 정호를 한심하게 바라보았다.

사실 추리닝만 문제인 건 아니다. 헤어스타일이며 수염이며…… 눈앞의 이 추또 자식 비주얼은 그야말로 총체적 난국이다. 이래서야 얼굴 보고 무슨 얘기나 할 수 있겠냐고. 도저히 감정 이입이 안 된다.

"그거 입고 카페에 앉아서 캐러멜마키아토 먹고 있는 너도 참."

"빈티지 죽이지? 왜, 간지 나서 막 멋있냐? 그렇다고 반하면 곤란해. 우리 우정은 소중하니까."

"빈티지가 아니고 빈티. 그냥 빈티. 빈티, 이 자식아!"

스푼을 던질 기세로 들어 올린 유리의 손목이 턱 잡혔다. 순간 넓지 않은 테이블을 사이에 두고 앉은 두 사람의 시선이 마주쳤다. 일순 정적이 흘렀다. 익숙지 않은 묘한 공기가 감돈다.

생크림의 달콤한 향기가 훅 치고 올라와 코밑에 짜르르 퍼졌다. 카페에 흐르던 음악조차 뚝 끊긴 듯했다. 시간이 이렇게 멈추기도 하는구나. 잡힌 손목이 어쩐지 뜨겁다고 느껴졌다. 이 자식 힘이 이렇게 셌던가. 유리는 순간 의아심이 들었다. 이내 잡힌 손이 스르륵 풀려 버렸다.

딱! 숨이 들이켠 유리가 스푼으로 정호의 이마를 쳤다. '땡' 신호를 받은 듯 얼음이 녹았다. 두 사람의 공간에 멈췄던 음악은 다시금 흐르기 시작했다.

"아니, 왜애. 갑자기 들이닥쳐서 복장 점검이냐고, 멀쩡히 잘 있는 사람한테."

정호가 아픈 이마를 손바닥으로 문지르며 항의했고, 유리는 곱지 않은 시선으로 다시 한번 추리닝을 입은 그를 훑었다. 그러게, 나는 왜 너만 보면 참견하고 싶을까.

"그때처럼 머리도 다듬고 옷도 깔끔하게 입으면 좀 좋아?"

"또 그 얘기냐?"

약 1년 전 봄이 저물던 어느 날, 고등학교 동창이면서 가장 절친한 오총사의 일원인 이준원과 한새연의 결혼식 때였다. 평소에는 잔뜩 흐트러진 새집 머리에 추리닝만 입던 김정호가 그날 완전히 페이스오프를 하고 나타났었다.

"그래, 그때처럼 하라고. 사람답게 좀 하고 살아라. 남들 하는 만큼만이라도."

"남들 하는 만큼 적당히 해도 심하게 멋있는 걸 어쩌냐? 가만히 있어도 얼굴에 귀티가 흐르는데, 그렇게 꾸미기까지 하면 반칙이다. 세상에 못 할 짓 하는 거지."

"헐. 뻔뻔이 풍년이네."

"나처럼 좀 생긴 사람은 아무거나 주워 입어도 돼. 괜히 멋있게 굴어 인생 피곤해질 필요 없다고."

"그 입 좀 맞자, 너."

말이나 못 하면. 이렇게 계속해서 폐인 꼴로 돌아다니는 김정호가 못마땅한 건 사실이었다. 고등학교 때만 해도 이른바 '외고 왕자'로 군림했던 정호였다. 어쩌자고 지금은 이런 모습으로 제 앞에 앉아 헛소리나 하는 건지 모르겠다.

결혼식이 있었던 그날은 새벽부터 웨딩카 운전을 해 주기 위해 메이크업 숍에 갔다가 신부인 새연의 손에 이끌려 유능한 헤어 실장에게 스타일링을 받았다고 했다. 게다가 축가를 부르기로 했던 정호는 새연의 성화에 못 이겨 면도까지 했고, 덕분에 친구의 결혼식이라고 빼입었던 블랙 슈트가 비로소 빛을 발했다.

그날 훤칠한 신랑만큼이나 사람들의 이목을 끈 탓에 민폐 하객에 등극한 이는 단연 김정호였다. 노래는 또 좀 잘하던가. 그가 축가로 부른 김동률의 노래에 여자들의 눈망울이 일제히 촉촉해졌었다. 낮고 부드러운 음성에 빠져든 여자들은 입을 헤에, 벌리고 정호를 보았다. 단체로 최면에 걸린 모습이었다.

열두 시 종이 울리면서 마차가 호박으로, 드레스는 누더기로 변했듯이, 왕자 님 같던 김정호도 결혼식이 끝난 후 다시 추리닝 또라이로 컴백하고 말았지만.

"피곤하게 살 거 뭐 있냐."

"대단한 아이돌 나셨다. 왜, 사생팬이라도 붙을까 겁나?"

"어우, 야. 그 생각은 못 했는데. 진짜 그러면 어쩌냐?"

어제의 '민폐 하객'은 오늘의 '민폐'다. 그냥 민폐. 추리닝 가지고 일장 연설 해 봤자 먹히지도 않을 거 깔끔하게 접어 버리고 유리는 본론을 꺼냈다.

"다 집어치우고, 나 할 말 있어."

"뭔데."

"나, 로펌 그만뒀어."

"뭐?"

단도직입적인 발언에 놀란 정호가 장난스러운 미소를 싹 거두었다. 돌연 휩싸인 긴장감에 공기까지 서늘해지는 것만 같았다. 3년이나 다닌 로펌을 때려치운 게 그렇게 놀랄 일인가. 본인은 3개월 만에 초스피드로 법복을 벗어 던진 전직 검사씩이나 되어서 뭘 이 정도로 놀라고 그러시나.

"로펌을 그만두다니. 갑자기 왜?"

"너한테 제일 먼저 얘기하는 거야. 어쩌다 보니 네가 애들 중 처음으로 듣네."

"언제?"

"지난주에 마지막 출근했어. 인수인계도 다 끝났고. 진짜 끝."

후련한 듯 입가에 머금은 미소. 밤하늘에 걸린 보름달처럼 부드럽고도 환하게 빛나는 얼굴. 그런 유리를 바라보던 정호는 컵을 천천히 내려놓았다.

"너 혹시, 결혼이라도…… 하는 거야?"

늘 과중한 업무에 시달리면서도 일언반구 불평 없던 유리가 갑자기 로펌을 그만두었다고 하니 놀라기도 했을 것이다. 결혼이 아니고는 그만둘 이유가 없다고 생각할 수도 있다. 그렇게 묻는 정호를 보아하니 서운해도 여간 서운한 게 아닌 모양이었다.

하긴, 자기까지 결혼해 버리면 저 화상의 술친구는 누가 해 주겠나. 유리는 피식 웃으며 한 모금 마신 아메리카노를 테이블 위에 딸깍 내려놓았다.

"미친놈."

거침없이 터져 나오는 말은 세련되고 아름다운 미모와 상반되었다. 문제는 묘하게 잘 어울린다는 것이겠지만.

"허허벌판에서 개 풀 뜯어 먹는 소리 하고 있네. 유추도 좀 정황상 근거가 있는 유추를 해라. 내가 남자가 어디 있어서 갑자기 결혼하냐?"

"아, 그럼 뭐야. 갑자기 잘 다니던 로펌은 왜 그만둔 건데?"

정호의 얼굴에 언뜻 다행스러운 빛이 비쳤다. 유리는 꼬았던 다리를 풀며 테이블에 바짝 다가가 앉았다. 사람이 없는 카페를 눈으로 스윽 훑고, 정호의 어깨 너머 유리창 밖의 거리도 슬쩍 보았다. 이곳은 모교인 한국대 후문 벚꽃 거리. 역시나 조용하긴 진짜 조용하다. 정문 쪽의 번화한 거리와는 달라도 너무 다르다. 한적한 이 거리가 왜 이렇게 점점 더 마음에 드는 건지.

알 수 없는 끌림을 느끼며 유리가 낮게 말했다.

"이 카페, 매물로 나왔다며? 이 건물 옥탑방이 네 작업실이니까 너도 잘 알 거 아냐."

커피 귀신 정호가 1층 카페 상황에 대해 모를 리 없었다.

"어? 넌 그걸 어떻게 알았어?"

"부동산에서 들었지. 여기 주인이 결혼해서 외국으로 간다며."

"응."

유리가 천천히 꼭꼭 씹어 한마디를 내뱉었다.

"나 이 카페, 인수할까 봐."

"뭐어어?"

날벼락이라도 맞은 듯 정호가 테이블을 팡! 치며 벌떡 일어섰다.

"여, 여길 왜!"

"원래는 정문 쪽에 얻으려고 했었거든. 다 알아봐 뒀는데 올해 멀티플렉스 새로 들어온다면서 갑자기 임대료가 껑충 뛴 거야. 참나."

"그래서?"

"그래서는 뭐. 부동산 실장님이 후문 쪽은 어떠냐고 추천해 주시는데, 바로 여긴 거야. 이 카페 인수하면 딱이겠다 싶어서 왔지. 마침 이 건물에 너도 지내고 있고, 게다가 조용하고 한적하니 마음에도 들고."

유리는 후문 벚꽃 거리에 둥지를 틀었을 때 가장 큰 메리트가 '같은 건물에 상주하는 김정호'라고 생각했다. 김정호가 보기엔 저래도 외고부터 법대까지 함께 공부했던 동창이요, 동지가 아니던가. 일을 같이해 주는 건 바라지도 않는다. 다만, 말이 통하는 상대 하나쯤 지척에 있다는 건 굉장한 심적 안정감을 줄 터였다. 카페를 인수하게 되면 이제 매일 볼 수 있으니 생각만으로도 든든하였다.

"너, 너 그러려고 로펌 그만둔 거야? 이제 변호사 안 하려고?"

물론 말은 바로 해야 했다. 모름지기 정보란 제대로 전달해야 하는 거니까.

"누가 변호사를 그만둔대. 그건 아니야."

다니고 있던 로펌에 사직서를 던졌고. 이 카페를 인수할까 하는데. 변호사를 그만두는 건 아니라니. 어려운 문제에 직면이라도 한 듯 정호의 눈빛이 어지럽게 흔들렸다.

"그럼 뭔데."

큰일이 닥칠수록 더욱 차분해지는 성정답게 유리는 긴 속눈썹을 느리게 깜빡였다. 이내 여자치고 꽤 낮은 저음이 붉은 입술에서 천천히 흘러나왔다.

"변호사가 하는 카페. 어때?"

"뭐?"

"로 카페(Law Cafe). 어떠냐고."

"뭐, 뭐? 로 카페?"

"그래."

"그건 또 뭐야? 대체? 아니, 그걸 어디에 하겠다고? 여, 여기에?"

"그래, 여기."

언뜻 봐도 복잡해진 얼굴로 정호가 털썩 자리에 주저앉았다. 평온했던 일상을 누리던 집에 운석이라도 떨어진 모양이었다.

"아니, 자기랑 같은 건물에 들어오는 게 왜 그렇게 싫지? 내가 그렇게까지 싫을까?"

새연의 집 현관에 들어서자마자 유리는 답답했던 속내를 쏟아 냈다.

"설마 싫기까지 할까?"

1층 카페를 유리가 인수하겠다는 말을 듣고 난 후부터 정호는 결사반대하고 나섰다. 핵폐기물 처리장도 아닌 카페일 뿐인데. 어째서 필사적으로 반발하고 나서는 건지 알 수가 없었다.

"요 며칠, 그 얘기 한 이후로 죽어라고 반대만 하더라니까."

유리는 거실의 소파로 향했다. 한 치의 흐트러짐 없이 언제나 완벽한 모습을 유지하던 그녀답지 않게 소파에 벌러덩 누워 버렸다. 제일 가까운 친구 앞에서만 보이는 빈틈이었다.

"정호가 너를 좀 무서워하기는 하지."

좀 때리기는 했다. 워낙 김정호가 시시각각 맞을 짓을 하니까. 툭하면 헛소리를 해 대는데 어쩔 도리가 없다. 그나마 유리가 등짝 스매싱으로 제지하니 덜 하는 게 그 정도였다. 고등학교 때부터니 이런 관계도 벌써 14년 가까이 되었다.

"아무리 그래도 친구 사이에 진짜 '무서워'한다는 게 말이나 되냐?"

"하긴, 그렇긴 하지. 정말 싫고 무서웠으면 여태 친구로 지내진 못했을 거야."

새연도 이내 수긍했다. 정호가 힘이 없어서 여자인 친구에게 하릴없이 맞고 있을까. 아니라는 것쯤은 진작 알고 있었다. 그는 군법무관 생활조차 일반적이지 않았다. 연수원 동기 중에서도 단 한 명만 선발하였던 특전사로 군 복무까지 마친 바 있었다. 기본적으로 출중한 건 능력과 외모만이 아니었다. 체력도 좋았다. 정호는 유리에게 그냥 '맞아 주는' 거였다.

"김정호 진짜 어이없는 게, 후문 쪽엔 학생들이 없고 주민들도 별로 카페를 찾지 않으니 망하기 딱 좋다느니, 카페 터가 별로 안 좋다느니. 나중에는 주방 수압이 약하다느니, 거리 공기가 안 좋다느니, 동네 물이 안 좋다느니…… 개 풀 뜯어 먹는 소리만 해 대는데. 별의별 말을 다 하더라니까."

"그냥 너, 로(Law) 카페인지 뭔지 그거 아예 못 하게 하려는 거 아니야?"

새연이 조심스럽게 물었다. 사실 유리가 로펌을 그만두고 카페를 하겠다고 했을 때 놀란 건 정호만이 아니었다. 준원과 새연, 그리고 미국에 가 있는 혁준까지도, 오총사 모두 기함하고 말았다. 카페. 그것도 법률 상담을 해 주는 변호사의 카페라니.

"나도 솔직히 좀 이해 안 되거든. 너 다니던 로펌이 연봉 어마어마하잖아. 업계 최고라며. 일이 많기는 했어도 그만큼 돈으로 보상은 충분히 해 준다는데, 들어가기도 힘든 곳을 제 발로 뛰쳐나오니 걱정을 안 할 수가 있냐."

"로펌 들어간 순간부터 계획했던 일이야. 3년 넘게, 아니 어쩌면 훨씬 오래전부터. 사시 보기 전부터 생각했는지도 몰라. 자세히 알아본 기간도 오래고, 돈도 그래서 모았고. 마음 바꿀 생각은 없어."

하긴, 그렇지. 그래야 김유리지. 심지가 굳은 그녀답게 확실했다. 똑 부러지는 말에 새연은 저도 모르게 고개를 끄덕였다. 유리는 로펌 생활에 대해 불만을 표한 적도, 다른 진로에 대해 고민을 한 적도 없었다. 모든 준비가 될 때까지 뒤에서 그저 차분히 칼만 갈고 있던 것이다. 그것도 아주 오랫동안.

"사실 나도 처음 하는 일이라 불안하고 걱정도 많아. 이럴 때 솔직히 같이 공부한 친구가 가까이 있으면 좀 좋냐?"

"음……. 아! 그래! 그거네!"

새연이 답을 찾아냈다는 듯 손뼉을 쳤다.

"네가 부려 먹을까 봐, 그래서 그런가 보다."

"걔도 하는 일이 있는데 내가 왜 걜 부려 먹겠어."

"김정호가 하는 일이 어디 있냐? 얼마 전에 망한 웹툰? 다음 건 재계약도 못 했잖아."

"못 했나? 재계약?"

새연이 부지런히 말을 이었다.

"응, 못 했지. 그러게, 난 김정호의 그 말도 안 되는 만화와 계약해 준 분이 용자다 싶었어. 걔 웹툰 때문에 잘리지는 않으셨나 몰라."

"재미가 더럽게 없긴 했어."

"정호 이제 완전 백수라서 시간은 많지, 커피 귀신이라 매일 카페 내려가서 죽치고 있지, 머릿속에 든 건 터질 만큼 많지, 부려 먹기 딱 좋잖아."

"시간 많고 머리 좋으면 뭘 해. 그런 뺀질이 토깽이 새끼를 부려 먹다가는 내가 먼저 돌아가실 거다. 답답해서."

그 말도 일리가 있네. 새연이 고개를 끄덕였다.

"너희가 상극이긴 하지."

"좀 그렇지?"

"그래. 공부하는 스타일이며, 성격이며, 사는 모습 하며. 너는 뭐든지 열심인데 정호는 헐렁헐렁하잖아."

"내가 그래서 좀 무시하고 그랬나?"

"툭툭 뱉기는 했지."

평소의 자신이 정호에게 함부로 대했으니 그도 그렇게 생각하는 것이겠지. 그게 진심은 아닌데. 편해서 그런 것뿐인데.

"그런데 너희도 진짜 신기한 사이야. 사귄 적도 있으면서 어째 그리 아무렇지도 않을 수가 있어?"

정호와 유리는 친구가 아닌 연인이라는 이름으로 지낸 적이 있었다. 그건 말 그대로 이름뿐, 절대 연인 사이였다고 말할 수 없었다.

"정상적으로 사귄 것도 아닌데, 뭐."

"하긴. 그게 사귀었다고 말할 수는 없는 거겠지. 그때도 정호가 전혀 남자로 보이진 않았던 거야?"

"당연하지. 내가 그렇게 전 남친한테 데자마자, 또 남자가 눈에 들어왔겠어? 김성준 그 씨 발라서 죽 쒀먹을 개불 같은 새끼. 아, 생각하니까 또 스팀 빡 오르네. 오랜만에."

"워, 워. 야, 말 좀! 우리 아기 듣거든?"

"아아! 미안, 미안. 튼튼아, 이모가 미안해용. 못 들은 걸로 해 줘."

부푼 배를 감싸는 새연의 손에 제 손을 포개며 유리가 진심 어린 사과를 건넸다.

"그래서, 거기 말고 다른 곳 알아볼 거야?"

"음……."

새연의 물음에 유리는 커피를 한 모금 마시고 잠시 생각했다. 정호가 싫어하고 불편해하니 피해 줘야 하는 걸까. 아니, 그렇게까지 할 필요는 없지 않을까. 그래도 우린 친하다면 아주 친한 친구 사이인데.

유리는 무엇보다 후문 벚꽃 거리가 정말 마음에 들었다. 캠퍼스 안, 그리고 정문 쪽의 커다란 벚나무들과 달리 후문 쪽 벚꽃은 지극히 소박한 느낌이었다. 하지만 많은 사람이 봐 주지 않는다고 하여 아름다움마저 덜한 것은 아니었다. 잊고 싶었던 것인지, 자연스레 잊힌 것인지 모를 수많은 감정과 기억이…… 그곳에 살아 숨 쉬고 있었다.

"아니."

아무리 생각해도 답은 하나다.

"다른 곳 안 가. 그냥 계약해야겠어."

건물 옥탑방에 있는 김정호에게는 미안하지만. 아무래도 그 카페와 자신은 인연이라는 생각을 떨칠 수가 없었다.

"다른 건 몰라도, 시설비랑 공사비 많이 안 들이고 가는 건 정말 땡잡은 거야. 고칠 것도 거의 없죠?"

계약을 진행하게 된 공인중개사 윤 실장이 유리의 눈치를 살살 보며 말했다. 새로 들어올 카페 역시 망할 게 불 보듯 빤한데 덥석 계약을 진행하자니 영 찝찝한 모양이었다. 연신 입술에 침을 바르고 있는 걸 보면. 물론 그런 점을 개의치 않았기에 유리도 계약을 결심한 것이었다.

"네, 고칠 거 정말 없던데요. 워낙 잘 꾸며 놓으시고, 잘 관리하셔서 아주 깨끗했어요. 인테리어도 예뻐서 추가로 손볼 곳이 거의 없더라고요."

유리가 소파 맞은편에 앉은 카페 사장을 보며 말했다. 20대 중반으로 보이는 그녀는 명품 로고가 대문짝만하게 박힌 선글라스와 가방을 테이블 위에 턱 하니 올려 두었다. 팔짱을 끼고 다리를 꼬아 앉은 자세 역시 졸부집 딸이라도 되는 듯 품위 없고 오만하였다.

"깨끗하겠죠. 별로 사용을 안 했으니까요."

휴대폰에 시선을 둔 채 그녀가 성의 없이 대답했다. 하긴, 계약하기 전에 몇 번이나 카페에 들르는 동안에도 사장이라는 그녀를 직접 본 적은 없었다. 늘 직원에게만 맡겨 두고 어딜 그렇게 나돌아 다니는 건지. 더 웃긴 건 커피 가격이 거의 오성급 호텔 라운지 수준이라는 것. 대놓고 우리 카페 오지 마시오, 하는 것과 다름없는 가격 책정에 유리는 실소를 머금었다.

유리는 카페 사장의 숙인 정수리를 물끄러미 쳐다보았다. 어서 건물주가 와야 계약을 마치고, 이 버르장머리 없는 아가씨와도 이런저런 계산을 마칠 텐데.

한편 윤 실장은 괜히 목을 긁으며 일어섰다.

"아니, 금방 온다더니…… 올 때가 됐는데."

차라리 나가서 기다려 볼까, 하고 걸음을 옮기는데 문이 벌컥 열렸다.

"아이고, 오셨네!"

유난히 반갑게 맞이하는 소리에 유리가 천천히 고개를 돌렸다. 그리고 낯익은 청록색 추리닝을 보고 멈칫했다. 그 역시 유리를 보고 당황하는 얼굴이었다. 유리는 안 그래도 반듯한 허리를 더 곧게 세우며 뒤쪽을 살폈다. 추리닝 뒤에 누군가 있겠지. 그러나 아무도 보이지 않았다. 윤 실장은 이제 막 들어선 추리닝의 주인공 손을 맞잡으며 반갑게 흔들었다.

"어서 와요. 빨리 앉아. 여기 계약서 있고."

카페 사장도 지루한 기다림에서 해방되었다는 듯 고개를 들고 살짝 미소 지었다. 귀찮은 과정 다 생략하고 어서 돌아가고 싶은 마음을 감출 수 없어 보였다. 유리는 잠시 눈을 깊게 감았다가 떴다. 혼란스러움이 밀려들었다. 제 맞은편에 와서 앉는 인간이 자기가 아는 인간이 맞는지 의심스러웠다. 환하게 밝혀진 시야에 다시 들어온 사람. 덥수룩한 머리 아래 그 작은 얼굴은 분명…….

"야…… 김정호."

그가 바로 건물의 주인이었다.

슈퍼는 이른 새벽부터 문을 열었다. 아침 식사를 준비하는 주부가 콩나물이나 두부, 계란 같은 것을 사기 위해 나오면 슈퍼의 김천댁 아줌마는 반갑게 맞이했다. 그리고 매일 까칠한 턱수염을 문지르며 우유를 사러 들르는 정호도 반겨 주었다.

작은 슈퍼의 규모치고 물건 회전이 빠르기에 대부분의 제품이 싱싱한 편이었다. 새벽안개가 걷히기 전 한강 변을 뛰고 난 후, 슈퍼에 들러 우유를 사는 것이 그의 소소한 기쁨이었다. 정호가 상체를 구부려 슈퍼 안으로 들어섰다. 땀에 푹 젖은 그를 보며 김천댁 아줌마가 물었다.

"또 뛰고 왔어?"

"체력은 국력이니까요."

나라를 위해 하는 일이라고는 숨쉬기밖에 없으면서 뻔뻔한 얼굴로 정호가 대답했다.

"게으른 것 같으면서도 부지런하고. 참 희한하단 말이야."

"그렇죠? 어휴! 나의 이 야누스적인 매력이란."

"야누스가 뭔데?"

"두 개의 얼굴을 가진 신이죠."

뭐래, 하는 얼굴로 김천댁 아줌마가 까만 비닐봉지를 척 내밀었다.

옛다! 헛소리 말고 이거나 먹어라!

"자, 미리미리 싸 놨지."

"이야! 우리 아줌마, 센스가 역시."

그걸 받아 든 정호는 안을 살펴보았다. 투명한 피라미드팩의 매력, 커피 우유 두 개와 주황색 소시지 두 개가 들어 있다. 매일 새벽 정호가 슈퍼에 들러 사 가는 것이었다.

"보니까 카페에 앉아 커피를 종일 마시던데, 왜 커피 우유까지 마시는 거야."

"맛있잖아요."

커피 우유 두 개와 소시지 두 개. 아침에 이것만 있으면 하루 에너지 충전 완료다.

"이런 거 말고 몸에 좋은 걸 먹어야지. 운동만 하면 뭐해. 혼자 살수록 잘 챙겨 먹어야 하는 거야. 이따 점심때 김치전 할 건데, 와서 좀 먹어."

"나더러 와서 자꾸 뭘 먹으라고 그러고, 자꾸 챙겨 주려 그러고. 어후, 나도 알아요. 내가 봐도 좀 모성 본능 일으키고, 지켜 주고 싶고, 막 그런 스타일이다. 그렇죠?"

"모성 본능 좋아한다."

"뭐야. 그럼 동정이에요? 동정은 사양할게요. 저, 그렇게 나약하지 않습니다."

"거참 말 많네. 동정은 무슨. 번듯한 건물을 두 개나 가진 사장님한테. 이번에 계약 날짜 돌아오잖아. 나 월세 올리지 말라고 뇌물 주는 거야. 잔말 말고 이따 와서 먹어."

정호는 김천댁을 보며 웃었다.

"아우, 뇌물이라고 진작 얘기하셔야 제가 넙죽 받잖아요. 나 야무지게 열 장 먹어야지!"

"김치 아주 잘 익었어. 지지면 엄청 맛있을 거야. 열 장 아니라 백 장도 해 줄 테니까 염려 말고 와."

"네. 자, 여기 계산이요."

김천댁과의 짧은 수다로 하루를 연 그는 검은 비닐봉지를 달랑달랑 들고 슈퍼에서 나왔다. 슈퍼가 있는 작은 건물을 스윽 올려 보고, 뒤돌아서 옥탑방이 있는 건물 쪽으로 천천히 내려갔다.

인적이 드문 새벽 거리. 1층의 카페는 굳게 닫혀 있었다. 2층의 소아청소년과도, 3층의 디자인 사무실도 열기에 아직 이른 시간이었다. 정호는 건물 앞 나무에 기대서, 검은 봉지 속에 든 커피 우유를 하나 꺼냈다. 치아로 한 꼭짓점 부근을 뜯고 흰 빨대를 푹 꽂아 쭈욱 들이마시며 눈앞의 카페를 물끄러미 바라보았다.

카페를 운영하던 젊은 사장이 짐을 빼서 나가는 날은 바로 어제였다. 보증금을 반환해 주고, 시설은 정호가 인수해 두었다. 직접 운영을 할 생각은 없으니 오늘부터 카페는 공실이다. 유리와는 계약하지 않았다. 아니, 할 수 없도록 상황을 만들었다. 카페를 계약하러 온 사람이 있다고 하여 부동산에 갔더니 유리가 있었다.

'야…… 김정호.'

'김유리! 너 뭐야. 지, 진짜 계약하려고?'

다음 세입자가 제법 빨리 나타나서 놀라긴 했지만, 설마 유리일 거라고 생각 못 했다. 자신이 건물주였다는 사실을 말하지 않았기에 정호도 꽤 당황했었다. 그간 이 건물에 대한 셀프 디스를 시전해 보이며, 못 들어오게 하려고 별의별 소리를 다 했었는데. 내 말은 귓등으로 들은 거였냐.

놀란 유리를 앞에 두고 정호는 그 자리에서 임대료를 두 배로 올려 불렀다. 미쳤다는 소리야 귀에 못 박히도록 들어 왔기에 상관없다. 카페 전 주인이야 빼 줄 돈 계산만 확실하면 되니 별문제 없었지만, 유리가 길길이 날뛰었다.

'보증금이랑 세를 이렇게까지 올려 버리는 게 어디 있어!'

'여기 너무 비싸면 다른 곳으로 가는 게 어때. 카페 자리가 꼭 여기만 있는 건 아니잖……'

'너 지금 계약하러 오기 전에 멘탈을 토스트기에 노릇노릇 구워 버렸냐? 제정신 아닌 것 같다? 여름 오기도 전에 더위부터 말아 먹은 거 아니지?'

'내 멘탈 얌전히 잘 있어. 제정신으로 하는 말 맞거든.'

'지금 네가 얘기한 임대료가 시세와 맞는다고 생각해? 실장님은 어떻게 생각하세요?'

'아, 저 그게……. 이렇게 해서 점포가 공실 나면 정작 손해는 건물주가 볼 텐데……'

공인중개사 윤 실장이 유리의 포스에 눌려 쭈뼛거리며 답했다.

'그래, 너도 들었지? 손해는 내가 보는 거야. 네가 아니고. 누가 이 돈에 여길 계약하겠냐고. 그냥 너는 다른 동네로……'

'야!'

유리가 버럭 소리를 지르자 뭔가 되게 잘못한 기분이 들었지만 쫄지 않기로 했다.

'장난치지 마라. 김정호. 개나리반에 다니는 조카한테 십팔 색 크레파스 뺏어다 마빡에 던져 버리는 수가 있다.'

이 나라 미스코리아는 욕 배틀을 벌여 선발하는 것인가. 아아, 조국이 참으로 자랑스럽구나.

'마빡의 힘줄을 다 뽑아 기타 줄로 튕겨 버릴 거라고, 너.'

'그. 그래. 기타 선율이 참 고울 것이다. 내 마빡 힘줄이 또 좀 고급이냐.'

미스 서울 선에 빛나는 미모를 가진 그녀가 세상의 모든 욕을 끌어모아 자신에게 퍼부었다. 이 와중에 정호의 용기는 전장에 나가는 장군의 것과도 같았으니, 그마저도 가볍게 씹어 버릴 수 있었다. 등짝 스매싱에 맞서 단련한 패기가 이럴 때 빛을 발할 줄이야. 건물주가 공실의 위험을 감수하고라도 기어이 세를 올리겠다는데 어쩌겠는가. 다른 곳으로 가면 그뿐이겠지.

취이익. 액체는 동나고, 팩 속의 엄한 공기를 빨아들이는 소리만 요란했다. 그것도 모르고 정호는 의미 없이 빨대를 문 입에 힘을 주었다. 그러다 다 마셔 버렸다는 것을 뒤늦게야 알고 허탈한 숨을 내쉬었다. 어찌 됐건 계약이야 막아 냈다. 유리는 카페를 해도 왜 하필 자기 건물에 꽂혀서 난리인지. 정호의 마음은 편치 않았다.

"김정호!"

하늘에서 자신을 부르는 소리가 들려온다. 새벽녘의 꿈인 걸까. 마치 유리의 목소리 같구나…….

"야! 김정호!"

아련하게 젖어 있던 상념을 깨우는 목소리.

"야! 이 추리닝 또라이야!"

정호는 퍼뜩 고개를 들었다. 뭐지, 현실인가. 건물을 훑어 올라간 시선은 꼭대기에서 멈추었다. 옥상 난간에 서서 아래를 내려다보는 유리의 얼굴.

"굿모닝!"

그녀가 손을 흔들었다. 아침 해가 뜨고 있었다. 점차 밝아지는 하늘과 달리 그의 마음엔 먹구름이 밀려들었다. 옥상에 올라왔더니, 어느새 유리가 평상 위에 정좌하고 있었다. 보리수나무 아래 앉은 수행자처럼 생과 사의 이치를 깨닫는 중인가.

"김유리. 너 여기서 뭐 해?"

이른 새벽이었다. 유리가 이 시간에 여기 있을 이유는 사실 없다.

"이 건물의 주인님께 아침 문안 여쭈러 왔사옵니다."

싱긋 웃으며 일어선 유리가 자신을 향해 절을 하려고 했다. 마치 세뱃돈 뜯으러 온 조카 같은 자태로. 조…… 조카. 십팔 색. 크레파스. 기타. 으악. 내 마빡.

"어허! 야, 야! 하지 마! 하지 마!"

그 절을 받았다가 무슨 봉변을 당할 줄 알고. 정호는 기겁하여 달려가 유리를 붙잡았다.

"어어어!"

힘이 너무 셌다. 평상 위에 섰던 유리의 팔을 잡자 그녀의 몸이 휘청 기울어졌다. 이대로 바닥에 머리부터 박히겠다 싶어 정호는 반사적으로 유리를 받아 안았다.

풀썩, 그녀의 몸이 평상에서 떨어져 내려왔다. 빙그르르 안아서 돌렸다. 그 덕분에 다행히 한꺼번에 뒤로 넘어가지는 않았다. 대신 허리가 꺾인 채 품속에 들어온 그녀의 등을 받치고 섰다. 몸이 딱 붙어 버렸다. 얼굴은 심하게 가까웠고, 코가 닿을 것만 같았다.

고전 영화 『바람과 함께 사라지다』의 포스터 뺨치는 훌륭한 자세였다. 물론 건전한 친구 사이에 하고 있을 포즈는 아니었다. 어색함은 순식간에 찾아들었다. 짹짹. 짹짹. 어디선가 참새 지저귀는 소리만 울려 퍼지는 듯했다. 아침부터 이 무슨 묘한 분위기인지.

"어휴. 땀 냄새."

유리가 먼저 몸을 밀쳐 냈다. 공손하게 굴던 태도는 어디 갔는지 손길이 제법 사나웠다. 놀란 탓이었다.

"조깅 한번 격하게 하셨네. 김정호 너, 땀 냄새 장난 아니야."

"내가 이래서 대낮에 운동을 못 해요. 사람들 눈 피해 꼭두새벽에 운동해야 하는 내 신세. 너까지 나한테 반하면 곤란하다."

"네 땀 냄새가 곤란하거든? 빨리 씻기나 해."

유리가 정호의 등을 팍 밀쳤다.

"너 안 가?"

"뭘 오자마자 가? 온 김에 아침 먹어야지."

아침부터 같이 밥 먹자고 찾아온 유리의 속셈, 모를 리 없다. 얼마 전까지만 해도 무섭게 다그치고 협박하던 유리였다. 계약해 주길 종용하면서. 부동산 윤 실장마저 자신을 설득하고 나섰다. 그렇게 임대료를 심하게 올려 버리면 유리뿐만 아니라 아무도 안 들어올 거라 했다.

빙고! 그걸 원한 정호였다. 일단 유리만 포기하고 다른 곳으로 가 주면 된다. 세입자야 그 이후에 다시 임대료를 낮춰 들여도 되는 것이라 생각했다. 하지만 유리가 이렇게 끈질기게 자신의 목을 잡고 짤짤 흔들 줄은 몰랐다.

아니! 대한민국 서울 시내에 카페 자리가 여기 아니면 없는 것도 아니고! 협박 버전에서 상냥 버전으로 갈아탄 그녀가 아침 댓바람부터 찾아오자 정호는 마음이 심란해졌다. 차라리 때려라. 웃으니까 더 무섭잖아, 이 여자야.

"가라. 나 샤워도 해야 하고, 할 일 많다."

"절친을 문전 박대 하는 법이 세상에 어디 있냐?"

유리는 기어이 현관 안으로 들어섰다.

"이야, 역시 좋다니까. 누가 여길 보고 옥탑방이라고 하겠어."

개조해 놓은 옥탑방 안은 꽤 넓은 원룸이었다. 정호가 건물을 매입하고 나서 제일 먼저 한 일이 생활하기 부족함 없도록 옥탑방을 공사하는 것이었다. 부모님이 귀향하시고 나자 넓은 집에 혼자 살기도 적적하고 해서, 이곳으로 짐 싸 들고 와 버렸다.

"너 솔직히 말해. 건물 있는 거 왜 숨겼어?"

"숨기긴 뭘 숨겨."

사실을 알고 서운해했던 친구들이었다. 정호가 농담이며 헛소리는 잘 해도, 원체 깊은 이야기는 잘 안 한다는 걸 알고는 있었다. 그 때문에 유리는 배신감까지 느껴진다고 하더니, 그래도 화는 어느 정도 가라앉은 모양이었다. 다행이었다. 일부러 감추려던 것은 아니었지만 자랑 삼아 얘기할 것도 못 된다고 생각했기에.

"건물 있다고 하면 ……너희가 나 뜯어먹을 거 아니냐."

"쪼잔한 자식. 월세 받아먹으며 팽팽 노는 놈이 뜯길까 봐 그걸 감춰?"

"양심 있으면 생각 좀 해 봐라. 너희가 좀 많이 먹냐? 아마 일 년에 이 건물 한 채도 모자랄 것이다."

"그건 그래."

쿨하게 인정하며 유리가 고개를 끄덕였다. 물론 정호를 이해 못 할 것도 없다. 이름만 대면 알 만한 그룹의 막내딸이 그의 어머니였고, 안타깝게도 그 사실은 청렴함을 무기로 하는 그의 아버지에게 유일한 핸디캡으로 작용해 왔다. 불과 얼마 전에도 그 문제가 수면 위로 떠오르기도 했고.

검사장이었던 아버지가 불미스러운 일로 퇴임하면서, 그즈음 정호 역시 3개월 만에 검사 생활을 접고 뛰쳐나왔다. 복잡한 상황이었고, 정호는 그때 일을 이야기하는 것을 극도로 싫어하였다. 놀고먹으면서 부모님께 증여받은 건물을 쥐고 있는 사실은 굳이 말하고 싶지 않았던 모양이었다. 제힘으로 얻은 것이 아니니 자랑스럽지도 않았을 테고, 친구들에게 얘기할 필요가 없다고 생각했겠지.

그가 작년 말에 작업실을 이쪽으로 옮겨 왔으니 아마 건물 매입도 그때쯤일 테고, 외가 쪽으로부터 흘러온 재산이겠거니 했다. 더 이상 캐묻는 것도 친구 간의 예의가 아니지 싶었다.

"그래도 달에 한 번씩 곱창은 사라, 너?"

"콜."

"그런 의미에서 건물주님, 친구의 카페 인수 건에 대해서도 넓은 아량을 베푸시어 재고(再考)해 보심이 어떨지요?"

상냥 버전의 유리가 화사한 웃음을 머금고 말했다. 표정이 썩어 가는 정호를 보고도 태연한 얼굴로 유리가 냉장고를 열었다.

"뭐가 이렇게 없냐. 쯧쯧. 달걀도 없고. 할 수 없네, 그냥 간단하게 김치볶음밥이나 해 먹……."

그나마 들어 있던 김치통을 꺼내며 유리가 돌아서다가 멈칫했다. 정호는 후드로 된 추리닝 윗도리를 벗어서 빨래통에 던져 넣었고, 하나 남은 반팔 티셔츠 끝자락을 붙들고 있었다. 당장에라도 벗을 기세로.

"나 씻는다. 좋은 말 할 때 가라."

네가 상냥이면 이번엔 내가 협박이다. 하지만 유리는 정호의 도발에 아랑곳하지 않고 싱크대 위에 김치통을 유유히 올려놓았다. 이에 정호는 기어이 땀으로 흠뻑 젖은 티셔츠를 훌렁 벗어 버렸다. 그러자 맨몸이 드러났다.

유리는 티셔츠를 통에 던져 넣은 정호를 다소 까칠한 눈빛으로 바라볼 뿐, 전혀 굴하지 않았다. 애쓴다, 너도 참. 쯧쯧, 혀를 찬 유리는 싱크대를 등지고 걸어오더니 바닥에 앉았다. 매끈하니 자잘한 근육이 보기 좋게 자리한 정호의 상체를 쓱 훑어보는 시선은 당당하기만 했다.

"씻고 나와. 기다릴게."

"뭘 기다려! 가라고, 김유리. 내가 왜 내 방에서 불편하게 마른 옷 싸 들고 욕실에 들어가야 하는데?"

혼자 살다 보니 샤워하기 전후에 홀딱 벗고 다니는 것이 익숙했다. 그러니 가라고 하는데도, 유리는 아예 옆으로 누워서 손으로 탁 얼굴을 받치는 게 아닌가. 본격적으로 관람하겠다는 태도였다.

"아, 진짜. 너 후회하지 마라. 나 정말 벗는다."

정호가 한껏 위협하는 눈빛으로 추리닝 바지의 허리춤을 잡고 내리려는데, 유리는 옆으로 누운 채 싱글싱글 웃을 뿐이었다. 예쁜 얼굴에는 장난기가 그득했다. 눈을 반짝거리며 제 몸을 훑어보는 저 여자가 친구인지 웬수인지. 이러니 정호는 괴로울 수밖에 없었다. 제 마음을 안다면 이러진 못할 건데.

"백수 되고 나서 운동 미친 듯이 하더니 보람 있네. 몸 조오타. 저기 옥상 마당에 있는 운동 기구들이 빨래 건조대는 아니었구만."

"어떻게 된 애가 부끄러움이 없냐, 너."

"부끄러움이 뭔가요? 먹는 거야? 근데 왜 뜸 들여. 마저 벗어."

정호가 멈칫했다. 유리는 아무렇지 않은 눈빛을 까딱하며 손을 뻗어 계속하라는 모션을 취했다. 애초에 유리를 이기려 드는 것 자체가 무리한 시도였다. 바지까지 벗어 봐야 너만 손해일걸, 하는 저 태연한 시선.

"어휴…… 진짜."

정호는 결국 갈아입을 옷과 속옷을 싸 들고 욕실로 들어갔다. 문을 쾅, 닫고 들어갔지만 밖에서는 푸하하, 웃는 소리가 들려왔다. 정호는 옷을 벗고 샤워기 아래 섰다. 땀이 식은 몸 위로 물줄기가 떨어졌다. 쏴아아, 물소리를 들으면서 멍하니 서 있었다.

"아…… 기 빨려."

유리와는 5분 이상 대화를 지속하지 말아야 하는데. 아마 1층 카페로 들어오면 이런 식으로 밤이고 낮이고 얼굴을 봐야 할 것이다. 그걸 어떻게 감당하겠는가.

"나는 못 한다. 나는 못 한다."

심장 터질 수도 있다. 생각만 해도 눈앞이 캄캄했다. 정호는 고개를 절레절레 저었다.

샤워를 마친 후 몸의 물기를 수건으로 닦고, 그 위에 속옷부터 바지, 티셔츠까지 다 챙겨 입었다. 건식 욕실이 아닌지라 젖은 공간 안에서 옷을 입기란 불편하기만 했다. 결국 정호는 한참 만에 욕실에서 나왔다. 수건으로 머리를 툴툴 털면서 나왔더니, 실내가 조용했다.

"뭐야, 왜 이렇게 조용해. 조용하면 불안한데……."

정호는 스윽 주변을 살폈다. 아무도 없었다.

"갔나? 갔나 보네."

여태 긴장하고 있었던 몸이 풀어졌다. 후우, 긴 한숨을 내쉬었다. 그때 눈에 들어온 것은 테이블 위에 놓인 음식, 김치볶음밥이었다. 모락모락 김이 올라오는 걸 보니 방금 완성한 모양이었다.

하지만 원룸 안 어디에도 유리의 모습은 찾을 수 없었다. 밥만 해 놓고 인사도 없이 가다니. 그렇게 가라, 가라, 해 놓고는 막상 진짜 가니 또 아쉬웠다. 이렇게 자신을 들었다 놓았다 하니, 김유리가 요물은 요물이다.

"어?"

김치볶음밥 접시 옆으로 종이가 보였다. 다가가서 보니 유리의 글씨였다.

<존경하는 건물주님. 커피 우유와 만하장사 소시지 따위가 어디 장성한 남자의 에너지원이 되겠습니까. 제가 진상하는 김볶밥을 드시옵소서. 소녀는 내일 다시 찾아뵙겠사옵니다. 그럼 이만 씨유투모로우. 굿베이 총총.>

젠장. 신종 희망 고문이 시작되었다. 이게 얼마나 괴롭게 하는 건 줄도 모르고. 물론 유리가 제 마음을 알았다면 이렇게 친구로서 오랜 시간 동안 곁에 있진 못했을 거다. 어쩌다 보니 감추게 되었고, 그러다 보니 계속 감췄고, 쭉 감춰야 하는 상황들이 생겨 버렸다. 아무것도 모르면서 이렇게 해맑은 얼굴로 자신을 헤집어 놓으면 어쩌자는 건지.

정호는 물기를 털어 낸 수건을 휙 던졌다. 테이블 앞에 앉아 숨을 크게 들이켜고는 숟가락을 들었다. 빨갛게 윤기가 도는 김치볶음밥이 정말이지 먹음직스러웠다.

"내가 이걸 먹는다고 해서 김유리에게 굴복하는 건 아니야. 절대 아니지.

이것 때문에 계약을 해 주지는 않을 거니까."

누가 듣는다고 정호는 목소리를 한껏 진중하게 낮추었다.

"안 먹으면 버려야 되고, 버리면 음식물 쓰레기가 발생하는 건 당연한 이치잖아. 음식물 쓰레기로 인한 경제적 손실 연간 약 20조 원, 처리 비용이 약 8천억 원 이상이 소요되는 현시대, 국가 경제를 위해서 이 김치볶음밥은 꼭 먹어야 하는 거지."

결의에 찬 얼굴로 숟가락을 쥔 채 김치볶음밥을 뚫어지게 쳐다보며 말을 이었다.

"게다가 세계 곳곳에서는 먹을 것이 없어 12억 명 이상이 배를 곯고, 세계식량계획(WFP)에 의하면 아이들이 6초에 1명씩 죽어 가고 있다고 했으니, 생명 문제를 인식해서라도 이 김치볶음밥은 꼭 먹어야만 하는 음식인 거야."

정호는 굳이 외운 적 없어도 눈앞에 펼쳐지는 음식물 쓰레기에 관한 통계와 수치들을 짚어 보았다. 그래! 이건 국가 경제와 세계 생명 문제, 녹색 환경을 위한 일이다. 그런 의미에서 어쩔 수 없이 한 숟가락 떠서 입에 넣었다.

"아이 씨. ……맛있잖아."

정호는 밀려 나오는 한숨을 김치볶음밥과 함께 삼켰다.

이건 잘못되어도 한참 잘못되었다.

왜 온종일 옥탑방에 죽치고 있는 여자가 하필 김유리인 건지. 첫날은 워낙 자신이 불편해하는 것 같으니, 밥만 차려 놓고 사라져 준 모양이었다. 그런데 다음 날부터 슬금슬금 체류 시간을 늘려 가더니, 일주일째 되자 거의 한나절을 버티고 있었다.

무슨 시위를 만화책 보며 한단 말이냐. 유리는 평상에 엎드려 누워 종아리를 까딱까딱 앞뒤로 흔들며 지금 만화책을 보는 중이다. 저놈의 평상을 부숴 버리든지 해야지. 집 안으로 못 들어오게 했더니 이젠 아예 평상을 점령하고 있었다.

정호는 애써 모른 척하며 창문을 등졌다. 소파로 와서 무선헤드폰을 쓴 채 TV 화면만 바라보았다. 그 재미있는 좀비 영화에도 집중이 되질 않았다.

으으으.

쩔뚝. 쩔뚝.

두두둑. 두두둑.

소파 위에 양반다리를 하고 앉아 화면 속을 가득 채운 좀비 떼를 무감하게 바라보았다. 밖에 버티고 있는, 미코 출신 평상 좀비가 더 무서운 것 같다. 정호는 왠지 등 뒤가 서늘한 기분이 들었다.

그때, 툭툭.

"흐악!"

헤드폰을 벗어 던지며 정호가 소리를 질렀다. 소파 위에 올라선 채 눈을 껌뻑거리며 정신을 가다듬었다. 시야에 유리가 들어왔다. 좀비보다 더 무서운 바로 그녀가.

"으아! 깜짝 놀랐잖아!"

뒤에서 자신의 어깨를 툭툭 두드린 것이다. 정호가 가슴을 쓸어내리며 헉헉, 숨을 몰아쉬었다. 유리는 안됐다는 표정을 지었다.

"지금 저게 무섭냐?"

화면 속 시시한 좀비와 아연실색한 정호를 번갈아 바라보며 유리가 혀를 끌끌 찼다. 누가 저게 무섭댔냐. 네가 무섭지.

"너, 너 어떻게 들어왔어, 여기!"

집에 못 들어오게 하자 평상을 점령하고 있던 유리가 아니었나. 순간 이동이라도 한 건지, 아니면 문을 부수고 들어온 건지. 아마도 후자가 더 유력하지만, 유리의 어깨 너머로 현관을 보니 문은 멀쩡했다.

"화장실 너무 가고 싶은데, 문 두드려도 안 나오고, 전화도 안 받고. 자는가 싶어서 들어왔지."

"어떻게!"

"비번 누르고."

"뭐? 비밀번호를 네가 어떻게 알아서?"

"너 누를 때 봤지. 다 보라고 가리지도 않은 거 아니야?"

설마 그걸 외워 놓았을 줄이야. 정호는 당장 비밀번호부터 바꿔야겠다고 생각했다.

"나 들어와서 화장실 쓰는데도 너 모르더라. 좀비에 푹 빠져 있더만. 헤드폰 귀에 안 좋아. 그냥 소리 켜고 봐."

"보, 볼일 다 봤으면 빨리 나가."

"방금 들어왔는데 뭘 벌써 나가래. 만화책 뭐 새로운 거 없어?"

유리는 책장 쪽으로 다가갔다. 들어온 김에 자리 깔고 누울 셈인가 보다.

정호의 책장에는 법전이라고는 하나도 없이, 시시껄렁한 책들만 가득했다. 하다못해 <화장실 유머> 같은 책도 꽂혀 있었으니까. 누가 이 책장을 전직 수사검사의 것이라고 볼까.

한국대 법대 수석 입학, 재학 시절 사시 패스에, 최연소 연수원 입소. 게다가 그 혹독한 사법 연수원을 수료할 때는 2년 합산 최고 성적을 받은 수석 수료생으로 대법원장 상을 받기도 했다. 그렇게 수석을 놓치지 않았음에도 불구하고 김정호는 늘 여유롭기만 했다.

"어떻게 검사였던 놈 책장에 법이랑 관련된 책이 단 한 권도 없냐. 징하다, 너도 참."

책장 앞에 팔짱을 턱 끼고 선 채 유리가 한심하다는 듯 말했다. 정호는 잔소리가 듣기 싫어 헤드폰을 머리에 썼다. 으으. 좀비 소리가 더 듣기 싫다. 진퇴양난이로구만. 결국 소음을 차단하기 위해 더 큰 소음을 선택했던 정호는 항복하여 헤드폰을 내려놓았다. 기다렸다는 듯 유리가 옆에 와서 앉았다. 또 시작할 모양이었다.

"우리 진지하게 얘기 좀 하자."

"난 할 얘기 없는데?"

괜히 제 턱선 위 수염을 긁적거리며 정호가 일어섰다.

"안 잡아먹어. 좀 앉아."

유리는 바르게 편 어깨를 으쓱해 보였다. 팔짱을 툭 낀 채 제 옆자리 소파를 턱짓하여 가리켰다. 말은 안 잡아먹겠다고 했지만 눈빛은 이글거렸다.

"나…… 겁나 바쁜데."

정호가 미적거리며 다가와 앉았다. 엉덩이 반만 걸치고 앉은 품새가 여차하면 문밖으로 달려 나갈 준비를 마친 듯했다.

"지금까지 좀비나 보고 있던 게, 백수가 바쁘면 얼마나 바쁘다고."

"영화 보지, 웹툰 보지, 미드 보지, 커피 마셔야지, 놓친 축구 경기 봐야지…… 24시간이 모자라. 자는 시간도 아깝다니까."

"많이 배웠으면서 그렇게 놀고 있는 게 더 나빠."

"이야, 우리 변호사 양반, 지금 고학력자 비(非)경제 활동 인구를 무시한 거지? 그 숫자가 작년보다 3.2퍼센트나 늘어나서 지금 380만 5천 명에 육박하는 거 알아? 너희 집 앞에 집결해서 단체 농성 하는 수가 있어. 방금 했던 비하 발언 절대 잊지 않겠다."

도도도 말을 뱉어 내는 정호가 유리는 얄밉기만 했다. 이래서 이놈과는 단둘이 대화를 오래 하면 안 된다. 법보다는 주먹이 가깝다는 진리를 일깨워 주니까. 어느새 정호는 본능적으로 슬금슬금 옆으로 피해 앉았다. 유리의 등짝 스매싱 폭탄을 언제라도 피하려는 동작이었다.

"됐고, 제대로 얘기 좀 해 봐. 너, 내가 이 건물 들어오는 게 왜 그렇게 싫은 거야?"

청산유수로 쏟아 내던 정호도 말문이 막혔는지 애꿎은 바닥과 천장만 번갈아 바라보았다.

"너, 나랑 자주 부딪치는 게 그렇게 불편해? 우리 성격이 좀 안 맞긴 하지?"

모든 일에 끝까지 매달려 악착같이 해내고야 마는 유리에 비해 정호는 지나치게 유들유들했다.

그녀는 언제나 전투에 나가는 장수 같았고, 그는 바람에 실려 떠다니는 돛단배 같았다. 정호가 최신음악을 들으며 책장을 팔랑팔랑 넘기는 모습만 보고 있노라면, 그 책이 형법 책인지 만화책인지 분간이 되지 않을 정도였으니까.

그에 비해 유리가 공부하던 모습은 금방이라도 터질 듯한 활화산이었다. 궁서체로 '지금 나 건드리면 죽여 버린다'고 쓰여 있는 것만 같았다. 정호의 주변엔 게으른 꽃바람이 불었고, 유리의 주변은 불길이 부지런히 타올랐다.

두 사람은 그렇게 대조적이었다.

"뭐…… 그렇게 찰떡궁합은 아니지."

"나 정말 너 귀찮게 안 할게. 괴롭히지도 않을게. 1층, 나랑 계약하자."

"초등학생 꼬시냐? 됐거든."

"도와 달라고 안 할게. 진짜 계약만 해 주면, 나 없는 사람처럼 죽은 듯이 카페에 처박혀 있을게. 응?"

한 건물에 있으면서 어떻게 시체 코스프레가 가능하단 말인가.

"이게 어디서 자꾸 나한테 약을 팔아."

"아는 사람이 더 무섭다더니. 친구 사이에 너 이러는 거 아니다. 그깟 약 좀 사 주면 안 되냐?"

정호는 유리에게서 조금 더 떨어져 앉았다. 소파 끝까지 엉덩이를 떨어뜨리고 양반다리를 하고 앉아서 말했다.

"여기 진짜 커피 마시러 올 사람들 없어, 정말. 예전 카페에서도 하루 매출의 절반은 아마 내가 올렸을걸."

"알아."

"망하기 딱 좋다고."

"상관없다니까."

"어떻게 상관이 없어! 힘들게 일할 거면서!"

정호가 자신도 모르게 큰 소리를 내질렀다.

"내가 힘든데, 왜 네가 화를 내."

유리가 낮게 말했다. 정호는 아픈 머리를 부여잡았다. 끄응, 머릿속 혈관이 다 터지는 것 같았다.

"김유리…… 네 성격에 카페고, 법률 상담이고, 좀 열심히 하겠냐. 아마 밤낮으로 쉬지 않고 일할 텐데. 그나마 커피를 사 마실 만한 학생들은 죄다 정문 쪽으로만 다니고. 여긴 동네 사람들뿐이야. 운영이 어려울 거, 꼭 겪어봐야 아냐?"

아마 카페보다는 변호사 업무가 주(主)가 되겠지. 보아하니 사무장도, 비서도 없이 시작하려는 것 같은데. 눈앞에서 그 고생을 하고 있으면 자신이 또 가만히 있을 리가 없다. 정호는 법조계 일을 다시 하고 싶지 않았다. 그렇다고 피 터지게 열심히 할 유리를 보고만 있는 건 더 힘들고. 그러니 이 계약을 하는 순간 그의 고행은 시작될 것이다.

"짜식, 또 친구라고, 내 걱정 이렇게 진지하게 하고 있는지는 몰랐네."

친구라서 하는 걱정이 아니다.

"정호야, 나 힘들다고 너한테 엉겨 붙는 일 없을 거니까, 절대 걱정하지 마."

그걸 걱정하는 게 아니라고, 헛똑똑이야. 제 마음을 모르는 유리는 저렇게도 속 편하게 얘기하고 있다. 정호는 말없이 헤드폰을 가져다가 귀에 썼다. 그 시끄러운 좀비 소리도 들리지 않았다. 귀가 멍했다.

　모르겠냐. 네가 힘들면 ……내가 싫다고.

　온갖 협박과 위협에서, 부드러운 회유로 노선을 변경했던 유리는 다음 날 또다시 전술을 바꾸었다. 지략에 한없이 뛰어난 여인이었다.

　늘 같은 새벽 시간. 정호가 강변을 뛰기 위해 조깅로로 들어섰다. 본가에서 옥탑방으로 옮기고 제일 마음에 든 것이, 한강과 가까워 운동하기 좋다는 점이었다.

　그때 한 여자가 눈에 들어왔다. 긴 팔다리를 쭉쭉 뻗으며 스트레칭을 하는 여자는, 뒷모습만으로도 상당한 오라(aura)가 느껴졌다. 자신뿐 아니라 근처 운동하는 사람들 대부분의 시선이 그녀에게 가 있었다. 추리닝을 저토록 완벽하게 소화하는 여자가 누굴까. 마치 스포츠웨어 광고에서 막 튀어나온 듯한 모습이었다.

　배우일 수도, 모델일 수도 있겠지. 정호 역시 얼굴이 궁금하긴 했지만 금세 호기심을 거두었다. 운동하러 나와서 침 흘리며 이성을 쳐다보는 것만큼 한심해 보이는 짓은 없으니까. 마음을 비운 정호는 천천히 달리기 시작했다. 탁, 탁, 탁, 탁. 바닥을 딛는 발소리가 경쾌했다.

　그때였다. 묵묵히 조깅을 하는 정호의 옆에 누군가가 다가와 함께 뛰기 시작했다. 모르는 사람이라고 하기엔 거리가 지나치게 가까웠다. 일부러 옆에서 뛰고 있는 것처럼. 대체 뭔가 싶어 고개를 돌렸더니.

　"허엇."

김유리였다. 새벽안개를 헤치고 그녀의 상큼한 미소가 날아들었다. 혼자 CF를 찍고 있는 유리와 눈이 마주쳐 놀란 정호의 다리가 꼬여 버렸다. 결국 괴상한 포즈로 넘어지던 바로 그때.

"으아아아아악!"

띠롱띠롱.

"아아아앗!"

맞은편에서 어떤 남자가 타고 오던 자전거가 크게 비틀거렸다.

우당탕탕, 쾅!

자전거를 탄 남자가 멀리서부터 유리에게 정신이 팔려 허둥대더니 방향을 잃고 만 것이다. 덕분에 당황한 정호와 요란하게 부딪혔고, 조깅로 한가운데 남자 둘이 대자로 뻗어 버렸다.

"흐으으윽."

꼬리뼈가 욱신거린다. 따사로운 봄날, 새벽녘 강변에서 일어난 일이었다.

5분 후, 결국 정호는 1층 카페 자리를 내어 주겠다는 약속을 하고야 말았다. 밤낮없이 쫓아다니는 유리를 더 이상 이겨 낼 수 없었다.

유리는 화사한 미소를 머금고 특유의 몸짓으로 흘러내리는 머리카락을 부드럽게 쓸어 넘겼다. 그게 사람 말려 죽이는 모습인지 저 자신은 모르는 것이 분명하다. 알고 하는 짓이라면, 여신이 아니라 여우가 분명하고. 그래! 여우다, 여우. 그것도 천 년 묵은 상여우, 아니 독을 품은 독여우! 아니고서야, 한낱 친구를 상대로 미인계를 쓸 리 없지 않은가!

"너! 진짜지?"

"그래."

"무르기 없기다!"

"……오냐."

"와! 드디어!"

강변 잔디밭 위에 긴 다리를 쭉 뻗고 앉은 유리가 기쁨에 찬 얼굴로 손뼉을 쳤다. 정호는 꼬리뼈가 아파 잔디 위에 벌러덩 누워 버린 채 눈을 감았다가 떴다. 목소리에는 힘이 하나도 없었다.

허망하다. 인생 뭐 이러냐. 결국 김유리 뜻대로 되는가. 늘 그렇듯이 자신의 의지와는 별개로 김유리의 끈기와 집념에 굴복해야만 하는가. 그녀의 술수 중 이번 미인계는 정말 강했다. 다음은 절교가 아닐까 싶었다. 초강수가 눈에 보이는데, 더 이상 핑계 댈 것도 없었다. 솔직히 말하면 어떻게 될까.

넌 모르겠지만, 난 늘 널 보고 있었다고. 너 아닌 다른 여자는 내게 아무런 의미가 없다고. 인연이 아니라면 잊어야 하는데, 그것도 쉽지는 않았다고. 이제는 고백조차 할 수 없는 이 빌어먹을 짝사랑에 ……나는 참 힘들다고. 그런데 네가 나한테 이러면 안 되는 거 아니냐.

그렇게 말하면, 우린 정말 어떻게 될까.

널 볼 수도 없게 될까 봐, 나는 그게 제일 두려운데.

"아, 신난다. 너 말 바꾸면 죽일 거야!"

"그래. 넌 진짜 날 죽이고도 남을 애야……."

유리는 그저 행복한 모양이었다. 복잡한 심경은 정호만의 감정이었다.

"그런데 너 로펌 그만두고 카페 차리겠다는 건 어머니도 아셔?"

"아시지. 내가 뭐, 몰래 일 칠 나이냐. 그리고 그냥 카페 아니고, 사무실이래도. 카페 겸 변호사 사무실."

"어머니가 걱정이 많으시겠네."

"내가 애냐, 걱정하게. 엄마 걱정은 엄마 몫이지. 난 나대로 알아서 잘하면 돼."

저 자신만만한 태도는 도대체 어디서 나오는 것일까. 정호는 누운 채, 유리의 앉아 있는 뒷모습을 바라보았다.

이대로, 너의 손을 끌어당겨 내 옆에 눕게 하면 얼마나 좋을까. 이런 순간에조차 이런 생각을 하는 나를 알기에…… 너와 단둘이 함께 있고 싶지 않았었는데.

"근데, 김정호."

유리가 휙 고개를 돌려 잔디 위에 누워 있는 정호를 바라보았다. 별안간 얼굴을 돌린 유리와 눈이 마주치자, 정호가 하늘 쪽으로 급히 시선을 돌렸다.

"왜, 왜?"

나쁜 생각을 하다 들킨 것처럼 볼이 붉어졌다.

"우리 이렇게 매일 본 거, 정말 오랜만이다."

"……그런가."

요즘 들어 유리가 계약해 달라며 드나들던 날들을 제외하고는, 사실 단둘이서 따로 만난 적은 별로 없었다. 함께 어울려 지내는 친구들 사이에서 그저 티격태격하는 사이로 남아 있었을 뿐이다. 그러다 보니 스무 살 시절에 6개월 동안 잠시 연인으로 지냈던 사실조차 가물가물할 정도였다.

물론, 그 반년의 연애 시절이 먼 기억 속으로 사라져 버린 것은 유리에게만 해당하는 이야기인지 모른다. 그녀와는 달리, 정호의 가슴속에 유리가 차지하는 자리는 매우 크기만 했다.

정호에게 있어 그녀는 말로 다 할 수 없는 아픔이자 상처고, 또 다른 의미에서는 마음을 채우는 단 하나의 빛이기도 했다. 잊고 싶을 정도로 아름다운 슬픔. 처음부터 지금까지 그의 마음에 독한 뿌리를 내리고 잠식해 버린 사람. 제 모든 생을 다 결정지었던 유일한 사람.

그런데 이제 매일매일, 꼼짝없이 저 얼굴을 봐야 하는 것 아닌가. 두려움이 앞섰다. 슬슬, 자신이 지금 무슨 일을 저질렀나 싶어 마른 잔디 위에 늘어져 누워 있던 정호가 벌떡 일어나 앉았다.

"아윽."

꼬리뼈가 아리다. 정호가 유리를 향해 인상을 쓰며 입을 열었다.

"나, 거기서 일은 안 한다고 분명히 얘기했어. 그건 기억하지?"

"물론입죠. 안 부려 먹어. 진짜 걱정하지 마."

유리가 시원하게 웃으며 일어섰다. 남자 따위에 정을 두지 않고 오로지 공부와 일만 해 왔던 유리였다. 그녀의 죽어 버린 연애 세포가 이제 와 깨어날 일은 없겠지.

그래도 이번 기회로 혹시나 하는 기대감이 드는 것은 어쩔 수 없었다. 더 사랑하는 사람이 약자인 탓에. 그러한 관계 속에서 정호는 더 말할 필요도 없는 최허약체임이 분명하기에. 그 기대감은 그저 허황된 꿈일지도 모른다.

그럼에도 불구하고, 이제는 감춰 왔던 마음을 조금씩 흘려 놓아도 될까 싶은 연약한 기대감이 그를 뒤흔들고 있었다. 상황과 감정 사이에서 정호는 어지럽기만 했다. 그래서 괜히 강한 척 입을 열었다.

"김유리, 이따 계약서에 도장 찍을 때, 잊지 마라."

"뭘?"

"내가 '갑'이고, 네가 '을'인 거."

"갑 같은 소리 하고 있네."

비웃은 거 맞지, 지금.

"뭐 같은 소리?"

"아닙니다, 보배로운 갑님이시여."

벚꽃잎이 눈처럼 내리던 그 거리에서 유리가 담담한 목소리로 이별을 고

했던 10년 전 그 순간. 연인에서 다시 친구로 돌아가던 순간. 풋사랑이 짝사랑으로 변해 버렸던 그 순간.

그 순간과 달라진 게 있다면 조금 더 깊어진 자신의 마음뿐이다. 친구 사이는 여전했다.

"오냐, 갑님에게 충성을 다해라."

"네, 그럼요."

이제 위태로운 줄 위에 선 채 그녀가 오는 모습을 지켜봐야 할 것이다. 한 발짝이라도 잘못 내디디면 낭떠러지. 일순 차가운 새벽 공기가 머리를 맑게 일깨웠다.

그렇게 오지 말라고 했건만. 김유리. 그녀가 온다. 좁혀지지 않았던 거리처럼, 그렇다고 밀어낼 수도 없었던 사이를 조롱하듯이, 아무렇지도 않게 그녀가 온다. 그녀가 이제…… 제 발로 굴러들어 온다.

정호는 털어 낼 수 없는 깊은 한숨을 쉰 후 자리에서 일어섰다. 아무것도 모르는 유리는 후련한 듯 기지개를 쭈욱 펴고 있었다.

톡톡.

문을 가볍게 두드리는 소리에 유리는 고개를 들었다. 추리닝을 입은 남자가 찰싹 달라붙어서 안을 들여다보고 있다. 유리창에 좌악 펼쳐 붙인 손바닥은 문어 빨판에 맞먹는 흡착력을 선보이는 중이다. 이 동네의 유명한 '추리닝 또라이' 되시겠다. 그의 모습에 절로 한숨이 새어 나왔다.

"……기쁘다, 갑님 오셨네."

유리는 영혼 없이 중얼거렸다. 카페를 인수해 들어오기로 한 후에는 아무런 문제도 없었다. 잔금까지 모두 치렀고, 이제 보름의 준비 기간을 거치면 드디어 오픈하게 된다.

사무실로 사용할 공간을 확보하기 위해 내일부터는 한쪽에 가벽 공사를 하게 되었다. 그 외에도 간단한 작업이지만 손볼 곳들이 더러 있었다. 자잘하게 챙겨야 할 것들도 많았기에 유리는 매우 이른 아침부터 카페에 나와 있었다. 새롭게 오픈 준비 중이라는 표지판을 앞에 내걸고 문을 잠가 두었는데.

"김유리이이."

탈이라고 하면 저 화상 딱 하나다. 이 건물의 주인, 추또 갑정호 님. 안에 있던 자신과 눈이 마주치자 격하게 손을 흔드는 정호를 보고 잠시 고민하던 그녀는 결국 문 쪽으로 걸어 나갔다.

"변호사 양반, 거참 굼뜨기도 하지. 문을 왜 이렇게 늦게 열어?"

"뉘예, 갑님 오시었습니까. 이른 아침부터 어인 행차시옵니까."

겨우 오전 7시 반이었다. 백수란 자고로 해가 중천에 떠야 일어나는 게 기본 아닌가? 김백수 양반께서는 새벽이면 잠에서 깨어 한강변부터 뛰고 오시니, 참된 백수의 자질이 매우 부족하였다.

"근면하면 또 김정호지. 잠깐 실례 좀 합시다?"

추리닝 주머니에 손을 찌른 정호가 카페에 저벅저벅 들어섰다.

"내가 컵 몇 개를 여기 맡겨 뒀거든. 전에 있던 바리스타가 바로 찾아가라고 했었는데 깜빡했네."

싱긋 웃는 모양새가 마음에 들지 않았다. 유리는 팔짱을 끼고 서서 그의 행태를 쳐다보았다.

솔직히 엄청 고맙다, 갑정호 님. 임대료를 낮추고 계약을 해 줬으니까. 그런데 요놈이 계약과 동시에 본격 갑질을 시작했다. 아직 영업 개시도 안 한 카페인데 옥탑방으로 커피 배달을 시키질 않나, 시도 때도 없이 들이닥쳐 자릿세 받으러 온 조폭처럼 어슬렁거리질 않나. 안 하던 일을 하고 있어 다소 예민한 상태로 이것저것 챙기고 있는 유리는 그가 매우 신경 쓰였다.

자신이 여기 들어와 귀찮게 할까 봐 계약도 안 해 주려고 했던 것 아니었나. 정작 계약하고 나니 김정호 본인이 더 열심히 들락거리고 있다. 저러는 모습을 보자니, 애초에 임대료를 두 배로 올려 못 들어오게 했던 것도 다 계략이 아니었나 싶은 거다. 무슨 꿍꿍이가 있는 건 아닌지. 앞으로 어떻게 나올지 모를 일이다.

"여기 있다. 오예."

입에 접착제를 바른 듯 딱 붙이고 유리가 서 있다. 그녀의 싸늘한 기운에도 아랑곳하지 않고 정호는 허리를 숙여 안쪽에서 컵을 찾아냈다.

"자, 내 전용 컵들이야. 이걸로 커피 마셔야 더 맛있거든."

정호는 용케도 굴러다니는 쇼핑백까지 찾아내 세 개의 컵을 담기 시작했다. 그리고 볼일은 다 보았다는 듯 바에서 나왔다.

"그럼 이만 가 보겠습니다. 변호사 양반, 수고하십셔."

손을 흔들어 보이고 나가는 정호의 등을 바라보며 유리가 입을 열었다.

"서 봐."

멈칫. 호랑이 굴에 들어왔다가 유유히 내빼던 토끼의 꼬리가 움찔 떨렸다. 별 용건 없이 깐족거리며 귀찮게 하려던 속셈이었나 보다. 아, 묘하게 약오른다. 요 토깽이 자식을 어떻게 요리해 먹지. 정호가 슬슬 뒷걸음질 쳤다. 이놈이 옆에만 있어도 든든할 것 같다고 생각했던 유리였다. 죽어라고 계약하자고 쫓아다니던 제 발을, 제 입을 원망하고 싶었다.

"너 자꾸 별일도 없는데 계속 여기 내려와서 귀찮게 굴고."

유리의 말에 정호의 얼굴이 굳어졌다.

"쓸데없이 커피 가져오라 마라 옥탑방으로 불러올리고."

"왜, 뭐."

"너 자꾸 그러는 거 보니까 나한테……."

"너한테 뭐, 뭐."

"나한테 따로……."

"따로 뭐!"

"……맺힌 게 많구만? 쪼잔하게 복수하냐, 지금?"

왜인지 정호가 크게 한숨을 몰아쉬었다.

"……티 나냐?"

"야! 티 완전 나거든! 그래도 우리가 함께해 온 세월이 얼만데!"

"어휴, 김유리 눈치는 귀신이야. 너한테 맺힌 거 많은 건 어떻게 또 알고. 진짜! 속일 수가 없어요, 내가."

자신에게 억하심정이 있긴 했구나. 제 예감이 맞았지만 한편으로는 입이 썼다. 그러나 유리는 들키지 않으려 오히려 당당한 어조로 이어 말했다.

"너 나 되게 싫어하는 거 완전 표 다 나거든? 이 정도인 줄 몰랐는데. 심하다, 정말. 쌓인 거 있으면 얘기해서 그때그때 풀고 그래야지. 이런 식으로 친구 괴롭혀서야 되겠냐!"

"이렇게까지 표 날 줄은 몰랐다. 용서해라, 친구야."

"나도 내 성질 지랄 같은 거 아니까, 나 싫어하지 말라고까지는 못하겠지만."

농담 섞인 정호의 웃음에도 유리는 꼿꼿한 표정을 풀지 않았다. 정호가 늘 유들유들하게 넘어가곤 하니, 저도 물렁살 주무르듯 편하게 대했던 것이 아닌가. 그 와중에 알게 모르게 실수한 것이 있을 수도 있었다. 가까운 사이 일수록 조심해야 하는 건데.

"너한테 너무 편하게 대했던 거, 나도 이제는 조심할게. 여기 친구 있어서 든든한 마음 들고 나 정말 좋거든."

"알았어. 싫은 티 조금만 낼게. 마음을 완벽히 감추는 건 힘드니까, 넓은 아량으로 좀 봐주시고."

이 정도 협의에 유리의 마음도 한결 편해졌다. 정호를 신경 쓸 여력은 딱 여기까지다. 카페 개업 준비로 몸과 머리가 두 개씩 있어도 모자랄 판국이었다.

"그런데, 김유리."

어쩐지 씁쓸한 음성이 정호에게서 흘러나왔다. 어울리지 않게.

"뒷일은 나도 모르겠다."

"뭐?"

"그냥, 그렇다고. 나, 간다. 수고해라."

아놔, 저 토깽이 자식이 또 뭐래. 황당한 얼굴로 정호의 등을 바라보았다. 그때 문 앞에서 들어서던 어떤 남자와 마주친 정호가 걸음을 멈추고 인사를 나누었다.

"형!"

"여어, 정호야. 오랜만."

"세미나 잘 다녀왔어?"

"응, 어제 왔어. 여기 카페 새로 인수한 분 오셨다며."

"아, 여기, 친구가 카페를……."

서글서글한 미소를 짓는 훈남이었다. 남자는 웃으면서 안쪽을 보았고, 서 있던 유리와 눈이 마주친 순간 할 말을 잃은 듯 잠시 멍해졌다. 정호의 몸에 바짝 긴장감이 들었다.

알 수 있다. 이 남자는 지금.

"아…… 안녕하세요."

저 여자에게.

"저는 최서원이라고 합니다."

한눈에.

"위층에서 일하고 있어요."

……반한 거다. 이건 남자의 직감이고, 한 번도 틀린 적이 없었다. 정호의 머리카락이 쭈뼛 곤두서고 말았다.

최서원은 이 건물 2층 소아청소년과 원장이다. 올해 서른다섯 살로, 나이보다 어려 보이는 동안인 데다가 인상도 좋았다. 젊은 나이에 개업의인 것을 보면 집안에 돈도 있겠다고 예상했다. 그는 미혼이니 뭐, 처가 덕을 보아병원을 연 사람도 아닐 것이다. 그는 이 동네에서 거의 아이돌급 인기를 누리고 있었다. 잘생긴 데다가 친절하고, 소아청소년과 원장이라니, 호감 중에서도 으뜸 호감이지.

사실 정호는 서원에게 별다른 감정은 없었다. 동네의 아기들과 그 아기 엄마들을 비롯하여 상관없는 아주머니들까지도 서원만 지나가면 방긋방긋 웃곤 했지만, 그런 게 부러운 적은 없었다. 오히려 정말이지 번거롭고 귀찮은 일이니까. 지금 이 꼴로, 이런 얘기를 하면 동네 사람 그 누구도 믿지 않겠지만, 어려서부터 사람들의 관심에 상당히 시달려 왔던 정호였다.

외고 시절에는 자신의 직찍 사진이 일대 여학교에서 암암리에 판매되었고, 학교에 툭하면 기획사 관계자들이 찾아오곤 했었다. 입학 때 딱 한 번을 제외하고는 졸업 때까지 쭉 전교 일 등을 놓치지 않은 성적도 늘 화제가 되곤 했다. 그러니 최서원이 부러울 리가.

그런데 그가, 김유리에게 반했다니. 이건 또 다른 문제다. 정호는 신경이 쓰이기 시작했다. 최서원은 누구나 인정하는 일등 신랑감이 아닌가.

"그러고 보니 나이도 네 살 차이네? 궁합도 안 본다는 네 살 차이!"

그에 비하면 자기는 늘 치고받고 싸우는 '톰과 제리' 관계인 데다가 동갑이었다. 아니, 뭐, 꼭 동갑은 궁합 보란 법 있나. 안 보면 그만이지.

이후 정호는 틈만 나면 1층을 기웃거렸다. 아니나 다를까, 서원이 있었다. 아픈 애들 많던데 저 형은 진료도 안 보나! 지금이 점심시간인 것을 잊고 정호는 홀로 열을 내었다.

테이블 앞에 마주 앉아 서원이 뭔가를 얘기하고 있고, 유리가 들어 주는 중이었다. 서원의 이야기에 유리가 그리 관심이 있어 보이지는 않았지만, 정호는 유리창에 딱 붙은 채 인상을 쓰며 바라보았다.

"저 형, 뭐라는 거지."

한창 궁금해하고 있는데 유리와 눈이 딱 마주쳤다. 까닥까닥. 그녀가 손가락을 구부려 들어오라 했다. 도망갈까 싶었던 정호는 목을 긁적이며 카페 안으로 들어섰다.

"도둑 토깽이처럼 왜 거기 달라붙어 있어?"

"아니, 무슨 얘기를 그렇게 재미있게 하나 싶어서."

서원이 웃으며 자리를 내주었다.

"그냥 커피 얘기. 나는 점심시간 다 돼서 올라가 봐야겠다. 그럼 유리 씨, 나중에 또 봐요."

그가 간 후, 정호는 테이블 위를 손가락으로 괜히 문지르며 말했다.

"커피 얘기? 무슨 커피 얘기?"

"선생님이 여기 단골이었고, 직원들 커피까지 자주 사 가셨다고. 카페 문 닫아서 아쉬웠는데, 뭐, 세미나 갔다 오니 새로 오픈 준비하고 있어서 좋았다나……. 그런 얘기."

유리는 지금 카페를 오픈할 준비에 업무 준비까지 정신이 없어서인지 별 생각이 없어 보였다.

"어, 맞아, 그랬어. 원래 그 형이 인심이 좋거든. 누구에게나 다 잘해 주고."

"그래?"

유리가 준비 사항을 정리한 리스트를 챙기며 건성으로 대답했다.

"응, 여기 커피 비쌌잖아. 그런데도 매일 엄청 사다 나르고. 돈 많고 친절하다고 평판이 좋아. 동네 여인들이 엄청 좋아하지."

"그렇겠네."

"그러니까 뭐, 여기 오픈하고 매일 와서 커피 사 가도 딴 뜻 있어서는 아니야. 원래 하던 일이니까."

"그래."

서원의 호의에 대비하여 미리 예방 주사를 놓은 셈이었다. 유리는 워낙 철벽이라 웬만한 남자들의 관심에도 끄떡하지 않기는 했다. 본인의 공부와 일에만 몰입하는 스타일이었다. 그 덕분에 오래 짝사랑을 하는 동안에도 정호가 불안했던 적은 없었다.

하지만 지금은 다르다. 그땐 자신이 목표라도 있었고, 그 목표를 성취하면 유리에게 고백하겠다는 포부도 있었다. 현재의 상황은 크게 달라졌기에, 인생의 아무런 목표도 포부도 없는 지금, 질투는 덧없는 것이었다.

그렇기에 더욱 불안해졌다.

최서원, 그 이름이 크게 느껴지기 시작했다.

2. 로(Law) 카페

일요일 오후.

며칠간 이어졌던 가벽 공사가 끝났다. 카페 안쪽 사무실에 간단한 가구를 들이는지, 좁은 도로에 바짝 댄 트럭이 보였다. 정호는 옥상 난간에 가까이 서서 아래쪽을 보다가 마침 일을 도와주러 왔다는 새연의 전화를 받았다. 당장 와서 도우라는 그녀의 말에 정호는 내심 기회다 싶어 얼른 내려갔다.

"사랑하는 와이프 두고 일요일까지 일하니, 떼돈 버시겠어."

정호는 카페에 내려오자마자 준원에게 건들거리며 다가섰다. 준원은 중간에 잠깐 나온 것이라 다시 레스토랑으로 들어가 본다고 하였다. 그는 요리 솜씨뿐 아니라 잘생긴 얼굴로도 유명한 스타 셰프였다.

"건물주만 하겠어."

준원이 웃으며 짧게 대꾸했다. 이번에 유리가 카페 계약하는 과정에서 친구들도 정호가 건물이 두 채 있다는 사실을 알게 되었다.

"김정호, 너 앞으로 돈 없다고 새연이한테 뭐 얻어먹다가 나한테 걸리면, 아주 죽여 버린다."

"맞아. 쟤 얼마 전에도 나한테 곱창값 내라고 했어."

새연이 준원의 옆으로 쪼르르 와서 곱게 일러바쳤다. 김정호는 망했다. 이제 얻어먹는 재미도 못 누리게 생겼군. 유리는 고소한 심정으로 흐뭇하게 웃었다.

"한새연, 네가 나한테 이러면 안 되지. 감기로 앓아누운 사람한테 곱창 먹고 싶다며 끌고 나간 게 누군데."

"튼튼이가 먹고 싶다잖아. 준원이는 바빴고. 결국 그거 먹고 너도 감기 뚝 떨어졌다며."

그때 곱창값 공방을 가르고 준원이 싸늘하게 물었다.

"둘이서만 곱창 먹었어?"

오총사 내에서 정호는 새연과 가장 친했다. 아무래도 날이 서 있는 유리보다는 새연이 더 편하다는 이유였다. 물론 준원과 새연이 연애를 시작하고 결혼한 후로는 그것마저도 어려워졌지만.

"아, 유리는 그때 너무 바쁘다고 퇴근을 못 해서."

유리가 로펌에서 나오며 인수인계 때문에 한창 바쁠 때였다.

준원은 제 마누라가 다른 남자와 단둘이 노는 꼴은 죽어도 보지 못했다. 그 남자가 저 새집 머리를 하고 추리닝에 쓰레빠를 질질 끌고 나오는 김정호라 할지라도. 자신이 바빠 못 나간다면 꼭 유리를 끼워서 만나라고 얘기하고는 했다.

"조심해, 김정호."

이건 뭐, 친구가 아니라 불륜남 보듯이 저를 바라보는 준원의 견제에 정호는 억울해 미칠 것만 같았다.

"제발. 이준원, 질투도 정도껏 해라."

"그래. 김정호의 요 꼬라지를 보고도 그러고 싶냐, 너는?"

보다 못한 유리가 나섰다. 이에 준원이 웃으면서 말했다.

"김정호 멋있잖아."

"누가, 뭐가, 어디가?"

새연이 의아함을 감추지 않고 먼저 물었다.

"저 머리에, 저 수염에, 저 추리닝에……. 저 몰골을 하고도 저 정도 미남자 포스 풍기는 건 김정호가 유일하지, 아마?"

"그러니까 저 상거지 스타일이, 남자가 보기엔 정말 멋있다는 거야?"

"물론."

준원이 쉽게 수긍해 버리자 유리와 새연은 미간을 찌푸렸다. 아무리 들어도 납득이 되지 않지만, 지금껏 준원은 한결같이 정호가 멋있다는 헛소리만 해 왔다. 그런 소리를 들으니까 저 화상이 저 몰골로 꿋꿋이 활보하고 다니는 게 아닌가. 알고 보니 악의 축은 다름 아닌 이준원이다. 어찌 보면 김정호의 지능적 안티가 아닐까!

"그렇지. 역시! 내 친구, 보는 눈이 아주 정확하다니까. 여성분들 오해하시는데, 이건 거지가 아니고, 간지라는 거다."

빈티지 망언에 이어, 간지 망언. 대체 저놈의 자신감은 어디가 끝인 걸까. 준원의 인정에 힘입어 정호의 어깨에는 잔뜩 힘이 실렸다. 새연은 그저 단정하고 정갈한 제 남편의 스타일이 다행스러웠다. 정호에게 멋있다고 하면서도 따라 하지 않으니, 그것만도 감사해야 할 일이었다.

사실 고등학교 시절에는 교복을 입으니 추리닝 간지를 뽐낼 수도 없었고, 두발 규정이 있으니 저 새집 머리와 수염은 꿈도 꿀 수 없었다. 그렇기에 말끔하니 귀티가 사르르 흐르는 정호를 보며 처음에는 새연도 잠시 설레었던 적이 있다고 했었다. 그 탓에 준원은 여태 정호를 신경 쓰는 것이었다. 이제는 그럴 필요가 전혀 없는데도.

곧 준원은 아내 새연과 배 속 튼튼이에게 아쉬운 작별 인사를 남기고 자리를 떠났다.

새연은 가벼운 책들 위주로 책장에 먼저 꽂기 시작했다. 아기를 가진 몸으로도 친구 일에 열성적으로 나서서 도와주니 유리는 그저 고마울 뿐이었다. 그런데, 정호는 새연이 기껏 꽂아 놓은 책을 빼내어 자리만 바꿔 넣고 있었다. 뺀질이. 무거운 책들 여기 잔뜩 있는데 이거나 옮길 것이지. 참으려고 했지만 그게 쉽지 않았다. 결국 유리의 쫙 펼친 손바닥이 그의 등짝을 강타했다.

철썩!

"아악!"

"너 맞을 줄 알았어."

새연이 고개를 끄덕였다. 오징어 춤을 추기 시작한 정호가 억울함을 토로했다.

"으아아. 열심히 정리하고 있는데 왜 때려!"

"이 뺀질이 새끼야! 저기 쌓여 있는 책들 안 보이냐? 왜 꽂혀 있는 것만 가지고 깨작거리고 있어."

"아아! 제자리에 차례대로 꽂아야 네가 편할 것 아니야."

통증이 가셨는지 이내 등을 쭉 편 정호가 책장을 가리켰다. 이 책 다음이 이 책, 이건 여기, 이 책은 저기. 순서가 이거랑 이거 바뀌었고. 이건 이거 옆이고. 저건 여기 아래. 줄줄줄 읊으며 책의 순서를 재배열하여 위치를 가리키는 정호의 손과 입은 다분히 기계적이었다. 무섭도록 정확했다. 로펌에 있을 때 사무실 책장에 꽂아 놨던 책들의 위치와 일치했다.

"바꿔서 꽂아 놓으면 네가 다시 빼서 정리할 거잖아. 하는 김에 해야지."

팔에 소름이 쭉 끼쳤다. 그가 사무실 안까지 들어왔던 건 겨우 두어 번 정도였다. 김정호가 머리 좋은 건 알고 있었지만, 겨우 두어 번 대충 보았을 책들의 위치까지 그림 그린 듯 기억하고 있다니.

"괴물 토깽이 인증 타임이냐. 쓸데없이 기억력이 좋다니까, 쟤는."

수고를 덜어 준 것은 맞다. 사무실의 책이 꽂혀 있는 순서와 위치 자체가 가장 편하게 계산된 것이었으니까. 새연이 모르고 꽂아 놓은 책들을 유리가 나중에 이리저리 바꾸었을 게 분명했다.

"오오! 진짜 김정호, 이럴 때 보면 진짜 다른 사람 같아."

새연도 저와 마찬가지였는지, 팔뚝에 돋은 소름을 손바닥으로 문질러 댔다. 그 좋은 머리를 티 낸 적이 별로 없어서 자꾸 잊게 되니, 가끔 이럴 때 더욱 놀라기는 했다.

책 꽂기에 탄력이 붙은 정호가 제법 열심히 움직여 일은 일찍 끝났다. 책은 아예 정호에게 맡겨 두고 새연과 유리는 책상 쪽 짐을 맡아 정리하였다.

카페의 3분의 1 정도에 가벽이 세워졌다. 그 안쪽은 사무실로 꾸며졌고, 책장과 책상이 단출하게 놓였다. 상담을 위해 작은 소파와 테이블까지 놓은 게 사무실의 전부였다. 정호는 비로소 조금 달라진 카페의 내부를 돌아보았다. 진짜 로(Law) 카페라는 걸 시작하긴 하는 모양이었다.

"사무장이랑 비서 채용은 정말로 안 하려고?"

의자에 앉은 정호가 주스를 마시기도 전에 물었다.

"응, 안 해."

"……그러면 혼자 업무를 어떻게 다 보려고?"

유리가 태연히 대답했다.

"그렇게까지 바쁘지는 않을 거야. 소송은 최소한으로 하고, 상담을 주력으로 할 거니까. 여기 카페에서도 하고, 온라인으로도 하고. 그리고 공익 재단 법률 자문도 하게 되었어. 소송도 한 달에 한두 건 정도 형사 국선으로만 맡을까 하고."

변호사 사무실이 제대로 굴러가려면 적어도 민사 몇 건, 형사도 사선으로 한 건 이상, 국선도 몇 건은 맡아야 했다. 국선 사건은 현재 전담 변호사 제도가 있지만, 관내의 사선 변호사들이 신청하여 재판부에서 배당을 받기도 하였다.

그런데 사선은 하나도 맡지 않고, 오로지 국선 한두 건만 배당받고 상담을 주력으로 하겠다니. 법조계로는 문외한인 초등학교 교사 새연이 봐도 선뜻 이해가 되지 않았다. 아무리 주말마다 봉사하러 다니고 달마다 후원도 열심히 하는 김유리라지만, 이건 로 카페가 아니라 자선 카페 수준이 아닌가. 들어 보니 상담료로 책정한 금액도 일반 변호사 사무실의 절반도 채 되지 않았다.

"네 뜻은 알 것 같은데. 그럼 인권 변호사나 민변 쪽도 있잖아. 요즘 그런 쪽 변호만 맡는 사선 변호사 단체들도 있고. 굳이 학교 앞 동네에 카페를 하려는 이유가 있어? 솔직히, 이게 마냥 노는 일도 아니고, 골치만 아플 텐데."

정작 그녀의 깊은 뜻은 제대로 들어 본 적이 없는 것 같아 새연이 정식으로 물었다. 그러자 유리에게서 명료한 대답이 떨어졌다.

"사람이 살아가는 데, 아는 변호사 하나쯤 있으면 좋잖아. 내가 이 동네 사람들의 '아는 변호사'가 되는 거지."

"뭐?"

"솔직히 이게 미친 짓이라는 건, 그래, 나도 인정. 이왕이면 이 구역의 미친년은 내가 한번 되어 보려. 동네에 '아는 변호사'가 하는 만만한 카페. 그냥 두부 사러 가다가 들러서 수다 떨듯 툭툭 궁금한 것 물어볼 수 있는 곳. 내가 꿈꾸는 모습이야."

"그건 좋다. 나도 네가 내 '아는 변호사'라 진짜 좋거든. 그러고 보니 이 동네 사람들은, 정말 좋겠네."

"무모해 보일지는 몰라도, 내가 잘 해내면 나처럼 시도하는 사람들이 또 생기지 않을까 싶어. 언젠가는 이런 로(Law) 카페가 맥도날드만큼 많아질 수도 있는 거 아니겠어?"

취지야 좋지만 이게 현실적으로 가능한 일인지 의문이 들었다. 새연은 조금 불안한 듯 말했다.

"……근데 망하면 어떡해."

"설마 내가 그런 것도 생각 안 했을까 봐. 일단 상담료로 수익 낼 생각은 안 하고 있고, 카페 수익으로 임대료나 운영비 충당하려고 해. 그리고 나는 자문하고 강연해서 받는 수입으로 생활하면 되고."

"만약 카페 적자 나면?"

"그땐 대외적으로 하는 활동을 더 늘려야겠지. 다행히 굶어 죽을 일은 없을 거야. 물론 로펌 다닐 때보다 수입은 반 토막 이상 떨어지겠지만."

말이 반 토막이지. 힘든 공부를 모두 견뎌 내고 돌아오는, 그 달콤한 보상을 포기하기가 어디 말처럼 쉬운 일인가.

"너 정말…… 대단하다."

새연은 진심으로 감탄했다. 걱정은 하고 있었지만, 유리가 충분히 생각했겠지 싶어 더 말을 보태지는 않았다. 큰일을 앞두고도 기대 이상으로 담대하고 의연한 그녀를 보자 어쩐지 마음이 놓이기까지 했다.

"협회에 이미 겸임 허가권도 받았어. 변호사 사무실 이외에 영리를 목적으로 운영하게 되면 그런 걸 받아야 하거든. 그리고 카페는 매니저를 뽑으려고. 안정 좀 되고 나면 나는 상담 쪽으로만 신경 쓸 수 있도록."

그녀들 사이에 대화가 오가는 동안, 정호는 주스를 마시며 유리의 얼굴을 물끄러미 바라보았다.

신념에 찬 그녀는 매우 아름다웠다. 그 어느 때보다도 빛이 났다. 눈이 부실 정도로. 그래서 눈을 꼭 감고 피하고만 싶을 정도로. 말보단 주먹이 먼저 나가고, 이 새끼 저 새끼 입도 걸고 험하지만, 유리는 열일곱 그 시절부터 누구보다 특별했다.

입학식 때 전교 일 등으로 들어와 선서하러 나가던 소녀가 유리였다. 빤히 쳐다보았더니 눈을 매섭게 뜨며 입 모양으로 '뭘 봐.' 하고 말하던 게 첫 만남이었다. 전교 일 등이 아니라 일진인 줄 알았다.

그리고 두 번째 만남은 학교 근처 육교 아래였다. 교복을 입은 소녀가 다

들기도 힘들 만큼 많은 양의 나물 봉지를 들고 가던 뒷모습이 아직도 눈에 선했다. 신문지를 깔고 나물을 팔던 할머니에게, 있는 돈을 다 털어 드리고 남은 걸 모두 쓸어 가던 어린 소녀의 뒷모습. 그 소녀도 유리였다.

사나웠던 첫인상과는 너무도 다른 속 깊은 행동들을 우연히 보게 된 후 관심이 저절로 생겼다.

같은 반 누군가가 교통사고를 당했는데 수혈할 피가 부족하다는 소식에, 언제 그렇게 모았는지 수십 장의 헌혈 증서를 들고 뛰어갔다는 그녀였다.

수능을 본 후 남들은 벼르던 쌍꺼풀 수술을 하러 갈 때, 유리는 골수 기증을 하러 갔다. 수술하고 병원에 입원해 있던 그녀가 사 오라 했던 황도 통조림. 잔뜩 가져가서 안겨 주었을 때 씩씩하게 웃던 모습이 얼마나 예뻤던지. 골수 기증이 가능한 만 18세가 되자마자 바로 기증 신청을 해 두었다가 맞는 환자가 있다는 연락을 받고 바로 달려갔다 했었다.

그녀는 늘 묵묵했다. 좋은 일을 한다고 스스로 떠벌린 적이 없었다. 그런 유리에게 눈을 뗄 수가 없었다. 그래서 마음을 떼기란 더욱 어렵기만 했었다. 볼수록 더욱 사랑하게 되는 걸, 대체 어쩌란 말인지.

"매니저는 누가 해? 뽑았어?"

정호의 상념을 일깨우며 새연이 다시 유리에게 물었다.

"아니. 직원 몇 명 면접 오기로 했어. 오늘 한 사람 오고, 내일 또 오고."

정호는 크게 숨을 들이켰다.

진짜다. 진짜 시작된다. 둑은 막을 새도 없이 장렬히 무너지고 말았다. 될 대로 돼라. 무너진 둑을 타고 걷잡을 수 없이 물이 쏟아지기 시작했다. 이제 어쩌겠나. 흐르는 그 물에 몸을 실을 수밖에.

그때 카페 문이 활짝 열렸다.

"하이, 헬로."

들어선 여인을 보고 그들이 일제히 고개를 돌렸다. 40대 초반 정도로 보이는 얼굴의 세련되고 아름다운 여인이 등장했다. 익숙한 모습에 모두 일어섰다.

"어? 엄마."

"아줌마!"

유리가 로 카페 한다는 것을 죽도록 반대했다는 어머니 송옥자였다. 본인 나이보다 10년은 어려 보이는 여인은 심플한 티셔츠에 물이 잘 빠진 청바지를 입고 있었다.

"새연이 오랜만이다? 더 예뻐졌네. 아기 가졌다면서. 늦었지만 축하해."

주변인의 반대 지수를 모두 합쳐도 불같은 어머니의 폭풍 반대를 따라갈 수는 없었다. 그럼에도 불구하고 유난히 밝은 얼굴로 나타난 모습에 유리는 의아했다.

"감사해요! 아줌마야말로 더 예뻐지셨는데요. 대체 나이를 어디로 드세요?"

"아줌마 하지 말고. 얘, 이제 나 유리 마미야. 마미라 불러."

"네에?"

"엄마! 그것 좀 하지 마."

창피한 듯 유리가 격하게 만류했지만 여인은 아랑곳하지 않고 덧붙였다.

"요즘 인터넷 커뮤니티에 아기 엄마들이 다 그런 닉네임을 사용하더라고. 우리 옆집에 윤서 마미가 있거든. 그 엄마가 소개해 줘서 가입했더니 엄머! 얘, 신세계가 따로 없더라. 그 재밌는 세상이 컴퓨터 속에 있었어. 아무튼 내가 거기서 유리 마미야. 너도 그냥 편하게 마미라고 불러."

설명을 듣던 새연이 푸흡, 웃음을 터뜨렸다. 그리곤 아줌마 짱! 하고 엄지를 치켜들었다.

"근데 이 총각은."

정호 앞에 거침없이 다가선 여인은 그가 공손히 인사를 할 시간조차 주지 않았다. 단번에 손을 뻗어 그 덥수룩한 머리를 좍 뒤로 붙여 넘긴 채 얼굴을 감상하였다.

"아, 아줌마⋯⋯."

여인의 손에 가차 없이 드러난 얼굴은 까칠한 수염이 있기는 하지만 굴욕 없이 잘생긴 이목구비를 지니고 있었다.

"어우, 정호였네. 너 몰골 왜 이러니? 난 또 웬 상그지가 와서 깽판 치고 있나 했지."

"엄마, 제발."

여장부 유리가 컨트롤할 수 없는 사람이 세상에 단 하나 존재했는데, 그 이름 바로 어머니였다.

"너 머리카락 좀 잘라야겠다."

정호의 얼굴을 똑바로 올려다보며 손도 떼지 않은 채 여인이 말했다.

"그런데 얘, 스타일이 좀 구질구질하기는 해도, 눈매가 깊어진 게 어째 더 잘생겨진 느낌이다?"

"눈매가 깊어진 게 아니고 다크서클인데요, 마미."

선뜻 마미라 부르는 정호를 보고 뒤에 서 있던 유리는 입을 딱 벌렸다. 대체 뭘 먹고 저렇게 넉살만 늘어난 거야. 여인은 흡족한 듯 정호에게서 손을 뗐다. 눌렸던 머리카락 볼륨이 살포시 살아났다. 그녀가 조각품을 감상하듯 정호를 유심히 보고는 말했다.

"아니야. 옛날부터 정호 인물이 훤칠한 건 숨길 수 없는 사실이었고, 이제 뭔지 모를 깊이감이 생겼다니까. 그러니 이렇게 그지 꼬라지를 했어도 봐줄 만한 거지. 내가 누누이 강조하는데, 남자는 분위기다? 그런 면에서 정호 너는 합격."

"뭐, 뭘로 합격인데요?"

"⋯⋯음. 뭐든지."

홋. 묘한 미소를 띤 얼굴로 돌아선 여인이 유리 앞 의자로 가서 착 앉았다. 나타나자마자 단숨에 카페 안을 초토화시킨 여인을 내려다보며 유리가 물었다.

"연락도 없이 갑자기 뭐야. 여긴 어떻게 왔어?"

여인이 미소 지었다.

"저, 매니저 면접 보러 왔는데요, 변호사님."

"뭐? 매니저?"

마미에게는 바리스타와 양식 조리 기능사 자격증이 있었다. 물론 그 외에도 수많은 자격증이 있는 마미였다.

젊은 나이에 홀로된 몸으로 유리와 유찬 남매를 키우기 위해 보험 설계사 일을 시작했던 마미는 악착같은 면모를 발휘하며 결국 보험왕 자리를 꿰찼다. 과연 능력자다웠다. 덕분에 유리가 고등학교 입학할 무렵에는 형편이 좋아졌고, 그녀가 대학을 졸업할 때쯤은 아예 일을 그만둘 수 있었다.

마미는 열의가 가득한 성격답게 이것저것 배우기 시작하였다. 뭐든지 배웠다 하면 자격증을 따야 끝을 맺었다. 그러니 마미가 가진 자격증은 셀 수 없이 많았다. 그중 몇 가지를 내세워 직접 매니저를 하겠다고 찾아올 줄 꿈도 꾸지 못했다.

'왜 사서 고생을 해. 그냥 적당히 일하고 제발 시집가, 이것아.'

'시집 안 가고 엄마 옆에 붙어 있겠다니까.'

'끔찍한 소리 하고 있네.'

시집은커녕, 엉뚱하게도 카페를 차리겠다고 나선 딸에게 십 원 한 장 보태 줄 수 없다고 일갈했던 마미다. 결국 온전히 제힘으로 카페를 오픈하려는 딸을 보고, 추진력과 똥고집 하나는 인정하여 백기를 든 셈이었다. 마침 일도 쉬고 있겠다, 슬슬 자격증 따기도 지겨워졌겠다, 남의 손에 딸의 카페를 맡기느니 스스로 나서는 것이 낫겠다는 판단으로 온 참이었다.

마미는 대단하였다. 면접은 면접이지만, 오너인 유리에게 거부권이란 없었다. 닥치고 채용만이 살길이었다. 새연과 정호가 물개 박수를 치며 환영하였고, 그렇게 마미는 로(Law) 카페의 매니저가 되었다.

다음 날.

"오, 마이 갓!"

카페에 막 들어서던 남자를 보고 마미가 감탄하였다. 키가 훤칠하니 크고, 얼굴이 조막만 하며, 피부가 하얗고, 다감하게 생긴 외모였다. 비록 무표정이기는 했지만.

"합격."

입도 뻥긋해 보지 못한 남자가 문에서 손도 떼지 않은 채 굳어 버렸다. 그 자리에서 바로 직원으로 채용되는 순간이었다. 오픈 준비 중이라고 문 닫아 놓은 카페에 선뜻 들어왔으니 면접 약속을 하고 온 사람이 분명하긴 했다. 그래도 묻지도 따지지도 않고 합격을 시키다니. 그것도 인사조차 하기 전인데. 유리는 '아이고, 두야.' 하며 이마를 짚었다.

"일단 합격. 와서 앉아 봐요."

남자는 출구 쪽에 선 채 움직이지 않았다. 남다른 포스를 풍기는 두 여자를 바라보면서. 한 여자는 나이가 있어 보였지만, 언뜻 봐도 세월을 거스른 동안의 미모가 돋보였다. 그녀가 합격을 외쳤다.

그 옆에 방대한 자료를 쌓아 놓고 정리 중이던 젊은 여자 역시 굉장한 미모를 자랑하고 있었다. 눈이 마주치면 숨이 막힐 듯 포스 또한 대단하였다. 길고 풍성한 웨이브 헤어에 빛이 깊은 눈, 붉은 입술, 그리고 굴곡진 몸매를 가감 없이 드러낸 패션까지. 단순히 모델 같다고 하기에는 그 이상의 뭔가가 있어 보였다. 이를테면 성공한 여성 CEO를 연기하는 배우 같다고 할까.

남자는 잠시 고민했다. 아름다운 두 여자의 기운만으로도 이 카페는 가득 찬 듯한 느낌이었다. 마치 마녀들의 카페라도 되는 것처럼.

"안 잡아먹어요. 와서 앉아."

무표정하게 서 있던 남자는 결국 문에서 손을 떼고 천천히 걸어 들어왔다.

"내가 매니저. 이쪽은 내 딸이고 여기 카페 오너이자 변호사."

옆에 서 있던 변호사라는 여자가 대충 이 카페가 어떤 식으로 운영될 것이라 설명을 해 주었다. 엄마라고는 믿을 수 없을 만큼 젊어 보이는 여인이 카페 쪽을 맡아 운영하고, 동시에 딸인 변호사의 법률 상담도 이루어지는 곳. 자신의 역할은 바리스타였다.

"이름이 서은강?"

"네."

"내일부터 출근할 수 있죠?"

진짜 합격이라는 건가. 경력이 얼마나 되었는지, 어디서 일했는지, 어떤 것을 잘하는지, 모두 관심 밖인 듯했다. 은강에게 물어본 것이라고는 이름뿐이었다. 그것도 전화로 이미 말했던 이름을 확인한 것이다.

"네."

은강이 지금까지 입을 열어 한 말은 '네'밖에 없었다. 그런데도 옆에 있던 변호사는 바로 근로 계약서부터 내밀었다. 합격을 외친 엄마의 뜻을 존중하는 모양이었다. 은강이 근로 계약서를 읽어 보는 동안, 뒤늦게 이력서를 살펴보던 여인이 물었다.

"이전 카페들에서 근무를 다 짧게 했네요? 이유가 뭐예요?"

고개를 천천히 들어 올린 은강이 여인을 바라보았다. 그리고 대답했다.

"불친절해서요."

잠시 정적이 흘렀다. 외모와 다르게 성격은 지극히 무뚝뚝한 은강이었다. 손님들에게 살갑게 대하는 법이 없었다. 이것저것 요구 사항이 많은 손님을 차갑게 바라보는 것만으로도 간담이 서늘해진다고도 하였다.

꽃미남 바리스타 덕 좀 보려고 했던 많은 카페 사장들이 결국 그를 내보냈다. 억지로 지은 미소에 덤으로 커피를 내어 주기는 죽어도 싫은 은강이었다. 바리스타가 커피만 잘 만들면 되었지, 왜 웃기까지 해야 한단 말인가.

"완전 합격."

하지만 정상적이지 않은 건 자신만이 아니었다. 이 카페도 마찬가지였다.

"나쁜 남자의 매력까지 있어."

여기, 정신이 제대로 박힌 사람이 운영하는 곳이 맞나 싶다. 은강은 오랜만에 혼란스러운 기분을 느끼고 말았다.

"불합격."

은강은 바 안쪽에서 새로 들어온 컵을 정리하다가, 문이 열리는 소리보다 더 빠르게 들려온 '불합격' 소리에 고개를 들었다. 어떤 남자가 쓸쓸히 돌아서고 있었다.

이상한 카페에 출근한 지 이틀째였다. 벌써 몇 명의 지원자가 발길을 돌리는 모습을 봤는지 모른다. 자신에게 시원시원하게 '합격'을 외쳤던 매니저 마미는 그 이후로는 가차 없이 '불합격'만을 외치고 있었다.

합격 기준은 오로지 '매력'이라고 하였다. 참으로 주관적인 기준이 아닐수 없다. 그렇다고 외모만 보느냐. 그건 또 아닌 것 같았다. 잡지 화보에서 막 튀어나온 모델처럼 생긴 남자도 '불합격' 소리에 발을 돌렸으니까. 사람을 끌어들이는 기운이 안 느껴진다나 뭐라나.

"정말…… 특이하네."

은강은 저도 모르게 작은 소리로 중얼거렸다. 이쯤 되면 자신이 왜 합격했는지가 신기할 지경이었다.

그러고 보니 카페에서 판매할 샌드위치와 파니니 메뉴를 컨설팅해 준다고 들렀던 셰프도 꽤 호감형이었다. 이준원이라는 이름의 요리사라는데, 처음에는 얼굴이 알려지지 않은 연예인이라도 되는 걸까 생각했다. 알고 보니 요리 실력과 그 근사한 외모까지 연일 화제가 되는 스타 셰프였다.

하다못해 옥탑방에 산다는 건물주 남자조차, 방금 자다 깬 머리에 추리닝을 입고 어슬렁거리며 자주 기웃거리는데 너무 잘생겨서 깜짝 놀라고 말았으니까. 그쪽은 나른한 일상 연기를 하는 배우 느낌이었다.

본래 주변의 일에 그다지 관심이 없었고, 호기심도 딱히 없던 은강이었다. 하지만 어제부터 이 카페에 출근한 이후, 희한하게 궁금한 것이 많아졌다. 살면서 한번 볼까 말까 한 특이한 인간들을 한곳에 몰아 놓은 느낌이었고, 정신을 차리고 보니 어느새 자신 역시 그 일원이 되어 있었다.

"커피. 커피 좀. 커피 좀 주라."

제 말 하길 기다렸다는 듯 호랑이가 나타나 커피를 찾았다. 그는 마치 '피가 모자라.'라고 말할 포스로 바 앞에 와서 섰다.

은강은 무표정한 얼굴로 그에게 줄 에스프레소를 추출하기 시작했다. 카페 개업 전인데도 불구하고, 건물주인 정호는 한 시간이 멀다 하고 커피를 마시러 내려오고 있었다.

"커피 못 마셔 죽은 귀신이 붙었냐?"

시니컬하게 대꾸한 변호사 누나 유리와 괴짜 건물주 정호는 친구 관계라 했다. 어떻게 보면 친구보다 못한 사이 같기도 하지만.

"그만 좀 마셔."

"몸에 카페인이 흐르지 않으면 움직일 수가 없어."

"어련하실까."

커피를 마시러 왔으면서 입에는 커피 우유를 물고 있다. 유리는 그런 정호를 못 말리겠다는 듯 고개를 절레절레 저었다.

은강이 완성된 캐러멜마키아토를 내려놓자, 정호는 빈 커피 우유를 쓰레기통에 넣었다. 커피 우유와 커피의 거룩한 바통 터치. 그렇게 정호의 몸에는 카페인이 릴레이로 주입되어 맹활약 중이었다.

"이름이 서은강?"

유리가 사무실 쪽으로 가자마자, 바 앞에 혼자 남은 정호가 갑자기 날카로운 눈빛을 번쩍이며 제 이름을 불렀다. 은강은 고개를 들어 그를 보았다.

"서은강 씨 몇 살이죠?"

건물주가 여기까지 와서 왜 이런 걸 묻고 있는지 모르겠다. 처음 자신을 봤을 때부터 저랬다. 시선이 마냥 곱지만은 않았다.

그런데 나이는 왜 물어.

"스물일곱인데요."

"스물일곱이라……."

수염을 긁으며 복잡한 눈빛을 하고 있던 정호가 대뜸 물어 왔다.

"혹시 연상의 여인에 대해 어떻게 생각하시나?"

"예?"

도저히 포커페이스를 유지할 수 없게 하는 상대방이었다. 은강의 얼굴이 일그러졌다. 난데없이 그런 건 왜 물어. 초면이나 다름없는 사이에.

"여자 말이야. 은강 씨 연상녀 좋아해요? 막 연상녀면 무조건 좋고, 껌뻑 넘어가고 그러나?"

은강이 못 알아들은 줄 알고 정호가 구구절절 자세히 풀어 다시 물었다.

은강은 어이없는 얼굴로 답했다.

"세상에서 제일 무서운 게, 연상녀인데요."

"호오."

갑자기 정호의 얼굴이 확 밝아졌다.

"이 청년, 이거 이거, 아주 미래가 기대되는 청년이구만!"

"……."

"사람 보는 눈이 아주 정확하네. 그런 의미에서 내가 형인데, 오늘부터 말 놔도 될까?"

그러시든가. 은강은 고개를 끄덕인 후, 별생각 없이 마른 천을 들어 컵의 물기를 닦기 시작했다.

"난 처음부터 네가 마음에 딱 들었거든. 하하. 이렇게 참되고 바른 생각을 지닌 청년일 줄 단번에 알았지! 앞으로도 아까 얘기한 그 생각 영원히 변치 않기를 바라……."

퍽.

"아악!"

그 순간, 정호의 상체가 반으로 접히며 바 위로 철퍼덕 고꾸라졌다. 그 뒤에는 손바닥을 쫙 편 유리가 서 있었다. 그 찰진 사운드는 아마도 등짝을 후려치는 소리였나 보다. 컵을 쥔 은강의 손이 딱 멈추었다. 저 누나, 보통은 아니구나. 정호가 바 위에 엎드려 파닥거렸다. 저 정도면 등짝에 붙은 불이 활활 타고 있을 거다.

"비싼 밥 처먹고 쓸데없는 소리 좀 그만할 수 없어?"

"으으으으. 아퍼, 나 아프다니까! 너 이거 폭행이다. 내가 소송 걸면 걸 수도 있는 거라구."

"와, 나이 먹고 주름살이랑 엄살만 늘었네. 솔직히 너 진짜 아픈 것도 아니잖아? 등짝이 이렇게 튼실한데 통증이나 느꼈겠어? 모기가 앉았다 가나

보다 했겠지."

벌처럼 날카롭고 깨끗한 스매싱에 당해 괴로워하는 정호가 처음에는 조금 안돼 보였지만, 유리의 말을 듣고 보니 리액션이 좀 과장되어 보이긴 했다.

두 사람은 이러면서 노는 건가. 참 희한한 관계네.

그때.

"합격!"

난데없는 소리에 일제히 고개가 돌아갔다. 은강 이후 연이어 '불합격'만을 외치던 마미의 입에서 경쾌한 '합격' 소리가 터져 나왔다. 은강이 어제 놀랐던 것처럼, 문제의 남자도 어안이 벙벙한 표정으로 문 앞에 서 있었다. 반면 마미는 덩실덩실 춤을 출 듯 기쁜 얼굴로 말했다.

"나이는 좀 있는 것 같지만! 전체적인 밸런스도 좋고 분위기도 좋고. 흐음. 피부도 깨끗하고. 암튼, 훈훈하네! 내일부터 출근할 수 있……."

"어어. 아니야, 이분."

유리가 급히 다가서자 마미는 의아한 얼굴로 돌아봤다.

"뭐가 아니야?"

"이분 면접 보러 오신 거 아니고, 2층 소아청소년과 원장님이야."

은강은 개업도 안 한 카페에서 이렇게 커피를 많이 내려 보기는 또 처음이었다. 정호 때문에 쉴 새 없이 돌렸던 기계를, 이번에는 서원 때문에 돌리고 있었다.

그는 직원들과 함께 마실 커피를 사 간다며 여섯 잔을 주문했다. 그래서 여섯 잔의 커피 종류가 각기 다 달랐다. 외운 듯 편안하게 다른 커피를 주문하는 걸 보니, 이전 카페에서도 매일같이 커피를 사 갔다는 말이 사실인 듯했다.

이 건물엔 정말 커피 귀신이 붙었나! 첫 손님 받기도 전에 원두가 남아나질 않겠네. 은강은 여전히 무표정으로 서로 다른 여섯 잔의 커피를 만들었다.

"아까워해 주시니, 영광입니다."

서원은 활짝 웃으며 마미에게 인사했다. 면접을 보러 온 사람인 줄 알고 기뻐서 합격을 외쳤던 마미는 다소 실망한 얼굴이었다. 물론 자주 커피를 사러 온다는 말에 다시 얼굴이 밝아졌지만.

"그래도 이렇게 인품이 훌륭한 이웃도 다 있고. 참 흡족하고 좋네요."

"말씀 낮추십시오."

"어머, 그럴까?"

이 건물 2층의 병원 의사라는 서원을 보며 마미는 꽃처럼 환히 웃었다. 처음에는 결혼 적령기인 딸과의 썸을 바라며 좋아하는 줄 알았는데, 대화를 보니 그것도 아니었다. 마치 아름다운 예술 작품을 모으는 콜렉터와 같은 신성한 자세로 서원의 분위기를 칭송했다. 은강이 보기에, 자신을 대했을 때와 거의 흡사한 태도였다. 그러니 단번에 '합격'을 외치셨겠지.

다만, 그 뒤에서 서원과 마미의 앙상블을 바라보는 정호의 눈빛에는 어둠이 밀려들었다. 완성된 커피를 종이 캐리어에 담으면서 은강은 정호 쪽을 잠시 바라보았다.

그는 서원이 마음에 안 드는 모양이었다. 아까 보니 '형, 정호야' 하면서 친하게 얘기하는 것 같더니. 이 작은 우주 안에 뭔가 복잡한 인간관계가 느껴진다. 자신이 신경 쓸 일 아니라고 생각하면서도 자꾸만 눈이 갔다. 인간에게 왜 호기심은 있어서.

"의사 형님, 바쁘지 않아? 빨리 올라가셔야지?"

마미와의 대화가 길어지는 듯하자, 정호가 살살 웃으며 끼어들었다.

"아직 괜찮……."

"어우. 커피 식으면 맛없어. 이건 커피에 대한 예의가 아니지."

직접 캐리어를 양손에 들어 보였다. 서원 쪽으로 건네면서. 어서 나가시지요, 정호의 얼굴에는 딱 그렇게 쓰여 있었다. 직원들이 기다리겠다 싶었는지 서원도 웃으며 자리에서 일어섰다.

"그럼 또 오겠습니다."

"자주자주 내려와."

서원의 매력에 푹 빠졌는지 마미가 방글방글 웃으며 배웅을 했다. 그가 카페에서 나가자마자 마미는 여운이 가득 남은 눈빛으로 말했다.

"역시 기운이 맑아. 2층에서 좋은 공기가 내려오겠어. 이 건물 터가 좋은가."

"아니, 엄마. 요새 어디서 나 몰래 뭐, 도라도 닦아? 자꾸 무슨 기운을 따져."

참다못한 유리가 묻자 마미는 근엄하게 대꾸했다.

"연륜이 그냥 생기는 게 아니다? 내가 온갖 사람들 사이에서 산전수전 겪어 보니, 발 디딘 곳이 다 지리산이고 계룡산이더라. 도는 잘 때나 먹을 때나 쌀 때나, 언제 어디서나 닦고 있다는 거지."

"하아."

유리가 피곤하단 얼굴로 한숨을 내쉬었고, 마미는 아랑곳하지 않고 웃어 보였다.

"이 엄마의 사람 보는 눈 하나는 너도 인정하게 될걸. 특히……."

마미의 시선이 유리 너머 정호에게 막 머물려던 때였다. 카페 문이 열리고 누군가 들어섰다.

"실례합……."

"합격!"

온 세상에 울리는 맑고 고운 소리. 피아노 뺨치는 경쾌한 그 목소리에 은강은 몸을 돌렸다. 문을 잡고 선 남학생이 방글방글 웃고 있었다.

"저 진짜 합격이에요?"

과연, 깎아 놓은 밤톨처럼 매끈하고 귀엽게 생긴 20대 초반의 남자였다. 앳된 외모에 밝은 표정. 은강과는 뭔가 분위기가 180도 다른 남학생이었다. 합격 소리를 들은 후의 반응도 달랐다. 남학생은 단숨에 마미 앞으로 날듯이 다가왔다.

"사장님, 감사합니다!"

남학생은 들어오자마자 1초 만에 합격했다는 사실에 의구심도 품지 않고 대차게 인사부터 하고 보았다.

"내가 사장은 아니고. 여기, 이쪽. 김유리 변호사가 사장. 나는 매니저야. 유리 마미."

소개를 마친 마미는 은강을 불렀다.

"여기는 바리스타 서은강. 은강이가 스물일곱이랬지? 형이겠네."

"네! 잘 부탁드립니다!"

허리를 착착 잘도 접었다. 그는 카페 안 인물들에게 싹싹하게 배꼽 인사를 했다.

"어디 보자. 이력서……. 이름이 배준이네. 외자인가?"

그는 귀엽게도 스스로 소개를 시작했다.

"네, 준, 외자구요. 나이는 스물세 살. 겨울에 전역했습니다. 군대 물 쫙 빠졌죠? 제가 적응력 하나는 갑이거든요. 머리도 곱슬 아니고 파마한 겁니다. 하하."

"그러네. 얼마 전 전역한 사람으로는 안 보여요."

"군대에서는 군기 바짝, 사회에서는 또 물 좍 빼고. 어디서나 적응 하나는 끝내주게 잘합니다. 한국대 경영학과 2학년까지 마쳤구요. 올해는 아르바이트도 하고, 영어 공부도 하고, 복학은 내년 봄 학기에 하려구요. 저, 집도 여기서 가깝습니다. 아침부터 저녁까지, 열심히 일할게요."

은강이 면접날을 포함하여 3일 동안 했던 말을 모두 합쳐도, 방금 준이 한 소개보다 길지 않을 것이다. 숨도 쉬지 않고 랩하듯 말을 쏟아 내는 준은 파릇파릇한 아이돌 가수의 느낌이었다.

"오우, 좋다. 직원 구성 아주 완벽해. 유리야, 인터넷에 그 공고 이제 내려."

이리하여 로 카페 멤버가 확정되었다.

서늘한 미녀 변호사 김유리, 카리스마 매니저 마미, 불친절한 꽃미남 바리스타 서은강, 분위기 메이커 귀염둥이 알바생 배준. 더불어 지박령으로는 커피 귀신 김정호와 2층 훈남 의사 최서원.

개업을 겨우 이틀 앞둔 날의 오후였다.

"아아. 정말."

옥상으로 올라오자마자 정호는 평상 위에 벌러덩 누워 버렸다. 대자로 뻗어 있던 그는 돌연 허공에 대고 발길질을 해 댔다.

"으악! 신경 쓰여!"

여우의 계략에 홀랑 넘어가서 카페를 내주는 것이 아니었다, 정말! 카페에 저렇게 꽃미남이 득시글한 상황은 계산에 없었다. 최서원을 경계 대상 1호로

삼은 정호는 서원 한 명만으로도 벅차다고 생각했었다. 그런데 2호, 3호 이렇게 수가 늘면 곤란하단 말이다. 경계에도 한계가 있지!

물론 경계 대상 2호는 서은강, 3호는 배준이다. 이 중 서은강은 하얗고 다정다감하게 생긴 외모가 인기를 끌 스타일이라 처음 봤을 때부터 긴장했었다. 게다가 그런 외모와는 다르게 뚱한 태도와 다소 까칠해 보이는 모습이 오히려 매력적이었다. 이건 더 난감한 문제다.

유리와는 네 살 차이. 그놈의 궁합도 안 보는 네 살 차이! 서원과는 위로 네 살, 은강과는 아래로 네 살.

다행히 은강은 연상녀가 세상에서 제일 무섭다고 공언했다. 의식이 바로 잡힌 젊은이였다. 정호의 마음에 쏙 들었다.

그렇다고 해서 경계 대상 해제냐, 그건 아니다. 서로 관심이 없다고 해도, 매일같이 한 공간에서 부딪치면 남녀 사이야 어떻게 될지 모르는 거 아닌가. 방심하는 순간 끝이다. 정호는 은강에 대해서도 경계를 늦추지 않을 예정이었다.

오늘 오후에 채용된 배준은 유리와 무려 여덟 살 차이였다. 안심할 수 있느냐. 전혀 아니다. 스무 살 차이 연상연하 커플도 드라마 속에 버젓이 등장하는 시대에, 여덟 살 차이면 같이 늙어 가는 처지로 맞먹을 수도 있으니.

"으아아아아."

안 봤으면 안 봤지, 이제 이렇게 계속 두고 보는 상황은 정말 잔인하게 느껴진다. 마음 같아서는 신경 딱 꺼 버리고, 평화롭던 예전 일상으로 돌아가고 싶은데 그게 잘 안 된다. 뒹굴뒹굴하는 본업을 멀리한 지 너무 오래된 기분이다.

유리가 카페를 인수하겠다며 찾아왔던 그날부터 정호의 일상은 뒤죽박죽이 되어 있었다. 이렇게 옥상에 올라와 있는 지금도, 온몸의 세포를 모조리 1층 카페에 두고 온 것만 같았다.

"아아아!"

옥탑방 안달복달남은 홀로 평상 위에서 외로운 절규 중이었다.

새벽, 정호는 어김없이 강변 조깅로를 달리고 돌아왔다. 집으로 가는 길에 슈퍼에 들러 커피 우유를 사서 입에 물고 계단을 올랐다. 터벅터벅 걸어 올라와 옥상 문을 막 열었을 때, 커피 우유를 떨어뜨릴 뻔했다. 옥상 한쪽에 비치해 둔 운동 기구들 사이로 한 여자의 모습이 보였다. 그녀는 사이클을 타고 있었다.

"김유리."

가까이 다가서자 유리가 귀에서 이어폰을 빼냈다. 그녀는 땀이 송골송골 맺힌 얼굴로 활짝 웃어 보였다.

"갑정호 님, 오셨사옵니까."

호칭만 갑이다. 언제 갑 대접을 해 준 적 있다고.

"새벽부터 너 여기서 뭐 하냐."

"여기 운동하기 진짜 좋다. 나 여기서 운동 좀 할게."

그러고 보니 운동복을 풀장착하고 앉은 모습이, 아예 작정하고 쳐들어온 자태다.

정호의 옥상에는 사이클과 벤치프레스를 두고, 덤벨이나 튜빙밴드 같은 도구들도 비치해 놓았다. 그는 새벽이면 조깅을 하고, 하루 중 짬이 날 때마다 웨이트를 하면서 점점 운동 기구를 늘려 가던 참이었다. 답답한 실내 피트니스 센터는 정호의 스타일과 맞지 않았다.

평소 옥상 피트니스를 눈여겨본 유리가 결국 여기까지 정복하려 하는 것이다. 이건 뭐, 영토를 늘려 가는 칭기즈 칸도 아니고.

"나 카페 준비하면서 헬스랑 필라테스 다 중단했거든. 한 푼이라도 아껴야지."

돈 주고 하는 운동을 끊어 버린 건 유리가 한 일의 일부였다. 타고 다니던 차도 팔고, 어머니로부터 선물 받았던 몇 개 안 되는 명품 가방까지 모조리 팔았다고 했었다. 카페 보증금과 시설비, 공사비 등 들어갈 돈이 한두 푼이 아니었기에 허리띠를 바짝 조인 유리였다.

정호는 마음먹으면 지금 당장에라도 카페를 빼 줄 수 있을 정도로 여유로웠지만, 그 돈을 마련하기 위해 유리는 지난 몇 년간을 필사적으로 노력해 왔다.

타고난 것과 노력해 얻은 것은 절실함에서 차이가 난다. 정호는 간절하고 소중한 것이 없기에 포기도 잘했으나, 유리는 살아가는 순간마다 악착같이 매달렸다. 그녀가 못 할 일은 없었다. 아마, 이곳에서의 운동도 유리 뜻대로 하고 말겠지.

"그래서 여기서 운동하겠다고?"

"예압. '김정호 옥탑 피트니스'에 저 등록 좀 합시다?"

"뭐?"

"일단 이 얘긴 나중에 하고 나 샤워 좀 해야겠다. 내가 먼저 욕실 써도 되지?"

"야야!"

사이클에서 일어서서 집 쪽으로 향하려는 유리를 급하게 불러 세웠다.

"왜?"

뭘 한다고? 샤워를? 어디서? 내 욕실에서? 아무래도 철분이 부족한가 보다. 피가 모자라. 아니, 카페인이 모자라. 머리가 핑글핑글 돌았다. 어지러웠다. 정호는 이마를 짚었다.

우리가 아무리 14년 된 친구지만. 우리가 아무리 사우나도 같이 가자고 농담할 정도로 가깝지만. 우리가 아무리 친구 사이로 백년해로하자고 소주와 곱창으로 언약한 사이지만. 이렇게 훅 치고 들어오면 안 되지. 자꾸 그럼 안 되는 거지.

"뭐야. 불러 놓고 왜 말을 안 해. 이따 얘기하자니까."

"어……."

"너도 씻어야 하지? 내가 먼저 씻는다."

뭐, 먼저 씻는다고? 그런 말 함부로 하지 마, 제발. 친구라는 이름 아래 고문을 행하는 자여. 이러다 내가 미쳐 버리는 수가 있다고.

그녀가 제 방 욕실로 들어간 후 정호는 괴로움에 소리 없이 울부짖었다.

쏴아아아.

보지 않아도 충분히 알 수 있다. 저 소리는 샤워기에서 쏟아진 물이 알몸으로, 다시 바닥으로 흘러내리는 소리다. 이렇게 물소리가 적나라하게 들린 적은 처음이었다. 욕실 밖 공간은 툭 터져서 원룸으로 되어 있으니 피할 길도 없다. 어디서든 물소리가 선명하게 들렸다.

정호는 손톱을 물어뜯으며 서성였다. 여기 계속 있다가는 음란마귀를 영접하고 말 것 같았다. 하아. 뜨거운 숨을 내뱉었다. 물소리만 듣고 있을 뿐인데, 상상의 나래는 제 의지와 상관없이 펼쳐졌다. 생각해 보니 굳이 여기 있을 이유도 없는데, 괜히 따라 들어와 혼자 마음 졸이고 있었다. 아무래도 안 되겠다. 나가 있어야겠다.

그렇게 정호가 막 현관문을 잡은 순간, 물소리가 뚝 멎었다. 그리고 딸깍, 욕실 문이 열리는 소리가 들렸다. 가만, 물소리가 방금 그쳤잖아? 시간상 이건 너무 빠른데? 옷을 입기엔 너무 짧은 시간…….

"김정호!"

등 뒤에서 유리의 목소리가 들렸다. 꿀꺽. 침이 넘어갔다. 저 여자, 지금 다 벗고 문 연 거야?

"야아! 여기 마른 수건이 없어. 나, 수건 좀."

정호는 손을 들어 이마를 긁적이며, 욕실을 등진 채 게걸음으로 움직였다. 차마 바로 볼 수 없었으니까. 소파 옆에 개어 둔 수건들이 있었다.

"뭐 해? 듣고 있어? 너 여기 없냐?"

"준다! 준다고!"

정호는 위에 있는 수건을 하나 턱 집었다. 손으로 제 눈을 가리고 바닥만 보면서 욕실 쪽으로 갔다. 욕실 문 아래 시선이 꽂혔다. 문은 팔 하나 오갈 정도로 조금 열려 있었다. 정호는 점점 고개를 들었다. 욕실 문 사이로 딱, 유리의 팔만 나와 있었다.

하얗고, 매끄럽고, 물기에 젖은 팔.

"빨리 줘."

답답한 모양이었다. 팔이 위아래로 흔들흔들 움직였다. 문 너머 그녀가 어떤 모습일지는 굳이 설명하지 않아도 알 것이다. 정호는 핏기가 가신 얼굴로 물끄러미 그 팔을 쳐다보았다.

"김정호! 야아! 아직도……."

아직도 꾸물대며 수건을 찾는다고 생각하는지, 유리의 목청은 더욱 높아졌다. 정호는 그녀의 손에 수건을 탁 쥐여 주었다.

"자! 자! 여기, 여기!"

흠칫 놀란 손이 얼른 수건을 잡아챘다. 순간 그 좁은 문틈 사이로 유리가 얼굴을 쏙 내밀었다.

허억. 그러지 마. 다 벗고 있는 거 아는데 얼굴 막 보여 주고 그러지 마!

"귀찮게 해서 미안! 앞으로는 잘 챙겨서 들어올게!"

물기 어린 얼굴이 환한 미소를 지어 보였다. 그것도 잠시. 이내 욕실 문이 탁 닫혔다. 그 앞에 선 정호는 가늘게 한숨을 내쉬었다.

앞으로…… 앞으로라. 난 앞으로도 이 고문을 계속 당해야 한다는 거지. 그래. 뭐, 좋지. 몸에 사리 쌓아서 나쁠 거 없지. 나중에 나 죽으면 내 몸에서 나오는 사리들 모아서 구슬치기도 하고, 공기놀이도 하고, 당구도 치고 그래라. 이 망할 놈의 친구야!

아침부터 딱히 한 것도 없는데 기력이 쇠한 기분. 정호는 바닥에 벌렁 누워 버렸다. 잠시 후 티셔츠와 진으로 갈아입은 유리가 젖은 머리를 수건으로 감싸고 욕실에서 나왔다.

"바닥에 시체 이거 뭐야. 묻어 버리기 전에 빨리 씻으러 들어가."

제 허리를 발로 툭툭 치는 느낌에 정호는 벌떡 일어났다. 묻어 버린다고? 얘는 진짜 그러고도 남을 거다.

"들어가. 들어갈 거야."

"아 참. 거울 내가 닦아 놨어. 변기 세정제도 약해졌길래 갈아 놨고."

"……고맙구나."

"별말씀을."

정호는 슬슬 헷갈리기 시작했다. 여기 분명 자신의 집이 맞는데, 점점 김유리 서식지가 되어 가는 느낌이 들었다. 각자의 일이 바빠지면서 그런 적이 별로 없지만, 사실 오총사 중 한 명인 준원이 자취하던 학생 시절에는 우르르 몰려가 다들 이렇게 지내곤 했었다. 그보다 더 거슬러 올라간 고등학생 시절에는 학교에서 제일 가까운 유리의 집에 모여 자주 놀았고.

그러니 이제 와 내외하는 게 더 웃긴, 의식하는 게 더 어색한, 그야말로 오랜 친구 사이다. 지금도 유리는 자신의 집인 것처럼 자연스럽게 드라이어를 찾아 머리를 말리고 있었다. 그녀의 뒷모습을 물끄러미 바라보던 정호는 갈아입을 옷과 수건을 챙겨서 욕실로 들어갔다. 아직 그녀의 젖은 숨결이 배어 있는 욕실로.

정호가 느릿느릿 몸을 씻고 옷을 입고 나왔을 때, 집 안에 그녀의 모습은 보이지 않았다.

'내려갔나 보네.'

정호는 수건으로 머리의 물기를 털었다. 내일이 카페 오픈 일이니 유리는 오늘 막바지 준비로 바쁘게 보낼 것이다. 떡도 돌린다고 했었고.

카페 쪽은 준비가 잘 끝났다. 준원이 컨설팅하여 몇 가지의 브런치 메뉴도 확정됐다. 마미는 특유의 카리스마와 리더십으로 꽃돌이 직원들을 잘 이끌고 있었다. 깔끔한 느낌의 간판도 새로 걸렸다. 아무런 수식어 없이 그냥 '로 카페(Law Cafe)'라고만 새겨졌다.

김유리 변호사의 법률 상담이 이루어지는 카페라는 소개가 현판으로 제작되어 전면에 걸렸다. 타로나 사주를 봐 주는 카페는 많지만, 법적인 문제를 상담해 주는 변호사의 법률 상담 카페라니. 듣도 보도 못한 카페였다. 준비 기간에 간간이 카페 앞을 지나는 주민들도 궁금한 듯 기웃거리곤 했었다. 유리는 그런 주민들에게 웃으며 카페를 소개했다.

예비 고객을 향한 친절함은 친구들을 대하는 모습과 확연히 달랐다. 하긴, 긴 세월 동안 봉사로 다져진 인내심과 안면근육이 있으니. 대외적으로는 매우 건실하면서도 아름다운 변호사 김유리였다.

물론 카페 준비가 잘되어 가건 말건 정호 저와는 상관없는 얘기다. 자긴 거기 직원이 아니고 건물주니까. 월세나 정해진 날짜에 꼬박꼬박 들어오면 그뿐이다.

그런데 심장이 자꾸만 뛴다. 경계 대상들이 유리 주변을 맴도는데, 그걸 눈앞에 두고도 모른 척하기가 너무 힘든 거다. 이게 다 망할 카페를 제 건물에다 해서 문제인 거 아닌가. 기껏 마음속에서 밀어내려고 하니, 제 발로 걸어 들어온…… 친구의 탈을 쓴 요물. 확실히 김유리는 정호의 정신 건강에 꽤 해로운 존재였다.

"어?"

답답한 마음에 현관 밖으로 나왔는데, 마당에 설치해 둔 해먹에 그녀가 누워 있는 모습이 눈에 들어왔다. 카페로 내려간 줄 알았더니 왜 저기 누워 있나. 아무래도 옥상의 모든 시설이 공공재가 되어 버린 것 같다. 아니다. 아예 김유리의 사유재다. 김유리 것은 김유리 것이고, 김정호 것도 김유리 것이 되어 버린 상태였다.

"허 참. 겁도 없이 아무 데서나 퍼질러 자고……."

정호는 뒷짐을 진 채 거드름을 피우듯 느리게 걸어서 그쪽으로 갔다. 샤워하고 카페로 내려가려던 유리가 해먹에 잠시 누워 보고는 그대로 잠이 든 모양이었다. 정호는 해먹 옆에 서서 잠든 유리를 내려다보았다.

"그래, 이게 '마약 해먹'이긴 하지."

그만큼 중독성이 있단 얘기다. 침대나 소파와는 또 다른 매력이 있는 해먹. 거기에 누워 하늘을 보며 광합성을 하고 있노라면 세상 참 편하게 느껴지니까. 정호는 그대로 옆에 있는 평상 위에 앉았다. 그녀에게 닿은 시선을 뗄 수가 없었다.

유리는 지금 꽤 긴장 상태일 거다. 공부만 했고, 월급만 받아 봤지, 이렇게 사업이든 장사든 뭔가 해 보겠다고 나선 건 처음일 테니까. 망하면 어때, 하며 호기롭게 외쳤어도 자신의 시간과 돈을 모두 걸고 하는 일인데 태연할 수가 없을 것이다.

정신없이 잠에 빠져든 유리를 보니 가슴 안쪽이 덴 듯 뜨거워졌다. 뭐든지 씩씩하게 잘 해낼 것 같지만, 시작하면서 속으로는 얼마나 불안했을지. 유리가 말하지 않아도 정호는 충분히 알고 있었다. 오죽하면 자신에게 의지하고 싶어 했을까.

'김유리, 난⋯⋯.'

그녀는 겉으로 한없이 강인해 보여도, 속으로는 여린 마음을 지닌 사람이었다.

'네가 좋아.'

어찌할 수 없는 진심이었다. 차마 전할 수 없는 말을 속으로 삼키며, 그는 평상 위에 엎드렸다. 그리곤 고개를 유리 쪽으로 돌린 채, 해먹 위에 잠든 그녀를 하염없이 바라보았다. 안고 싶은 마음이 그득한데도, 밀어내는 정호의 마음은 쓰리기만 했다.

'그런데 넌, 붙잡으면 도망가겠지. 내가 안으면 밀쳐 낼 거고. 사랑한다고 하면⋯⋯ 난 널 친구로도 볼 수 없게 될 거야.'

봄날의 아침 햇살이 부드럽게 내려앉았다.

지금은 그저, 이렇게 볼 수 있는 것만으로도 좋다. 때때로 심장이 롤러코스터를 타는, 비루한 짝사랑일지라도. 제멋대로 날뛰는 그 심장 덕에 하루하루 피가 마를지라도. 왜 제 곁으로 와서 이렇게 괴롭게 하는 건지 원망스러울지라도.

오늘도, 내일도, 모레도. 그리고 앞으로도 쭉 볼 수 있다는 건 기쁜 일이다. 가슴이 쥐어뜯기듯 아프고 죽을 것 같아도 제겐 분명 ⋯⋯기쁜 일.

제 눈앞의 요물이 친구의 탈을 쓴 채 잠든 모습을, 정호는 한참 동안 바라보았다.

"내일부터 저 카페 문 연다면서?"

"변호사 사장이 미스코리아 출신이라며. 태어나 세상 그렇게 예쁜 여자는 처음 봤네."

"예쁘기만 해? 아주 싹싹하고 똑소리 나 보이던데. 며느리 삼으면 딱 좋겠더라고."

"뭔 소리여. 아들이 없는데 어떻게 며느리로 삼아."

"그만큼 괜찮다 이 말이지."

유리에 대한 동네의 평판은 썩 나쁘지 않았다.

"나 같은 사람은 변호사 양반 어디 구경이나 해 봤나. 마냥 신기하더만. 옴마. 아싸!"

좌악. 패에 찰싹 붙는 소리가 경쾌하였다.

"고도리, 고도리!"

"워매! 그게 거기 가 있었어? 아이고!"

여기는 슈퍼 안쪽 방. 이 동네 하우스 되시겠다.

"투고에서 스톱!"

"시상에. 뭐여. 뭘 믿고 고하나 했더니! 그놈의 고도리! 아예 쓰리고까지 해 버리지, 왜?"

"내가 미쳤나? 주인 총각 요 홍단 맞으면 어떡해. 여적 안 나왔는데. 독박 쓸 일 있어? 난 여기까지만 하고 멈출 것이네!"

슈퍼 김천댁이 밝은 얼굴로 남은 패를 던졌다. 그리고 신나게 점수를 계산하기 시작하였다.

"아싸, 자네는 피박일세!"

그 경쾌한 지적에 정호는 끄덕이며 담요 아래 깔아 둔 돈을 꺼냈다. 빵집 할머니는 진작 고도리를 깨지 못한 것을 매우 아쉬워하며, 점 백 원씩의 조촐한 놀잇값을 지불하였다.

정호는 청단, 홍단 띠를 다 맞춰 놓고도 결정적인 마지막 패는 내놓지 않고 있었다. 애초에 낼 생각도 없었던 마지막 홍단 대신 엄한 패만 줄기차게 냈고, 김천댁과 빵집 할머니는 정호를 고스톱 바보쯤으로 여기고 있었다.

아까는 빵집 할머니를 밀어주었으니 이번에는 김천댁 차례였다. 고도리를 맞추라고 깔아 준 패가 기가 막히게 맞아 들어갔다. 신나게 돈을 따고 까르르 아이처럼 웃으며 좋아하시는 모습을 보니 정호도 피식피식 웃음이 나왔다. 일부러 져 드리는 것도 그의 재미였다.

"주인 총각, 돈 잃고도 좋다고 웃는 것 좀 봐. 참 밸도 읍지."

"고스톱 잘 치지도 못하면서 뭐, 맨날 치재. 실력이 어쩨 이리 안 늘어."

김천댁과 빵집 할머니는 마냥 즐거운 모양이었다. 정호는 머리를 쥐어뜯으며 탄식하였다.

"아아, 이번 판에는 내가 딸 수 있었는데. 아깝드아!"

"아깝긴! 택도 없는 소리 하고 앉아 있네."

오늘은 수제비를 많이 만든다면서 점심때 꼭 먹으러 오라는 김천댁이었다. 일주일에 한두 번 정도는 밥을 챙겨 주려고 하는 김천댁이 정겹고 고마웠다. 김천댁은 고스톱을 함께 쳐 드리면 가장 즐거워하였다.

슈퍼와 바로 붙어 있는 빵집 사장의 어머니인 할머니도 마찬가지였다. 건물 뒤편의 주택가에 아들 내외와 함께 살고 계신 할머니는 소일거리 삼아 자주 빵집에 나와 계셨다. 감자 같은 걸 쪄서 옥탑방에 올려 주기도 하면서, 왜 여기서 먹고 자고 하냐며 늘 걱정을 입에 달고 계셨다.

서초동에 있는 정호의 서울 본가는 비어 있었다. 부모님은 아버지의 고향인 천안 근교로 내려가시면서 집을 처분하지는 않으셨다. 다만, 정호 스스로 넓기만 한 집이 더욱 황량하게 느껴져 옥탑방에서 생활하게 되었을 뿐이었다.

새벽녘 한강을 뛰고 오는 조깅도 좋았고, 오롯이 제 것인 옥탑방과 마당도 좋았다. 다정한 이웃들도 좋았고, 창가에 서서 한눈에 내려다보이는 학교 담장 옆 거리도 좋았다.

곧 벚꽃이 피어 하얗게 물들 거리.

그 잔잔한 풍경에도 정호의 심장은 쿡 쑤셔 오곤 했지만.

수제비도 먹었겠다, 고스톱도 쳤겠다. 이제 슬슬 베스트 프렌즈인 김천댁과 빵집 할머니와 헤어져 옥탑방으로 올라가야겠다고 생각하던 참이었다. 가서 어제 보던 만화책이나 마저 봐야지 하던 그 순간.

"떡 좀 드세요!"

슈퍼로 들어서는 이는, 카페의 막내로 들어온 청년이었다. 경계 대상 3호 말이다.

"어이쿠. 요즘도 개업한다고 떡을 다 돌리네."

"안녕하세요. 옆에 있는 카페 알바생 배준이에요."

막 빼 왔는지 하얀 김이 뽀얗게 올라오는 시루떡이었다. 반색하며 떡을 받아 드는 김천댁과 빵집 할머니의 표정은 매우 밝았다.

"여기 떡 드세요. 많이 맞추셨대요. 오셔서 더 드셔도 돼요. 개업은 내일인데 조용하게 문 열고 싶으시다고, 떡은 오늘 돌리신대요. 우리 변호사 사장님이요."

"어쩜 이렇게 싹싹하데."

"참 이쁘게도 웃네."

"감사합니다!"

이어지는 칭찬에 환히 웃던 준은 할머니 옆의 정호를 보더니 어, 하고 알은척을 했다.

"주인 형님! 여기서 고스톱 치고 계셨구나. 어쩐지. 마미가 떡 가지고 올라갔더니 없다고 하시더라고요."

"내가 또 이 동네 인기남이라서. 돌면서 관리 좀 해 줘야 하거든."

"뭐? 인기남 다 죽었네!"

김천댁이 정호의 말에 파안대소했다.

"이 총각이야말로 진짜 곱고 예쁘구만. 눈이 다 환해지는 게 꼭 텔레비전 나오는 가수들 같아. 뭐라 그러더라? 아이돌?"

"허 참, 뭐지, 이 배신감은. 나랑 있을 때는 컴컴했단 말이에요?"

"아휴, 그걸 말이라고 해?"

정호에게는 눈도 두지 않고 김천댁은 준의 피부를 보며 감탄하기만 하였다.

"곱네, 고와. 아주 찹쌀떡이고만. 군대도 안 간 아기지?"

"제대했습니다! 겨울에."

"시상에. 군대 생활 편하게 했는갑네."

"에이, 저 전방에서 5월까지 내리는 눈 치우는 부대에 있었는데요."

"으미. 참말?"

빵집 할머니마저 거들었다.

"카페 새로 바뀌고 나서, 요 거리가 아주 화사하니 좋네. 거, 남자 직원 하나도 엄청 잘났드만. 아줌마랑 변호사 아가씨까지. 인물들이 아주 훤햐."

로(Law) 카페가 아니라 막강 비주얼 카페가 된 상황이다.

"요 칙칙한 젊은이만 보다가 모처럼 파릇파릇한 젊은이들 보니까 눈 호강하고 참 좋구만."

"왜요. 형님 진짜 잘생기셨는데요."

준의 말에 정호의 입가가 씨익 올라갔다. 원래 잘생긴 것 따위에 집착할 마음은 없었는데, 요즘 들어 이상하게 외모에 신경이 쓰인다. 남자들은 대체로 정호의 몰골이 거지 같아도 잘생겼다고 인정해 주곤 했다. 하지만 김천댁과 빵집 할머니는 그 말에 진저리를 쳤다.

"꾀죄죄해 가지고 여가 뭐 잘생겼댜!"

아니, 이 여인들이! 베스트 프렌즈면 무엇하나! 말하지 않아도 아는 정(情)을 나누며, 함께 고스톱을 치고 음식을 먹던 수많은 세월은 어디 갔냐 말이다. 다 부질없는 노릇이다. 빈티지 간지는 여기서도 인정받지 못하였다.

정호는 씁쓸한 한숨을 쉬었다. 잘난 외모로 귀찮은 적이 많았기에 오히려 꾸미는 것에 거부감이 일 정도였는데. 이제는 저 풋애송이와 견주어 뒤로 밀리는 처지라니. 정호는 알게 모르게 위기감이 들었다.

"형님, 저랑 같이 가서서 떡 드시죠!"

그 와중에 카페에 같이 가자는 말은 반가웠다. 홀로 애증의 마음과 싸우고 있던 정호는, 유리로 인해 괴로우면서도 또 그녀로 인해 기뻤으니. 카페에 갈 건수가 생겨 내심 반가운 차였다. 그런 정호의 속도 모르고, 맘도 모르는 빵집 할머니가 시루떡을 손으로 주욱 떼어 내 입에 넣으며 말했다.

"주인 총각은 떡 싫어햐."

에헴, 그럼 어디 카페 가서 떡이나 좀 먹어 볼까! 하고 일어서던 정호는 화들짝 놀라 할머니를 바라보았다. 준이 안타까운 얼굴로 정호를 바라보며 물었다.

"어? 형님, 떡 싫어하세요?"

이렇게 방해하시면 안 되죠, 할머니. 지금까지 제가 잃어 드린 돈이 얼만데…… 빵집 할머니는 정호 속도 모른 채 그저 천진난만한 웃음만 머금으셨다. 그리곤 팥고물을 입에 모아 넣으며 덧붙였다.

"접때 내가 백설기 먹자고 하니까 떡은 별로라대."

떡을 먹고 된통 체한 적이 있었다. 그 이후로 잘 먹지 않았지만, 지금은 떡이 목적이 아니고 카페가 목적인 거다. 하도 쓸데없이 들락거렸더니 유리가 슬슬 귀찮아하는 것 같았다. 그러니 이런 공식적인 건수는 완전 소중하단 말이다. 떡을 핑계로라도 가서 유리의 얼굴을 봐야겠다는 생각에 정호는 목을 긁적거리며 말했다.

"어이쿠, 시루떡이네. 내가 백설기는 별로인데, 시루떡은 참 좋아하는 떡이라서……. 어떻게 알고 또 시루떡을 맞췄지? 개업하면 역시 시루떡이지. 가자! 가서 먹자."

김천댁이 고개를 갸웃거렸다.

"팥도 먹다가 체했다며. 팥죽이었나. 그 뒤로는 팥빙수도 안 먹는다고 하지 않았나?"

아아, 시루떡. 왜 그대는 팥으로 만든 떡인 건가요.

"팥은 싫어하는데, 시루떡의 팥은 또 잘 먹거든요, 제가."

정호는 하하, 웃으며 말도 안 되는 논리를 펼치고 일어섰다.

"희한한 식성이구먼그려."

"제가 어디 식성만 희한한가요. 저흰 그럼 갑니다."

정호가 추리닝 바지에 손을 푹 찌르고 슈퍼를 나섰고, 준이 얼른 따라 나왔다.

"저는 사람들이 아무리 뭐라 해도, 형님 스타일이 참 멋지다고 생각합니다!"

"뭐?"

정호가 우뚝 걸음을 멈추었다. 그의 심기를 거스른 발언이었을까 봐 준이 살짝 긴장하며 물러섰다. 놀린다고 오해하는 건 아니겠지. 아줌마와 할머니의 구박에 혹시 형님의 마음이 상했을까 말을 보탠 준이었다. 그런데 갑자기 어둠의 오라가 느껴지는 추리닝 또라이의 묵직한 어깨를 바라보며 준은 침을 꿀떡 삼켰다. 거부할 수 없는 마력의 추또 형님이 말씀하셨다.

"준배라고 했지."

"네? 네, 네!"

준배가 아니고 배준이지만. 지금부터 그냥 준배가 되기로 하였다. 왠지 그래야만 할 것 같다. 헐렁한 추또 형님에게서 지금 이 순간 낯선 카리스마가 느껴졌으니까.

"이리 와 봐."

준은 거리에 우뚝 선 추또 형님의 곁으로 다가섰다. 왜 목소리를 낮추고 그러시지. 하릴없이 어슬렁어슬렁 카페를 기웃거리던 형님이 분위기 잡고 이러니 더욱 긴장이 되었다. 정호는 준이 가까이 오자, 팔로 어깨를 감쌌다. 그리곤 팔 안에 쏙 들어오는 준을 안고 말을 이었다.

"준배야."

"네."

"진짜 그렇게 생각하나?"

"네? 무슨……."

"내가 멋있다며."

나지막한 목소리로 조금 아까 했던 말을 되짚어 주자 준은 고개를 연신 끄덕였다.

"너희 변호사 사장님은 형님의 이 내추럴하고 프리하고 보헤미안스러우며, 나이브한 스타일을 전혀 이해 못 하시는 것 같은데 말이야."

"네, 형님 그 추리닝을 찢어 버려야 한다고 하시던데요."

"그래, 그럴 거야. 그러니, 앞으로 준배의 역할이 참 중요하다."

"제 역할이요?"

"형님의 멋있음을 적에게 알려도 좋다."

"……."

"믿는다, 우리 준배."

정호는 준을 놓아주고 툭툭 머리를 쓰다듬어 주더니, 다시 추리닝에 손을 찌른 채 저벅저벅 걸어갔다. 준은 그의 뒷모습을 바라보며 고개를 갸웃거렸다. 저 형님도 정상은 아니지 싶었다.

떡은 과연 맛이 없었다. 심하게 체한 적이 있어 정호가 절대 입에 대지 않는 두 가지 음식, 떡과 팥의 조합이라니. 체기 유발에 환상적인 시루떡이었다. 하지만 유리가 내준 떡을 누구보다도 맛있게 먹고 있는 사람도 바로 김정호였다. 그는 넓은 김을 한입에 구겨 넣는 먹방의 일인자 배우보다 더 탁월한 연기력을 뽐내는 중이다. 이러다 시루떡 CF라도 찍을 기세였다.

"엄청 잘 먹네. 더 먹을래?"

떡을 먹던 정호는 얼떨결에 고개를 끄덕였다. 이내 접시가 또 채워졌다. 젠장. 제대로 씹지 않고 넘긴 팥알이 배 속에서 굴러다니는 소리가 들리는 것 같다.

"너 근데, 전에 떡 먹고 체한 적 있지 않냐?"

유리가 의아한 듯 물었다.

"아닌가. 팥죽이었나. 암튼 심하게 체해서 그다음부터 안 좋아하는 거 있잖아. 떡인가, 팥인가."

그걸 이제야 떠올린 유리가 무신경하다고 해야 하나, 이제라도 떠올렸으니 다행이라고 해야 하나.

"둘 다다."

"아, 그랬어?"

고등학교 때는 떡을 먹고 체했고, 대학교 때 팥죽을 먹고 체한 적이 있었다. 물론 그 자리에 유리도 있었다. 두 번 모두. 그런데 그걸 몰랐다니.

"그런데 너 이렇게 시루떡 먹어도 돼?"

"……음. 이제 괜찮아."

"괜찮은 정도가 아니구만. 너 되게 좋아한다. 좀 천천히 먹어. 더 있어. 많아."

좋아해서 빨리 먹을 수도 있고, 싫어서 빨리 먹을 수도 있다는 사실을 김유리는 모르는 모양이었다. 정호는 떡을 꿀꺽 삼키며 아메리카노를 한 모금 마셨다. 그때 기대감에 찬 얼굴로 유리가 물었다.

"커피 맛은 어때? 원두 결정했어. 이제 이걸로 나갈 거야."

"음. 괜찮네."

정호 취향의 캐러멜마키아토가 아닌 아메리카노를 내온 건 커피 맛을 보여 주기 위해서라고 했다. 준비 기간 내내 원두를 바꿔 가며 공을 들이더니, 커피 하나도 꼼꼼하게 챙기는 모습이었다.

"유기농 방식으로 재배한 예가체프야. 공정무역(Fair Trade)으로 들여온 건데, 생두 등급도 최상급이거든."

"어휴. 김유리 강박증 쩐다."

커피에 대해 열심히 설명해 주려던 유리에게 정호가 까칠하게 말했다.

"무슨 강박증? 내가 뭐?"

"생두 하나까지 공정무역이라니. 어째 인생이 계몽이냐. 그쯤 하면 계몽 강박증이다. 정말. 세상 편하게 살자, 좀."

"모르면 몰라도, 아는데 어떻게 실천을 안 해."

"그 실천이라는 걸, 사람들은 대부분 힘들어하지."

"마음먹고 한 번 더 움직이는 게 뭐가 힘들어. 어려운 건 못 해도 이 정도 쉬운 건 하겠다는데. 생계를 위해 죽도록 착취당하며 노동하고도 여전히 가난할 수밖에 없는 아이들도 있는데, 대체 이게 뭐가 힘들어."

유리가 하는 말은 물론 옳은 말이었다.

"사람들이 몇천 원씩 주고 사 마셨던 커피에 원두값으로 농장에 돌아가는 돈이 얼마나 될 것 같아? 50원도 안 된대."

그녀는 숨을 한 번 삼키더니 열성적인 태도로 말을 이었다. 아, 잘못 건드렸다.

"전 세계 사람들은 커피에 열광하지만, 정작 생산자들한테는 무역 규제 통해서 헐값으로 커피 사들이고, 소비자들에겐 비싼 가격으로 팔고. 중간에서 배불러 터지는 놈들은 따로 있다고. 현대판 노예 착취가 아니고 뭐냐. 그 눈물로 거둔 커피, 돈 받고 팔기 싫다, 정말."

어련하실까.

"공정무역은 그런 문제점을 극복하기 위한 노력인데. 그걸 알아보고 구입하는 것 자체가 이렇게 편리한 세상에 살면서, 대체 이게 뭐가 어려워."

구구절절 옳았다. 옳아서 문제였다.

"암요, 암요. 네가 할 수 있는 걸 하겠다는데, 그걸 누가 말리냐."

정호는 건성으로 대답하며 떡을 입에 넣었다.

"그런데 왜 헛소리야."

"강박증 발언 취소."

"흠. 오냐, 접수."

김유리는 멋있다. 그런데 그녀의 멋있는 모습을 보는 제 마음은 왜 이리 불편한지.

지구를 구하는 슈퍼우먼을 보는 기분이 든다. 누워서 배 긁으며 만화책이나 보는 게 속 편한 사람에게 슈퍼우먼은 부담스러울 수밖에 없지 않은가. 자신이 악당이 된 기분이기도 했다. 혹은 독립운동가 옆에서 시대에 대한 의식 없이 살아가는 한량이 된 느낌도 들고. 게다가 좋아하는 여자에게 그런 기분을 느끼는 건 그리 달가운 일이 아니다. 더욱이 추리닝 또라이로 나날이 명성이 높아지는 그로서는 더더욱.

복잡한 속내와 다르게 정호는 태연하게 시선을 돌렸다. 그가 카페 안을 둘러보며 물었다.

"개업 선물로 뭐 받고 싶은 것 있어?"

"있지."

"뭔데. 딴 건 몰라도 개업 선물만큼은 내가 꼭 사 주……."

"우리 건물 옥탑방에 사는 추리닝 또라이가 정신 차리는 모습."

"불가."

0.1초 만에 흘러나온 대답. 정호를 보는 그녀의 눈빛에는 안타까움이 가득했다.

"너 정말 아무 일도 안 하고 살 거야?"

"왜 일을 안 해? 나 워커홀릭이야."

"헐. 백수가 무슨 워커홀릭이야? 뭔 일을 하는데."

"건물 관리하느라 바쁘잖아. 어휴. 365일 일하니 휴일도 없다."

"만화 보고, 드라마 보고, 고스톱 치느라 바쁘겠지. 퍽도 워커홀릭이다."

쯧쯧, 혀를 차는 유리를 보자 정호는 체기가 올라오는 듯했다. 너무 급하게 먹었나.

"아이고, 내가 신성한 워커홀릭 이름에 그만 먹칠을 해 버렸네."

"김정호, 나 지금 진지해."

"그래, 넌 늘 진지해. 평소에는 신명조체쯤 되고, 공부할 때는 궁서체지. 연애할 때는……."

"등짝 처맞기 전에 그만두는 게 좋을 거다."

마미와 준은 나란히 떡을 배달하러 나갔고, 은강은 안쪽 스태프 창고에 들어가 테이크아웃 용품들을 정리하고 있었다. 결국 지금 유리와 정호를 신경 쓰는 사람은 카페에 아무도 없었다. 서늘한 기운이 도는 카페. 만일 이대로 유리에게 목이 졸려 죽어도 구해 줄 사람이 없다는 얘기다.

"암요, 네."

정호는 바짝 의자를 당겨 자세를 고쳐 앉았다. 떡이 걸린 듯 속이 불편하게 느껴져 애꿎은 커피를 한 모금 더 마셨다.

"너 변호사 일 바로 할 수 있잖아. 대체 그것까지 안 하려는 이유가 뭐야?"

검사는 사직해도 변호사 자격이 있기에, 협회에 신고만 하면 업무를 볼 수 있었다. 정호가 검찰청에서 나왔을 때는 워낙 시끄러운 시기였기에 그럴 수도 있지 싶었다. 그래도 조금 쉬었다가 변호사 일은 시작하겠지 싶었는데, 웬걸! 되지도 않는 만화를 그려 웹툰계에 진정한 먹칠을 하더니, 이제는 백수가 천직이라 말하고 있었다.

유리였다면 끝까지 버텼겠지만, 남의 일이라고 쉽게 말할 수는 없다. 게다가 정호는 속사정을 절대 이야기하지 않으니까. 그게 벌써 3년이나 되어 간다. 유리는 친구의 마음으로, 진정 정호가 안타깝고 안쓰러웠다.

"나, 그쪽 일은 안 할 거라니까. 절대."

"세상에 '절대'라는 건 없어."

유리의 청명한 눈빛이 정호에게 꽂혔다. 그의 머리가 지끈 조여 왔다.

"장난만 치니까 넌 내가 늘 우스운가 본데."

제법 차가운 정호의 음성. 좀처럼 듣기 힘든 목소리였다. 듣는 유리의 눈썹이 움찔 떨렸다.

"나 구워삶아서 여기서 일하게 할 생각, 꿈도 꾸지 마. '절대'."

세상에 없다는 그것을 힘주어 말했다.

절대(絶對).

잠시 침묵이 흘렀다. 음악도 없는 텅 빈 카페에는 무거운 공기만 가라앉았다. 그들 사이에 어울리지 않는 정적을 가르고 유리가 입을 열었다.

"여기서 일하게 할 생각? 누가 여기서 일하게 해 준대? 김칫국 원샷 드링킹하고 있네."

"아니야?"

기껏 무게 잡고 얘기한 게 민망하다. 유리는 자신을 끌어들일 생각은 조금도 없는 모양이었다. 그럼 다행이긴 하지만.

"애초에 너랑 일하자고 여기 들어온 것도 아니고. 그럴 생각이 있다고 해도 네가 왜 여기서 하겠냐. 오라는 데가 줄을 섰을 텐데. 알아서 잘 판단하겠지. 어차피 네 인생은, 네 거잖아."

"옳은 말씀입니다."

"게다가 너처럼 불성실한 새끼랑 일했다가는 내가 내 명에 못 살지 싶다."

"내 친구의 수명 보존을 위하여, 나는 할 수 없이 쭉 지금처럼 살아야겠다."

"고맙구나. 나 오래 살라고 걱정해 주는 건 너뿐이다."

"그러엄!"

그때 카페 문에 달아 둔 풍경(風磬)이 가볍게 울렸다. 맑게 퍼지는 소리와 함께 서원이 들어서고 있었다.

"안녕하세요. 어, 정호도 있었구나."

그의 손에 접시가 들려 있었다. 서원이 매일같이 도장 찍듯 카페에 오는 건 알고 있지만, 이렇게 자꾸 눈으로 보는 건 기분이 썩 좋지 않았다.

"형, 이 시간에 웬일이에요?"

"어. 오늘 진료가 일찍 끝나서."

테이블로 다가온 서원은 접시를 유리에게 건네주었다. 접시엔 초콜릿이 가득 담겨 있었다.

"떡 잘 먹었어요. 아까 준이가 많이 가져왔더라고요. 병원 식구들이랑 맛있게 잘 먹었습니다."

젠틀한 서원이 접시를 버리지 않고 고급 수제 초콜릿을 가득 채워 왔지만, 유리는 표정 하나 바꾸지 않고 말했다.

"빈 접시 안 채워 오셔도 되는데. 일회용 접시잖아요."

"에이. 그래도 정이라는 게 있죠. 드세요. 이 초콜릿 맛있어요. 수제로 만드는 거라 하루에 일정한 양만······."

"네, 감사합니다. 애들 맛있게 먹으라고 할게요."

"유리 씨는······."

"전 초콜릿 싫어해요."

지이이잉. 눈에 보이지 않는 철벽이 올라왔다. 나이스! 정호는 속으로 쾌재를 불렀다. 김유리는 지금 최서원의 관심을 차단하는 중이다. 그건 그녀의 본능이었다.

"아, 초콜릿 싫어하시는구나."

"네. 진득진득 달라붙는 느낌이 싫어서요."

암, 그렇지. 그래야 김유리지. 지금껏 그녀가 내내 솔로인 것도, 저 단호박 돋는 철벽 덕분이었다.

'어휴. 김유리. 진짜 초콜릿을 먹으라고 가져왔겠냐. 너한테 잘 보이려고 그러는 거지.'

정호는 피식 웃으며 테이블에 놓인 초콜릿 포장을 하나 깠다. 야무지게 입에 넣으며 서원에게 물었다.

"형, 내가 먹어도 되지?"

이미 먹고 있지만.

98

"응, 맛있게 먹어."

미소를 지으며 서원이 대답했다. 저 양반, 착하게 대답하니 죄책감이 생긴다. 정호는 비싸고 귀하다는 초콜릿을 우두둑 씹어 먹었다.

"오신 김에 커피 한잔하세요. 제가 라테 종류는 만들지 못하고 그냥 커피 내릴 줄만 아는데. 아메리카노 괜찮으세요?"

"네, 어떤 커피든 상관없어요."

"잠깐만 기다리세요."

유리가 커피를 주겠다는 말에 서원의 얼굴이 활짝 피어났다.

"초콜릿 싫어할 줄 몰랐네."

서원이 혼잣말처럼 하는 소리에 정호가 초콜릿을 우물우물 씹으며 말했다.

"김유리 단거 싫어하거든."

"그럼 뭘 좋아하지?"

"곱창이랑 막창, 양대창."

"아……."

이내 서원은 풋, 웃음을 터뜨렸다. 뚱한 표정으로 정호가 물었다.

"왜 웃어?"

"아니. 유리 씨가 초콜릿보다 곱창을 더 좋아한다니……."

"그렇지? 좀 깨지?"

환상 깨질 거다. 정호의 입가가 씰룩거렸다.

하지만.

"아니, 더 예뻐 보인다. 이슬만 먹고살 것 같은데 곱창류를 좋아한다니. 하하! 유리 씨 귀엽네."

서원의 이런 반응을 예상하지 못했던 정호는 내면 깊숙한 곳에서 심술이 솟구쳤다.

"형, 여자 보는 눈 진짜 없다. 쟤 얼마나 무시무시한 앤데. 열 받으면 순대로 목 조를 여자야. 게다가 손은 또 얼마나 매운지. 한 대 맞으면 눈앞에서 번개가……. 아악!"

퍽.

번개는 지금 이 순간 정호의 눈앞에서 번쩍였다. 등짝에서 불이 났다. 유리가 테이블에 커피를 내려놓자마자 제 등을 철썩 때렸기 때문이었다.

"나 없을 때 내 욕하면 죽인다고 했지?"

서원이 있건 없건 유리는 평소처럼 행동했다. 그의 앞에서 이미지 관리를 할 이유가 없기 때문이었다. 철벽을 그렇게 잘 치는데, 설마 내숭을 떨까. 역시 유리는 서원에게 잘 보이려고 애쓰는 여자가 아니었다. 정호는 등을 맞고도 씩 웃음이 났다.

"이젠 맞고도 웃지, 네가?"

분한 듯 유리가 흘겨보았다.

"아으으. 아니야. 아퍼. 아퍼."

아파해 주지 않으면 때린 사람이 실망한다. 허무함에 못 이겨 한 대 더 때릴 수도 있다. 고기도 먹어 본 사람이 먹고, 매도 맞아 본 사람이 리액션을 잘하는 법. 정호는 인상을 쓰며 손을 뒤로 넘겨 닿지 않는 등을 애써 문질렀다. 일종의 고객 관리다. 등짝 스매싱 싸게 모십니다. 물론 김유리에 한해서만.

"일부러 아픈 척하는 게 더 짜증 나."

정호는 헤헤, 웃어 버렸다. 두 사람을 보고 있던 서원이 물었다.

"진짜 친한 사이네요. 고등학교 동창이라고 했나?"

"대학 동창이기도 하죠."

유리가 대답하자 서원이 놀란 얼굴로 정호를 돌아보았다.

"너도 법대 출신이었어?"

동네 추또가 알고 보니 법대 출신이라는 사실에 놀란 듯했다.

"정호, 중앙 지검 검사였어요."

대한민국 검사가 저렇게 헐렁하다니.

"졸업 전에 사시 패스하고, 연수원 수료도 수석으로 했죠. 김정호 무서운 애예요. 괴물 천재라고 불렸는데."

그런데 지금은 이러고 있다.

궁금한 게 많은 얼굴로 서원이 정호를 보았다.

"이야, 김정호. 사람이 달라 보이네."

정호는 머리를 긁적였다. 스펙이 화려한 건 백수 생활에 전혀 도움이 안 된다.

"달라 보이긴. 사람이 사람이지."

동네에서는 그저 팔자 좋은 백수로 활약 중이었는데. 본의 아니게 전직 검사였던 과거를 커밍아웃해 버렸다. 그게 득인지 실인지 아직 모르겠다. 뭐든 외우는 건 자신 있어도 상황 파악은 어려운 정호였다. 눈치 없이 헛소리를 잘한다고 친구들에게 구박을 받기 일쑤였으니까.

"유리 씨, 곱창 좋아한다면서요. 언제 곱창에 소주 한잔하러 가요."

"네, 뭐."

정호의 정신이 번쩍 들었다. 그러고 보니 제 입으로 적에게 일급 기밀을 넘겨준 셈이 아닌가. 유리가 곱창을 좋아한다는 사실을 서원에게 그렇게 쉽게 알려 주다니. 자신의 어리석음을 통탄하였다. 앞으로는 절대 이런 실수를 하지 않겠다고 다짐도 했다. 경계 대상 1호를 대하는 자세에 대해 진지하게 고찰해 보고 있는데, 서원에게 전화가 걸려 왔다.

"여보세요. ······어. 올라갑니다. 지금요. 네에."

병원에서 온 전화인 모양이었다. 전화를 끊은 서원이 유리를 향해 자상하게 웃어 보였다.

"전 올라가 볼게요. 그럼 남은 준비 잘해요."

"아. 네에."

서원이 카페에서 나간 후 다시 둘만 남았다. 유리가 식은 커피를 치우려다가 생각났다는 듯 말했다.

"맞다. 나 개업 선물."

"어. 뭔데?"

유리가 스스로 뭘 원하여 달라고 한 적은 거의 없었다. 어렵지 않은 선물이라면, 기꺼이 들어주고 싶었다.

"정말 해 줄 거지?"

"응."

"'김정호 옥탑 피트니스' 이용권."

"……너 진짜 올라와서 운동하려고?"

"아까 해 보니까 좋더라. 나 좀 허락해 주라."

막무가내로 밀고 들어오는 것 같아도, 결국에는 정호의 결정을 기다리고 따르는 식이었다. 이번에도 아마 정호가 안 된다고 하면 물러서긴 할 거다. 끈기와 집념만 있어 보이지만, 사실 그녀에게는 개념과 예의도 있었다. 문제가 있다면, 정호가 유리에게 한없이 약하다는 것.

"그래, 해라."

결국에는 피트니스 이용권 협상 체결에 이르렀다.

"와, 진짜 고마워! 아무 때나 하진 않을게. 너 딱 일정한 시간에 운동하더라. 나도 그때를 이용할게. 아예 한강 조깅부터 같이할까?"

"무엇이든 그대 뜻대로 하소서……."

이렇게 운동 메이트로 거듭나는가 보다. 정호는 체념했다. 촘촘한 거미줄에 엮이는 기분이 들었다.

"떡 다 먹었지? 나도 이제 준비……. 아앗!"

"어어!"

빈 접시와 컵을 쟁반에 담아 벌떡 일어서던 유리의 몸이 크게 휘청거렸다. 요란한 소리를 내며 쟁반과 그릇이 바닥에 떨어졌다. 남아 있던 팥고물이 좌아악 흩어졌다. 다행히 두꺼운 도기 컵은 깨지지 않고 통통 부딪쳐 굴러갔다.

"꺄악!"

사고는 예고 없이 일어났다. 테이블 다리에 발이 걸려 넘어지는 유리를 잡아 주기 위해, 정호는 반사적으로 몸을 일으켜 날렸다. 그녀는 넘어지지 않았다. 정호가 품에 제대로 받았기 때문이었다. 놀랄 만한 순발력이었다.

다행이었다. 단 한 군데. 안전하지 않은 부위 빼고는.

그녀의 몸을 돌려 안은 손이 물컹한 것을 쥐고 있었다. 잡아도 하필 왜 그곳을 잡았을까. 찰싹 달라붙은 그녀의 얇은 니트 위로 터질 듯 탱탱한 가슴이 가쁜 숨을 내쉬며 오르내렸다. 넘어지는 그녀를 뒤에서 잡는 바람에 백허그 자세가 되었다. 유리는 여자치고 큰 키에 힐까지 신고 있었지만, 187센티에 달하는 정호의 두 팔 안에 쏙 들어온 모양이었다.

"어……."

큰 소리를 듣고 창고에서 나왔는지 바에 은강이 나타났다. 이내 밀착된 자세로 안은 두 사람을 보더니, 좀처럼 표정이 없던 은강의 눈도 크게 벌어졌다.

"사, 사고야."

놀란 얼굴로 정호가 중얼거렸다. 갑작스러운 상황에 소리는 질렀지만 두 사람은 꼼짝없이 굳어 버린 상태였다.

유리는 황당한 얼굴로 천천히 고개를 숙였다. 건전하게 제 팔을 잡은 왼손과 달리, 상당히 불순한 오른손이 보였다. 제 가슴을 가득 쥐고 있는 커다란 오른손.

심장이 터지려고 했다. 손을 뿌리치고, 등짝에 강스매싱을 가하고, 굽어진 몸에 니킥을 날리고, 시베리아허스키가 물고 온 이십팔 색 크레파스로 개나리를 그려 계좌 수표를 받아도 시원찮을 이 미친 변태 자식아, 라고 욕을…….

"너희, 뭐 하니?"

해야 하는데.

"형님? ……누나님?"

돌덩이가 되어 굳은 몸은 쉽사리 움직여지지 않았다. 앞에서는 은강이 눈을 느리게 감았다가 뜨며 쳐다보고, 뒤에서는 마미와 준의 목소리가 들렸다. 두 사람은 샌드위치의 햄처럼 가운데 낀 채, 오도 가도 못 하는 절망을 맛보았다.

망했다.

찰나가 영원처럼 길게 느껴졌다.

3. 혼란스러운 마음

테이블 앞에 정호와 유리가 대치하듯 마주 앉았다. 옆으로는 은강, 준, 마미가 서 있다.

"내가 일부러 넘어진 게 아니잖아."

"그럼 나는 뭐, 일부러 그렇게 잡았겠냐?"

사고에 대해 정확한 과실 상계(過失相計)를 나누는 일은 언제나 그렇듯 난항을 예고한다.

"너 이 자식, 일부러 그런 거 아니야?"

팔짱을 턱 낀 채 자신을 곱지 않은 시선으로 쏘아보는 유리에게 맞서는 정호도 억울하기만 했다.

"와아, 잡아 줘도 난리네. 고꾸라지게 그냥 놔둘걸."

"아무리 그래도 어떻게 넌 가슴을 잡냐!"

"잡은 게 가슴인지 뭔지, 그 상황에서 바로 분간이 되겠냐! 준배야! 너는 봤지? 김유리 넘어지는 순간 내가 빛의 속도로 받아 내는 거."

이런 사고에서는 객관적인 목격자를 확보하는 것이 가장 중요하다.

"누나가 넘어지시고, 우리 '멋있는' 정호 형님이 받아 내시는 순간은 정확히 못 봤는데. 제가 볼 땐 이미 두 분이 껴안고 계셨거든요."

준은 결정적인 장면만 떠올리며 어깨를 들썩해 보였다. 유리가 옆에 선 은강에게 물었다.

"서은강! 너는 봤지? 얘가 내 가슴부터 잡는 거?"

은강은 정면에 있었으니 정확히 봤을 것이다.

"글쎄요."

하지만 은강도 목격자 진술을 에둘러 거부하였다. 정호가 한탄하며 말했다.

"이렇다니까. 사회 분위기가 이래요. 남의 사건에 연루되기 싫어서 발부터 빼는 거 봐. 와, 진짜 각박한 세상이다."

"그러니까 말이야. 이미 상황은 벌어졌지만, 얼마든지 추정은 해 볼 수 있잖아. 얘의 변태적인 표정이라든가 손이 움직인 방향이라든가, 정황상 근거들, 많잖아."

준과 은강은 서로 다른 표정이지만 한마음 한뜻으로 고개를 절레절레 저었다. 얼굴에는 '글쎄요.'라고 또렷하게 쓰여 있다.

"변태? 변태? 우와아! 또라이는 몰라도, 살다 살다 변태 소리까지 다 들어 보네. 변태적인 표정이라니! 그 긴박한 상황에서 내가 뭐, 느끼기라도 했다는 거야?"

"아니, 그럼 왜 그렇게 꽉 잡고 있어? 얼른 놔야지!"

합의는 통 이루어지지 않았다. 평화로운 해결은 이미 물 건너갔다.

"참나. 잡을 것도 없……."

"야! 말은 바로 해라? 너 지금 미스코리아의 권위에 대항하는 거지?"

"미코라고 다 가슴 큰 거 못 봤다."

싸울 때는 역시 인신공격이 제일 큰 문제다.

"야! 큰 게 중요한 게 아니거든! 밸런스거든!"

이쯤 되면 과실 상계가 문제가 아니라, 가슴 사이즈에 대한 토론이 이루어질 지경이었다.

"쌍으로 쌈 싸 먹고 있네들. 언제까지 헛소리들 하고 있을 거야?"

마미의 목소리가 치열한 공방을 한 번에 중단시켰다.

"쌍방 과실. 잘못은 반반. 5 대 5. 땅땅."

치킨도 아닌데 '반반, 무 많이'를 외치는 마미의 깔끔한 판결에, 정호와 유리가 인상을 찌푸렸다. 상대방의 과실이 본인의 것보다 훨씬 크다고 생각했기 때문이었다.

"에이, 엄마! 5 대 5는 아니다. 인간적으로."

"야, 김유리! 이게 어디서 억지야. 물에서 건져 줬더니 보따리를 내놓으라네. 정호가 네 가슴 못 만져서 환장했냐? 늙은 엄마 앞에 두고 딸년이 못하는 소리가 없어. 폭력을 못 쓰게 했더니, 이젠 멀쩡한 애한테 성추행 누명을 씌우고 앉아 있네."

아까 유리가 정신을 차리자마자 정호에게 주먹을 휘두르며 달려들었고, 이를 막은 사람도 바로 마미였다. 마미는 제 편이 틀림없다고 생각한 정호가 감읍하여 눈을 반짝였다. 물론 헛짚었다. 공정의 아이콘 마미는 어느 한 쪽으로도 치우침이 없으셨다.

"김정호, 너도 잘한 게 뭐 있어. 모르고 잡았으면 빨리빨리 떨어져야지. 아무리 당황했어도 그러고 계속 서 있으면 돼? 당한 사람이 수치심 느껴서 고소하면 그것도 성추행이야. 어디 콩밥 좀 찹찹 먹게 해 드려?"

서늘한 기운을 뿜어내는 마미를 보며 은강과 준이 뒤로 한 발 물러섰다. 마미님은 역시 보통 엄마가 아니었다. 앞으로 이곳에서 일하는 동안 매니저 마미님께는 절대복종만이 살길이라는 생각이 들었다.

"둘 다 피해자고, 둘 다 과실이 있으니까 보상은 서로 하도록 해."

솔로몬에 빙의한 마미의 판결은 거침없었다.

"보, 보상이라니."

유리가 당황한 얼굴로 마미를 바라보았다. 억울하지만 그냥 서로 털고 없던 일로 하면 되는데, 보상이라니?

"김유리는 매일 점심, 김정호의 식사를 책임지고."

"뭐?"

"김정호는 매일 저녁, 김유리의 사무실 정리를 책임진다."

"헉……."

"둘이 작당해서 쌤쌤, 대충 퉁치다가 내 손에 걸리면, 아주 죽을 줄 알아. 제대로들 해라."

말만 들어서는 서로에게 공평한 보상 조건이었다.

"브라보."

이에 감탄한 준이 매우 조그맣게 말하더니 소리 없이 물개 박수 흉내를 냈다. 반면 유리와 정호의 표정은 그리 밝지 못했다. 서로 없는 듯 살아가려 했는데, 매일 점심 저녁 얼굴을 보게 된다니. 생각도 하지 못한 일이다.

"왜, 가혹해? 어차피 먹는 점심밥, 정호 숟가락 하나 더 얹는 게 뭐가 어려워. 쟤 보니까 여기저기 돌아다니면서 밥 먹더라. 심 봉사 제 딸 젖동냥 다니는 것도 아니고. 이제 김유리가 책임질 테니까 제때 딱딱 점심 먹어. 네가 내려오든, 유리가 올라가든."

마미는 연이어 말을 이었다.

"그리고 사무실 정리가 어려운 게 뭐 있어? 바닥 청소야 어차피 카페 마감하면서 우리가 할 건데. 테이블이랑 책상 위만 깔끔하게 정리하면 됐지. 저 기집애 아마 저녁때 집에 안 들어오고 밤늦게까지 사무실에 처박혀 있을 거다. 안 그래도 위험하지 않을까 걱정했는데 잘됐네. 정호 네가 밤마다 내려와서 정리해. 카페 문 닫는 거 확실히 확인하고."

"엄마! 대체 얘를 뭘 믿고 나를 맡겨!"

108

“내 보기엔 네가 더 무섭거든.”

유리의 반발을 한마디로 일축했다. 그 모습을 바라보는 정호는 어안이 벙벙했다. 로(Law) 카페에서 법률 관련 업무를 보지 않으면 크게 얽힐 일이 없으리라 생각했는데, 그건 착각이요, 오산이었다. 정호는 복잡한 눈빛으로 마미를 보며 물었다.

“언제까지요?”

“……음. 내가 그만하라고 할 때까지.”

마미는 솔로몬이 아니었다. 독재자였다.

“으아아아아!”

어쩌자고 그런 만행을! 못된 손의 소유자 정호는 침대에 벌렁 눕자마자 제 머리를 마구 헝클어뜨렸다. 아까의 상황이 자꾸 떠오른다. 잘못하지 않은 척 뻔뻔하게 굴었지만, 그건 당황했기 때문이었다. 그는 조심스럽게 손을 천장을 향해 뻗어 보았다.

“히익!”

화들짝 놀란 정호는 얼른 손을 내리고 주먹을 쥐었다. 손에 꽉 들어차던 느낌이 어째서 아직도 남아 있는 건지! 그건 분명 사고였고, 후유증도 매우 깊었다.

“아니…… 걸핏하면 넘어지냐고, 왜.”

아무 감정 없는 친구 사이였어도 이런 접촉 후에는 마음이 심란해질 터인데, 무려 그는 그녀를 오랫동안 짝사랑하던 남자가 아니던가. 게다가 앞으로 매일 아침에는 운동하러, 매일 점심에는 밥을 먹으러 들이닥칠 테고, 저녁에는 사무실 정리를 하러 가서 만나야 할 것이다.

카페에 내려갈 공식적인 건수들을 소중히 생각하긴 했지만, 그건 유리를 잠깐씩 볼 수 있다는 사실에 만족해서였다. 감추고 물러서기 바빴던 정호에게 이런 상황은 분에 넘치는 진수성찬이다. 소화를 제대로 해낼 수도 없을 것이다.

파란만장한 개업일 이브(Eve). 골이 저릴 정도로 흔들렸다. 가슴은 꽉 막히고 속이 뒤집히는 게, 떡과 팥의 협공이 제대로 시작된 모양이었다. 극심한 체기. 정호는 애초에 시루떡을 먹으러 가는 게 아니었다고, 부질없는 후회를 하였다.

로(Law) 카페 개업 날.

아침부터 도착한 화환이나 화분의 자리를 정해 주고, 카페 외관을 살피느라 유리는 정신이 없었다. 마미와 은강, 준도 영업을 시작할 준비로 분주한 오전 시간을 보냈다.

떠들썩한 개업식을 하려던 것은 아니었지만, 유리의 지인들이 카페를 찾아와 축하를 건넸다. 같이 일했던 동료 변호사들도 다녀갔다. 토요일이라 제법 손님이 많이 왔다. 오픈발이란 바로 이런 것인지, 그간 오가며 관심 있게 보던 동네 주민들도 우르르 찾아와 문전성시를 이루었다. 개업 선물로 준비한 손수건도 빠른 속도로 없어져 나갔다.

"우와아! 사람 많네."

카페에 들어선 새연이 감탄을 했다. 테이블마다 사람들이 앉아 있고, 테이크아웃을 해 가려는 이들도 줄지어 서 있었다. 유리가 분주한 움직임으로 지나치다가 새연과 준원을 보고 걸음을 멈추었다.

"어, 왔어? 오늘은 오지 말라니까."

원래 개업 날은 바쁜 법이다. 지인을 살뜰히 챙길 정신은 없었다. 예고 없이 들이닥친 사람들이야 어쩔 수 없지만 될 수 있으면 오지 말라고 해 두었었다. 본의 아니게 서운해할 수도 있을 것 같아서였다.

"도와줄 거나 얘기해."

준원이 셔츠 소매를 걷으며 말했다. 새연이 옆에서 고개를 끄덕였다.

"응, 우리 뭐 하면 돼?"

부부는 애초에 지인 대접 받으려던 것이 아니고, 바쁜 개업 날 도와주러 온 참이었다. 유리는 잠시 감동 어린 얼굴로 친구들을 바라보았다.

"나 금방 가 봐야 해. 빨리 말해라."

몸이 열 개여도 모자랄 정도로 바쁜 준원임을 알았다. 그럼에도 불구하고 카페 오픈을 준비하는 동안 기꺼이 시간을 내어 여러모로 도움을 주곤 했었다.

"준원이 가고도 나는 계속 있을 거야. 뭐 할까? 응? 빨리 시켜."

바쁜 개업일, 마음껏 자신들을 이용하라는 듯 새연이 사랑스러운 미소를 지어 보였다. 이 고맙고 예쁜 녀석들. 쌍으로 맘씨가 참 곱기도 하지. 유리는 감사 인사는 나중에 하기로 하고 급한 김에 부탁부터 했다.

"그럼 염치없지만 셰프님아, 컵 설거지 좀 해 줄래?"

최근 대한민국 여성들의 이상형으로 손꼽히는 '요리하는 남자', 스타 셰프 이준원에게 당당히 설거지를 명했다.

"오케이."

준원은 자신의 레스토랑에서도 해 본 지가 언제였는지 모를, 까마득한 설

거지를 하러 바(Bar) 안쪽으로 들어갔다. 기꺼이 나서 주는 친구에게 유리는 그저 고마울 뿐이었다.

"나는?"

유리는 새연을 데리고 사무실로 들어갔다.

"개업 선물인데 포장해 둔 건 지금 거의 다 썼거든. 혹시나 해서 더 준비해 뒀던 건데, 포장 좀 해 주라."

손수건과 리본이 담긴 상자를 내려놓고, 새연을 푹신한 소파에 앉혔다. 임신 5개월 산모에게는 그래도 이 일이 제일 적당할 듯해서였다.

"알았어."

새연은 웃으며 손수건에 리본을 묶기 시작했다.

점심 무렵 바빠졌던 카페도 오후 3시가 넘어가자 잠시 여유를 찾았다. 주문을 받고 계산을 하던 마미도, 부지런히 커피를 만들던 은강과 준도, 손님을 맞이하던 유리도 이제야 한숨 돌릴 수 있었다. 마미가 의자에 앉아 다리를 두드리며 말했다.

"어휴! 이렇게만 바쁘면 떼돈 벌겠네."

"그래도 카페 팀, 첫날치고 제법 호흡이 잘 맞던데?"

유리가 흡족한 얼굴로 웃어 보였고, 마미는 자신의 안목에 뿌듯함을 느끼며 대꾸했다.

"그렇지? 애들이 빠릿빠릿 일 참 잘해."

은강은 다소 귀찮은 얼굴을 하고 있긴 했지만 커피를 착착 잘 만들어 냈다. 준이 전방에서 싹싹한 얼굴로 손님을 대했기에, 개업 전투 1차전은 제법 순조롭게 치를 수 있었다.

"시간이 좀 애매해서 잠깐 한가하겠다. 너희 얼른 저 아래 큰길 식당에 가서 밥 먹고 와."

마미가 은강과 준의 늦은 점심을 권했다. 본인과 유리도 아직 식사를 거른 참이었지만 어린 직원들부터 챙겼다.

"그럼 다녀올게요!"

그들이 나선 후, 준원도 아내 새연을 두고 카페를 떠날 시간이 되었음을 알렸다.

"히잉. 좀 더 있다가 가면 안 돼?"

"안 돼. 얼른 들어가야지."

"집에 일찍 들어와야 해."

"그래. 끝나는 대로 빨리 들어갈게."

카페 문밖까지 함께 나선 새연이 준원의 손을 잡고 놓을 줄 몰랐다.

"적당히 좀 해라, 이 닭살들아."

지금의 헤어짐이 영원한 이별인 것처럼 애틋하기만 한 부부를 보면서 유리가 혀를 끌끌 찼다. 이에 아랑곳하지 않고 새연은 준원의 허리를 끌어안았다.

이것들이 신성한 영업장 앞에서 뭐 하는 짓이야.

"떨어져. 떨어져!"

두 사람의 애정행각에 괜히 심술을 부리며 유리가 갈라놓았다. 준원이 피식 웃다가 카페 앞에 있는 큰 화분 중 하나를 보고 물었다.

"그런데 이건 왜 리본을 말아 뒀어?"

개업 축하 문구가 적혀 있을 분홍 리본이 도르르 말려 고무줄로 묶여 있었다.

"아, 그거 떼어 버릴 거야. 아까 급해서 일단 묶어 놨어."

"뭔데?"

새연이 양쪽 고무줄을 풀어냈다. 둘둘 말린 리본 끝을 준원과 새연이 각각 하나씩 잡고 섰다. 분홍 리본 위에 검은색 궁서체로 축하 문구가 쓰여 있었다.

"개축하?"

"김 변 조심. 건드리면 뭅니다……"

준원과 새연이 번갈아 한마디씩 읽었다.

"아, 개'업' 축하네."

새연이 콩알만큼 작게 쓰여 있는 '업' 자를 찾아내고 웃었다.

"내내 안 보이더니…… 이거 보내 놓고 맞을까 봐 안 나타났나 봐."

"그런 것 같다."

준원의 말에 새연이 동의하며 끄덕거렸다. 비록 보낸 이가 적혀 있지 않았지만, 누가 보냈는지 말하지 않아도 알 수 있었다. 모두가 생각하는 한 사람, 바로 그일 것이다.

"어휴, 아무리 그래도 김정호는 바로 위에 살면서 어떻게 코빼기 한 번 안 비치냐. ……유리 성격 알면서."

유리는 아랫입술을 지그시 깨물었다. 지금 찾아온 잠깐의 여유는 아마도 그자에게 화를 내라는 하늘의 뜻일 거다.

"아, 오늘부터 정호 점심 챙겨 줘야지. 시간이 너무 늦었네. 유리야, 정호 전화 좀 해 봐. 밥 먹었는지."

마미가 카페 밖으로 나와 그자의 걱정을 했다.

"엄마, 지금 밥이 문제가 아니야."

"뭐가 문젠데?"

막간을 이용하여, 이른바 매타작의 시간이 도래(到來)하였다.

내 이 화상을……! 반드시……!

"나, 올라가 봐야겠다."

두두둑.

유리가 깍지 낀 손을 위로 쭉 뻗으며 살벌한 표정으로 말했다. 준원과 새연은 애도의 눈빛으로 옥상을 올려다보았다. 삼가 추또의 명복을 빕니다. 유리는 이내 카페에서 나와 결의를 다지며 계단을 올랐다.

"오냐, 잘 건드렸다. 또라이 토깽이 새키, 너 오늘 개유리한테 제대로 한 번 물려 보자."

생각할수록 열이 오른다. 뭐? 개축하? 건드리면 문다고? 옥상 문을 활짝 열었다. 느껴지냐, 내가 몰고 온 어둠의 기운이.

또각. 또각.

힐 소리가 조용한 옥상 마당에 울려 퍼졌다. 유리는 문 앞에 서서 벨을 눌렀으나 기척이 없었다. 휴대폰을 꺼내 예의상 전화도 한 번 해 봤지만 역시 안 받았다.

오늘 정호는 그야말로 머리카락 하나 보이지 않게 꼭꼭 숨어 있다. 평소의 김정호라면 마미의 판결에 의한 점심 식사를 책임지라며 나서고도 남았을 텐데, 3시가 되도록 코빼기도 안 보이는 이유는 오직 하나! 등짝을 맞기 싫어서일 거다.

깐족거리는 방법도 여러 가지. 개업 날 축하 문구만으로 열 받게 하다니 재주는 재주. 이 나잇값도 못 하는 진상! 반드시 색출해 처단하고야 말 테다.

유리는 분노 어린 손끝으로 비밀번호를 꾹꾹 눌렀다.

띠로롱.

열렸다. 번호는 아직 바뀌지 않았다.

"야! 김정호!"

문을 벌컥 열어젖힌 유리가 버럭 소리를 지르며 들어갔다.

"이 또라……."

침대 위에 웅크린 채 누워 있는 정호를 보고 그녀는 멈추어 서 버리고 말았다.

"야……. 너 어디 아파?"

당장에라도 김정호의 사지를 찢어 버릴 것처럼 들이닥친 유리였다. 하지만 문을 벌컥 열고 정호를 보자마자 그 기세는 푹 꺾이고 말았다. 그녀는 힐을 벗으며 안으로 들어섰다. 침대 곁으로 다가가서 가까이에서 보니 안색이 더 안 좋았다. 정호는 상의를 벗은 채 누워 식은땀까지 흘리고 있었다. 웅크린 채 기운이 하나도 없는 얼굴로.

"왜 이래? 뭐야, 어디가 아픈데?"

"아니. 괜찮아."

"괜찮긴 뭐가 괜찮아? 얼굴이 아주 죽이 됐구만!"

정호는 몸을 일으켰다. 그리곤 옆에 벗어 둔 티셔츠를 주섬주섬 주워 입었다.

"그냥 체한 거야."

"체했다고?"

그리고 다시 벌렁 누웠다.

"심한 것 같은데? 병원은 갔어? 약은? 밥은? 토 몇 번 했어?"

"……어우. 너 때문에 더 울렁거린다."

아무렇지 않게 받아치려 했지만, 정호는 사실 말할 기운도 없었다. 어젯밤부터 오늘 아침까지 얼마나 시달렸는지. 머리가 쪼개지고 명치가 꽉 막힌 듯 괴로웠다. 변기를 붙들고 토하기를 여러 번, 극심한 체기 덕분에 앞으로 오십 년은 떡과 팥을 보지 말아야 할 듯싶었다.

아무것도 먹지 못하고 지쳐서 아침나절 동안 까무룩 잠이 들었다. 좀 전에 깼지만, 손가락 하나 까딱할 기력조차 없었다.

"어제부터 이런 거야?"

"응."

"전화하지 그랬어, 이 멍충아."

겨우 체 한번 했다고 유리에게 전화할 생각, 언감생심 꿈도 꿔 본 적 없었다. 지금까지도 그런 적 없었는데 뭘 새삼스럽게.

유리는 속상한 얼굴로 정호의 안색을 살폈다.

제게만 특별한 행동이 아니라는 걸 안다. 자신이 아닌 어떤 친구라도, 혼자 방 안에 처박혀 끙끙 앓고 있다면 지금처럼 안타까운 표정을 지었겠지. 길 가다 다친 고양이만 봐도 제가 가진 돈 탈탈 털어 동물병원에 데려갔던 김유리니까.

"아니, 혼자 사는 놈이 이러고 있는데 내가 신경이 안 쓰여? 잘한다! 뭐, 대단한 걸 먹었다고 얹히기나 하고."

버럭 화를 내는 유리를 보니, 묘한 감정이 들었다. 누구에게나 하는 걱정이라 해도 좋았다.

"너는 날 너무 좋아해서 탈이야. 하여튼 내 걱정을 해도 너무 한다니까."

정호는 힘없는 입가에 간신히 미소를 띠며 이어 말했다.

"내가 막 아파서 뻗어 있으니까 청순하고 그렇지? 하아, 이래서 내가 아프다고 함부로 병원 가고 그러지도 못해요. 이 얼굴에 환자복은 또 얼마나 잘 어울……."

"시끄러워, 아픈 놈이 말도 많아!"

이내 유리는 방 안을 돌아보며 무언가를 찾기 시작했다.

"뭐 찾아?"

"바늘. 바늘 없어?"

"바늘은 왜? 손 따려고?"

"따야지, 그럼."

당연한 걸 왜 묻느냐는 듯 유리는 두리번거렸다.

"그런 게 이 집에 있을 리가 있냐."

"아, 내가 따 주면 한 번에 쑥 내려갈 텐데. 무슨 바늘 하나 없어, 집에."

"혼자 사는 집엔, 있는 것보다 없는 게 더 많거든."

"자랑이다. 그러게, 멀쩡하게 좋은 집 두고 왜 나와서 고생을 해."

유리는 휴대폰을 꺼내 들었다.

"어, 새연아. 너 바늘 같은 거 있어? 휴대용 반짇고리 이런 거, 없으면 앞에 편의점에 가면……. 어어, 있어?"

정호는 통화하고 있는 유리를 바라보았다. 새연이 1층 카페에 와 있는 모양이었다.

"잘됐다. 너 그것 좀 가지고 올라와. ……어디긴, 정호 방이지. 얘, 체했어. 손 좀 따게."

"아…… 개업일이지."

정호는 조그맣게 중얼거렸다. 어제저녁까지만 해도 당연히 생각하고 있었는데, 체해서 정신없이 앓는 사이 까맣게 잊고 있었다. 개업이라 오늘 종일 바빴을 텐데. 전화 한 번 안 받는다고 해서 유리가 여기까지 이렇게 올라온 것을 보면, 그래도 자신이 안중에도 없는 존재는 아닌 모양이다. 그렇게 생각하니 은근히 흐뭇해졌다. 바늘을 가지고 올라올 새연을 기다리면서 유리가 뭔가 생각났다는 듯 말했다.

"그런데 너, 화분……."

아, 맞다, 화분!

"우웁."

정호는 침대에서 내려와 입을 틀어막은 채 욕실로 달려갔다.

"괜찮아?"

유리가 놀라서 따라왔다. 이제 나올 것도 없는데 토를 하니 쓴 물만 올라왔다. 팡. 팡. 등짝을 두드리는 솜씨가 보통이 아니다. 하긴, 그동안 갈고닦은 기술이 어디 가겠느냐마는. 유리의 스매싱에 힘입어 정호는 좀 더 게워 낼 수 있었다. 머리가 어질어질했다.

그래, 화분을 주문했었다. 진심을 담아 축하 문구를 작성했었지. 유리가 보통 성격이 아니니, 조심해서 나쁠 것이 없다는 조언을 친절하게 덧붙였다. 경계 대상 1, 2, 3호들이 이를 보고, 유리의 아름다운 얼굴과 몸매는 그저 사기일 뿐이라는 걸 알아줬으면 했었지. 이미 알고 있겠지만, 그래도 더 잘 알아줬으면 했었고.

그러다가 화분을 받은 유리가 자신을 가만두지 않을 거란 미래가 그려졌었다. 평범한 문구로 변경해야겠다고 생각은 했는데, 어쩌다 보니 결국 까맣게 잊고 말았다……! 그러니 그게 그대로 배송이 되었겠구나.

'야! 김정호! 이 또라……'

아까, 문을 부술 듯 열어젖히고 기세등등하게 들이닥쳤던 유리의 모습. ……화분을 보고 올라왔으니 자신이 아픈 몸으로 누워 있지만 않았더라면 벌써 등짝이 터졌겠지.

"유리야……."

사실을 깨달은 정호는 휴우, 한숨과 함께 그녀의 이름을 불렀다. 세면대 앞에 서서 입을 헹궈 낸 직후였다. 최대한 연약하고 가련한 표정으로 돌아보았다.

"나 아프다……."

"어휴, 어떡하냐. 빨리 다시 침대에 누워 봐."

유리는 정호의 팔을 잡고 욕실에서 나왔다. 침대로 끌려가는 정호의 입가에 미소가 감돌았다. 아프길 잘했다.

딩동딩동.

현관문에서 벨 소리가 울렸다. 새연이 올라온 모양이었다.

"김정호, 많이 아파?"

새연 역시 근심이 가득한 얼굴이었다. 겨우 체 한번 했을 뿐인데, 이 의리녀들은 세상이 무너진 것처럼 걱정하고 있다. 평소 그렇게 물고 뜯어도, 이럴 때 보면 친구는 친구지 싶었다.

새연에게서 반짇고리를 받아 바늘을 꺼낸 유리는 가스 불을 켜서 끝을 달구었다. 뾰족한 바늘 끝보다 더 날카로운 눈빛이었다. 이내 그녀는 경건

한 의식을 행하듯 바늘을 입에 물었다.

팡! 팡!

"흐억."

등짝 스매싱 전문가의 등 두드림은 가히 세계 최고 수준이었다. 이러고 속이 안 내려가면 본인의 오장육부가 문제일 정도로.

마주 앉은 유리의 보드라운 왼손이 제 왼손을 잡았다. 그리고 나서 오른손으로 제 왼팔을 쓸어내리기 시작했다. 반소매 티셔츠 아래로 맨살에 그녀의 손바닥 살이 닿았다. 이 감촉, 간질간질 녹아 버릴 것만 같다. 쭈욱, 쭈욱. 단지 피를 모으는 동작인데도 정호에게는 이 순간이 가혹하기만 했다.

법으로 지정해야 한다. 짝사랑녀는 반경 10미터 안으로 들어오지 못하도록! 이건 남자의 몸과 마음을 위해서라도 국가 차원에서 꼭 나서 줬으면 하는 문제다. 하아! 정말! 심히 괴롭다.

"아우. 가만히 있어!"

유리는 슬슬 뒤로 물러나 팔을 빼려는 정호를 호되게 나무라고, 잡은 손에 더 힘을 주었다.

손이 따뜻하다. 늘 뜨겁게 달아오르는 그녀의 아름다운 열정처럼. 체기가 내려가는 듯했다. 느껴지는 이 온기만으로도. 제 손 하나 따는 일에도 이렇게 열심인 그녀의 눈빛을 보는 것만으로도. 멀리하고 싶어도 자꾸만 가까이 다가오는 그녀는, 정호를 체하게 할 수도, 그 체증을 가시게 할 수도 있는 유일한 존재였다.

"악!"

물론 실로 묶인 채 쿡 찔린 손톱 밑은 따갑지만.

"오오! 야, 이거 봐. 검은 피. 장난 아니다. 제대로 체했네. 하루를 앓았는데도 아직 이래?"

시원하기는 했다. 유리는 티슈를 뽑아 맺힌 피를 닦아 주었다.

"일어나, 이제. 2층으로 내려가게."

"2층은 왜?"

옆에서 새연이 물었다.

"의사 선생님 계시잖아. 정호 보여 주고 처방전 좀 써 달라고 하게."

정호는 뒤로 물러앉았다. 아니, 지금 서원 형 병원에 가자는 건가! 겨우 체한 것 가지고?

"싫어, 야."

"너 혹시 주사 놔줄까 봐 무섭냐?"

유리가 기가 찬 얼굴로 보았다.

"그게 아니고."

이 모양 이 꼴로 서원의 앞에 가기는 싫었다. 물론 평소 후줄근한 추리닝으로도 잘만 돌아다녔지만, 이렇게 앓아서 약해진 모습으로 2층에 가고 싶진 않았다. 그것도 유리와 함께라니. 흰 가운을 입고 화사한 미소를 지으며 환자를 대하는 최서원. 그 앞에 꾀죄죄한 환자의 역할을 맡은 자신이라니! 어허! 안 될 소리다. 안 가, 절대 안 가! 죽어도 안 갈 거다!

"내가 애냐? 거기 소아청소년과잖아."

"과가 무슨 상관이야. 그리고 너 정신 연령은 딱 소아니까 괜찮아."

"아니야. 나 안 가도 돼. 손도 땄으니까 이제 조금만 쉬면 나을 거야."

"다 큰 게 무슨 병원을 무서워해! 늙어서 이제 쉽게 낫지도 않아요. 병원도 가고, 약도 먹고 해야 낫지! 아직도 젊은이인 줄 아냐, 네가?"

정호가 필사적으로 버티자, 유리는 한참을 답답해하다가 결국 약이라도 사 오겠다며 나갔다. 병원 말고 약국에 가는 거 맞느냐고 몇 번이나 확인한 후 그녀를 보내 주었다. 건강한 육체에 건강한 정신이라더니. 아파서 약해진 몸이라 그런지 마음도 한껏 쪼그라들었다. 유리가 나가고 나자 새연과 단둘이 남았다.

"김정호……."

새연은 정호의 이름을 부르며 눈을 가늘게 떴다. 뭔가 알았다는 듯, 제대로 눈치를 챈 얼굴이었다.

불안하다. 설마 제 마음을 다 들켜 버린 것인가.

"너희 두 사람……."

정호는 놀란 기색을 감추며 침을 꿀꺽 삼켰다. 목이 바짝 타는 것 같았다. 정호는 애써 새연의 말을 무시하며 냉장고로 가 물을 꺼냈다. 새연이 쪼르르 그에게 다가왔다.

"아니, 화분부터. 너, 화분 이상한 거 보냈더라?"

컵에 따른 물을 한 모금 마신 정호가 목소리를 낮추어 물었다.

"김유리 화 많이 났냐?"

"……너, 브라질리언 킥 맞고 기요틴 초크 걸릴 뻔했어."

어휴, 쪼그만 녀석이 과장 한번 심하네…… 가 아니다.

기요틴 초크(Guillotine Choke). 기요틴이라는 말 자체가 바로 단두대를 뜻한다. 제대로 걸리면 풀 수도 없고, 숨도 쉴 수 없어 기절하거나 최악의 경우 사망에 이르게 하는 기술. 종종 시도하는 헤드록보다 우위에 있는 기술이었다. 유리는 이름마저 살벌한 그 기술을 제대로 시전하고도 남을 여자였다.

"유리한테 맞을 거 알면서도 보낸 저의가 뭐야? 너 보면 일부러 맞을 짓만 골라 하더라."

"아니, 뭐……."

물을 한 모금 더 마셨다. 컵을 내려놓고는 다시 침대로 가서 누우니, 새연은 탐정과도 같은 눈빛을 번뜩이며 따라왔다.

"아아, 머리 아프다."

다시 아픈 척에 돌입하고 있는데, 새연이 말했다.

"너 자꾸 그러면 유리한테 다른 감정 있는 거 누구나 다 알겠다."

정호는 몸을 일으켰다. 뭐야. 알고 있었어? ……이렇게 오랜 짝사랑은 결국 허무하게 드러나고 마는 것인가. 재채기와 사랑은 감출 수도 없다더니.

"응? 김정호, 나한테 얘기 좀 해 봐."

정말 이대로 털어놓아야 하는가. 그러면 뒷일은 정말 어떻게 되는 건가. 정호가 심각하게 고민하고 있는데, 새연이 눈을 흘기며 말했다.

"너 그러지 마. 이제 진짜 개업도 했겠다, 두 사람 매일매일 얼굴 볼 텐데 너 정말 그러면 안 되는 거야."

"뭐가 안 되는데……."

"자꾸 애들처럼 싸우지 좀 말라고! 유리 자극해서 팡팡 얻어맞지 말고! 심한 장난도 치지 말고, 좀. 나이 먹었으면 이젠 서로 이해하고 사이좋게 지내야지!"

"……."

정호는 턱을 들고 긁적였다. 짝사랑이 들켰다는 건 자신만의 생각이었나 보다.

"너희가 상극인 거, 서로 성격 안 맞는 거, 같이 있으면 짜증 나고 성질나는 거 나도 다 알지. 그래도 계속 이러면 안 된다고. 우리가 함께한 세월이 얼만데."

말랑한 감정은 우리 사이에 절대 용납되지 못할, 상상도 할 수 없는 일인 듯했다.

"아까도 유리가 손 따 주는데, 너 대놓고 질색하더라. 그러지 마, 알겠지? 대답 좀 해."

자신의 반 아이들 가르치듯 말하는 새연을 보니 정호는 웃음이 났다. 이러니 마치 좋아하는 짝꿍을 괴롭히다가 걸린 초딩이 된 기분이다.

"안 그럴게."

선생님, 안 그럴게요. 안 괴롭힐게요.

"진짜지?"

"응, 사이좋게 지낼게."

"흠."

넙죽 대답하자 오히려 믿을 수 없다는 듯 새연이 또다시 눈을 가늘게 떴다.

그때, 현관문이 열렸다. 유리는 이제 벨을 누를 생각도 안 한다. 태연스레 잠금장치를 해제하고 제집처럼 들어온 그녀는 익숙하고도 편안한 모습이었다. 역시 정복자의 여유가 돋보였다.

……사실은. 그게, 좋다. 참 좋다. 자꾸만 다가오는 유리 때문에 몸과 마음이 꼼짝없이 굳어 버리면서도. 아마 당분간 현관문 비밀번호를 바꿀 일은 없을 것 같다.

"어. ……형도 왔어?"

유리의 뒤에는 남자 한 명이 있었다. 서원이었다. 친히 왕진을 다 오시다니. 저 쓸데없이 친절한 의사 선생님!

"내려가다가 만났어. 너 얘기 하니까 마침 토요일 진료 끝났다고, 봐주신대."

유리의 입술에 자신감이 붙어 있다. 젠장. 의사를 대동해서 나타난 스스로가 뿌듯한 모양이었다.

"정호 괜찮냐? 상태 심하다며?"

서원이 걱정스러운 얼굴로 다가왔다.

"아니. 이제 괜찮아."

"괜찮기는. 안색이 엄청 안 좋네."

유리를 앞에 두고, 참 모양 빠지는 상황이 되어 버렸다. 정호가 우려했던 대로 서원은 친절하고, 능력 있는 의사 선생님의 역할을 충실히 했다. 다정하게 증상을 묻고 살피는 모습이 하늘에서 내려온 천사 같았다. ……이러다 또 체하겠네.

"와아."

지켜보던 새연이 감탄 어린 얼굴로 바라보았다.

"아기 낳고 나면 예방 접종하러 와야겠다."

최서원 팬클럽 아줌마 군단에 한 명 더 추가요.

"네에, 오세요. 얼마든지요. 유리 씨 친구분이니까 특별히 더 잘해 드릴게요."

아니, 의사가 환자한테 특별히 더 잘하고 말고가 어디 있어. 거기에 홀랑 넘어가는 한새연도 아줌마 다 됐다.

"이야, 정말이죠?"

"그럼요, 그럼요."

외간 남자 앞에서 헤헤 웃는 한새연을 보면 이준원 눈이 홱 돌아갈 텐데. 자기 남편이 얼마나 미쳤는지 몰라서 저러는 게지. 이게 끝이 아니었다. 새연은 당사자의 눈앞에서 본격 찬양을 시작하고야 말았다.

"어머, 선생님은 젊으신 데다가."

내가 더 젊은데. 정호는 작게 코웃음을 쳤다. 아무도 신경 안 썼지만.

"키도 크시고."

키도 내가 더 크지.

"잘생기시고."

얼굴도 내가 더 잘생겼지.

"머리가 좋아 이렇게 의사까지 되시고."

내가 이런 말을 대놓고 안 해서 그렇지, 내 아이큐가 얼만 줄 아냐. 포토그래픽 메모리(Photographic Memory)라고 들어는 봤냐고. 그게 내 능력이야.

"혹시 우리 유리 어떻게 생각하세요?"

속으로 중얼거리던 정호는 얻어맞은 듯 머리가 딩 하고 울렸다.

"야, 무슨 소리야."

유리가 새연의 팔을 잡았지만, 살살 웃으며 새연은 서원의 얼굴을 살폈다.

"선생님, 미혼이시라고 하던데, 여자 친구 있으세요?"

서원은 풋 웃으며 말했다.

"아뇨. 없습니다."

"어머! 됐다, 없으면 됐어요."

되긴 뭐가 돼! 그러면 안 돼! 갑자기 배신감이 밀려든다. 한새연 네가 나한테 이러면 안 되지.

"신경 쓰지 마세요. 그냥 농담이에요."

유리가 애써 수습하려 하는데, 새연은 이에 지지 않고 말을 이었다.

"우리 유리가 좀 드센 것 같아도 정말 좋은 여자거든요. 아시죠? 미스코리아 출신에, 법대 여신에. 미모면 미모, 지성이면 지성, 뭐 하나 빠지는 구석이 없어요."

"네, 유리 씨 인성도 훌륭한 분 같아요."

훈훈한 칭찬이 오가는 중에 유리의 얼굴이 붉게 달아올랐다. 정호는 이 상황이 전체적으로 마음에 안 들었다. 유리가 부탁했다고 쪼르르 따라 올라온 서원 형도, 두 사람을 굴비처럼 엮어 볼까 하는 새연도, 새연의 부추김 때문에 철벽을 쳐야 하는 제 본분을 망각한 유리도.

"얘가 그동안 공부하고 일하느라고 애인 만날 시간도 없었거든요."

"그만해, 한새연, 이제 내려가자. 가자, 가자."

도저히 안 되겠다고 생각했는지 유리가 새연의 팔을 잡아끌려고 했다. 서원이 아쉬운 듯 이어 말했다.

"그래요? 유리 씨도 애인 없었구나. 연애한 지 한참 됐나 봐요."

새연이 버티며 대신 대답했다.

"그럼요! 그럼요! 엄청 오래됐어요! 그게 벌써……."

그때였다.

"나랑 한 게 마지막이었지?"

들뜬 공기를 가르고 내려앉은 한마디. 모두가 잊고 있던 한 투명인간을 돌아보았다. 서원의 눈이 크게 벌어졌다.

"연애 말이야."

나직하고 분명한 음성으로 정호가 꼭꼭 씹듯이 말했다. 이런 위기의 순간, 존재감은 스스로 살리는 법이었다.

"김유리, 나랑 한 이후로 아무도 안 만났잖아. 지금까지 ……십 년이나."

이 분위기 어쩔 거야. 새연은 벌어졌던 입술을 서둘러 닫으며 정호를 보았다. 무슨 상황인지도 모르고 저 녀석은 참으로 평온해 보였다. 유리한테 맞을 각오까지 하고 나서서 자리 좀 만들어 보려 했더니, 냅다 폭탄을 던져? 상황 파악을 못 하는 건 나이 먹어도 어쩔 수 없나 보다. '다 된 밥에 김정호 빠뜨리기' 됐다는 생각에 새연은 답답해졌다.

"그렇지. 너랑 한 게 마지막 연애였지."

헐. 순순히 대답하고 있는 이 여자는 또 뭐야! 새연은 정호 못지않게 답답한 철벽녀 김유리를 쳐다보았다. 누워서 떡 먹게 해 주려고 했더니, 그 떡을 뱉고 앉아 있네. 진상과 화상의 콤비 플레이에 기가 찼다. 역시 수습은 오롯이 새연의 몫이었다.

"에이! 말이 사귄 거지, 너희가 그게 뭐, 제대로 사귄 거라고 할 수 있냐?"

하지만 제 마음도 모르고 정호가 태연스럽게 대꾸했다.

"사귄 거면 사귄 거지, 사귄 건데 사귄 거라고 할 수 없는 건 뭐냐. 홍길동의 연애냐."

저러니 시도 때도 없이 등짝을 맞지. 새연은 강한 구타 본능을 느끼고 말았다. 아, 태교에 안 좋다. 릴렉스. 릴렉스.

"그냥 동창이 아니었네요. 어쩐지, 많이 친해 보이더라니."

서원이 당황한 빛을 얼굴에서 애써 지워 내며 말했다.

새연은 그동안 공부와 일만 하느라 바쁘게 지냈던 유리가 조금은 편안한 마음으로 연애도 하고, 사랑도 하길 바랐다. 최서원은 그런 유리를 잘 감싸 줄, 진짜 어른 남자처럼 보였다. 이 사람 정도면 유리의 상대로 훌륭하다고 생각했기에 아까운 마음이 들었다.

"그냥 동창 맞아요. 얘네가 사귄 건 말만 그런 거고, 실제로는 지금이랑 똑같았는데요, 뭐."

서원의 표정이 조금 풀어지는 것 같았다. 새연은 안심하며 숨을 한 번 삼켰다. 하긴, 제대로 사귄 사이라면 이렇게 별일 없이 지낼 수가 없지 않은가.

"막말로 뭐, 너희가 뽀뽀라도 한 번 했어? 아니잖아."

새연의 말에 이번에는 정호의 표정이 딱 굳어 버렸다. 어, 저건 방심하고 있다가 뒤통수 맞았을 때의 표정인데. 상상의 꽃을 애매하게 피우게 하는 정호 때문에 새연이 오히려 당황했다.

"뭐야. 했다는 거야, 안 했다는 거야."

"아, 그만해, 그만."

더 이상 참을 수 없다는 듯 유리가 새연을 붙들었다. 아기를 가진 몸만 아니었으면 벌써 질질 끌려갔을 텐데. 그나마 아기 덕분에 품위를 지킬 수 있었다.

"정호야! 우리 내려간다!"

"나도 퇴근하려면 내려가야겠다. 정호야, 몸조리 잘해라."

서원도 일어서서 유리와 새연의 뒤를 따랐다.

"그럼, 잘 들어가세요."

그가 2층으로 내려와 인사를 건네고 병원으로 들어갔다. 계단을 반쯤 내려가다 말고 새연은 유리를 잡았다.

"저분 정말 괜찮다. 멋있고 진중하고."

"그래, 뭐."

"근데 너 정호랑 뽀뽀도 했었어?"

"……아니야. 뽀뽀는 무슨."

"그런데 정호 꼭 뭐 있는 것처럼 왜 저러냐."

"쟤가 무슨 생각 있어서 그러는 거 봤어?"

"하긴."

정호는 머리가 좋은 것 같으면서도, 상황 판단을 하는 데에는 약간 무딘 구석이 있었다. 눈치가 없어 보일 때도 있고, 구박을 받을 만한 헛소리를 하기도 하고. 지금도 서원과 유리를 이어 주려는 자신의 노력을 이해 못 한 게 분명했다. 정호와는 따로 한번 얘기하는 수밖에 없겠다. 너도 협조하라고 콕 집어 말해 줘야지.

"하여튼 2층 선생님이랑 나랑 엮으려고 좀 하지 마. 창피해 죽는 줄 알았잖아."

유리가 목소리를 낮추며 항의했고, 새연은 은근한 미소를 지으며 말했다.

"누가 결혼하래? 연애만이라도 해 보라는 건데. 인생 뭐 있어? 사랑하고, 사랑받고, 즐기면서 살면 되지."

"됐어. 할 때 되면 알아서 다 해."

"알아서 다 하긴. 팔십 살에 연애할래?"

"아우! 시끄러워! 나 바빠, 이거 신경 쓸 정신 없어."

유리는 몸을 돌려 계단을 내려갔다.

개업 후 며칠이 지났다.

"정말로 자리가 안 좋은가?"

카페 창가에 앉은 마미가 카페라테를 홀짝이며 중얼거렸다.

창밖으로 죽 늘어선 나무에 움튼 싹들 사이로 어느덧 하얀 꽃봉오리가 피어나고 있었다. 한적하고 평화로운 풍경을 바라보는 마미의 얼굴에 근심이 어렸다. 개업한 지 얼마 되지 않은 카페에 이렇게 손님이 없다는 건 조금 불안한 일이다.

"괜찮아. 아직 시작인데, 뭐. 조급하게 생각할 것 없지."

오히려 유리가 의연하게 말했다. 신념이 확실하기에 불안할 이유가 없었다. 첫술에 배부르랴. 숟가락으로 뜬 밥을 아직 입에도 넣지 않았으니 배가 고픈 건 어쩌면 당연할 테지. 며칠간은 동네 사람들이 열심히 기웃거리더니 서서히 손님이 줄어 갔다.

"법률 상담 그건 영 손님이 하나도 없다. 어쩌니?"

게다가 로(Law) 카페에서의 제대로 된 업무는 아직 시작도 하지 못했다.

"기다려야지 뭘 어째."

유리는 이 또한 느긋하게 답했다. 법률 상담은 호객 행위를 할 수도, 전단을 돌리기도 뭣한 종류의 것이었다. 적극적인 영업보다는, 점차 필요성을 인식해 도움이 필요한 사람들이 고객으로 오기를 기다리는 수밖에 없었다.

유리는 나가서 카페 앞에 둔 칠판의 홍보 문구만 애꿎게 고치고 다시 들어왔다. 그리고 사무실에 들어가 외부에서 맡은 법률 자문 건이라도 먼저 처리하려고 할 때.

맑은 풍경(風磬) 소리가 들렸다. 카페 문을 열고 들어선 손님을 보고 커피를 마시던 마미와 유리도, 바 안쪽에 앉아 있던 은강과 준도 일어섰다.

손님은 젊은 여자와 꼬마 여자아이였다.

"어서 오세요."

준이 먼저 싹싹하게 인사했다. 고개를 살짝 숙여 인사를 받은 여자가 몸을 낮추며 아이에게 말했다.

"엄마가 빨리 올게. 미안해. 마시고 싶은 거 시키고, 어디 가지 말고, 아무도 따라가지 말고, 꼭 여기에만 있어야 해. 엄마 올 때까지. 알겠지?"

"걱정하지 마, 엄마."

아이를 카페에 두고 갈 셈인 것 같았다. 어디서 급한 연락이라도 받은 듯 바빠 보였다. 아무리 그래도 이건 아닌 것 같은데.

"저기……."

유리가 뭐라 말하려는데, 옆에서 마미가 팔을 탁 잡았다. 돌아보자 그냥 두라는 듯 고개를 끄덕여 보였다.

아이에게 신용 카드를 한 장 쥐여 준 여자는 몸을 일으켰다. 눈이 마주친 유리와 마미에게 말없이 고개 숙여 인사를 하고 카페에서 나갔다.

아이는 혼자 남았다. 다들 이제 이 아이를 어쩌면 좋지, 하고 있는데 양쪽으로 묶은 머리를 찰랑거리며 아이가 카운터 쪽으로 걸어갔다. 대단히 일상적인 움직임이었다. 이제 겨우 일곱 살, 아니 여덟 살쯤 되었을까. 낯선 카페에 혼자 뚝 떨어져서도 주눅이 들지 않는 모습이 인상적이었다.

"음."

아이는 카운터에서 살짝 떨어져서 섰다. 그리곤 은강의 머리 위로 걸린 메뉴판을 올려다보았다. 가장 먼저 왼쪽 맨 위에 있는 메뉴에 시선이 닿았고, 하나하나 읽는지 고개가 미세하게 움직였다. 꼬맹이가 고민하며 메뉴를 읽는 모습이 귀엽기도 하고 신기하기도 했다.

"흐음."

다 읽었는지 마침내 아이가 은강을 보며 말했다.

"무슨 커피가 맛있어요?"

은강이 표정 하나 바꾸지 않고 답했다.

"주스 마셔."

어린아이에게는 커피에 대해 말해 줄 필요도 없다는 듯 단호한 모습이었다.

"농담이었어요. 주스 주세요."

"딸기."

"네, 딸기 주스로 주세요."

제 허리쯤 닿을까 싶은 작은 아이를 상대로 은강은 진지하기만 했다. 아이는 웃으면서 손을 뻗어 카드를 내밀었다. 다들 신기한 눈으로 지켜보는데도 은강만이 별 반응 없이 계산을 해 주었다.

"다 되면 받아 가."

"네, 불러 주세요."

더 친절할 것도, 덜 친절할 것도 없었다. 누구에게나 정 없이 서늘한 은강의 태도는 아이 앞에서도 똑같았다. 은강도 일상적이었고, 아이도 일상적이었다. 두 사람 모두 너무나 자연스러웠다. 아이는 창가 자리로 와서 앉았다. 가방에서 책을 꺼내더니 펼쳤다. 어린이 도서관에서나 볼 법한 풍경을 카페로 옮겨 왔다.

"이 동네 살아?"

준이 쪼르르 다가와 살갑게 물었다. 아이는 책에서 눈을 떼지 않은 채 고개를 끄덕였다.

"몇 살이야?"

"여덟 살이요."

"이름은?"

"채이슬이요."

"이슬이? 와, 이름 예쁘다."

"고맙습니다."

"에이. 말을 할 때는 사람을 봐야지."

준의 말에 이슬이 책에서 시선을 뗐다. 준을 물끄러미 바라보더니 말했다.

"엄마가 낯선 사람이랑 함부로 얘기하지 말라고 했어요."

경계하는 모습마저 귀여워 준은 쿡 웃어 버렸다. 나 위험한 오빠 아닌데.

"어린이."

바 쪽에서 은강이 부르는 소리에 이슬이 돌아보았다.

"주스 가져가."

참 매정하기도 하지. 아이한테 가져다줄 법도 한데, 예외라고는 없어 보였다.

"오빠가 갖다줄게."

"제가 가져올 거예요."

준이 일어서는데 이슬이 의자에서 폴짝 내려왔다. 원리·원칙을 중요하게 여기고 스스로 해야 할 일에 대한 구분이 확실한 어린이였다. 이슬은 바에 다가서서 쟁반을 두 손으로 잡았다. 투명한 컵에 가득 찬 딸기 주스가 제법 맛깔스러웠다. 막 갈아 낸 신선해 보이고, 색도 참 고왔다.

"맛있겠다."

예의 바르게 행동하고 있지만, 주스를 보고 침을 꿀꺽 삼키는 모습은 영락없이 어린아이였다.

"잘 마시겠습니다."

이슬의 인사에 별다른 대꾸 없이 은강이 몸을 돌렸다.

쟁반을 들고 제자리로 돌아온 이슬은 빨대로 주스를 마셨다. 이내 이슬은 와, 맛있다, 중얼거리며 다시 책을 보았다.

"이슬아, 오빠가 궁금한 게 있는데."

유리와 마미도 궁금해하던 것을 준이 대신 물었다.

"너희 엄마, 너 여기 두고 어디 가신 거야?"

이슬은 고개를 들고 대답했다.

"회사요."

"아."

"원래 토요일에는 엄마도 쉬는데요. 그래서 저랑 방금 2층 병원에 갔었거든요. 제가 감기였는데 거의 다 낫긴 했어요. 암튼 병원 갔다가 내려오는 길에 엄마한테 전화가 와서."

듣고 있던 마미가 이슬의 옆에 앉으며 말했다.

"아, 엄마한테 회사로 급하게 오라는 연락이 온 거구나."

"네. 그래서 잠깐 여기서 기다리는 거예요."

한가한 카페에서 어린이 손님이라도 반가웠던지, 준과 마미는 이슬에게서 눈을 뗄 줄 몰랐다.

그때 정호의 목소리가 들렸다.

"김유리, 점심 먹자."

유리도 이슬을 바라보다가 어깨를 툭툭 치는 손길에 고개를 돌렸다. 시간이 벌써 점심때구나. 새벽에 같이 운동하고 헤어진 지 얼마 안 된 것 같은데. 이제 시계가 따로 필요 없다. 딱딱 정확한 시간에 정호를 만나니 말이다.

개업 전날 사고 이후로, 점심을 같이 먹고 저녁에 사무실 정리하는 일정까지 함께 소화하고 있었다. 누구를 위한 손해 배상인지는 잘 모르겠지만, 마미는 아직 그만하라는 소리를 하지 않으셨다. 그게 벌써 일주일이나 되었다.

"정호 왔니?"

마미가 반갑게 맞이했다. 아니, 아침, 점심, 저녁으로 만나는 추리닝 또라이가 뭐 그렇게나 반가우실까. 유리는 이해할 수 없다는 듯 고개를 작게 흔들었다.

"형님, 역시 오늘도 스타일 멋지십니다."

준이 보란 듯이 엄지를 추켜올렸다. 정호는 오늘도 역시 새집 머리와 수염, 추리닝의 삼위일체로 탄생한 거룩한 빈티(지) 스타일을 유지하고 있건만. 그걸 멋있다고 하는 준도 참 쓸개 빠진 놈이었다.

"넌 저게 멋있니, 진심으로?"

"자유로운 영혼이 느껴지잖아요."

태연하게 대답하는 준을 보며 정호가 흡족한 미소를 지었다.

"역시 우리 준배, 보는 눈이 높다니까."

이어지는 헛소리를 무시하며 유리가 말했다.

"점심 뭐 먹을 거야? 나 빨리 간단하게 먹고 가야 해."

"어딜 가는데?"

"법원. 재정 선배 만나기로 했어."

"아, 배석 판사로 있는 한재정 선배?"

한 학번 위의 선배이기에 정호도 잘 알았다.

"응. 프로보노(pro bono : '공익을 위하여'라는 뜻의 라틴어 'pro bono publico'의 줄임말. 법조계에서는 사회적 약자들에 대해 무보수로 변론이나 자문해 주는 봉사 활동이라는 뜻으로 쓰인다.) 활동하는 소모임을 만들기로 했대. 만나서 나도 설명 좀 들어 보려고."

"프로보노……."

"너도 갈래?"

"내가 거길 왜 가."

"놀면 뭐 하냐. 재능 기부 몰라? 재능 기부."

"재능이 있어야 기부를 하지. 변론 잘하는 재능 없다."

정호는 고개를 흔들었다. 법원이고 검찰청이고, 근처에도 가고 싶지 않았다. 여태 멀리하고도 잘만 살았는데, 확실히 유리와 함께 있으니 자꾸 가까워진다. 잊고 있던 동기, 선후배들의 이름도 종종 듣게 되고, 그쪽 이야기도 듣게 되니 마음이 그리 편하지만은 않았다.

"안녕하세요."

"점심 일찍 먹었나 봐. 벌써 커피 사러 왔어?"

마미의 목소리에 정호가 고개를 돌렸다. 서원이었다.

"아직 점심 전이에요. 잠깐 학교 들어갈 일이 있어서 먼저 나왔다가 이슬이 보여서 들어왔어요."

서원은 다정하게 웃으며 이슬에게 인사했다.

"이슬이 여기 있었구나?"

"네, 선생님."

카페에 앉아 책을 보고 있던 이슬은 고개를 들고 웃었다. 친절한 의사 선생님은 언제 만나도 반가운 모양이었다. 이슬은 자신이 왜 여기 있는지에 대해 자발적으로 설명하였다.

"그랬구나. 엄마 오시면 점심 맛있게 먹고, 약 꼭 먹어야 한다. 거의 나았다고 안심하지 말고, 이번에 지어 준 약까지는 꼭 다 먹어야 해."

"네, 걱정하지 마세요."

야무진 이슬의 머리를 한 번 쓰다듬은 서원이 유리를 돌아보았다.

"유리 씨, 식사했어요?"

"아뇨. 지금 먹으려고요."

"학교 정문 옆에 '수진이네' 있잖아요. 저는 거기 칼제비 생각나서 오랜만에 가 보려구요."

한국대생이라면 누구나 아는 식당 이야기에 유리가 활짝 웃었다.

"아! 그거 맛있죠. 비빔밥이랑 세트로 나오잖아요."

"맞아요. 유리 씨도 아시네."

"그럼요. 얼마나 좋아하는데요."

"아주머니가 가격 안 올리고 아직도 그대로예요."

"어머, 정말요? 엄청 저렴했는데. 근데 선생님도 우리 학교 나오셨구나."

"네. 그래서 여기에 병원 열고 싶었어요."

"저랑 같네요. 저도 꼭 모교 근처에 있고 싶었거든요."

정호의 머리에 점점 열이 오르기 시작했다. 한국대 출신, 여기도 있거든.

"지금 드시러 가실래요? 저 바로 갈 건데."

"아, 그럴……."

"안 돼."

정호가 유리의 대답을 막아 버렸다. 네가 뭔데 안 되냐는 듯 유리가 바라보았다. 생각 없어 보이는 웃음을 슬슬 지으며 정호가 말했다.

"너 정문 쪽 갔다가 다시 법원 가려고 하면 많이 늦을걸. 빨리 먹고 가야 한다며. 그럴 시간 없어."

"괜찮을 것 같은데."

"안 돼, 차 막혀. 데려다줄 테니까 밥은 법원 가서 먹어."

"어? 법원 안 갈 거라며."

"무슨 소리야. 법원 밥이 얼마나 맛있는데! 구내식당! 빨리 가방 챙겨. 지금 출발하게."

죽어도 법원이고 검찰청 근처에 다시 가지 않겠다던 남자는 이 순간, 법원 구내식당의 절대 옹호자가 되어 있었다.

서울 시내 5개 지방 법원 중 한 곳인 중앙 지법 구내식당.

"아아. 진짜 맛있다."

천하일미를 마주 대한 듯 정호의 눈빛은 반짝거렸다. 오늘의 메뉴는 그리 특별할 것도 없는 육개장인데 정호는 엄청 열심히, 그리고 맛있게 먹고 있다. 식판을 앞에 둔 유리가 팔짱을 낀 채 그런 정호를 바라보았다.

"왜?"

"그렇게 맛있냐?"

"응. 내가 육개장 나오는 날을 좋아했었지."

"아, 그래. 너 판사 시보 여기서 했었잖아."

사법 연수원 3학기 시험이 끝나면 수료 전까지 일정 기간 수습 과정을 통해 판사, 검사, 변호사 실무를 보게 된다. 일종의 인턴제와도 같은 개념이다. 실제 업무를 맡아 해 보게 되는 것으로 미래 법조인들의 진로 결정에 가장 큰 영향을 미치는 기간이었다. 정호는 2개월간의 판사 시보 업무를 이곳, 서울 중앙 지방 법원에서 했었다.

"이쪽 근처로는 그렇게 오기 싫어하더니."

3개월 동안 그가 검사로 근무했던 서울 중앙 지방 검찰청 역시 지척에 있다. 고등 검찰청, 지방 검찰청, 고등 법원, 지방 법원이 같은 지역에 몰려 있기에 정호는 이 근방으로 오는 일은 되도록 피해 왔다. 지금 보면 법원 구내식당에서 밥 먹고 싶어서 환장한 남자 같지만 말이다.

"뭐, 사람이 한결같을 수 있냐. 어제까지 싫었어도 오늘은 좋을 수도 있고 그런 거지."

"그래, 너 말 잘했다."

유리는 건수 잡았다는 듯 한쪽 입꼬리를 살며시 올리며 말했다.

"지금은 일하기 싫지만 곧 하고 싶을 수도 있고, 그렇겠다?"

"음……. 꼭 그런 건 아니지만."

"아니기는. 사람이 한결같을 수 있냐며. 그럼 앞으로 나도 좀 좋아해 주고, 그럴 수도 있는 거 아니야?"

정호의 숟가락이 허공에서 멈추었다.

"아니야? 일이랑 나랑 같은 개념인 거야?"

검사를 그만두고 법조계에서 멀어지면서 유리 자신에게서도 한발 물러선 듯 이전보다 멀게 느껴지는 정호였다. 그저 농담과 장난으로만 일관하는 허깨비인 사이. 사실 크게 인식하지 못했었는데, 정호의 건물에 들어오려고 하는 과정에서 그렇게 느끼고 말았다. 우리 사이가 이 정도였나. 그러니 점점 신경이 쓰이는 것이다.

"좋아해, 이미."

정호의 말에 순간 지끈, 머릿속이 조였다. 심장이 쿵, 하고 울린 건 바로 다음이었다.

"앞으로 좋아해 주고 말고 할 필요 없이, 이미 좋아하고 있다고."

"……."

"친구잖아."

유리는 잠시 멈추었던 숨을 터뜨렸다.

"어우! 이제 나 싫어하는 티 안 내겠다고 약속하더니 칼이네, 칼이야."

아무렇지 않게 대꾸했지만, 정호의 말은 마치 이성 간의 고백 같은 느낌이었다. 무슨 말을 해도 저렇게 헷갈리게 할까. 이 자식이 뭘 잘못 먹었나.

"물론입니다. 남아 일언 중천금(男兒一言重千金)이니까."

어깨를 들썩 올리는 정호의 모습을 보며 유리는 작게 한숨을 내쉬었다. 하긴, 말도 안 될 소리. 어이없는 착각이다. 주변을 돌아보았다. 여기저기 식사에 열중하는 사람들이 보였다. 정호 역시 다시 식사를 시작했다.

순간 유리는 스스로가 우습게 느껴졌다. 이런 곳에서, 이런 몰골의 추또 자식이, 고백했다고 생각해서…….

설마, 나 지금, 가슴이 떨린 거야?

"헐……."

저도 모르게 내뱉은 소리에 정호가 고개를 들었다.

"왜?"

아! 저 순수하고 담백한 얼굴을 보라. 이성 간의 고백은 개뿔. 자신에게 잡아먹히지 않기 위해 발악하는 일개 하찮은 토깽이일 뿐이다. 그 얼굴을 보고 유리는 풋, 웃어 버렸다. 방금 느꼈던 묘한 떨림은 어느새 사라져 버렸다.

"아니야. 밥 많이 먹어."

그때는 몰랐다. 미미하게나마 그게 시작이었다는 것을.

-유리야, 미안해서 어떡하냐. 벌써 와 있는 줄은 몰랐다. 아직 출발 안 했을 줄 알았는데.

"아니에요, 선배. 괜찮아요."

밥을 다 먹고 자판기에서 커피를 뽑아 건물 밖으로 막 나오던 참이었다.

-내가 네 카페로 가면 되겠다. 주말에 갈게.

"소영 선배한테는 선배가 연락할 거죠?"

-그래, 내가 할게.

"그럼 그날 카페 도착하기 전에 전화 주세요."

오늘 법원에 와서 만나기로 한 선배가 약속을 미루는 전화였다. 헛걸음쳤다. 서둘러 법원으로 와서 밥부터 먹은 보람이 없었다.

"이럴 줄 알았으면 칼제비 먹으러 가는 건데."

전화를 끊은 유리가 벤치에 앉으며 중얼거렸다. 정호가 커피를 한 모금 마시며 말했다.

"난 거기 별로야."

"왜?"

"……암튼 별로야."

신입생 시절, '수진이네' 식당에 함께 가서 맛있게 먹었던 기억들이 있는데. 새삼스럽게 왜 별로라고 하는지 언뜻 이해가 되지 않았다.

"그리고 김유리, 너 점심 나랑 먹어야 하잖아. 메뉴는 내가 정하는 거다? 그렇게 누가 어디 가서 먹자는 말에 함부로 따라나서고 그러면 안 된다고."

마미의 판결 때문에 점심시간은 이 토깽이 자식에게 완전히 매여 있는 몸이었다.

"알았다, 알았어."

어차피 한 끼 먹는 거 뭘 먹든 무슨 상관. 그깟 메뉴 선택권쯤이야 정호에게 기꺼이 내어 줄 요량이었다. 어찌 보면 자신은 밥 한 끼 같이 먹는 것 외에는 손해 볼 것도 없는데, 정호는 일부러 시간을 내어 사무실 정리를 하러 오는 처지니 말이다.

"대신 너무 칼로리 높은 거 말고."

"알지. 우리 김 여사님 몸매 관리하셔야지."

"알면 됐어."

"그런 의미에서 내일은 피자 일 인 일 판 할까."

"야."

"너 혼자 한 판 다 먹을 수 있잖아."

"먹을 수 있지만 사양하겠어. 진짜 피자 시키면 죽여 버릴 거야."

유리는 타고나길 예쁜 얼굴, 좋은 몸매는 아니었다. 오히려 살이 잘 찌는 체질이었다. 한밤중에 라면 끓여서 밥 말아 먹고 자도 살이 안 찐다는 몇몇 마른 친구들에게 격한 분노를 느끼곤 했다. 어쩌다 친구들과의 술자리에서 그 좋아하는 곱창을 먹고 나면 다음 날 운동 시간을 두 배로 늘려야 했다. 조금이라도 살이 붙었다 싶으면 기간을 정해 두고 술과 고기, 밀가루를 아예 끊어 버리는 식으로 독하게 관리했다.

그녀가 가진 건 오로지 근성 하나였다. 그리 좋은 머리가 아님에도 불구하고 책을 씹어 먹을 듯 파고들며 공부했고, 정호가 입버릇처럼 말하듯 '소름 끼치게 예쁜 얼굴이 아님'에도 불구하고 지독한 관리로 매력적인 외모를 유지했다.

그런 김유리를 보고 있노라면, 이래도 한세상, 저래도 한세상, 내는 그냥 대충 편하게 살다가 갈란다, 하며 지레 겁먹고 포기하게 될 정도였다. 유리 스스로는 이미 모든 것이 습관처럼 되어 버려 그리 힘들다는 것조차 느끼지 못하고 있었지만.

"이야! 이게 누구야."

남자치고 제법 높은 톤의 목소리. 저절로 인상을 찌푸려진다. 유리가 고개를 돌려 목소리의 주인공을 확인했다.

"김유리 오랜만이다. 어, 옆에…… 넌 혹시 김정호냐?"

회색 슈트를 쫙 빼입은 남자. 그는 법대를 함께 다닌, 같은 학번 동기였다. 이름이 맹주헌이던가, 별로 중요한 인물은 아닌지라 이름도 가물가물했다.

"야, 진짜 김정호 맞아? 세상에! 망가져도 어떻게 이렇게 망가졌냐."

그는 실실 웃으며 정호에게 손을 내밀었다. 다행히 '쓰레빠'까지 끌고 오지는 않았지만, 정호가 야무지게 장착 중인 추리닝은 법원에서 더욱 빛이 났다. 깜짝 놀라는 맹주헌을 보니 유리는 자신이 얼마나 정호에게 잘 적응하고 있었는가를 새삼 깨달았다. 매일 보는 차림이라 익숙해져 있던 모양이었다.

법원 구내식당에서 밥을 먹을 때까지만 해도 이 정도는 아니었는데, 유리는 창피함과는 조금 다른 감정이 들었다. 혹시 정호가 멀쩡히 양복을 입고 있는 동기를 만나 위화감을 느낄까 하는 걱정이었다. 그러게 왜 법원까지 오겠다고 자청해서는……. 여기 오면 아는 사람들 만날 게 뻔한데.

"어어! 맹주헌, 반갑다."

벤치에 앉아 있던 정호가 일어서며 주헌의 손을 잡고 악수했다. 정호의 흰칠하고도 우월한 기럭지는 감히 추리닝 따위로 가릴 수 없었다. 그가 쑤욱 일어서자 잘 차려입은 맹주헌은 호빗족이 되어 버렸다. 유리의 걱정은 기우였다. 새집 머리와 면도하지 않은 얼굴로도 정호는 당당했고, 미소를 띤 입가는 지극히 여유로웠다.

"그런데 망가진 게 아니라 이건 상남자 스타일이라는 거다. 이 차림에 얼굴은 여전히 너무 잘생겨서 깜짝 놀랐구나. 짜식!"

"푸하. 진담은 아니지?"

주헌은 그렇게 말하면서 슬슬 몸을 뒤로 물러 벤치에 앉았다. 선 채로 대화를 이어 가기에는 정호와의 현저한 키 차이를 감당할 수 없기 때문이었다. '됐어, 자연스러웠어.' 하고 본인은 뿌듯하겠지만 유리 눈에는 속이 빤히 보여 피식 웃고 말았다.

맹주헌. 사내자식이 어찌나 속이 좁고 맹꽁이 같은지. 맘에 들지 않는 것이 있으면 티를 내야 직성이 풀리고, 남을 깎아내리는 것에 혈안이 된 놈이었다. 대화를 길게 이어 봐야 좋을 것이 없는 상대였다. 맹꽁이는 유리와 같은 해에 사법고시에 합격하기도 했다. 군법무관으로 복무한 후에 작년부터 한 로펌에서 변호사 업무를 시작했다고 들었다.

"야, 김정호 너는 아무리 일 그만뒀어도 법원 오는데 그런 차림은 좀 심하지 않냐?"

정호의 추리닝을 훑어보며 주헌이 비웃듯 말했다. 정호는 팔짱을 끼고 선 채로 그를 내려다보며 말했다.

"이게 어때서. 내가 재판 들어가는 것도 아닌데."

"아아, 나는 재판 끝내고 잠깐 염 판사님 뵙고 가는 길이야. 너도 알지? 형사3부에 염구원 부장판사님."

자퇴한 친구 앞에서 본인은 학교 가는 길이라 자랑하는 것도 아니고 저게 뭐야. 유리는 맹꽁이 자식의 면상을 확 때려 줬으면 좋겠다고 생각했다.

늘 정호를 보며 얄밉다, 얄밉다 했지만, 그건 애정이 저변에 깔린 감정이었다. 김정호에 비하면 이 자식의 얄미움은 톱 중의 톱, 티오피 그 자체다.

유리가 뭔가 말하려는데, 눈이 마주친 정호가 먼저 입을 열었다. 덕분에 유리는 타이밍을 놓쳤다.

"어. 잘 지내시지?"

"그럼. 넌 뵌 지 오래됐지? 널 기억하실지 모르겠네."

염구원 부장판사는 정호가 사법 연수원에 있을 당시 형사 재판을 담당하시던 분이었다. 보통은 당대에 날렸던 천재 판사들이 사법 연수원의 교수로 오는 경우가 있는데, 그중에는 괴팍하리만치 독특한 성향의 분들도 계셨다.

정호의 조 담임 교수이기도 했던 염구원 판사도 마찬가지였다. 게다가 그는 제자들을 살뜰히 챙기는 스타일도 아니었다. 하지만 천재가 천재를 알아보는 법. 죽어라고 공부하는 연수원생들 사이에서 높은 성적을 유지하면서도 유독 여유로운 정호에게 많은 관심을 두었다.

그가 검사로 임관되었을 때 누구보다 뿌듯해하는 동시에 자신과 같은 판사가 되지 않음을 아쉬워하기도 했다. 정호의 아버지 김승운과는 한때 지독한 라이벌 관계였다고도 들은 적 있었다.

이런저런 상황까지 모두 알기에는 맹꽁이가 지나치게 미천하였다. 정호가 이쪽에서 발을 빼고 일부러 멀어져 있던 기간이 벌써 3년. 잊히기에 무리가 없는 시간이기도 했다.

"너는 이쪽 분위기 정말 오랜만이겠다. 은둔하느라 잘 안 보인다던데. 너 봤다는 동기들이 거의 없더라. 하긴, 옷을 그렇게 입고 여기까지 나온 걸 보면."

쯔쯔, 정호의 차림에 안됐다는 듯 혀를 차는 맹꽁이에게 결국 유리가 입을 열었다.

"추리닝이 뭐가 어때서. 이거 입고 이 정도 간지 나기 쉬운 줄 아냐?"

꼴에 슈트라고 어디서 물에 빠진 생쥐 색깔로 주워 입고서 잘난 척은.

"객관적으로 너보다야 정호가 낫지."

"역시 내 진가를 알아보는구나, 친구야."

정호가 헤실헤실 웃으며 유리의 머리를 쓰다듬었다. 유리는 절 쓰다듬는 그의 손을 탁 걷어 냈다. 지금 머리나 쓰다듬을 때냐. 맹꽁이에게 그 무시를 당하고도 자존심 상하는 건 남의 이야기인 모양이었다. 태연하게 받아치고 나 있으니. 어휴! 속없는 저놈 때문에 답답해서 못 살지, 내가.

"이거? 지난 휴가 때 이탈리아 가서 직접 맞춰 입은 거야. 너희가 아무리 친구라지만 '객관적으로' 그건 좀 심하지 않냐. 비교할 걸 해야지."

옷이 문제가 아니고 사람이 문제다. 이 불어 터진 맹꽁이 자식아! 유리가 바드득 이를 갈며 말을 이으려는데, 눈치 없는 이 토깽이는 또 천진하게 웃으며 받아 줬다.

"오, 맹주헌. 이탈리아 현지 맞춤 양복이라니. 짜식, 잘나가는구나."

아아. 김정호. 허세라고는 눈곱만큼도 없는 놈. 무시당하는 것도 모르는지 맹꽁이 장단에 놀아나는 토깽이가 답답하기도 하고, 또 안쓰럽기도 했다.

"내 연봉이 꽤 되기는 하지. 아, 내가 이번에 차를 뽑았거든."

맹꽁이는 자랑스러운 얼굴로 자동차 스마트키를 흔들어 보였다. 독일 자동차 브랜드 로고가 떡하니 찍혀 있었다.

"승차감이 역시 국산 차와는 달라. 너도 언젠가 그런 차 타 보면 알겠지만, 괜히 수입차 판매 1위 했던 모델이 아니라니까."

수입 중형차 한 대를 놓고 듣는 사람마저 민망해질 정도의 찬양이 이어졌다. 구매한 차를 말하는 것이 나쁘다는 소리가 아니다. 그건 좋다. 다 좋은데, 지금 맹꽁이는 본인의 차 자랑을 구실 삼아, 상대방이 넘볼 수 없는 영역에 대한 위화감 조성이 목적이었다.

아, 이게 진짜 보자 보자 하니까. 보자기로 확 목을……. 차 자랑에 여념이 없는 맹꽁이를 향해 유리가 분노의 욕 폭탄을 터뜨리려 할 때, 그녀의 어깨를 살며시 잡는 손이 있었다.

유리는 흠칫 옆을 보았다. 그러자 맹꽁이의 말에 고개를 끄덕여 주고 있는 정호의 옆모습이 눈에 들어왔다. 타오르는 그녀의 분노는 안 봐도 뻔하다는 듯 유리 쪽은 보지도 않고 있었다. 맹꽁이를 향해 있는 태연한 시선과는 별개로, 그저 손만 올려 자신의 어깨를 잡고 있을 뿐이다.

깊은 눈동자, 유독 높은 콧대, 알 듯 모를 듯 미소를 품은 입가. 언뜻 가까이에서 본 그의 옆모습 ……확실히 수려한 이목구비다.

마미가 말했듯, 뭔지 모를 깊은 분위기까지 더해져 더욱 잘생겨 보인다. 게다가 그려 낸 듯 날렵한 선은 섬세하면서도 지극히 남성스러웠다. 인정할 수밖에 없었다.

화를 내려던 것도 잊고 유리는 흠칫 놀라 한 발짝 떨어져 섰다. 이따위 몰골의 김정호가 순간 잘생겨 보이다니. 게다가 이런 상황에. 막간을 이용해 자신의 눈이 미친 게 틀림없다. 아니, 맹꽁이 효과인가.

"차 얘기 그만해야겠다. 이 나이에 백수로 놀고 있는 네 앞에서 할 말은 아니었는데 말이야! 하하하!"

에너자이저 맹꽁이는 지치지도 않는지 여전히 신경을 벅벅 긁고 있었다. 그 말을 다 들어 주고 있는 정호는 어찌 보면 평화주의자다. 그는 언제 어디서든 분위기가 날카로워지는 것을 견디지 못하곤 했다. 무슨 말이든 허허, 웃으며 흘렸고 어떤 일에도 큰 반응을 보이지 않았다.

성격이 좋다고 해야 하는 건지, 바보 같다고 해야 하는 건지. 혹은 의외로 굉장히 냉정한 건지도 모르겠다. 저런 말들을 진심으로 참고 있다고 생각되지는 않으니까. 원래 악플보다 무플이 무서운 법. 그는 깊은 속을 알 수 없는 표정으로 일관하고 있었다. 그러던 정호의 입가에서 희미한 미소가 사라진 건, 맹꽁이가 금기시해야 할 말을 내뱉은 직후였다.

"그래, 너희 아버지, 시골에 내려가셨다며. 지금은 잘 지내고 계시냐?"

정호가 일을 그만둔 상황에는 아버지의 사퇴가 맞물려 있다는 것을 뻔히 알고 있으면서, 겁도 없이 역린을 건드린 거다.

"좀 명예롭게 퇴직하셨으면 좋았을 텐데. 나도 생각할 때마다 참 안타까운데 아들인 너는 어떻……."

"야, 이 맹꽁이 자식아!"

결국 참지 못하고 유리가 소리를 내질렀다. 가마니처럼 가만히 있던 그녀가 갑자기 높인 소리로 인해 주헌은 움찔 놀랐다.

적당히 해야지, 이 맹꽁이가 끝을 모르네. 유리는 아랫입술을 깨물며 번뜩이는 눈으로 주헌을 쳐다보았다. 할 말은 많지만 해 봤자 자신 역시 정호를 긁는 셈이 되어 버린다. 말이고 뭐고 다 필요 없고, 저 맹추의 등짝이나 시원하게 패 줬으면 좋겠다.

이 상황과는 별개의 영역에 있는 듯 정호는 느리고 여유롭게 움직였다. 그는 빈 종이컵을 손으로 천천히 구기더니, 벤치 옆에 있던 쓰레기통에 휙 던져 넣었다.

"오호, 골인."

정호는 새집 머리와 어울리지 않는 산뜻한 미소를 머금고는 유리의 손목을 덥석 잡았다.

"그만 가자. 나 집에 가서 낮잠 자야겠다. 밥 먹으니까 졸려."

유리는 뻗치는 화를 애써 가라앉히며 정호를 보았다.

"……그래, 가자."

"맹주헌, 다음에 보자."

유리는 인사하고 돌아서는 정호에게 끌려가면서 주헌을 돌아보았다. 그리곤 그를 향해 매서운 눈빛을 번뜩였다. 하여튼 다음에 또 이딴 식으로 하다가 걸리면 유 다이, 넌 나한테 죽는다. 세상의 잔인한 끝을 보여 주고야 말 것이야.

유리의 속내를 읽었는지 주헌이 굳은 얼굴로 억지 미소를 지으며 손을 흔들어 보였다. 말리는 사람이 없어서 스스로 생각해도 좀 많이 나갔다 싶은 모양이었다. 그래 봤자 뉘우침 없이 다음에 만나면 또 그럴 게 뻔하지만.

"김정호, 넌 그걸 다 들어 주고 있냐? 바보같이!"

유리는 손목이 붙들린 채 주차장을 향해 끌려가면서 속상한 마음에 한마디 내뱉었다. 그러자 정호가 피식 웃으며 걸음을 멈추었다. 기우뚱. 돌연 멈춘 그의 몸에 부딪혀 유리가 삐끗 기울어졌고, 자연스럽게 정호가 붙잡아 주었다.

"김유리가 나 때문에 다른 사람한테 화내는 거 처음 보네."

유리는 손목이 붙잡혀 마주 선 채로 정호가 하는 소리에 할 말을 잃었다. 애당초 다른 사람들의 일에 큰 관심이 없는 김유리였다. 본인의 앞만 보고 달려가는 것도 바쁜 나날들이었기에.

처음이었다. 정호 때문에 제어할 수 없는 화가 솟구친 것은. 김정호가 누구한테 무시당할 사람이 절대 아닌데. 그런 대접을 받는다는 것이 못 견디게 화가 났다.

"누, 누가 화를 내."

인정하기 싫지만.

"얼굴에 쓰여 있잖아."

티가 나는 모양이었다. 유리는 얼른 마음을 가다듬었다. 왜 화가 났더라. 얼른 기억을 돌이켰다. 그래! 잘생긴 얼굴 아깝게 이따위로 입은 채 법원까지 와서, 못난 동기 만나서 무시나 당하질 않나, 되지도 않는 그 찌질이 맹추의 잘난 척을 고이고이 다 들어 주고 앉아 있질 않나, 맞장구를 쳐 주질 않나. 급기야 그 싫어하는 아버지 이야기까지 듣고 말았으니.

제 등짝 스매싱에 비명을 지르는 정호가 다른 이에게까지 쉬운 놈 취급을 당하는 건 정말 싫다. 이를테면, 널 괴롭힐 수 있는 건 나뿐이야! 그런 마음일까. 여기까지 생각하고 나자 몸속의 무언가가 시원하게 쑥 내려가는 기분이 들었다.

그래, 그렇다. 맞다! 바로 그거였다! 내 밥은 나만의 밥이어야 하고, 내 북은 나만의 북이어야 했다. 비로소 심리가 명확해지는 기분이었다. 평소답지 않은 흔들림에 잠시 혼란을 느꼈던 유리는 마침내 후련한 마음으로 팔을 뻗었다. 정호의 목을 조여 헤드록을 약하게 걸었다.

"으아아아. 이것 좀 놓……."

정호가 푸득거렸다. 엄살은 필수인 모양이다. 그래, 반응이 이 정도는 돼야 헤드록 걸 맛도 나지. 김정호를 빼앗기기 싫은 이유는 여기에도 있었다.

"넌, 내 거야."

"뭐? 뭐라고?"

"그러니까 아무 데서나 내 허락도 없이 얻어터지지 말라고, 이 자식아."

헤드록을 당하는 가운데 들은 말에 정호는 멍해지고 말았다.

넌 내 거야, 라니.

언뜻 로맨틱하게 들리는 말이지만 그런 느낌은 그저 착각임을 알고 있다. 자기 영역, 자기 먹이에 대한 개유리의 확실한 소유권 주장이라는 것도. 그럼에도 불구하고 정호의 심장은 마구 떨렸다. 말의 힘은 실로 대단한 것이었다.

짝사랑녀는 헤드록도 못 하도록 반드시 법으로 금지해야 한다는 생각도 들었다. 버둥거리다 보니 손은 자꾸 유리의 허리를 붙들게 되고, 볼은 그녀의 몸에 바짝 눌린다. 이 여자, 헤드록이 이렇게 야한 스킨십이라는 걸 대체 알고 하는 거야, 모르고 하는 거야. 정말 괴롭다. 몸보다도 마음이 훨씬.

"으아아. 좀 놔 봐 봐!"

물론 단번에 쉽게 벗어날 수도 있었지만 힘겹게 벗어나는 척을 해 주었다. 새끼손가락 하나로도 풀 수 있지만 그렇게 해 버리면 맥 빠진다고 등짝을 내려치겠지.

"좀 아까 한 말은, 너만 나를 괴롭힐 수 있다는 뜻이냐?"

"그렇지!"

맹주헌의 공격에 맞서고 싶어서 움찔거리던 유리가 떠올랐다. 밥그릇을 빼앗기기가 어지간히 싫은 모양이었다. 정호는 차가 세워진 야외 주차장을 향해 저벅저벅 걸어가며 말했다.

"걱정하지 마. 나 그런 말 신경 안 써. 신경 쓰면 내가 이러고 다니겠어?"

유리는 분이 풀리지 않은 듯 씩씩거리는 호흡으로 대꾸했다.

"찌질한 맹꽁이가 뭐라도 되는 것처럼 그러는데 열 받지도 않아? 넌 참 속도 좋다."

"유리야."

차 앞에 다다라 문을 열려다 말고 선 채로 그녀를 불렀다. 유리가 차를 사이에 두고 자신을 바라보았다.

"지금 막 열 받은 건 저기 저, 맹꽁이 같은데."

정호가 턱짓으로 가리킨 방향으로 유리가 고개를 돌렸다.

그곳엔 주차장에 막 도착한 맹주헌이 있었다.

그는 그렇게 입에 침이 마르도록 자랑하던 자신의 차 앞에 선 채 잔뜩 놀란 눈빛으로 이쪽을 바라보고 있었다. 맹꽁이의 일그러진 미간이 불편한 심경을 여실히 드러내고 있었다.

왜냐하면, 정호가 운전석 문을 붙잡고 선 이 차가, 본인의 차보다 몇 배나 비싼 차라는 것을 알았기 때문이다.

"고소하다! 쌤통이야!"

지금 타고 있는 이 스포츠카가, 주헌의 차보다 훨씬 비싸다는 사실을 알고 유리는 무척 흡족한 눈치였다.

정호는 검사직을 그만두고 한때 아마추어 레이싱에 푹 빠져 있었다. 태백이고 영암이고 가리지 않고 달려가 굉음을 내며 서킷을 돌고 나면 속이 뻥 뚫리는 것 같았다.

오총사 친구들도 모르는 취미였다. 물론 지금은 즐기지 않고 있다. 후련한 것도 잠시라는 걸 알게 되면서, 레이싱에 위안받는 것 따위는 그만두기로 했다. 뭐든 손댔다가 중단한 게 어디 한두 가지인가. 정호는 애초에 끈기와 근성이라곤 찾아볼 수 없는 사람이었으니까. 레이스에 참가하기 위해 개조했던 차량은 현재 다 처분했고, 대신 지금의 차량만 사서 보유하고 있었다.

이 슈퍼카는 가끔 답답할 때 운전하면 어느 정도의 시원함을 안겨 주었다. 특히 터널을 지날 때 마치 F1 레이싱카에서 뿜어져 나오는 듯한 사운드가 터널 안을 메우며 가슴을 뛰게 했다. 지금은 딱 이 정도로만 만족하고 있었다.

"맹꽁이 표정 봤지? 아까 자기 차 자랑을 그렇게나 했는데, 이거 네 차 봤으니 얼마나 무안할 거야."

"그렇겠지."

"그러게 왜 되지도 않는 잘난 척은 해 대서. 어휴! 내가 다 창피하다."

붉은 신호 앞에 멈추어 섰다. 정호는 스티어링 휠에 팔을 얹은 채 무료한 얼굴로 앞을 바라보았다. 저마다 바쁜 걸음을 재촉하는 사람들이 횡단보도를 건너고 있다.

나만 빼고 다 바쁜 세상.

"나는 아까 맹꽁이가 그렇게 나오는데, 왜 네가 가만히 있나 너무 답답했었어. 생각해 보면…… 똑같이 굴 필요는 없긴 하지. 말없이 주차장에서 딱 만났으니 오히려 잘됐지, 뭐. 기가 좀 죽은 것 같던데."

정호는 고개를 돌려 옆자리에 앉은 유리를 바라보았다. 어지간히 속이 상하긴 했나 보다. 남의 말과 행동에 그렇게 영향을 받는 애가 아닌데. 저렇게 파르르 떠는 걸 보니 기분이 묘했다.

"그런데 이게 그렇게 비싼 차였구나. 몰랐네."

이제야 신기한 듯 유리가 차 곳곳을 살펴보았다.

유리를 옆에 태운 것은 처음이었다. 서원과의 점심 식사를 막기 위해 급하게 끌고 나오지만 않았다면, 차고에서 이 차를 뺄 일도 없었을 것이다.

신호가 초록색으로 바뀌었다.

"어쩌면 ……맹꽁이가 대단한 거야. 정말."

정호가 차를 출발시키며 중얼거리는 소리를 유리는 듣지 못한 모양이었다.

아마 맹주헌은 본인의 힘으로 그 차를 샀겠지. 정호는 씁쓸해졌다. 뭔가 스스로 했다고 말할 수 있는 게, 저에겐 과연 있을까. 인생의 그 어떤 결실도 오롯이 제 것이라 할 수 없는데. 결국 제 모든 건 부모로부터 만들어진 것일 테니 말이다.

정호는 고급 스포츠카를 운전하면서 처음으로 속이 꽉 막혀 왔다. 답답증을 해소하기 위해 샀던 차라는 사실이 무색하게도.

그 자식에게 그런 표정이 있었나.

유리는 카페 안 사무실 책상 앞에 앉아 턱을 괴고 가만히 생각에 빠졌다. 아까 법원에서 카페로 돌아올 때까지 입을 다물고 운전만 하던 정호의 옆얼굴이 자꾸 떠올랐다. 맹꽁이 때문에 영 기분이 상한 걸까? 그렇다고 하기엔 어째 씁쓸한 표정이었다.

'뭐지……'

김정호라면 본래 아무 생각 없는 캐릭터가 아니던가. 그런데 사이가 가까워질수록 그의 얼굴에서 자꾸만 많은 표정을 발견하게 된다. 쉽게 단정 지을 수 없는 복잡한 빛이 때때로 그를 스친다. 이상한 일이었다. 14년 만에 처음으로, 김정호란 사람이 궁금해지기 시작했다.

"유리야."

"응? 왜?"

살짝 열린 문 사이로 마미가 고개를 내밀고 물었다. 유리는 정신을 차리고 대답했다.

"레몬 타르트 좀 먹어 볼래? 괜찮으면 메뉴에 넣으려고."

"어, 먹을래."

메뉴에 넣는다고 하니 맛은 봐야 할 것 같았다. 유리는 일어서서 테이블 앞으로 가 소파에 앉았다. 그리고 마미가 내려놓은 타르트를 포크로 쪼개어 먹었다. 레몬의 상큼한 향이 입 안 가득 퍼져 나갔다. 손님 없는 카페에는 정말 과분할 정도로 맛있는 타르트였다.

"오오! 엄마, 진짜 맛있어."

"그래? 넣어도 괜찮겠어?"

"응, 난 좋은데?"

딱히 손님이 없어 한가한 덕분에 이것저것 만들어 보는 중인 듯했다. 마미는 가만히 못 있는 스타일이니까.

"아까 그 꼬마 여자애는 잘 갔어?"

법원에 가기 전 카페에 와 있던 아이를 떠올리며 물었다.

"이슬이? 응. 걔 엄마가 와서 데려갔어. 어린애가 어찌나 똑똑하고 귀여운지. 여덟 살이래. 이제 초등학교 1학년이라는데, 말도 또박또박 잘하고."

"여덟 살이면 다 컸네, 뭐. 요즘 애들이 말을 얼마나 잘하는데. 어른보다 나아요."

"그런데 그 애 엄마 말이야."

"응."

"싱글맘이더라."

타르트를 입에 물고 유리가 눈을 깜빡거렸다. 카페에 아이를 두고 가던 그 여자를 떠올렸다. 굉장히 젊어 보였는데.

"엄만 그걸 어떻게 알았어?"

"아까 빵집 갔는데 거기서 그 모녀가 빵 사서 나오더라고. 빵집 할머니가 얘기해 주던데. 애 엄마가 서른이 안 됐다더라. 지금 스물아홉인가 그렇대. 아기 가진 거 알고 결혼하려고 할 즈음에 그 애 아빠가 교통사고로 죽었대."

"어머."

"애는 자기 호적에 올려서 키우고. 친정엄마랑 셋이 살다가 작년에 친정 엄마도 돌아가셨나 봐. 지금은 요 뒤에 놀이터 있지, 그 앞 주택에 애랑 둘이 서 산대. 쭉 이 동네 살았다나."

마미가 유독 말을 길게 하는 이유가 있었다. 이슬이 엄마의 사연을 구구 절절 읊는 마미는 그녀에게 자신의 젊은 시절을 투영하는 모양이었다.

아마도 동질감을 느끼고 있으리라. 이 험한 세상에서 젊은 여자 혼자의 몸으로 아이를 키우며 살아가는 일이 얼마나 힘든지는, 누구보다 유리 마미, 송옥자 여사가 잘 알기에. 고생이란 고생은 다 했던 경험이, 그 시절의 송 여사에게도 있었기에.

이런 마음이 들 때마다 유리는 가슴이 꽉 메어 왔다. 엄마의 부담을 덜어 드리고자 악착같이 공부에 매달려 왔던 유리였다. 긴 세월, 앞만 보고 달려 온 끝에 변호사가 되고, 로펌에 입사했을 때 얼마나 좋아하셨는지 모른다. 동생 유찬의 학비까지 보탤 수 있어 유리 스스로 뿌듯하기도 했었다.

하지만 변호사가 된 건 단순히 많은 연봉을 받기 위해서가 아니다. 부끄 럽지 않은 딸이 될 것이다. 대항할 힘이 없어 가시는 길마저 고독하고 초라 했던 아버지를 위해서. 이 거친 세상의 풍랑에 맞서 부딪쳐 가며 남매를 꿋꿋이 키워 낸 엄마를 위해서.

법(法)이란 가진 자들의 것을 지키기 위해서가 아니라, 평범하게 살아 내는 모든 사람을 보듬기 위해 존재한다는 것을 반드시 확인하고 싶었다. 이제 자신이 갖게 된 작은 힘이나마 그에 보태고 싶었다. '동네의 만만한 변호사'가 되길 꿈꾸어 온 건, 바로 그런 이유 때문이었다.

"그나저나 사람이 없어서 우리 카페 먼저 망하게 생겼다, 야."

물론…… 이상과 현실의 차이는 이렇게나 크지만 말이다.

"진득하게 좀 기다려 보자니까."

느긋한 유리와 달리, 카페 책임을 진 마미는 부쩍 안달이 나 있었다.

"네 법률 상담이고 뭐고, 일단 카페가 돌아가야 할 것 아니야. 속 편하기는."

"그럼 뭐, 어떻게 해?"

"기다린다고 사람이 오니? 정문에 카페들이 득시글한데. 아무래도 방법을 좀 생각해야지, 이대로는 안 되겠어."

"방법? 무슨 방법?"

마미가 팔짱을 끼며 씨익 웃어 보였다.

"얼굴들은 뒀다가 국 끓여 먹니?"

4. 우정과 짝사랑 사이

"이제 됐죠?"

"조금만 더, 이쪽으로 고개 좀. 옳지, 좋다."

"그만 찍어도 될 것 같은데요."

"제대로 나온 거 고르려면 좀 더 찍어야지. 원래 백 장 찍어서 한 장 건지는 거야."

유리는 사무실 문에 기대어 그 모습을 바라보았다. 마미가 어떻게 구워삶았는지 뻣뻣하기 그지없는 은강이 그래도 카메라 앞에 용케 서 있었다. 마미는 은강이 라테 아트로 하트를 그려 내는 모습을 찍겠다며 카메라를 들고 있었다.

"가만히 한곳에서 찍으시면 안 될까요. 번잡스러운데."

"어느 각도에서 잘 나오는지 다 찍어 봐야 알지. 나 신경 쓰지 말고 빨리 하트나 그려 봐."

은강이 한숨을 내쉬었다.

"어허, 표정 봐! 하기 싫은 티 나, 지금!"

"……."

"손님이 와야 카페가 돌아가지. 이러다 우리 망한다? 김유리 쟤가 지금 없는 돈 싹싹 모아 겨우 이거 하나 열었는데, 한 달도 안 돼 길거리에 나앉으면 안 되잖아."

아니나 다를까. 마미의 비결은 바로 협박인 모양이었다. 망한다는 소리에 은강의 마음이 약해졌는지, 조금은 부드러워진 손길로 우유 거품을 올려 냈다.

그는 의외로 순순(順順)한 구석이 있었다. 첫인상은 다정해 보였지만 알고 보니 시크했고, 더 두고 보니 희한하게 고분고분한 면이 있다. 반전에 반전을 거듭하는 남자. 유리는 은강이 귀여워 웃고 말았다.

"연하의 꽃돌이 보면서 웃으면 그거 범죄 아니냐? 우리 나이에?"

나직한 목소리. 유리는 깜짝 놀라 옆을 돌아보았다. 어느새 추또가 카페 안에 들어와 제 곁에 다가와 있었다.

"범죄는 뭐가 범죄야."

"네 눈빛이 범죄 그 자체구만."

"내가 뭐, 미성년자를 꼬셨냐? 되지도 않는 시비야, 왜."

"철컹철컹. 조심해라."

신경 쓰이게 하던 그 얼굴은 어디로 사라졌는지 보이지 않았다. 장난스럽고 헐렁한 오리지널 추또의 모습으로 완벽하게 돌아와 있었다. 맹꽁이 덕을 본 게 맞았다. 맹꽁이를 보고 토깽이를 보았을 때는 그렇게 잘생겨 보이더니 말끔한 은강과 준이 있는 카페에서는 후줄근한 추또의 모습으로 다시 돌아온 것이다.

"뭐야. 사무실 정리하러 내려온 거 아니야? 왜 이렇게 빨리 왔어?"

"아, 서원 형이랑 잠깐 커피 마시기로 했는데 아직 안 내려왔네."

정호는 창가 자리로 가서 앉았다.

"우리 준배는? 안 보이네?"

"엄마가 사진 찍자니까 미용실 좀 갔다 오겠대. 연예인 나셨지. 근데 너 준이 엄청 챙긴다?"

"귀엽잖아."

"너야말로 철컹철컹, 조심해라. 성추행의 피해 대상은 남녀 관계없이 '사람' 인 거 알지?"

"우리 준배가 사람이었어? 요정 아니었어?"

시답잖은 농담을 하고 있는데, 서원이 카페에 들어섰다. 때마침 준도 왔고, 마미에게 붙들려 촬영 중인 은강 대신 준이 커피를 만들어 주었다.

"저녁때라 그런지 추리닝에 더욱 빛이 납니다, 형님."

생크림 잔뜩 올린 마키아토와 아메리카노를 내려놓으며 준이 활짝 웃었다. 마치 자판기처럼 툭 누르면 나오는 칭찬에 유리는 기가 차서 물었다.

"준아, 정호 볼 때마다 왜 그래? ……애 놀리고 그러면 못 써."

어린것에게 농락당한다고 생각하는지, 유리의 얼굴 가득 정호를 향한 동정심이 서려 있었다.

"놀리는 거 아니에요. 진짜 멋있어서입니다. 추또 형님 제 롤모델이에요."

멋있다고 해 놓고 추또라고 이어 붙이는 게 과연 진심 어린 칭찬인지는 모르겠지만.

"롤모델이면 너도 이렇게 하고 다니지 그래? 어디 처박아 둔 추리닝도 주워 입고."

유리의 말에 준이 뒷걸음질 쳤다.

"전 형님 자체를 존경하는 건데 스타일까지 따라 하라고 하시는 건, 말씀이 좀 지나치세요."

"저 봐, 준이가 너 놀린 거라니까. 쪼그만 게 어른 갖고 노네."

준이 마미와 은강 쪽으로 달아난 후 유리는 아예 테이블 앞에 앉아 버렸다.

"준아! 나도 커피 좀 내려 줘."

"예압!"

함께 커피를 마실 모양이었다.

"넌 왜 여기 눌러앉았냐?"

그렇게 묻는 정호보다도 서원이 더 의아한 눈치였다.

"유리 씨, 일 바쁘지 않아요?"

"왜요? 두 사람 할 얘기 있어요? 그럼 전 사무실 들어가서 마시죠, 뭐."

생각 없이 불려 내려온 정호는 어깨를 으쓱해 보였고, 이 자리를 만든 서원이 어색하게 웃었다.

"할 얘기는요, 무슨. 아니에요. 그냥 내려온 거예요."

"아아…… 혹시, 내가 방해꾼이 되어 버렸나."

유리가 양손으로 제 볼을 감싸며 수줍은 척하면서 장난스럽게 말했다. 준배와 추또 라인에 이어, 이쪽으로도 브로맨스 만들기 놀이에 한창이었다.

"알면 빠져야지. 하여튼 김유리 눈치 제로라니까."

정호가 생크림을 떠먹으며 말했고, 서원이 얼른 손을 내저었다.

"아닙니다. 유리 씨, 같이 마셔요."

"형, 형은 정말 괜찮아? 우리의 오붓한 티타임이 방해받았는데도?"

서원의 진지한 반응이 재미있는지 두 사람은 신나게 장난을 이어 갔다.

"김정호, 너는 그 추리닝 좀 어떻게 하고 들이대라. 선생님 경기하시겠다."

"아니야. 형은 이런 날 다 이해한다고 했다. 네가 우리 사이에 대해 뭘 알아?"

"내가 모르는 건 또 뭐야?"

"설마 나만의 감정이라고 오해하는 건 아니겠지?"

"선생님이 말씀해 보세요. 정호 어떻게 생각하세요?"

생글생글 웃으면서 유리가 물었다. 얼마 전에는 새연이 유리에 대해 어떻게 생각하느냐 묻더니, 이제는 유리가 정호를 어떻게 생각하느냐 묻고 있다. 서원은 이제야 조금 적응해서 편안해진 마음으로 입을 열었다.

"그것보다……."

그런 장난에는 관심 없다. 서원은 부드러운 눈빛으로 유리를 바라보았다.

"'선생님' 소리 말고."

"네?"

"정호도 저한테 형이라고 편하게 부르는데. 유리 씨도 좀 편하게 불러 주면 어때요?"

정호와 유리가 주도하던 흥겨운 장난 분위기는 어느새 서원의 부드럽고 진지한 포스에 완벽하게 넘어가 있었다. 정호가 마키아토를 마시면서 서원과 유리를 번갈아 보았다.

"편하게, 어떻게요?"

"예를 들면……."

"서원 오빠?"

유리의 입에서 먼저 나와 버린 그 호칭에 정호가 푸후훕, 커피를 뿜었다.

"에이! 뭐야아. 더럽게."

다행히 다른 사람에게 튀지는 않았지만, 뿜어져 나온 커피는 테이블 위와 정호의 추리닝 앞면을 적셨다. 유리는 얼른 가서 냅킨을 잔뜩 집어 왔다. 커피를 뱉다시피 한 정호는 약간 굳어진 얼굴이었다.

자신에게 혼날까 봐 그러는가 싶어서 유리는 기세를 누그러뜨리고 정호의 추리닝 앞면을 잡았다. 옷자락을 쥘 때 단단한 그의 가슴에 손끝이 스치는 듯했지만, 얼른 당겼기에 찰나의 감촉뿐이었다. 유리는 옷을 당겨 잡고 냅킨으로 슥슥 젖은 부위를 눌러 닦아 주었다.

"칠칠하지 못하게 커피나 뿜고."

'오빠'라니. 유리 스스로 생각해도 간지러운 호칭이기는 했다. 정호가 경악하는 건 당연했다. 기세를 몰아 장난을 친 것뿐인데. 유리는 정호의 추리닝에 집중하여 꾹꾹 닦으면서 입을 열었다.

"'오빠'…… 소리는 아무래도 좀."

두 남자가 숨을 죽였다.

"어색하네요. 전 못 할 것 같아요."

못 하겠다는 그 말에 정호는 삐죽삐죽 새어 나오려는 웃음을 필사적으로 참아 냈다.

"지금 비웃냐, 너?"

그 모습이 비웃음으로 보였는지 유리가 날카로운 눈빛으로 쳐다보았다.

오빠라니.

오빠라니.

천하의 김유리 입에서 '오빠', 소리라니.

경악을 금치 못할 일이다. 지금껏 그녀가 누군가에게 '오빠'라고 부른 일은 없었다. 의대와 법대로 전공이 다르긴 해도 같은 한국대를 나온 건 맞으니 '선배님'이라고 부르는 게 나으려나. 그것도 아니면 원래대로 '선생님'. 둘 다 거리감이 백오십 미터쯤 느껴지는 바람직한 호칭 되시겠다. 정호는 다시 한번 픽 하고 웃었다.

"그만 비웃어라. 내 닭털도 완전 곤두섰거든. 올라가서 옷이나 갈아입어."

유리는 잡아당기고 있던 정호의 옷을 놓아주었다. '오빠'라는 각별한 호칭이 서원에게 허락되지 않았으니 정호의 기분은 무척 산뜻했다. 게다가 이렇게 친밀한 태도로 제 옷의 커피 자국을 닦아 주는 모습 덕분에 가슴이 뿌듯하기도 했다. 14년의 우정은 역시 무시할 만한 것이 못 되었다. 정호는 손바닥으로 탁탁, 커피가 묻었던 부분을 두드리며 활짝 웃었다.

"이 정도면 뭐, 티도 안 나네. 괜찮아. 내려온 김에 사무실 정리까지 하고 올라가야지."

다만, 은근히 기대했던 모양인지 서원의 얼굴에는 아쉬운 빛이 스쳤다. 그를 흘긋 쳐다본 정호가 말했다.

"어휴. 형, 김유리가 형님, 소리 안 하는 것만도 다행인 거야."

어찌 보면 이걸로 선을 한 번 그은 셈이다. 조금이나마 친해지고 싶어 하는 서원을 이런 식으로 밀어냈으니. 김유리, 역시 장하다.

"그만 긁어라. 맞는다."

"넵."

티격태격하는 두 사람을 보며, 앞에 앉은 서원도 가볍게 웃었다.

볼을 붉게 물들인 학생 두 명이 픽업 데스크 앞에서 커피를 기다리고 있다. 바 안에서 은강과 준이 분주하게 움직이는 모습을 뚫어질세라 바라보면서.

"저는 라테 위에 하트 그려 주시면 안 돼요?"

"저도, 저도요."

에스프레소 위에 데운 우유를 부으며 나뭇잎을 그리려고 했던 은강이 멈칫했다. 오늘은 그다지 하트를 그리고 싶은 날이 아닌데.

"이 형 하트 완전 잘 그려요. 아주 예술이지. 형, 얼른 만들어 드려."

학생들보다 한층 더 들뜬 목소리로 준이 은강을 부추겼다. 옆에서 이러면 더 하기 싫어지는 걸 모르는 모양이다. 은강은 천천히 고개를 들어 학생들을 쳐다보았다. 눈이 마주치자 학생들은 마치 '꺄아!' 하고 소리라도 지를 듯 입술을 벌린 채 눈을 반짝거렸다.

"그냥……."

"네?"

"주는 대로 마시지?"

은강은 무심히 시선을 떨어뜨렸다. 그리곤 결국 우유를 쪼르륵 내리며 능숙하게 나뭇잎 모양을 그려 내었다.

"에이! 하트가 뭐 어렵다고 그걸 안 해 주냐, 형은."

본인이 더 아쉬운 듯 준이 투덜거렸다. 반면 학생들은 자리로 돌아가 커피를 마시면서도 연신 웃으며 흘깃 이쪽을 쳐다보았다. 비록 하트는 아니었지만 흰 잔에 아름다운 모양으로 차오른 나뭇잎을 보며 그녀들은 함박웃음을 지었다.

"누가 이래라저래라 하는 것, 딱 질색이야."

찬바람이 쌩하니 부는 은강의 말에 준이 어깨를 흠칫 떨었다.

"그래도 손님이잖아."

"커피 제대로 나갔으면 됐지, 하트는 무슨."

서비스 정신 제로다. 은강에게 친절함을 바라느니, 자신이 벙어리가 되는 게 빠르겠다고 생각하며 준은 학생들을 바라보았다.

바 쪽을 쳐다보고 있던 그녀들을 향해 준이 은강의 몫까지 대신 활짝 웃어 주었다. 솔솔 날아든 준의 미소에 까르륵, 넘어가는 모양새가 마치 아이돌 가수라도 영접한 소녀 팬들 같았다.

매니저인 마미가 카페 SNS 계정을 개설하고 사진을 올리면서 차츰 손님이 늘기 시작했다. 외관, 내부 사진뿐 아니라, 마미가 공들여 찍은 은강과 준의 사진도 함께 올렸다. 자연스럽게 커피를 만드는 모습들이었다. 사진은 제법 잘 나왔다. 일상이 화보인 배우 느낌이랄까.

현재 휴학 중인 준이 제공한 아이디로 한국대 게시판에 이러한 카페 소개를 올리면서, 한국대 재학생들에게는 할인 혜택을 준다는 설명도 덧붙였다. 그 덕분에 후문 쪽이라는 장소의 핸디캡에도 불구하고, 입소문이 퍼지면서 일부러 찾아오는 학생들이 조금씩 늘고 있었다.

준은 친절한 꽃미소를 폴폴 날리며 주문을 받았고, 은강은 싸늘한 기운으로 커피를 만들었다. 상반되는 매력의 두 사람을 보며 마미는 흡족한 미소를 지었다.

"와아! 정말로 손님이 좀 늘었네. 다행이다."

어느새 곁으로 다가온 유리가 웃으며 카페 안을 둘러보았다. 마미는 팔짱을 끼고 유리를 위아래로 훑었다.

"……왜?"

범상치 않은 시선을 느끼고 유리가 한 발짝 물러섰다. 마미가 싱긋 웃었다.

"오늘 오후에는 변호사님 사진 좀 찍어서 올려 볼까?"

"날, 왜!"

"한국대 학생들에게, 이렇게 멋있는 선배가 있다는 걸 알려야지."

로(Law) 카페는 커피만 팔려고 만든 곳이 아니다. 소기의 목적을 달성하기도 전에 벌써 변질되어 가는 느낌이 들었다. 엄연히, 법률 상담을 기조로한 카페인데.

"엄마. 지금 되게 악덕 기획사 사장 같은 거 알아?"

"어머, 얘 말도 얄밉게 하는 것 좀 봐? 애들이 싫다고 했으면 나도 안 했어."

하긴. 사진을 올리는 일에는 준이 더 열성적이었다. 은강도 뚱하니 있긴했지만 그래도 거부하지 않았고. 고용불안은 본의 아니게 직원들에게 주인의식을 심어 주었다.

"내가 누구 때문에 이러니? 카페가 잘 돌아가야 네가 여기서 하고 싶다는그 착한 변호사 노릇도 마음껏 할 거 아니야."

"네, 그럼요. 어머님 덕분에 제가 든든합니다."

그것도 사실이었다. 애초에 이 일 자체가 대박이 터질 만한 사업 아이템은 아니었다. 최소 6개월은 버틸 자금을 들고 시작했지만, 슬슬 초조해지던참이었다. 법률 상담으로 돈 벌겠다는 생각은 없었기에, 금전적으로 자유로워지기 위해서는 카페가 원활하게 운영되어야만 했다. 그런 의미에서 마미를 매니저로 채용한 것은 정말 신의 한 수였다.

"그런데 정말 정호가 너 옥상에서 매일 운동 기구 쓰는데 뭐라고 안 해?"

"허락받았다니까."

개업 선물로 받은 '김정호 옥탑 피트니스' 이용권을 매일 새벽 알차게 써먹는 중이었다. 언제 그만두게 할지 몰라도 지금은 운동 기구와 욕실까지 기꺼이 내주고 있었다.

"정호도 참 알고 보면 착한 구석이 있다니까."

"좀 매를 벌기는 하지만, 정호가 착하긴 착하지."

"그런데 걘 왜 좋은 직업을 마다하고……."

"그 얘긴 정호 앞에서 절대 하지 마."

그만 빼고 세상은 치열하게 돌아간다. 홀로 뚝 떨어진 듯 정호는 다른 세계의 사람 같았다.

"……정호 결혼은 안 한다니? 누구 없어?"

"할 때 되면 하겠지."

카페를 믿고 맡길 수 있는 사람이 가족이라서 좋은 건 사실이다. 하지만 종일 붙어 있는 까닭에 시시콜콜한 부분까지 관여하는 엄마의 존재는 절대 편치 않았다. 이젠 친구의 결혼 사정까지 궁금해하고 계시니까.

"애가 잘생겨, 성격 좋아, 머리 좋아, 돈도 있어. 여자들이 줄을 설 텐데 왜 동네에만 틀어박혀 있나 몰라."

"엄마가 정호에 대해서 뭔가 착각을 하는 모양인데."

예전부터 유독 정호에게 관대한 마미셨다.

"걔 뒤로 줄 서는 여자들 전혀 없거든?"

"……다들 사람 볼 줄 모르는구먼."

마미의 의미심장한 말을 크게 신경 쓰지 못하고 유리가 가볍게 덧붙였다.

"쟤 추리닝에, 저 몰골로 다니는 한은 죽어도 여자 친구 안 생긴다에 한 표."

하지만 마미는 어깨를 으쓱할 뿐이다.

"스타일이 왜 중요해? 사람 속이 중요하지."

"히익."

방금 이 말이 진정 우리 엄마 입에서 나온 말이 맞나요.

유리는 마미를 마주 보고 두 어깨를 잡았다.

"뭔 소리야. 엄마, 정신 차려. 여기가 어디야? 내가 누구야?"

"여긴 카페다, 이년아. 너는 내 딸이고."

그리고 덧붙였다.

"정호 점심이나 잘 챙겨 줘. 애 밥 굶기지 말고."

유리의 손을 툭 치워 낸 마미는 카운터 쪽으로 갔다. 마미가 유독 정호에게 세심하게 신경을 쓰고 있는 듯한 느낌은 착각일 터였다. 아니나 다를까, 점심때에 딱 맞추어 정호가 어슬렁거리며 내려왔다. 백수 양반의 시계가 거참 정확하기도 하지.

"오늘 점심은 뭐 먹을까?"

정호는 추리닝 주머니에 손을 푹 찌르며 물었다. 처음에는 벌칙과도 같은 일이었지만 이젠 그와의 점심도 꽤 자연스러워졌다. 어차피 카페 팀은 돌아가며 알아서 식사하고 있고, 유리는 따로 움직이고 있기에 정호와 둘이 먹는 것이 더 편하기도 했다.

"아까 2층 선생님이……."

선생님 소리에 느른하게 풀어져 있던 정호의 눈빛이 순간 단단하게 굳어졌다.

"서원 형이 왜?"

"저기 밑에 큰 도로에 곱창전골 하는 집이 새로 생겼다고 하시던데, 거기 갈래?"

"곱창전골?"

"어, 같이 가자고. 선생님이 사 주신대. 12시쯤 내려오신댔는데."

시계를 보며 10분 남았네, 하고 중얼거리는 유리에게 정호가 말했다.

"메뉴, 내가 선택하기로 했잖아."

"왜? 곱창전골 싫어?"

싫어할 리가 없는데.

"……어, 난 별로."

평생 이것만 먹어도 살겠다고 했던 사람이 누구더라. 먹을 것으로 변덕 부리는 일 없던 정호가 희한하게 음식 타박을 하기 시작한 것은 이 무렵이었다.

"나 오늘 파주 저수지 옆 식당에서 파는 닭백숙, 그거 먹고 싶다."

"저수지? 닭백숙 먹으러 파주까지 가자고?"

"응."

이른바 미식가 김정호 시대의 불편한 시작이었다.

"누가 보면 임신한 줄 알겠네."

생뚱맞게 콕 집어서 먹고 싶은 것이 왜 그리 많아졌는지. 파주의 닭백숙은 시작이었을 뿐이다. 그렇게 멀리까지 간다면 아무래도 자신은 가기 어렵겠다며 서원은 빠졌고, 할 수 없이 유리만 정호를 따라나섰다.

그날 이후로 점심시간마다 맛집 기행이 이루어졌다. 인천에 가서 짜장면을, 임진각에 가서 참게장을, 팔당댐에 가서 초계 국수를, 미사리에 가서 한정식을, 의정부에 가서 부대찌개를. 겨우 밥 한 끼 먹는데 전투력은 이미 만렙이다. 정호는 나날이 먹고 싶은 것들이 많아졌다. 그것도 꼭 교외에 있는 맛집으로만.

아무래도 봄을 맞이하여 식욕이 왕성해진 모양이었다. 다만 유리는 일주일 동안 신나게 끌려다녔더니 오히려 기운이 떨어질 정도였다. 밥 잘 먹고 기력이 쇠하다니. 이렇게 만드는 것도 정호의 묘한 재주였다.

"오늘은 그냥 동네에서 먹으면 안 돼?"

추리닝 후드를 뒤집어쓴 정호가 시동을 걸고 차를 출발시켰다.

"안 돼. 나 오늘 꼭 보리밥 먹고 싶단 말이야. 도토리묵이랑."

"그 보리밥을 꼭 용인에까지 가서 먹어야겠냐."

"응. 거기가 맛있어."

지금까지 꼭 먹어야 한다고 해서 간 곳 중에 기가 막히게 맛있었던 음식점은 애석하게도 단 한 군데도 없었다. 유리는 셋째 날쯤 되었을 때 맛집일 거란 기대를 버렸다.

역시 오늘도 마찬가지였다. 특별히 맛있는 맛은 아니었다. '평범'보다 아주 약간 맛있다고 해야 하나. 굳이 점심시간에 여기까지 달려올 정도는 아니라는 말이다.

드라이브도 하루 이틀이지, 매일 점심마다 교외로 나오려니 부담스러웠다. 오며 가며 기운 빠지고, 다녀오면 일에 집중도 안 되고. 이쯤 되니 추또깽이 이 자식이 자신을 괴롭힐 속셈인가 슬슬 헷갈리기 시작했다.

"나에 대한 너의 애정이 워낙 넘치다 보니……."

"응……?"

"정말 엿 하나도 정성 들여 먹여 주는구나."

"무슨 그런 살벌한 말씀을."

돌아오는 길에 유리는 참았던 말을 내뱉었다.

"이거 신종 엿 먹이기 기술 아니야?"

"아니야."

"아니긴, 맞구만. 내가 너한테 뭘 그렇게 잘못했다고."

중얼거리는데 식곤증 때문인지 슬슬 잠이 밀려왔다.

"나한테 이러면 안 되지. 너 정말……. 아함."

하품을 참을 수 없었다.

"어이구. 하마냐. 입을 쩍."

"아, 몰라. 졸려."

"좀 자. 도착하면 깨워 줄게."

정호의 목소리가 희미해졌다. 유리의 고개가 창문 쪽으로 기울어졌다. 화를 낼 기력도 없이 잠이 찾아들었다.

서원의 점심 어택을 피하기 위해 택한 방법에 정호는 스스로 매우 흡족함을 느꼈다. 왜 진작 이렇게 하지 않았을까, 싶을 정도로. 유리와 함께 점심시간마다 갈 맛집을 찾아보는 것이 매일 오전의 일과가 되어 버렸다.

물론 방송 출연의 과대광고와, 블로거들의 휘황찬란한 포스팅에 낚이는 일이 더 많았고, 그래서 대단한 맛집은 찾아내지 못했지만 그 과정이 즐겁기까지 했다.

진료 시간을 딱 맞춰야 하는 서원이 따라올 수 없으니 유리와 단둘만의 점심이었다. 후훗. 백수 되길 잘했다. 병원을 책임져야 하는 원장 선생님으로서는 감히 생각지 못할 런치 타임이 아닌가. 스스로가 자랑스러웠다.

다만 오늘따라 유독 유리가 피곤해 보였고, 급기야 엿 먹이는 거냐고 묻기까지 해서 살짝 걱정은 되었다. 가뜩이나 피곤한 애를 너무 굴렸나 싶기도 했다. 미안하기도 했고.

서원은 성격대로 신중하게 접근하는 중인 듯했다. 아마 무턱대고 유리에게 고백부터 하는 일은 없을 것이다. 친밀감을 형성한 후 천천히 다가서겠지. 그 친밀감을 차단하는 건 정호의 본능이었다.

미안하지만, 서원이 유리와 친해질 틈 같은 건 내어 줄 생각은 없다. 일찌감치 포기해 버렸던, 유리에 대한 마음도 조금씩 되살아나는 요즘. 벚꽃도 팝콘 터지듯 하나둘 피어나고 있었다.

"어휴. 또 저녁이네."

정호는 씩 웃으며 일어섰다. 시간이 어쩜 이렇게 빨리 가는지. 아침, 점심, 저녁. 유리와 촘촘하게 맞물린 일상 덕분이다.

"아아, 귀찮게. 또 사무실 정리해 주러 내려가야 하네."

정호는 새침하게 눈을 내리깔며 추리닝 지퍼를 주욱 당겨 올렸다. 그리곤 대단한 일이라도 해 주러 내려가는 것처럼 슬렁슬렁 걸음을 옮겼다. 오후 내내 기다렸던 사무실 정리의 시간이었다.

하지만 안타깝게도, 그를 기다리는 건 상냥하고 달콤한 그녀의 미소가 아니었으니.

"헐. 김유리, 너 미쳤냐?"

정호가 사무실 문을 열자마자 목도한 광경에 튀어나온 첫마디가 그토록 살벌할지라도.

"나 안 미쳤는데."

김유리는 전혀 굴하지 않았다.

"그럼 내 눈이 미친 건가? 이 방이 아까 내가 본 방이 맞단 말이야?"

정호는 의기양양하게 서 있는 유리를 바라보며 사무실 안으로 들어섰다. 그리곤 황망한 눈빛으로 다시 한번 공간을 둘러보았다.

잠깐 사이 김유리의 사무실에 대체 무슨 일이 있었던 걸까. 농축우라늄 235나 플루토늄 239를 임계 질량 이상으로 하고 핵분열의 연쇄 반응을 고속으로 진행하여 막대한 에너지를 한순간에 방출시킨 것이 아니라면……

"여기에, 원자 폭탄이 떨어지지 않고서야."

사무실이 이 꼬라지가 됐을 리 없지 않은가!

"뭐 해? 빨리 정리나 시작해. 날 샐 거야?"

유리의 한쪽 입꼬리가 스윽 올라갔다.

"어휴! 마녀다, 마녀야."

"그래, 나 마녀다."

지금 마녀의 사무실은 그야말로 초토화 상태였다. 어디서부터 손을 대야 할지 알 수 없을 정도로 엉망진창이 되어 있었다. 여기저기 흩어진 책들이며, 이면지들, 먹고 난 컵들, 갈 곳 잃은 휴지들까지. 뭐 하나 제자리에 있는 물건들이 없었다. 김유리 얼굴에 눈, 코, 입이 제대로 붙어 있는 게 신기할 정도로, 사무실 안은 폭탄 맞은 수준이었다.

정호는 푸욱, 한숨을 쉬었다. 점심 먹으러 사방팔방 끌려다닌 것에 대한 완벽한 복수였다.

"너…… 지금 나한테 엿 돌려주는 거구나."

"그 달콤한 걸 나만 먹을 수 있니."

"우리 우정은 왜 이렇게 쓸데없이 아름다운 거냐."

정호가 힘없이 중얼거리는 말에 유리가 웃어 버렸다. 어지러운 사무실 위로 고소한 향기가 퍼져 나갔다. 이에는 이, 엿에는 엿. 유리는 제가 벌인 일이 스스로 꽤 마음에 드는 모양이었다.

"형님. 누나."

카페 청소를 끝낸 준이 사무실 문을 열고 얼굴을 빼꼼 내밀었다. 사무실 안은 아직도 폭격 맞은 분위기였다. 그러나 정호는 느릿느릿 움직이고 있었다.

"저 퇴근할게요."

마미와 은강은 한 시간 일찍 퇴근했고, 준이 남아 마무리를 했다. 세 명이 돌아가면서 마감 당번을 맡기로 했고, 오늘의 당번은 준이었다.

"그래, 수고했어. 얼른 들어가."

"아, 그런데요. 저…… 묻고 싶은 게 있는데요."

"뭔데? 들어와서 얘기해."

유리가 인사를 한 후 다시 보려던 서류에서 완전히 시선을 뗐다. 준은 떨어져 있는 책들을 밟지 않기 위해 걸음을 조심히 떼며 안으로 들어왔다.

"아, 앉을 데가 없구나."

소파 위에도 어질러 놓은 흔적이 가득했다. 유리는 웃으며 일어섰다.

"할 말이 길어? 카페 나가서 얘기하는 게 낫겠다."

준을 데리고 나간 유리는 사무실 문에서 제일 가까운 테이블 앞에 앉았다. 정호는 그들이 무슨 대화를 하는지 궁금했다. 그래서 열린 문 근처에 떨어진 책들을 정리하며 귀를 기울였다.

"그래, 물어볼 게 뭔데?"

"별건 아닌데요. 이런 것도 법적으로 조언 좀 구할 수 있나 해서요."

법적 조언이라. 상담을 요청하는 모양이었다.

"휴, 고백이라도 하는 줄 알았네."

정호는 안심하며 홀로 중얼거렸다. 노이로제다. 준도 엄연히 경계 대상 중 한 명이므로, 유리와 단둘이 대화하는 것만 봐도 심장이 덜컹했으니 말이다.

"제가 얼마 전에 인터넷으로 하이브리드 자전거를 한 대 샀거든요."

"응. 그런데?"

들을 준비가 되었다는 듯 유리가 테이블에 팔을 대고 바짝 다가앉았다.

"그게 조립까지 무료로 해서 오는 거였어요. 백 프로 완조립으로 배송이 왔는데, 라이딩을 한 번 했더니 뭔가 이상한 거예요. 세팅이 조금 틀어진 것 같아서 근처에 있던 자전거 대리점에 가서 점검을 받았더니, 조립 도중에 이상이 생긴 거라며 수리를 하게 됐어요."

"어머! 새 자전거인데 바로 수리부터 받았다고?"

"네. 그래서 수리받은 후에, 그 자전거 쇼핑몰에 청구했더니 처리를 못 해 주겠다는 거예요."

준의 말에 유리가 의아한 듯 고개를 갸웃거렸다.

"네가 타다가 잘못된 게 아니고, 조립 도중에 생긴 이상이라며?"

"그러니까요. 바로 자기네한테 연락했어야지 임의로 수리를 해 버린 건 확인이 되지 않으니 수리비를 절대 줄 수 없다는 거예요."

"그래서, 그 비용을 청구할 수 있는지 없는지?"

"아뇨. 수리비는 사실 얼마 안 돼서 못 받아도 상관없지만 그보다……."

준의 귀여운 얼굴에는 어울리지 않게 화가 가득 차올랐다. 이야기하다 보니 조금씩 열 받는 모양이었다.

"좀 아까 다시 전화를 받았는데, 쇼핑몰 이 자식들이 절 아주 파렴치한에 진상 고객으로 몰아가는 거예요. 아예 일부러 작정하고 돈 뜯어내려고 그러는 거 아니냐고."

"뭐? 너한테?"

"약간 감정싸움으로 번진 거죠. 제가 너무 열 받아서, 커뮤니티에 이거 다 올리겠다고 했거든요. 그랬더니."

"그랬더니?"

"그러기만 해 보라고. 명예 훼손죄로 고소해 버리겠다고."

"헐."

못내 분하고 억울한 듯 준이 이어 말했다.

"아, 진짜 돈 다 필요 없고요. 물건 살 때는 진짜 친절하게 굴더니, 이제 와 안면 싹 바꾸고 그렇게 나오는데. 너무 어이가 없고, 열 받고. 양아치 취급까지 받으니 진짜 화가 나요."

"그렇겠다, 정말."

유리는 고개를 끄덕이며 열심히 이야기를 들어 주었다.

"커뮤니티에서도 거기서 샀다는 후기가 종종 올라오거든요. 근데 좋은 말들만 있어요. 저도 그거 보고 산 거구요. 아무래도 그런 후기들은 그 쇼핑몰에서 직접 올린 것 같고, 쇼핑몰 사이트에서도 나쁜 후기 같은 건 바로바로 지우나 보더라고요."

"아주 양심을 말아 드셨네."

"와, 진짜 다 파헤쳐서 커뮤니티에 싹 까발리고 싶은데 고소하겠다고 하니 겁도 나고. 제가 없는 말 지어내는 것도 아닌데 진짜 명예 훼손죄로 고소당할 수도 있어요?"

"음, 그러니까 아직 글을 올리진 않은 거지?"

맞장구를 쳐 주며 이야기를 듣던 유리가 차분하게 짚어 나갔다.

"네, 아직이요."

"그래, 잘했어. 화는 나겠지만, 맞아. 글 올리면 명예 훼손죄로 고소당할 수도 있어."

"네? 진짜요?"

준이 놀라서 되물었다.

"사실을 얘기해도요?"

"만약 거짓으로 비방했다면, 그건 '허위 사실 유포죄'까지 성립이 되는 거지. 사실을 밝혀 제기했다면 '허위 사실 유포죄'는 아니지만 '명예 훼손죄'는 걸 수 있어. 진실한 사실을 적시(摘示)한 경우와 허위의 사실을 적시한

174

경우에는 형량이 다르긴 하지만, 피해자의 명예가 침해당했다고 주장하면 성립이 되는 거야."

명예 훼손죄는, 피해자가 명시한 의사에 반하여 논할 수 없는 반의사 불론죄(反意思不論罪)에 해당했다.

"그러니까 이게 무슨 말이냐면."

"네."

"빌어먹을 그 자전거 쇼핑몰 놈들이, 네가 올린 글 때문에 손님 떨어졌다, 인터넷상의 자전거 세계에서 우리 이름이 땅으로 뚝 떨어졌다, 완전 빡친다, 이렇게 지랄해 버리면."

"네."

"그것만으로도 충분히 너는 고소당할 수 있다, 이거지."

"아……."

"자전거 쇼핑몰 놈들의 명예를 훼손했으니까."

세상이 뭐 이러나, 법은 또 왜 이따윈가 싶은 준의 어깨가 축 처졌다.

"애초에 자기들이 잘못한 거잖아요."

이제껏 차가운 법의 잣대를 들고 있던 유리가 싱긋 웃어 보였다.

"그 자전거 바퀴에 밟혀 얼굴이 반으로 접혀도 모자랄 놈들한테, 고소당하지 않으면서 글을 올려 복수할 방법을 알려 줄까?"

"네!"

준이 앞으로 고꾸라질 듯 테이블에 달라붙었다.

알려만 주신다면 간이라도 꺼내 바치겠어요.

"그게 사실이라 해도, 공공의 이익에 관한 때에는 처벌을 받지 않는다는 조항이 있어."

"공공의 이익이요?"

"보자. 네가 제일 처음에 자전거에 이상함을 느껴서 바로 수리를 받은 거잖아. 그런 건 안전과 직결되는 문제거든. 자전거가 잘못되면 바로 다칠 수 있으니까."

"그렇죠."

"커뮤니티에 글을 쓰는 이유는, 단순 비방의 목적이 아니라, 그 쇼핑몰의 뻔뻔한 사후 처리로 인해 또 다른 피해자가 속출되는 것을 막기 위함인 거지."

"아!"

깨달음을 얻은 듯 준의 표정이 밝아지기 시작했다.

"최대한 이성적으로, 무조건 차분하게 써. 그리고 찍어 놓은 사진이라든지, 증거가 될 만한 것들을 덧붙이고. 자전거 대리점의 수리기사 의견도 첨부하고. 그 사람들이 너에게 폭언을 하거나 협박을 한다면 이를 입증할 수 있도록 통화할 때 꼭 녹음하고."

"네, 네."

"네가 쓴 글에 혹시 또 다른 피해자들이 댓글을 단다면 그것 또한 증거가 될 수 있어. 바로 '공공의 이익'을 위해 사실을 적시했다는 것."

"와아! 그러네요."

"그래도 쇼핑몰의 정확한 이름을 기재하면 안 돼. 그건 직방이니까, 되도록 우회적으로 쓰도록 하고. 이런 부분들만 고려하면 만약에 그쪽에서 진짜로 고소를 한다고 해도, 당연히 불기소 처분으로 무혐의 나오거든. 고소당하면 물론 골치야 아프겠지만, 네가 실제로 처벌받을 일은 없을 거니까 안심해도 될 거야."

"누나!"

준이 반짝반짝 눈을 빛내며 팔을 뻗더니 테이블 위로 유리의 손을 덥석 맞잡았다.

"너 좀 감동한 것 같다?"

"네. 진심으로요."

유리의 입가에 부드러운 호선이 그려졌다.

"의외로 인터넷상에서 이런 일들이 많아. 익명성 때문인지 법에 저촉되는 일도 더 쉽게 할 수 있고. 아마 그 쇼핑몰에서는 자기들이 찔려서 널 겁박하려고 고소 운운했겠지만, 실제로 가해자든 피해자든, 살면서 어느 쪽이든 될 수 있어. 웹상에서도 현실처럼 조심하면서 살아야지, 선량한 시민이 그 수밖에 더 있겠냐."

준이 고개를 끄덕이며 말했다.

"네. 누나, 완전 고마워요. 진짜 도움 됐어요. 변호사 맞네요. 그냥 욕 잘하는 예쁜 누나인 줄 알았는데."

"수식어를 두 개 붙이니까, 욕인지 칭찬인지 모르겠잖아."

"칭찬이에요!"

그때 테이블 위로 그림자가 드리워졌다. 곧이어 땅 위에 다다른 비행 물체에서 계단이 내려오듯, 손이 하나 내려왔다. 준이 감동하여 붙들고 있는 유리의 손 위로.

척, 척.

두 사람의 손을 떼어 내 각자의 자리로 돌려놓은 건 바로 정호의 손이었다.

"우리 준배, 이 아주머니 손 오래 잡고 있으면 욕 옮는다."

"욕이 옮는 건 또 뭐냐."

황당한 얼굴로 유리가 올려다보았다. 정호는 상냥하게 웃으며 덧붙였다.

"입이 더할 나위 없이 험해진다는 거지. 우리 준배는 쓸데없이 그런 거 닮고 그럼 안 돼. 카페의 마스코트잖아."

준이 큭큭 웃다가, 자리에서 일어서는 유리에게 물었다.

"참, 누나, 상담료 얼마죠?"

"됐어, 무슨 상담료야."

"그래도 낼 건 내야죠. 저 지금 상담받은 건데."

"카페 직원 특전이야. 물어보고 싶은 거 있으면 언제든지 물어봐. 쓸데없는 상담료 소리 하지 말고."

"우오오."

준이 자리에 앉은 채 물개 박수를 치며 기뻐했다. 귀엽다는 듯 준의 부드러운 머리카락을 유리가 부스스 쓰다듬었다. 물론 또, 그 위로 손이 하나 내려왔다.

"나쁜 거 옮는다니까. 우리 준배한테 접촉하지 말라고."

정호가 유리의 손을 잡더니, 준의 머리에서 떨어트렸다. 귀여운 강아지를 빼앗긴 듯 유리가 살짝 흘겨보았지만, 정호는 준에게 어깨동무를 하며 돌아섰다.

"우리 준배, 퇴근해야지?"

"네! 집에 가자마자 분노의 글을 차분하게 올려 버리겠어요."

"그래, 그래. 늦기 전에 빨리 가."

준이 퇴근한 후 1시간은 족히 지났다.

어느덧 사무실 정리에 끝이 보였다. 정호는 쓰레기를 버리고 와서 마지막 남은 몇 권의 책들을 책장에 꽂는 중이었다. 유리는 일을 대충 마무리하면서 그 모습을 가만히 바라보았다. 퇴근이 심하게 늦어졌으니 이는 확실히 그녀 자신의 손해다. 복수의 방법이 영 잘못됐다는 뜻이기도 하다.

자신이 깔아 둔 엿을 얌전히 받아먹고 있는 정호를 보니 기분이 묘하기도 했다. 불평 한 번 하지 않고 묵묵히 사무실 정리를 하는 모습이 조금 짠하게 느껴지기도 했다. 격정적으로 반항이라도 했다면, 차라리 등짝 몇 대 두드려 주고 열심히 부려 먹었을 텐데. 작정하고 괴롭히면 이렇게 꼭 마음

약해지게 한다. 저 불여우 같은 토깽이.

"다 했다!"

"오냐. 수고하였다."

유리는 가방을 챙기며 일어섰다.

"김정호, 우리 껍데기에 소주나 한잔하러 가자."

학교 담을 따라 정문 근처 음식점 골목까지는 걸어서 10분 정도 걸렸다. 돼지껍데기를 파는 조그만 고깃집에 도착할 때까지 두 사람은 내내 티격태격했다.

"내가 성격이 좋아 너랑 친구 하는 거지, 복수한다고 본인 사무실을 그렇게 뒤집어 놓는 마녀랑 누가 친구를 하겠냐."

"누가 할 소리. 너야 노는 사람이라 아무래도 상관없지, 일하는 사람 데리고 밥 한 끼 먹으러 그렇게 멀리까지 다니면 어떡하냐."

"가기 싫으면 싫다고 하지."

"내가 싫다고 했잖아, 안 했어?"

정호는 물티슈로 손을 닦다 말고 생각했다. 하긴, 유리가 거부도 했었다. 무시하고 끌고 간 쪽은 자신이었다. 단순하게도 딱 하나, 서원과 엮이게 해선 안 된다는 생각만 했으니까.

"징그럽게들 싸우네."

먹음직한 껍데기를 스테인리스 그릇에 수북하게 쌓아 온 아주머니가 두 사람을 한심한 눈빛으로 바라보았다.

"그만 좀 해라. 다 커서 창피하지도 않아?"

법대 시절 내내 찾던 곳이었다. 졸업 후 세월이 한참 지난 지금까지 다른 사람은 몰라도 유리와 정호는 기억한다는 아주머니였다. 워낙에 잊을 수 없는 이유가, 2학년 때 미스코리아 대회에 출전했던 유리와 졸업하기도 전에 사법고시에 합격한 정호는 나름 유명 인사였기 때문이다.

"학교 다닐 때도 그렇게 둘이 죽어라 싸워 대더니, 어쩜 나이를 먹어도 변함이 없어."

"어우! 이모, 사람이 갑자기 변하면 죽어요."

정호가 생글생글 웃으며 껍데기를 집어 불판에 놓았다. 그 넉살에 아주머니도 웃으면서 돌아섰다.

자정이 넘은 시간까지도 영업하는 곳이라 마음 편하게 먹기 시작했다. 쫄깃한 껍데기를 씹으며 소주를 한 잔씩 주거니, 받거니. 함께해 온 세월만큼 이야기도 깊디깊었다. 두 사람이 공유하는 추억을 꺼내기도 하고, 서로의 흑역사를 꺼내며 놀리기도 했다.

다만, 서로의 아픈 부분은 절대 건드리지 않았다. 너무 잘 알기 때문일까. 어느 시점에서 이야기를 멈추고 돌려야 하는지. 어디를 건드리면 안 되는지. 서로가 서로를 귀신처럼 잘 알았다.

밤은 깊고, 빈 술병은 쌓여 갔다.

투두둑. 투두둑.

빗소리가 들리기 시작한 것도 그때쯤이었다.

"어? 비 온다."

정호가 밖을 내다보며 말했고, 추적추적 내리는 봄비에 유리는 기분이 좋아진 듯 웃어 보였다.

"좋다, 비."

"우산도 없는데 뭐가 좋아?"

"……우산이 없으니까 좋지."

유리는 한 손으로 턱을 괴며 사르르, 녹는 눈웃음을 흘렸다.

"비 맞을 수 있잖아."

정호는 그런 유리를 가만히 바라보았다. 이 정도 주량으로 취할 유리가 아니니, 술이 아닌 그저 기분에 취한 모양이었다.

아까 준에게 이런저런 이야기를 들려주며 상담할 때 유리는 진정 즐거워 보였다. 대다수 사람은 법과 가깝지 않다. 범법 행위를 하지 않는 이상 모르고 살아도 되는 것이 바로 법일 것이리라. 그런 와중에 일상 속에서 법적인 문제가 생기면 막막하고 엄두가 안 날 테고.

그에 가까이 다가가겠다는 유리의 발상은 훌륭했지만 현실은 그리 녹록지 않았다. 마음 맞는 동료와 함께 시작했다면 모르겠지만, 카페 일을 제외하고는 오롯이 혼자 부딪쳐야 하니 막막하기도 할 것이다. 꼿꼿이 서서 열심히 견뎌 내는 것이 신기할 정도였다. 많이…… 힘들겠지.

"참 좋다, 비."

유리가 소주병을 들어 제 잔 위로 기울였다.

그 순간, 정호가 손을 뻗었다. 그리고 술을 따르지 못하도록 병을 쥔 유리의 손목을 붙들었다. 천천히 고개를 드는 그녀의 눈동자는, 그 언젠가처럼 여리기만 했다. 금세 피었다 지는 꽃잎처럼.

잠시 자리에서 일어난 정호가 아주머니에게로 가서 계산하고 돌아왔다. 그리곤 다시 유리의 손목을 잡았다. 일어선 그녀가 살짝 휘청거렸다.

"나, 괜찮아."

누가 뭐라 한 것도 아닌데 유리가 애써 반듯하게 서면서 말했다. 알고 보면 빈틈도 많고, 넘어지기도 잘하는 김유리. 평소에 얼마나 긴장을 하고 살면 그런 모습을 다 감출 정도로 악바리로 보일까.

"나가자. 나가서 비 맞자."

유리의 손목을 잡은 손에 힘을 주었다.

"머리 빠지면 안 되는데."

"비 맞고 싶다며. 빠진 머리 모아서 다시 심어 줄게."

정호의 농담에 유리가 피식 웃었다. 그래, 까짓것. 비 한 번 맞았다고 대머리 되겠어.

"아줌마! 안녕히 계세요!"

정호는 한 손을 흔들며 요란하게 인사를 하는 유리를 데리고 가게를 나섰다. 거리로 나오자마자 정호의 손을 뿌리친 유리가 앞으로 뛰듯이 걸어 나갔다. 비가 제법 많이 내리고 있었다. 가로등 불빛에 빗물이 흩날리고 유리가 돌아보았다. 젖은 머리 아래 살구색 블라우스까지 흠뻑 젖어 들어가는 걸 인식하지 못하는지 그녀는 그저 밝게 웃었다.

"시원하다!"

입 속으로 빗물이 흘러드는 것도 개의치 않고 유리가 크게 외쳤다.

"와아! 진짜 좋다!"

정호가 편의점에 들러 우비라도 사서 입혀야 하나, 하고 고민하는 찰나.

"아아앗!"

걸음을 옮기던 유리가 빗물에 발을 헛디뎠다.

"김유리!"

정호가 내달렸다. 그러나 유리는 이미 넘어졌다. 그 바람에 올라간 치마 아래로 허벅지가 반쯤 드러났다. 유리는 인상을 쓰며 치마를 잡고 내렸다. 어느새 정호가 와서 그 앞에 한쪽 무릎을 꿇고 앉았다.

"괜찮아?"

유리는 순간적으로 한없이 약해진 자신이 마음에 들지 않았다. 발목을 제대로 접질렸는지 시큰거렸지만, 그보다 큰 문제는 눈물이 터져 버렸다는 것이다.

큰일을 벌여 놓고도 감당하기 어렵다고 생각한 적 없었는데. 자신의 앞에 달려와 걱정 어린 눈빛으로 바라보는 정호를 마주하자 이상하게도 눈물샘이 툭 터져 버렸다.

정호가 몸을 돌리자 커다랗고 넓은 등이 눈앞에 드러났다.

"자."

"……"

"업혀."

빗속에 정호의 목소리가 섞여 들었다. 그 낮은 울림이 좋았다. 평소 같았으면 몸을 밀어 버리고 어떻게든 혼자 일어섰을 텐데, 유리는 순순히 정호의 등을 붙잡고 몸을 일으켰다.

굳건하여 흔들림 없는 등에 푹 안겼다. 그의 목을 끌어안자 몸이 붕 뜨고 시야가 높아졌다. 그나마 폭이 넓은 플레어스커트를 입어 다행이었다. 정호의 팔이 단단히 다리를 받쳐 주었다.

비가 계속 내렸다.

유리는 다행이라고 생각했다. 이렇게 비가 많이 오면 정호의 어깨를 적시는 것이 빗물인지 제 눈물인지 모르겠다 싶었다.

"나, 바보 같지."

정호의 등에 얼굴을 묻은 채 유리가 중얼거렸다. 술 내음이 옅게 퍼졌다. 비로도 씻을 수 없는 건 눈물만이 아니었다.

로(Law) 카페를 개업하겠다는 목표만 보고 달린 날들이었다. 이루어 놓았더니 이제는 앞일이 걱정이었다.

로펌을 계속 다니는 것이 옳았을까? 차라리 안정적으로 월급을 받으면서 사는 게 정답이었을까? 이상만 바라보고 무모한 짓을 저지른 건 아닐까? 배만 타면 좋겠다고 생각하며 달려왔는데, 그 배에 오르고 나자 끝이 보이지 않는 바다에 던져진 기분이 든다. 후회라기보다는, 앞으로 잘 해 나갈 수 있을까에 대한 두려움이었다.

"내가 생각해도, 참 바보 같아."

망망대해는 인간을 한없이 약하게 만들어 버린다. 의지할 곳이 없다면 더더욱.

정호가 잠시 걸음을 멈추었다. 그러더니 업고 있는 자신의 몸을 위로 한 번 추켜올렸다. 더욱 단단히 업은 채 다시 발을 뗀 그가 천천히 말했다.

"넌 아니야."

생각보다 넓은 등처럼, 생각보다 든든한 목소리로, 바보가 아니라고 말해 주었다.

"바보는…… 나지."

정호의 단단한 어깨에 볼을 대고 유리는 풋, 웃으며 말했다.

"너 지금 나랑 바보 배틀 하냐?"

"그래, 이것만큼은 너한테 양보할 수 없지."

듣기 좋을 만큼 낮은 웃음소리가 정호에게서 가만히 퍼졌다. 유리는 마치 슈퍼우먼인 것처럼 굴고 있지만, 사실은 나약하기 그지없는 인간이라는 사실을 정호도 알고 있다. 들켜도 부끄럽지 않은 건, 친구라는 이름 덕분일 거다.

이 밤, 이 비, 이 길.

참 좋다.

유리는 젖은 눈가를 부질없이 닦아 내던 손을 다시 앞으로 뻗었다. 그리곤 정호의 목을 꽉 끌어안았다. 아빠의 등도 참 크고 든든했었는데. 가만히 생각하다 보니 가슴속이 뜨거워졌다. 뭉클함이 왈칵 솟구쳤다. 누군가에게 업힌다는 거, 생각보다 참 마음이 편안해지는 일이었다.

"어우, 무거워."

건물에 가까이 다다랐을 때, 정호가 괜히 한번 소리 내어 툴툴거렸다.

"나 내일 아마 못 일어날지도 몰라."

"덩치는 산만 한 게 엄살은."

두 사람은 결국 티격태격 다투듯 말을 주고받았고, 조용한 분위기는 물러 갔다. 아무래도 이쪽이 좀 더 편하긴 하다. 유리를 업은 채 옥탑방 안으로 들어온 정호는 소파에 그녀를 조심히 내려 주었다.

"어후. 빡세네. 너 아무래도 통뼈⋯⋯."

제 어깨를 스스로 꾹꾹 누르며 돌아서다가 몸이 굳어 버렸다. 시야에 들어온 유리의 모습을 내려다본 정호의 귀가 새빨갛게 달아올랐다. 세상에. 야해도 이렇게 야할 수가 있나. 제 등에 찰싹 달라붙어 있던 이 여자⋯⋯이런 모습이었구나.

"그래, 나 통뼈다. 뭐?"

소파에 앉은 유리는 접질린 발목을 살펴보고 있었다. 정호는 그녀를 차마 똑바로 바라볼 수가 없었다. 비에 흠뻑 젖은 옷은 몸에 완전히 달라붙어 있었으니까. 저 정도면 이미 옷의 기능을 상실한 거 아닌가. 얇은 블라우스와 치마는 언뜻 보아도 유리의 굴곡진 몸을 고스란히 드러내고 있었다.

비를 함께 맞았으니 젖은 건 정호도 마찬가지였다. 옷이며 머리카락 끝에서 빗방울이 모여 아래로 똑똑 떨어졌다. 바닥이며 소파가 젖고 있는데도 신경 쓸 겨를이 없다. 이런 상황이면 외나무다리에서 만난 원수지간에도 정분이 나겠다 싶었다.

"발목 어때, 많이 아파?"

"아주 심한 것 같진 않은데."

"⋯⋯있어 봐. 얼음 가져올게."

정호는 정신을 가다듬었다. 일단은 유리의 다친 발목이 우선이었다. 냉장고에서 얼음을 꺼내 지퍼백에 넣고 마른 수건으로 감싸서 그녀 앞으로 가져 갔다.

"이리 줘. 내가 할게."

젖은 다리를 차마 가까이에서 보기 어려웠는데, 마침 잘됐다 싶어 유리에게 얼른 팩을 건네주었다.

"다, 당연히 네가 해야지. 여기까지 업어 모셨는데 내가 찜질까지 해 드려야겠냐?"

"눼에, 갑정호 님. 제 생명의 은인이십니다."

'단순하게 살자.'가 김정호 남은 인생의 슬로건이었는데, 왜 이렇게 복잡해진 건지. 명확하게 선이 그어진 친구 사이에 남자의 본성이 웬 말인가. 포기 하나는 끝내주게 잘하던 자신이 아니었던가. 무엇이든 툭툭 미련 없이 털어 버리는 것이 전문이었는데. 왜 이 감정은 정리가 이렇게 어려운 건지 모르겠다.

"찜질하고 있어. 나 옷 좀 갈아입고 올게."

정호는 얼른 옷을 챙겼다. 그래 봐야 또 다른 추리닝이지만, 들고서 얼른 욕실로 들어갔다. 닫힌 문에 기대서 하아, 밀려 나오는 숨을 마음껏 내쉬었다.

유리의 젖은 블라우스에 그대로 비친 봉긋한 가슴의 모양이 눈앞에 잔상으로 남았다. 정호는 고개를 세차게 흔들었다.

휘이, 휘이! 잡귀야, 물러가라!

하지만 물러갈 생각 전혀 없는 음란마귀는 전직 거머리 출신인가 보다.

"나까짓 게."

속이 뜨거워졌다. 아까와는 다른 의미로. 자격 없는 심장도 꼴에 사랑이라고 설레는 것이 이제는 뜨겁다 못해 아프기까지 했다. 유리 앞에서는 여유로운 척했지만 사실은 도망친 거다. 이렇게라도 볼 수 있어 다행인 마음과, 이렇게밖에 볼 수 없어 잔인하게 느껴지는 마음이 공존했기에.

짝사랑은 혼자 시작할 수 있고 혼자 끝낼 수도 있어 좋은 거라고 누가 그랬던가. ……혼자 끝낼 수 있다는 그런 거짓말은, 대체 누가 했는지. 근성이라곤 하나도 없는 주제에, 이 빌어먹을 짝사랑은 10년 넘게 지겹게도 끌어

안고 있다. 뜨겁게 달아오른 숨이 입술을 비집고 길게 새어 나왔다.

"나더러 이걸 입으라고?"

"응."

유리는 황당한 표정으로 건네받은 옷을 내려다보았다. 흠, 정호는 헛기침하며 몸을 돌렸다.

"너 그 상태로 계속 있으면 감기까지 걸린다. 빨리 씻고 갈아입기나 해."

정호에게서 갈아입을 옷을 받아 든 유리가 결국 욕실 안으로 들어갔다. 발목에는 여전히 살짝 시큰한 느낌이 남아 있지만 아주 못 걸을 정도는 아니었다. 냉찜질을 계속 해 준 덕분이었다. 그리고 유리는 욕실 거울에 비친 제 모습을 보고는 깜짝 놀랐다. 젖었을 거라곤 생각했지만 이 정도일 줄이야.

"어휴. 이건 뭐, 그냥 벗은 거구만."

속옷 모양까지 드러나 있었다. 한숨이 절로 나왔다. 정호가 내내 시선을 돌리던 것도 이해가 되었다.

"그래도 내가 이따위 걸……."

살짝 일그러진 표정으로 잘 개어 놓은 청록색 추리닝을 내려다보았다. 그 후 다시 고개를 들어 거울 속 자신의 젖은 옷을 보았다.

"암, 입어야지, 입어야지. 백 번이라도 입어야지."

돼지껍데기 먹고 빗길에 넘어져서 옥탑방에 실려 온 김유리가 청록색 추리닝을 첫 경험 하게 되는, 거룩하고도 역사적인 밤은 이렇게 시작되었다.

그리고 잠시 후.

쌍추또. 유리의 머릿속에 맴도는 단어였다.

왠지 굴욕이다. 그렇게 구박했던 그 추리닝을 자신이 입고 있다니! 그것도 오리지널 추또와 이렇게 마주 앉아서! 쌍둥이 추리닝 또라이의 비주얼, 누가 볼까 두려웠다, 정말.

"진짜 안 먹어?"

게다가 정호는 라면까지 알차게 끓여 왔다.

"안 먹는다니까."

식탁 의자에 웅크리고 앉아 무릎을 끌어모은 유리가 볼멘 목소리로 대꾸했다. 오늘 스스로 정해 놓은 선은 딱 돼지껍데기까지였다. 내일 운동 시간을 늘려 더 할 생각으로 기꺼이 이 밤 야식까지 먹은 터, 라면은 선 밖에 있었다.

이 선을 넘어가면 안 돼. 안 돼. 안 돼. 안 되는데……!

후루루룩.

꼬들꼬들한 면발을 삼키는 저 소리는 왜 이리 경쾌한 건지!

그녀는 살이 정말 잘 찌는 체질이었다. 초등학교 때까지는 굴러다닐 정도였다. 지금까지 이 몸을 만들고 유지하기 위해 자신이 얼마나 인고의 세월을 견뎠던가. 눈물 없이는 차마 떠올릴 수도 없다. 물론 사람은 망각의 동물이다. 모든 노력을 잊은 채 유리는 침을 꿀꺽 삼켰다.

"한 입 줄까?"

안 돼요, 돼요, 돼요, 돼요…….

"응."

마법과도 같은 일이다. 결국 라면 냄비는 유리의 앞에 당겨졌다. 라면과 자신의 사이에 강한 자력이 느껴졌다. 이건 그냥 라면이 아니었다. 오밤중에 빗소리를 들으며 먹는 라면은 천상의 맛, 귓가에는 천사들이 연주하는 하프 소리가 들렸다.

한 입은 금세 두 입이 되고, 세 입이 되었다. 그리고 얼마 먹지 않은 것 같은데, 정신을 차렸을 때는 이미 국물까지 마셔 버린 후였다.

유리는 눈이 둥글게 벌어져 빈 냄비를 한 번 쳐다보고, 고개를 들어 맞은편의 정호를 또 한 번 쳐다보았다. 이걸 지금 내가 다 먹은 건가, 정호는 피식 웃으며 투명한 통에 든 아몬드를 집어 먹고 있었다.

"야, 나는 라면 먹게 하고서, 넌 지금 견과류 먹고 있는 거야? 혼자만 건강 챙기려고?"

"라면을 누가 먹게 해? 네가 뺏어 먹은 거지. 안 먹는다고 해서 한 개만 끓였더니, 순식간에 다 먹어 치운 게 누군데. 한 입 먹으라고 했지 누가 다 먹으랬어?"

"치사하다, 치사해."

"적반하장도 유분수십니다."

다 먹고 나니 밀려드는 건 한숨이요, 드는 건 후회라. 유리는 죄책감으로 쿡쿡 찔러 대는 가슴을 안고 창밖을 바라보았다. 저 죽일 놈의 비. 이건 다 비 때문이다. 이렇게 넘어진 것도. 추또한테 업혀 온 것도. 추리닝 따위를 입고 있는 것도. 야밤에 라면을 먹은 것도.

오던 길에 택시는 왜 그리 안 잡히던지. 결국 서류 볼 게 많아 사무실에서 자겠다는 말에 엄마는 왜 그리 또 쿨하게 허락을 하시는 건지. 결국 이 모든 건 옥탑방에서 쌍추또가 되어 라면을 먹으라는 운명이었나 보다.

"소주 있냐?"

"더 마시게?"

정호가 끓인 라면은 꽤 맛있어서, 국물에 딱 한 잔만 더 했으면 좋겠다는 생각이 들었다. 아까 껍데기와 함께 마신 술이 살짝 모자라기는 했다. 체중 조절, 관리, 운동, 다 집어치워, 이왕 이렇게 된 거 오늘 하루 망가질 테다. 원래 한 번이 어렵지 그다음은 뭐든 쉬운 법이었다.

"응. 소주 꺼내고, 라면도 하나 더 끓여 봐."

"너 왜 이래, 무서워. 내, 내가 잘못했다."

유리는 추리닝 후드를 뒤집어썼다. 하얀 끈을 당겨 묶었다. 얼굴만 쏙 드러낸 채 술과 라면 국물을 경건하게 맞이할 준비를 마쳤다.

"누님 필 받으셨다. 폭주(暴酒) 터졌으니 어서 술상 차려라."

결국 주거니 받거니, 2차가 시작되었다.

그리고 새로 끓인 라면과 함께 한참이나 술잔을 기울였다. 대화는 시종일관 농담이었다. 간간이 웃음을 터트리면서 그렇게 둘만의 술자리를 가졌다. 옥탑방에서의 시간이 꽤 편안하게 느껴졌다. 그렇게 술을 마시고도 단둘뿐이라서인지 정신을 바짝 붙든 유리는 잠들기 전 욕실장에서 새 칫솔을 꺼내 양치질을 했다.

"술을 그렇게 마셨으면 그냥 좀 쓰러져서 자도 된다. 남의 집에서 양치질까지 유난은."

그렇게 말하면서도 정호 역시 칫솔을 들어 양치하기 시작했다. 욕실 거울 앞에 서서 나란히 이를 닦는 모습이 마치 신혼부부 같을 법도 하건만 맞춰 입은 청록색 추리닝 때문인지 별로 로맨틱하지는 않았다.

함께 비를 맞고, 함께 라면을 먹고, 함께 술잔을 기울이고, 또 같은 공간에서 잘 준비를 하면서, 유리는 정호에게 전보다 더 가까워지는 감정을 느꼈다. 그래서였나. 집주인이 내준 침대에 양반다리를 하고 앉은 유리는 쉽게 잠들 수 없었는지 다시 말을 꺼냈다.

"김정호 너 진짜 라면 잘 끓이더라."

"혼자 살면 라면 끓이는 솜씨가 늡니다."

이불을 움켜쥐고 소파에 누우면서 정호가 대답했다. 불을 끈 옥탑방에는 유리의 조용한 목소리와 밖에서 들려오는 빗소리가 뒤섞였다.

"엄마가 라면 진짜 이상하게 끓이거든. 싱겁게 먹어야 한다고 물을 엄청 부어서, 맹물에 면 말아 먹는 느낌. 물은 두 배, 수프는 반. 게다가 면은 또 퍼져 가지고. 어휴! 하여튼 맛이 진짜 없었어."

유리가 이어 말했다.

"그런데 아빠는 라면을 정말 맛있게 끓여 주셨단 말이야. 면발이 탱글탱글하게 살아서. 물도 딱 적당하고. 아빠는 매뉴얼을 신봉하던 사람이라, 라면 뒤에 나온 방법대로 시간이랑 물의 양까지 정확하게 맞춰서 끓이셨거든."

술술 흘러나오는 말의 내용을 스스로 인식하지 못했다.

"아빠는 계란도 안 넣으셨어. 그런데 어쩜 그게 그렇게 맛있던지. 라면계의 고전파, 근본주의자, 이런 느낌이야. 뭘 첨가한다든가, 다른 라면끼리 섞는다든가 이런 거 절대 못 참으셨지."

그저 라면 이야기일 뿐이라 생각했다.

"엄마 몰래 아빠가 라면 끓여 주는 날이면, 나랑 유찬이랑 꼬마 주제에 곗돈 탄 것처럼 좋아서 막 방방 뛰었었다? 나야 지금은 나이 들고 해서 괜찮은데, 유찬이는 아직도 라면 안 먹어. 아빠 생각…… 난다고."

그제야 자신이 무슨 말을 하고 있었는지 깨달았다. 라면 이야기가 아니었다. 아빠 이야기였다.

아무렇지도 않다고 생각했는데 저도 모르게 눈물이 툭 떨어졌다. 오늘 진짜 이상하다. 마음이 많이 약해진 모양이었다. 힘들다는 생각에 빗속에서 눈물이 터지질 않나, 정호의 등에 업혀서 아빠 생각을 하질 않나. ……정호가 끓여 준 라면을 먹으며 또 아빠를 떠올려 버리고. 유리는 결국 평소에 잘하지 않았던 아빠 이야기를 해 버렸다.

"나이 들어서 괜찮아지는 게 아니야."

조금 익숙해진 어둠 속에 퍼지는 정호의 목소리.

"그냥 참는 거지."

"……."

"참아야 하니까."

유리는 서둘러 눈물을 닦아 냈다. 그때 자신의 앞에 다가온 그림자를 느껐다. 정호의 손이 뻗어 왔다.

쿵쿵. 쿵쿵.

다시 가슴이 또 뛰었다.

아직 맺혀 있던 눈물이 정호의 손끝에 묻어났다.

생각해 보면, 이런 이야기를 나눈 것도 처음이다. 아픔을 나누기에 미덥지 않은 친구라서가 아니었다. 건드리면 터질까 만질 수 없던 상처들. 서로 충분히 짐작하기에 모른 척했던 것뿐이다. 일종의 배려랄까. 그런 게 무너지면, 사태는 이렇게 되어 버린다. 유리는 고개를 숙였다. 허벅지 위로 눈물이 떨어졌다.

아직 내리고 있는 비처럼. 투두두둑.

"아무 데서나 이렇게 울고 그러지 마."

머리 위에 낮은 음성이 퍼진다.

"친구니까 특별히 봐주는 거야."

"……그래, 고맙다, 친구 놈아."

"너 우는 얼굴 엄청 못생겼어."

눈물이 그렁그렁 맺힌 채 유리는 고개를 들어 정호를 쳐다보았다. 사위(四圍)는 어두우나 미약한 빛에 의지하여 서로의 얼굴 정도는 충분히 볼 수 있었다.

"너야말로 그 진지한 얼굴 지금 엄청 못생겼거든?"

그때, 정호가 유리의 턱을 살짝 잡았다.

"내가 잘생긴 걸 만천하가 다 아는데 무슨 소리야."

이런 농담도.

"진지한 얼굴이면 잘생김 지수가 백은 더 올라가. 게다가 내 매력의 분야가 얼마나 다양한지."

저따위로 하고 있는데.

"팔색조 매력이라고 너까지 쉽게 막 반하고 그러면 곤란하다."

쿵쿵. 이 미친 가슴이 또 세차게 뛰기 시작했다.

곤란한 건 이쪽이야.

턱이 잡혀서일까. 허리를 숙이고 몸을 내린 정호가 너무 가까워서일까. 갓 빨아 놓은 이깟 추리닝에서 은은한 향이 풍겨서일까. 수염이고 새집 머리고 다 잊을 만큼, 특유의 그 깊은 눈매가 아름다워서일까. 종일 이유를 찾을 수 없이 그냥 다 운명적이라고 생각했던 것처럼, 이런 설렘도 그냥 운명인 걸까.

"그만 좀 울어."

말투와 달리 전혀 타박하는 것처럼 들리지 않았다. 턱을 살며시 잡고 자신의 얼굴을 들여다보는 정호는 마치 걱정하는 듯한 눈빛이었으니까.

긴 손가락이 다시 눈물을 닦아 내 주었다. 미치겠다, 정말. 유리는 이 낯선 감정에 머릿속이 다 흔들리는 것만 같았다. 정호의 얼굴이 아주 살짝 더 다가들었다.

투두둑. 투두둑. 창문을 때리는 빗소리만 가득한 밤.

"김유리."

겨우 이름을 부른 것뿐이지만. 무슨 말을 할지 바로 알 것만 같았다. 유리는 어지러웠다. 그때와는 다르다. 전혀 다르다. 이건 정말…… 다른 느낌이다.

"두 번째 키스."

"……."

"지금."

"……."

"한번 해 볼까?"

정호는 폭탄을 던져 놓고 유리를 가만히 바라보았다. 자신을 향한 그녀의 눈빛에 거부감이라고는 찾아볼 수 없다. 신호등에 파란불이 켜진 거다.

정호는 가까이 다가서며 몸을 낮추었다. 둥둥. 심장이 파도 위에 던져진 것만 같다. 화장을 지운 뒤의 매끄러운 그녀의 얼굴, 그 위에 도톰한 입술만 보였다. 립스틱조차 바르지 않은 맨 입술에 왜 붉은 기가 도는 거야, 사람 미치게. 턱을 잡고 있던 손의 엄지를 움직였다. 가만히 유리의 아랫입술을 문지르듯 쓸었다.

그 키스, 기억하고 있을까? 어쩔 수 없는 친구 사이로 다시 돌아가야 했던 바로 그 날. 날카로운 첫 키스의 추억. 아니, 돌아가는 게 아니었지. 그저 처음부터 줄곧 친구일 수밖에 없었던 우리. 앞으로 단 한 발짝도 내디딜 수 없었던 우리 사이.

"야, 하하. 우, 웃기고 있다, 너."

이제야 정신을 차린 유리가 고개를 숙이며 손길을 피하려고 했다.

"웃긴 적 없어."

"얘가, 왜, 왜 이래. 너 뭘 잘못 먹었……. 읍."

그대로 입술이 맞닿았다. 생각 같은 건 하고 싶지 않았다. 산뜻한 민트 향이 혀끝에 느껴졌다. 의자에 앉은 유리는 턱이 잡혀 고개를 올린 채, 정호의 입술을 결국 받아들였다.

허리를 숙여 정성껏 입술을 탐하는 동시에, 정호의 한 손이 유리의 뒤통수를 받쳤다. 더 깊이 파고드는 키스가 빗소리와 어우러졌다. 뜨겁게 닿은 입술. 조심스럽지만 단단하게 받친 손. 시간이 멈춘 듯한 기분. 그리고 언젠가 나누었던 적이 있는 입술. 잊을 수 없던 첫 키스가 겹쳐졌다. 꽃비가 흩날리던 그 밤이었다.

대학 2학년 1학기, 중간고사 마지막 시험을 치른 날. 유리와 정호는 학회 선후배들과 잔디밭에 모여 늦은 밤까지 술을 마시고 헤어진 참이었다.

"야, 이쪽으로는 택시도 안 다니는데. 한참 걸어가야 하잖아."

후문을 통해 끌려 나오다시피 하며 정호가 불만을 피력했다. 물론 유리는 가볍게 묵살했지만.

"걸으면 좋잖아. 술도 깨고."

유리가 한 걸음 앞서며 깍지 낀 손을 위로 쭉 뻗었다. 이대로 들어가면 엄마에게 맞아 죽을 거라고, 조금이라도 정신 차려야 한다며 호수를 세 바퀴나 돌더니 아예 후문 쪽으로 나와 버렸다.

"봐 봐. 벚꽃 진짜 예쁘지?"

술기운에 한 톤 높아진 유리의 목소리가 밝기만 했다. 그녀의 뒤를 따르면서 정호가 고개를 들어 꽃나무를 바라보았다.

검은 하늘에 가득 수놓인 하얀 벚꽃.

이제 꽃이 질 시기다. 바람에 부딪힌 꽃잎이 후두두 떨어져 내렸다. 약한 바람인데도 단번에 떨어지고 마는 흰 이파리가 어찌나 연약한지. 드문드문 밝힌 가로등 불빛에 흩날리는 꽃잎은 마치 눈이 내리듯 아름다운 풍경을 만들어 냈다.

"그래, 예쁘네."

유리는 갑자기 뒤를 돌아보며 활짝 웃었다. 보물 창고를 보여 주기라도 하는 것처럼 뿌듯한 얼굴이었다.

"학교 안이랑 저기 정문 쪽은 좀 번잡스러운데, 여기에서는 딱 꽃만 보여서인지 더 좋은 것 같아."

"응."

오늘따라 유리는 조금 다른 사람 같았다. 늘 서로를 못 잡아먹어 안달인 것처럼 장난만 쳐 댔는데, 오늘은 어째서인지 함부로 굴지 않는 느낌이었다.

"게다가 이렇게 짧게 피었다 지는 꽃이라 그런지 더 예쁘잖아, 감질나게."

개화에서 만개까지 겨우 일주일. 벚꽃이 필 기미가 보일 때부터 설레고, 흐드러지게 핀 벚꽃 사이에서 그야말로 봄에 빠져든다.

찰나의 아름다움. 그 잠깐을 잊지 못해 다시 또 벚꽃이 피는 봄을 기다리게 되고, 그 기다림으로 일 년을 살아가니. 이건 정말 유리가 말한 대로 감질나서 더 아름다운 꽃이 아닌가.

후문 쪽으로는 잘 다니지 않았던 정호는 이 한적한 거리에 묘한 끌림을 느꼈다.

"이 길, 되게 좋네."

"너도 이 길의 진가를 이제 알게 됐구나."

걸음을 멈춘 유리가 나무 사이에 있는 벤치에 앉았다. 등받이가 없는 간이 벤치였다.

"나는 종종 이 길 왔었는데, 여기 걸으면 그냥 마음이 편해지고 ……길게 설명 안 해도 내 마음 다 알아주는 것 같아서 좋았어. 그래서 힘들 땐 꼭 이쪽 길로 걸었어."

그러니 김유리의 비밀 아지트인 셈이다.

"하긴, 이쪽으로 누가 와. 정문 앞에 바로 지하철역이며 정류장이 다 있는데."

"한참 걸어가야 하기는 해도 뭐, 좋잖아. 돌면 어떠냐. 인생이 돌고 돌고 그런 거지, 뭐."

유리는 세상 다 산 사람처럼 말했다. 정호는 그런 유리의 곁에 앉았다.

"근데 김유리 정말 괜찮냐? 선배들이 주는 술 넙죽넙죽 잘도 받아 마시더니 너 지금 술 냄새 장난 아닌……."

"김정호."

유리가 고개를 돌려 자신을 부르는 소리에 정호의 말문이 막혔다. 밤공기에 섞인 음성이 나직하고도 달았다.

"우리 사귄 지, 벌써 6개월이다."

"……그, 그러냐."

말로만 사귈 뿐이지, 사실상 이전과 다름없는 관계로 지내고 있었다. 그도 그럴 것이 정말 남녀 사이의 감정을 느껴서 연인으로 발전한 것이 아니기 때문이다. 이건 일종의 의리였다. 치유 차원에서 행한 봉사 같은 개념이었고. 물론 정호의 속마음은 그보다 깊었지만 말이다. 어쨌든 두 사람은 이름뿐인 연인 관계

196

안에서 늘 같은 거리를 유지하고 있었다.

"이렇게 좋은 풍경, 너도 좋은 여친 만나서 같이 봐야 하는데 괜히 내가 붙잡아 놨어. 미안해."

술술 나오는 유리의 말에 정호는 가슴이 철렁 내려앉았다. 금방이라도 여행을 떠날 사람 같았다.

"말도 안 되는 연애 가짜로 해 준답시고, 내가 네 시간 이렇게 계속 잡아먹고 있으면 안 되지. 나도 이제 좀 괜찮아졌고……."

"야, 김유리."

정호는 얼른 유리의 말을 막았다.

유리의 마음이 회복될 때까지 기다리려고 했었다. 쓰레기 같은 전 남친에게 유리가 받았던 상처가 어느 정도 나아질 때까지. 기꺼이 가짜 남친의 탈을 쓰고서라도 이 자리만 지키고 있다면 자연스럽게 관계도 발전되리라 생각했었다. 톰과 제리 같은 물고 뜯는 사이일지라도, 언제든 틈만 나면 한 번에 훅 치고 들어갈 마음의 준비가, 정호는 되어 있었다.

이미 유리를 좋아하고 있었기에.

"그럼 가짜 연애 그만하고, 이제 진짜로 해."

지금이 바로 그때라는 확신이 들었다. 정호가 내뱉은 말에 유리의 눈이 조금 커졌다. 그러더니 푸하하, 웃음을 터뜨렸다.

"뭘 진짜로 해. 이 자식, 누나가 좀 진지하게 고맙다는 얘기 좀 하려고 했더니, 이렇게 사람을 또 몰아가네."

처음 사귄 남자 친구는 개쓰레기였고, 그에게 당한 배신으로 인해 후폭풍에 시달린 유리는 정호에게 남자 친구가 되어 달라고 했었다.

스무 살, 더럽혀진 첫 연애에 대한 정화가 필요했던 거다.

나도 그딴 쓰레기와 그렇게까지 깊은 관계는 아니었다고. 어차피 헤어진 놈이라 아무렇지도 않다고. 그 개쓰레기를 잊지 못해서 새로운 연애도 못 하는 건 절대 아니라고. 지금 내 옆엔 이렇게 건실하고 멀쩡한 남자 친구가 있다고.

아마 준원이 옆에 있었으면 준원에게, 혁준이 옆에 있었으면 혁준에게 남자 친구가 되어 달라고 했겠지. 정호는 당시 자신이 유리의 곁에 있었음에 감사했다.

정호가 남몰래 유리에게 가지고 있던 호감은 가짜 연애의 이름 아래에서 점점 발전했고, 혼자만의 짝사랑이 깊어지던 시기였다. 아마도 유리는 이제 반년간의 가짜 연애에 종지부를 찍을 모양이었다.

"장난 아니고."

정호가 숨을 한 번 삼키고 말을 이었다.

"난 진짜야."

유리는 정호의 눈치를 살피며 입에서 웃음기를 지워 냈다. 이내 그녀가 말했다.

"너랑 나랑 무슨 연애야. 그런 건 남자랑 여자랑 하는 거야. 너는 나한테 남자 아니고, 친구라고. 평생 가야 할 친구, 이 자식아."

애써 웃어 보이며 아무렇지 않은 척 일어서려고 하는데, 정호가 유리의 팔목을 잡아 앉혔다.

"그럼, 키스."

"……."

"지금."

"……."

"한번 해 볼까?"

어디 친구인지, 아닌지.

놀란 유리는 눈을 깜빡거리며 자신을 바라볼 뿐 별다른 거부의 반응은 없었다. 평소의 그녀 같으면, '이 미친놈아, 그게 무슨 소리야!' 하고 발길질을 해 댔을 텐데. 정호는 유리의 허벅지 위에서 손을 잡고 점점 가까이 다가갔다.

쿵쿵. 쿵쿵. 심장이 큰 소리로 뛰기 시작했다.

휘이이이잉.

밤바람이 불었다. 바람에 닿은 꽃잎이 다시금 흩어졌다. 숨결이 닿을 만큼 가까워졌을 때 유리가 눈을 감았다. 드리운 속눈썹을 보며 정호도 눈을 감았다. 고개를 틀었다. 입술과 입술이 마침내 닿고 말았다. 부드럽게 내려앉은 키스 위로 꽃잎이 나부꼈다.

이걸로 친구 관계, 가짜 연애, 그 모든 것에 마침표를 찍는다는 생각에 가슴이 터질 것 같았다. 말랑하게 눌리는 입술의 감촉에 온몸이 심장이 되어 버린 듯 몹시 떨렸다.

지금으로부터 딱 십 년 전, 스물한 살의 봄. 꽃비 내리던 그 밤, 첫 키스를 하던 곳. 옥탑방이 있는 이 건물의 바로 맞은편, 학교 담장 옆 벚꽃 거리. 바로 그곳이었다.

"으읍!"

어깨가 밀쳐졌다. 당황한 표정의 유리가 눈에 들어왔다. 무슨 말을 해야 할지 몰라 동공이 벌어진 모습이었다.

"……수, 술이 웨, 웬수지."

유리답지 않게 말을 더듬었다. 침대에서 일어서더니 천천히 뒷걸음질 쳤다. 키스의 여운을 채 느끼기도 전에 유리는 옥탑방 현관문 쪽으로 가려고 했다.

"야, 너 이 시간에 어딜 가."

정호가 손목을 잡으려고 하자, 유리가 화들짝 놀라며 팔을 들었다. 만세를 한 유리의 모습을 바라보았다. 그녀는 멋쩍게 웃다가 갑자기 손을 내려 이마를 짚었다.

"아. 머, 머리 아프다. 술이 오르네. 막 그냥, 어지럽다, 야."

정호는 그 손을 확 잡았다.

"끼약! 야!"

유리가 단단한 힘에 끌려온 곳은 다시 정호의 침대였다. 정호는 유리를 풀썩 앉히고, 머리를 밀어 눕혔다. 씁쓸한 입술 사이로 천천히 흘러나온 음성.

"안 잡아먹을 테니까 일단 자. 손 하나 까딱 안 할 테니까 안심하고 자."

목석처럼 뻣뻣하게 누운 유리가 눈을 깜빡거렸다.

"난 잠깐 나가서 바람 좀 쐬고 들어올게. ……자라."

지금 안 자면 무슨 일이 나기라도 할 분위기였다. 유리는 얼른 눈을 감아버렸다. 그런 유리를 보는 정호의 심장이 쿡 쑤셔 왔다. 이건 명백한 거부 의사다. 여기서 더 나아간다면 분명히 성추행이 될 것이다.

거세게 뛰던 심장은 어느새 차분하게 가라앉았고 등줄기에는 땀이 흘렀다. 자신의 침대에 누워 눈을 꼭 감은 유리를 잠시 바라보다가 정호는 몸을 돌렸다. 현관 앞에서 우산을 집어 들고 문을 열었다.

촤아아아.

비는 그치지 않았다. 활짝 펼친 우산을 들고 느릿느릿 옥상 난간 쪽으로 걸어갔다.

"후우."

밀려드는 한숨은 십 년 전 그날의 것과 같았다.

만해 한용운 선생님이 그러셨던가. 날카로운 첫 키스의 추억은, 운명의 지침을 돌려놓고 뒷걸음쳐서 사라졌노라고. 그리고 한탄하셨지. 아아, 님은 갔지마는 나는 님을 보내지 아니하였습니다, 라고. 그분의 깊은 뜻을 고작 제 짝사랑에나 이입하고 있다니. 이런 불경(不敬)을 저질러도 될지 모르겠지만, 처절하게 와 닿는 걸 어이하나. 십 년이라는 세월이 흘렀지만 감정은 생생했다.

'어렸을 때 유찬이한테 뽀뽀한 기분이야. 어휴. 너랑 나랑은 역시, 친구인가 봐.'

어깨를 밀어내고 유리가 처음 한 말이었다. 어린 시절 남동생과의 뽀뽀에 비교당한 첫 키스.

'이건 우리. 무덤까지 갖고 가자. 다른 애들 알면 쪽팔리잖아.'

어색하게 웃던 유리. 비밀이 되어 버린 그 밤. 정호는 한 발짝, 더 다가갈 수가 없었다. 몇 번이고 도끼질을 더 할 수도 없었다.

'정호야, 나는 아무래도 연애 같은 건 하면 안 되겠어.'

덧붙인 말에는 그녀 특유의 강인함이 느껴졌다.

'나 정말 성공하고 싶어. 공부 진짜 열심히 할 거야. 곧 있을 대회 합숙만 끝나면 빨리 학교로 돌아와서 다시 공부할 거고. 졸업도. 사시도 죽어라고 준비할 거야. 한눈팔지 않을 거야. 알잖아. 나 꼭 꿈 이루고 싶은 거. 이제. 정말 나 괜찮아. 가짜 남친 없어도 돼. 너한테도 그동안 고마웠다고 말하고 싶었어.'

철벽녀 김유리 비긴즈(Begins). 그때부터였다.

물론 자신뿐만 아니었다. 유리는 모든 남자에게 철벽을 치기 시작했다. 사심이 없는 친구 사이였기에 그녀의 가짜 남친이 될 수 있었지만, 결말은 정해져 있었다. 다시 그런 관계로 돌아가야 했다. 친구라는 관계 외에 답이 없다면, 그것만이라도 좋았다. 그렇게라도 옆에 있고 싶었다. 정호가 노린 건 나중이었다. 그녀에게 어울리는 남자가 되어 다시 다가가고 싶었다.

설렁설렁하던 공부에 박차를 가한 것도 그 때문이었다. 재학 시절 본 사법고시에 그렇게까지 빨리 합격해 버릴 줄은 몰랐지만. 어차피 군 복무 문제도 있기에, 유리보다 앞서서 뭐든 끝내 놓아야겠다는 생각으로 그저 앞만 보고 달렸다.

시간은 훌쩍 지나갔다. 그사이 예상치 못한 일이 벌어졌고, 유리에게 다가갈 수 없게 되었다. 그녀는 아무것도 모른다. 게다가 자신은 그때의 김정호가 아니다.

투두둑, 우산에 맺혀 아래로 또르르 떨어지는 빗물이 슬리퍼 위로 떨어졌다. 지금 정호의 눈앞에 보이는 건 그들이 첫 키스를 나누었던 바로 그 거리.

마음에서 밀어낸다고 해 놓고, 결국 돌고 돌아 여기까지 왔다.

두 사람이 헤어졌던 그곳.

더없이 완벽한 친구 사이로 규정지어 버린, 바로 그곳.

미련을 거두지 못한 그곳에 홀로 뿌리내린 채 그렇게 지내고 있었다.

'너 진짜, 최고의 친구야.'

투두두둑. 비가 부지런히 내렸다. 꽃이 활짝 피지 않은 벚나무도 하염없이 물기에 젖어 들었다.

아쉽게도 두 번의 키스 모두 끝은 같았다. 어째서인지 그 '친구'라는 이름의 벽은 태산처럼 높기만 했다.

곧 꽃이 피겠지. 감질나서 아름다운 꽃. 꽃잎이 떨어지기까지, 아련하고도 화려한 그 풍경에 또, 가슴은 미어지겠지. 그래도…… 자꾸만 보고 싶어 눈을 뗄 수 없겠지만.

저 방 안, 제 침대에 누워 지금쯤 잠이 들었을 그녀처럼.

님은 갔지마는 나는 님을 보내지 아니하였습니다.

첫사랑의 기억은 그렇게 날카로운 첫 키스와 함께 정호의 가슴에 오래도록 머물러 있었다.

다음 날 아침.

"와아. 나 어제 진짜 많이 마셨나 봐."

유리는 침대 위에 앉아 어색하게 눈을 굴리며 머리를 긁적였다.

"……그러시겠지."

"머, 머리 너무 아프다. 기, 기억이 하나도 안 나네."

"그러실 겁니다."

"어……. 어쩌다가 내가 여기까지 와서 잠이 다 들었지. 하하. 정말 많이 취했었나 봐."

가스레인지 앞에 선 정호의 뒷모습을 바라보며 유리는 계속 말을 덧붙였다. 밤새 내린 비는 이른 아침까지 그치지 않고 계속 내리고 있었다.

"그래, 어제 너 좀 많이 마시긴 했어."

"내가 네 추리닝까지 입고 있네. 내, 내 옷은 어디 있더라?"

돌아보지도 않고 정호가 손을 뻗어 건조대 쪽을 가리켰다.

"네가 직접 빨아서 널어 놨잖아."

"아, 아. 그랬지."

유리는 새삼스럽게 기겁하고 말았다.

그랬지, 어제 속옷까지 푹 젖어서 샤워하면서 다 빨아 널었었지. 그것까지 기억 못 하는 건 아니지만, 아침이 되어 건조대를 보니 얼굴이 화끈 달아올랐다.

정호가 준 추리닝에다가, 아직 뜯지 않은 남성용 브리프 새것까지 얻어다가 입은 덕분에 뽀송뽀송한 기분이었다. 물론 기분이 가히 상큼한 건 아니지만, 그래도 젖은 속옷 입고 있는 것보다는 나았다.

그때까진 괜찮았는데…….

왜 그런 일이……. 키스라니. 어휴.

뭐, 일단 정호도 많이 마셨던 것 같고, 태연스럽게 국을 끓이는 모습을 보아하니 별문제는 없을 것 같았다. 유리는 흠, 헛기침하며 침대 아래로 내려섰다.

"콩나물국이야. 먹자. 힘들면 국물이라도 마셔."

정호가 식탁 위에 냄비를 올려놓으며 말했다.

"이야. 너 콩나물국도 끓일 줄 알아?"

"이준원한테 전화해서 물어봤다."

친정엄마에게 전화하여 국 끓이기에 성공한 새댁처럼 정호는 의기양양
했다. 국자로 국을 떠 그릇에 담는 모습은 태연스럽기만 했다.

이 풍경만 보면, 어제 껍데기를 먹고 나오다 넘어진 것도, 그래서 저놈의 등판
에 업힌 것도, 옥탑방에 와서…… 키스를 했던 것도 전부 꿈인 것 같다. 이 고요
함만 놓고 보면, 정말로 없었던 일이라고 우겨도 될 만큼 평화롭기까지 했다.

유리의 마음이 이내 조금은 편해졌다. 아침에 달그락거리는 소리에 눈을 뜰
때만 해도 식은땀이 줄줄 흐르는 것 같았는데. 다행이다. 정호야말로 기억이 나
지 않는 모양이다. 아무래도 자신이 정호보다는 주량이 좀 더 센 것 같았다.

"어쩜 이렇게, 비가 밤새 내리냐."

유리는 한결 가벼워진 마음으로 창가에 가서 섰다. 바깥의 운동 기구들
위에 커다란 비닐이 쳐 있는 모습이 눈에 들어왔다.

"아, 운동 못 하겠네. 비 와서."

"궂은 날씨에 운동은 무슨 운동이야."

정호는 국그릇 옆에 수저를 내려놓았다.

"나 어제 엄청 많이 먹었잖아. 안 그래도 오늘 운동 두 배로 해야 하는데.
어떡하냐."

유리의 말에, 정호는 시선도 두지 않고 밥통 뚜껑을 열어 밥을 푸며 무심
히 물었다.

"네가 밤에 뭘 그렇게 많이 먹었다고."

"많이 먹었어. 껍데기 먹었지, 밥 볶아 먹었지. 소주 칼로리가 그렇게 높
대. 그걸 세 병이나 마셨지. 게다가 집에 와서 너 라면 먹던 거 다 뺏어 먹었
지. 그것도 모자라, 라면 두 개나 새로 끓여서 또 먹었잖아. 소주도 또 한 병
먹었고. 어휴, 어젯밤에 먹은 것만 해도…….."

딸칵. 밥공기를 식탁 위에 내려놓으며, 정호가 무표정한 얼굴로 돌아보았
다.

"기억이."

"······."

"하나도 안 난다면서?"

계속 비가 내리고 있다. 습기 때문인지 빨아 둔 옷이 쉽게 마르지 않았다. 결국 유리는 정호의 추리닝을 입은 채 사무실에 내려와 있었다.

"자, 여기."

"빨리 왔네, 엄마."

마미가 내민 쇼핑백을 반갑게 받아 들며 유리는 사무실 문을 잠갔다.

"다 큰 기집애가 외박하면서 엄마한테 옷셔틀이나 시키고. 잘한다."

"미안!"

"이건 또 무슨 몰골이래. 이 추리닝 낯익다? 정호 거 뺏어 입었어?"

"응."

"아니, 뭐가 그렇게 할 게 많다고 사무실에서 잠까지 자고. ······밤새운 거야?"

유리는 추리닝을 훌렁 벗고 쇼핑백 안에 들어 있던 브래지어부터 새로 꺼내 입었다. 뒤에서 훅을 채워 주며 마미가 잔소리를 시작했다. 어젯밤 그리도 쿨하시더니. 아마도 잠결에 외박을 허락하셨던 모양이었다.

"아니, 사실 정호랑 술 한잔했는데, 갑자기 비가 너무 많이 오는 데다가 택시도 안 잡히고, 정호도 술 마셔서 운전 못 하고. 이래저래 집까지 못 갈 것 같아서 여기서 잔 거야."

"어디서. 사무실에서?"

"정호 집에서."

어차피 둘러대 봐야 마미 손바닥 안이다. 더 큰 오해가 생길 수도 있으니 이실직고하는 게 나았다.

"뭐? 정호 집에서? 얘가 간이 부었……."

"어휴. 어머니, 상상의 나래는 곱게 접으세요. 걔랑 나랑 어디 그럴 사이야?"

마미가 가져온 티셔츠에 진을 입은 유리는 머리를 틀어 올려 펜 하나로 얼기설기 고정했다. 늘 완벽하게 세팅한 차림을 추구했던 유리답지 않게, 대충 머리를 틀어 올린 모습에 마미가 쯧쯧 혀를 찼다.

"제대로 좀 묶어, 그게 뭐야."

"그럴 정신 없어. 나 할 일 많으니까 이제 엄마도 나가서 볼일 보세요. 가게 오픈할 준비해야 하잖아."

"너 오늘, 내 딸이지만 참……."

"참 뭐?"

"못났다."

난데없는 디스에 유리가 기가 막힌다는 듯 바라보았다.

"내 엄마 맞아?"

"얼굴이랑 눈이랑 장난 아니게 부었어, 이년아. 뭘 얼마나 처먹고 잤으면. 너 방심하면 굴러가는 체질이라고 했지? 까딱하면 금방……."

"아우! 그만 좀 해. 나 오늘 못생긴 거 알았으니까 그만 좀 하시라고."

붙어 있으면 싸우기도 많이 하는 모녀지간이었다. 직장이 같아 종일 봐야 한다는 건 딱히 좋은 일만은 아니었다.

"성질머리하고는. 저러니 그 착하고 잘난 놈이랑 십몇 년을 봐도 썸은커녕 쌈박질만 해 대지. 쯧쯧."

"뭐?"

"됐어! 일이나 해."

뭐라 알아들을 수 없는 소리를 작게 중얼거리던 마미가 사무실에서 나갔다.

"아니, 내 눈이 그렇게 부었나?"

유리가 손거울을 꺼내 얼굴을 비춰 보았다. 빵빵하게 오른 살이 간밤의 치열했던 야식 섭취를 증명하고 있었다.

"헐, 붓긴 부었네. ……창피하다, 진짜."

창피한 건 얼굴만이 아니었다. 어젯밤 일이 하나도 기억나지 않는 것처럼 굴다가 정호에게 딱 걸리고 말았으니.

'기억이, 하나도 안 난다면서?'

괜히 어제 먹은 것들을 줄줄이 읊는 바람에.

일단 그것만 기억이 난다고 하면서 얼버무렸지만, 상황이 딱히 자연스러운 건 아니었다. 그나마 정호가 그렇구나, 하고 끄덕이며 넘어갔기에 다행이지, 그 녀석까지 눈치가 빨랐으면 어쩔 뻔했나. 그런 면에서 약간 둔하고 상황 판단이 느린 정호는 친구 먹기에 정말 편한 놈이었다.

"후우우."

그럼에도 불구하고 속이 갑갑했다. 다시 손거울을 들고 얼굴을 들여다보았다. 이번에는 빵빵해진 얼굴보다 입술이 더 먼저 눈에 들어왔다.

'두 번째 키스, 지금 한번 해 볼까.'

그 말끝에 다가든 입술. 심장을 쥐어짜는 것처럼 숨이 가빠지는 기분이었다. 첫 키스를 떠오르게 하는 두 번째 키스였다.

5. 나에게 유일한 너라서

첫 키스를 하던 그 날.

쿵, 세상 모든 것이 유리의 발아래로 내려앉는 것만 같았다. 난생처음 남자의 입술이 닿았던 순간의 느낌이었다.

개쓰레기이자 첫 남자 친구였던 성준과도 뽀뽀까지는 해 본 적 없었다. 그는 항상 어떻게든 스킨십을 해 보려고 다가왔지만, 당시 유리는 조금 빠르다는 생각에 거리를 두고 있었다.

그렇게 한 달이나 만났을까. 자상하고 다정했던 성준은 점점 연락이 줄어가더니 일주일 넘게 전화를 받지 않고는 급기야 헤어지자는 메시지를 보내왔었다.

그러니 키스는 정호가 처음이었다.

반년이나 이어진 허울뿐인 연인 관계, 더 이상 이어 나가는 건 정호에게도 좋지 않을 거라 생각했다. 그러니 오늘은 이제, 그만하자고 말하던 중이었는데, 어째서 입술을 붙이고 있게 된 건지.

밤이었지만, 온 세상이 하얗게 부서져 내린 기분이었다. 순간 든 생각은, '첫 키스가 이 자식이라 다행이다.'였다. 김성준과 계속 사귀었다면 그 지저분한 놈과 이런 걸 했을지도 모른다고 생각하니 끔찍하기만 했다. 반면에 정호와의 이 순간, 느낌이 나쁘지 않았다.

아니, 나쁘지 않은 정도가 아니다. 상상보다 훨씬 달고, 따뜻하고, 감미로웠다. 이렇게 느껴지는 감정들은 모두, 친구 이상의 것이 분명했다.

'남자. ……남자!'

그래서였다.

입술을 떼고, 아무렇지도 않게 주절주절 떠든 건.

'어렸을 때 유찬이한테 뽀뽀한 기분이야. 어휴. 너랑 나랑은 역시. 친구인가 봐.'

온몸이 짜릿했던 그 느낌은 결코 상대가 '남자'가 아니고서야 느낄 수 없는 것이었지만, 그 앞에서 절대 인정할 수 없었다.

'나 정말 성공하고 싶어. 공부 진짜 열심히 할 거야. 곧 있을 대회 합숙만 끝나면 빨리 학교로 돌아와서 다시 공부할 거고. 졸업도, 사시도 죽어라고 준비할 거야. 한눈팔지 않을 거야. 알잖아. 나 꼭 꿈 이루고 싶은 거. 이제, 정말 나 괜찮아. 가짜 남친 없어도 돼. 너한테도 그동안 고마웠다고 말하고 싶었어.'

정호를 친구 아닌 남자로 받아들일 수 없었다. 이유는 셀 수 없이 많았다. 그중 세 가지만 꼽아 본다면.

첫 번째 이유, 유리는 진심으로 성공을 원했다. 아버지가 돌아가신 이후 줄곧 가진 생각이었다. 그래서 그리 좋지 않은 머리임에도 불구하고 중학교 때부터 기를 쓰고 공부에 매달려 왔다. 게다가 성준에게 당한 배신으로 이미 남자에게 느끼는 풋풋한 설렘 따위는 죽어 버렸다. 그런 말랑말랑한 연애 감정에 시간을 허비하느니, 닥치고 공부나 해야겠다는 생각이 지배적이었다.

두 번째 이유, 제 감정에 확신이 없어서였다. 정호와는 고1, 열일곱 살 때부터 이어진 인연이었다. 익숙함은 종종 애정으로 착각할 수도 있기 마련이다. 정도 많이 들었을 것이다. 시간이 흐르면 변하기 마련인 감정에 모든 걸

맡기고 싶지 않았다.

세 번째, 가장 큰 이유, 정호가 남자로 다가오는 것이 두려워서였다. 미래를 약속하기에 스물한 살은 너무 어린 나이였다. 정호와 어쭙잖은 연인이되었다가 헤어지고 나면, 친구로도 볼 수 없을 것이란 사실이 두려웠었다. 그러니 정호는 자신에게 남자여서는 안 되었다.

그건…… 정호를 잃고 싶지 않기 때문이기도 했다.

그렇게 한때 그에게 설렌 적이 있지만 결국 쉽게 놓아 버린 감정이었다. 잠깐 느꼈던 떨림은 해묵은 감정이 되어 자신조차 잊고 있었다. 각자의 길을 가느라 정신없이 세월이 흘렀고, 그러는 사이 두 사람은 가깝게 지내지 않았다. 친구들 틈에서 늘 거리를 유지한 채 살아왔다.

정호는 여전히 헛소리 작렬에 이해할 수 없는 기이한 행보를 걷는 또라이고, 실컷 구박이나 해 주며 티격태격하면 그뿐인 관계로 남았다.

"후우. 그런데 왜 지금……."

십 년이 지난 지금에야 다시 설렘이 가만히 스며들고 있었다. 유리는 낯선 감정에 한숨만 흘렀다. 애써 마음을 지워 내며 일이나 하자는 마음으로 컴퓨터 전원을 켰다. 어차피 정호 쪽도 술김에 한 키스에 그다지 큰 의미를 두지 않는 것 같았다. 부팅이 되길 기다리며 모니터를 바라보는 유리의 눈빛은 복잡하기만 했다.

"이건 뭐, 상습 수법이네요."

테이블 앞에 마주 앉은 송화를 보며 유리가 말했다.

송화는 얼마 전, 급히 회사에 일이 생겼다며 카페에 여덟 살 딸 이슬이를 두고 간 적이 있었던 여자였다. 마미가 전하길, 싱글맘이라던 그 젊은 여자 채송화가 상담을 신청해 왔다.

"그러니까, 빌린 금액이 오백만 원?"

"네."

작년 친정엄마가 돌아가시기 전, 수술비 때문에 대부업자에게 급하게 빌려 쓴 오백만 원이 문제였다. 5부 이자로 빌려 월 25만 원씩 꼬박꼬박 내다가 이제 원금까지 모두 마련해 다시 갚으려고 하니, 대부업자가 연락을 받지 않고 종적을 감췄다는 것이었다. 이미 이자로 낸 돈만 원금의 절반이 넘었다. 비싼 이자라서 하루라도 빨리 갚아야 이로운 상황인데.

"휴대폰도 꺼져 있고, 사무실도 닫혀 있다고요?"

"사무실이야 열었을 때도 많겠지만, 제가 일하고 애 보고…… 날마다 쫓아갈 수는 없으니까요. 벌써 두 달이에요. 안 갚으면 이자가 계속 늘어날 텐데……."

빨리 돈을 갚고 싶어도 갚을 수가 없는 상황이었다. 일부 사채업자들은 이렇게 돈을 받지 않으면서 일부러 잠적하여 이자를 늘려 가는 경우도 있었다.

"이런 경우에 어떻게 해야 할지……."

차분하고 여린 인상의 송화를 보며 유리는 어딘가 가슴이 좀 쓰린 느낌이 들었다.

월차를 낸 날이라며 이른 오전 예약한 시간에 맞춰 상담하러 온 송화였다. 마미는 송화에게 각별한 관심이 생긴 모양인지 따뜻하게 맞이해 주었고, 유리는 송화를 보면 왠지 젊은 시절 남편을 잃고 자신과 동생을 키우던 엄마를 보는 것 같아 가슴이 아팠다. 그녀가 이런 힘든 일을 겪는 것마저 안타까웠다.

"송화 씨, 걱정하지 마세요."

"네?"

"그런 경우, 공탁 제도를 이용하면 되거든요."

유리에게는 그다지 어려운 이야기가 아니었다. 다행히 '법'은 지금의 송화에게 도움을 줄 수 있었다.

"공탁에도 여러 가지가 있는데, 송화 씨의 경우에는 '변제 공탁 제도'를 이용하면 돼요."

"공탁…… 이 뭔데요?"

"쉽게 말하면 돈을 갚거나, 담보를 마련하거나, 보관하는 등의 목적으로 돈이나 그에 해당하는 것들을 기관에 맡기는 건데요."

"……"

변제 공탁이란 채무자가 채무를 이행하려고 해도 할 수 없는 경우, 채권자의 주소지 법원의 공탁소를 찾아가 원금과 약정 이자를 공탁하여 채무를 면하는 제도였다.

민법 제487조(변제 공탁의 요건, 효과를 규정한 민법 채권법의 조항)에 의거해, 변제 공탁은 채권자가 돈을 받지 않거나, 지방 출장 등 다른 이유로 인해 받을 수 없거나, 채무자의 과실 없이 채권자를 알 수 없는 경우(행방불명 등)에 한하여 사용할 수 있다.

"일단 나라에 그냥 맡겨 버림으로써 내 할 일 다 했다! 하는 거라고 보셔도 돼요. 지금 송화 씨 이자 불려서 받아먹으려고 하는 개싸가지 사채 놈한테 갚을 돈을 '법원에 공탁'하게 되면, 송화 씨는 할 일 다 한 거죠. 그 질 나쁜 사채 새끼는 법원에서 돈을 찾아가면 되구요. 쉽게 말하면 대충 그런 의미예요."

"아아."

쉽게 설명해 주는 유리의 말에 송화가 고개를 끄덕였다. '개싸가지'라든지, '사채 새끼' 같은 험한 말에 움찔 놀라긴 했지만, 방법이 있다는 것만으로도 이미 송화의 얼굴빛은 조금 밝아진 상태였다. 이대로 갚지 못한 채 석 달, 넉 달만 지나도 앞으로 추가되는 이자는 백만 원을 훌쩍 넘어갈 터였다.

"공탁하는 그날로 빚을 갚은 것과 같은 효과예요. 이자의 발생도 중단되구요."

"아, 그럼 아무 법원이나 가서 그 공탁이란 걸 신청하면 되나요?"

"아니, 채권자의 주소지를 관할하는 곳으로 가야 해요. 그 사채 새끼의 주소지 법원으로 가면 돼요."

그러고 나서 유리는 공탁하는 절차에 대해 송화에게 자세히 설명한 뒤 종이에 적어 주었다.

공탁을 신청할 때는 2통의 공탁서를 제출해야 한다. 변제 공탁의 경우 2통의 '금전 공탁서'와 채권자에게 공탁 사실을 알려야 하므로 '금전 공탁 통지서'를 함께 제출하고, 이 통지서는 우편으로 보내지므로 대부업자의 집 주소가 적힌 봉투, 그리고 우표도 함께 제출하면 되었다.

관할 법원의 공탁관은 관련 서류를 심사하고, 공탁 수리가 인정되면 제출한 공탁서 중 1통에 '공탁을 수리한다는 내용'과 '사건번호', '공탁물 납기일' 등을 기재해 공탁자에게 돌려주고, 공탁자는 그 공탁서에 기재되어 있는 납기일까지 공탁물(원금과 약정 이자)을 공탁물 보관자(흔히 은행)에 맡기면 된다.

그럼 공탁소에서는 공탁물을 받았다는 내용을 공탁서의 '영수증'란에 기재해 다시 공탁자에게 돌려준다.

"이 공탁서는, 공탁이 성립되었다는 걸 의미하니까요, 돌려받은 공탁서를 잘 간직해야 해요. 나중에 공탁물을 회수하게 되거나, 재판 자료 등으로 필요할 수도 있어요."

"아……. 변호사님, 정말 감사해요."

"뭘요."

상세하고도 꼼꼼하게, 그리고 쉽게 절차를 적어 준 종이를, 송화가 감탄 어린 얼굴로 들여다보았다.

"참, 공탁 수수료 같은 것도 있어요? 그건…… 얼마예요?"

"없어요, 수수료."

"아, 없나요?"

"네. 그냥 사채업자에게 공탁 사실을 통지하는 등기 우편 요금만 있으면 돼요."

생각보다 일이 쉽게 풀린 것 같아 송화가 활짝 웃었다.

"다행이에요. 방법이 없는 줄 알고 걱정했는데. 급하게 빌릴 곳이 마땅치 않아 쓰긴 했는데 내내 얼른 갚고 싶은 마음이었어요. 매달 붙는 이자도 너무 무섭고."

"돈을 빌릴 때는 아쉽고 급한 마음에 계약서에 무작정 도장부터 찍는 경우들이 있는데, 오히려 빌릴 때 더 꼼꼼하게 잘 살피고 주의해야 해요. 아무리 깨알같이 작게 써 놓은 글씨들도 전부 읽어 보고, 또 돈 빌려주는 사람의 이름이나 주소, 사업자등록번호 같은 건 꼭 알아 둬야 하구요. 그래도 송화 씨는 이런 부분을 잘 체크하셨다니 다행이에요."

그때 사무실 안으로 은강이 커피를 들고 들어서다가 잠시 멈칫했다. 바리스타와 갑자기 눈이 마주친 송화는 조금 놀라 미소를 거두며 시선을 떨어뜨렸다.

"상담 다 끝나 가는데, 커피 참 빨리도 가져온다."

"지금 밖에 손님 많아요."

불퉁하게 내뱉는 은강의 말에 유리는 풋, 웃었다.

"그래서 네가 가지고 들어온 거구나? 준이 들여보내고 혼자 시선 차지하기 부담스러워서."

웬일로 사무실에 은강이 직접 커피를 다 가지고 들어오나 했다.

"마음 같아서는 다 마실 때까지 여기에서 기다렸다가 잔 들고 나가고 싶습니다."

공강 시간을 이용해 카페에 찾아오는 학생들이 나날이 늘어나고 있어서, 점심 전 시간인데도 카페는 제법 붐볐다. 다행인 일이었다. 은강에게는 달갑지 않은 모양이었지만.

"시끄럽고, 빨리 나가."

안 그래도 그러려고 했다는 듯 은강이 고개를 끄덕이며 사무실을 빠져나갔다. 문이 닫히자 송화가 입을 열었다.

"제 딸, 이슬이 아시죠?"

"아, 알아요, 그 귀여운 꼬마."

딸 이슬의 이야기를 꺼내는 송화의 입가에는 천천히 맑은 미소가 떠올랐다.

"이슬이가, 딸기 주스 만들어 준 오빠가 엄청 멋있었다고 매일 얘기해요. 방금 저분이요. 웃지도 않고 무뚝뚝한데, 이슬이 눈에는 그게 멋있어 보였나 봐요."

"특이하네요? 애들은 잘 웃는 사람들을 좋아하던데."

"그런 말도 하더라고요. 그 오빠가 웃으면 더 멋있을 것 같다고."

"서은강이 여덟 살 동심까지 사로잡다니. 역시 마성의 바리스타."

진한 커피 향에 기분까지 좋아져 두 여자는 마주 웃었다.

"변호사님, 여기 상담료 받으세요."

"아아. 이거…… 상담료 받기 되게 애매하네요. 이 정도는 검색만 해도 요즘엔 쉽게 찾을 수 있는 정보라……."

"요즘 같은 세상에 인터넷에 없는 게 어디 있겠어요. 저 같은 사람은 뭘 찾아야 할지 몰라서 못 찾는 거죠. 변호사님께는 쉬운 조언일지 몰라도, 제 얘기 다 들어 주시고 이렇게 바로 방법을 딱 찾아 주시니까 헤매지 않아도 돼서 좋은데요. 그걸 몰라서 두 달 넘게 비싼 이자 물고 있었잖아요, 저."

가만히 웃는 송화의 눈매가 단아하니 참 예뻤다.

"상담료는 꼭 챙겨 받으세요. 그래야 변호사님 이런 일 더 오래 하실 수 있죠. 그래야 저 같은 사람도 또 도움 받구요."

책정해 둔 상담료를 잔잔한 꽃무늬 봉투에 넣어 미리 준비해 온 송화였
다. 유리는 자신이 하고 싶고, 또 하려는 일을 제대로 간파한 듯 말하는 송화
에게 고마움을 느꼈다. 송화를 처음 봤을 땐 가슴이 아팠는데, 지금은 꽉 차
는 듯 벅찬 느낌을 받았다.

스물아홉이라 했던가. 자신보다 두 살 어린 나이지만, 확실히 더 성숙하
고 깊이 있는 마음 씀씀이가 느껴졌다. 꼭 아이를 키우는 엄마이기 때문만
은 아닐 것이다. 원래 그녀의 성품이 그렇겠지.

"고마워요, 송화 씨."

송화는 유리가 정식으로 상담료를 받은, 첫 번째 법률 상담 고객이었다.

"이게…… 뭐예요?"

유리는 웃음을 터뜨리고 말았다.

"어. 이게 왜 이렇게 됐지?"

난처한 얼굴의 서원이 도시락 통을 붙들고 좌우로 살살 흔들었다.

3단 도시락을 펼쳤을 때 내용물이 제대로 된 칸은 단 하나도 없었다. 소
시지볶음과 계란말이가 얼싸안고 나뒹구는 현장. 김밥 옆구리가 빵빵 터진
현장. 그나마 김치가 없어서 참변은 면했으니 다행이라고 해야 할까. 이건
그냥 도시락이 아니라 도시락 폭탄이었다.

"아, 진짜 선생님. 이게 푸하핫, 뭐예요, 진짜."

멋쩍은 미소를 지으며 서원이 젓가락을 꺼냈다.

"이왕 싸 왔으니까 한번 드셔 보세요. 맛은 괜찮을 텐데."

유독 깔끔하고 정갈해 보이는 서원과는 전혀 매치가 되지 않는 도시락이었다. 진격의 도시락 때문에 눈물까지 찔끔 난 유리는 젓가락을 받아 들었다. 손가락 끝으로 눈물을 찍어 내며 김밥을 집었다. 유리가 이내 후두두둑, 떨어지는 속 재료를 다시 수습하며 입에 넣었다.

"오, 진짜 맛은 있네요!"

우물거리며 유리가 말했다. 긴장 어린 표정으로 지켜보던 서원이 다행이라는 듯 웃었다.

"근데 정말, 직접 싸신 거예요?"

"······그러니까 이렇게 됐겠죠."

"그러네요. 직접 싼 거 완전 인증하셨네."

똑똑.

소리가 난 쪽으로 유리가 고개를 돌렸다. 정호가 열린 사무실 문에 기대서 있었다. 유리는 아까 정호에게 전화해서 오늘은 사무실에서 시켜 먹자며 내려오라고 했었다. 간밤의 키스로 인해 아무리 어색해도 점심은 챙겨야 했다. 그사이 서원이 도시락 가방을 들고 나타날 줄 몰랐지만.

"김정호 내려왔네. 선생님이 김밥 싸 오셨어. 같이 먹자. 근데 너 웬 마스크야?"

문가에 선 정호는 검은 마스크를 착용해 눈만 드러내고 있었다. 테이블 위에 도시락을 펼쳐 두고 마주 앉은 서원과 유리를 내려다보는 눈빛은 더없이 서늘했다. 흘러나오는 목소리도, 정호답지 않게 차가웠다.

"누구 덕분에, 감기에 걸려서."

"감기?"

유리가 놀라서 되물었다.

"다 큰 어른이 4월 중순에 웬 감기야."

서원이 걱정 어린 얼굴로 정호를 보았다. 정호는 유리를 빤히 쳐다보며 의자에 앉았다.

"빗속에서 엎어진 어떤 꼴라 건사하느라고."

너는 알지, 하는 눈빛.

유리는 정호의 그런 시선을 피해 버렸다.

'저 자식, 지금 나 때문에 감기 걸렸다고 열 받았네.'

왜 똑같이 비를 맞았는데 자신은 멀쩡하고 정호만 감기에 걸렸는지. 아무래도 혼자 살면서 몸이 많이 약해진 건가 싶어 살짝 걱정되었다.

"약 좀 처방해 줄게. 좀 이따 병원에 잠깐 들러."

서원의 말에 정호는 어깨를 으쓱했다.

"종합감기약 먹었어. ……근데 도시락, 진짜 화려하네. 형, 다시는 도시락 싸지 마라."

정호는 흘깃 도시락 안을 들여다보았다. 의자에 기대앉으며 팔짱에다가 다리까지 척 꼰 자태에는 아주 온몸 가득 불만이 흘렀다.

"선생님, 얘 버르장머리가 이래요. 신경 쓰지 마세요. 맛있어요."

자신 때문에 화가 난 걸 괜히 서원에게 푸는 정호를 한 번 노려보고, 유리는 수습하며 말했다. 괜찮다는 듯 서원이 웃어 보였다.

"야, 김유리. 내 밥은."

미소가 오가는 두 사람 사이를 정호의 음성이 싸늘하게 갈랐다.

"도시락 먹자, 같이. 선생님이 많이 싸 오셨어. 이거 3인분 맞죠?"

"네, 넉넉히 쌌어요."

유리와 정호가 늘 점심을 같이 먹는 것을 알아서인지 나무젓가락도 넉넉하게 챙겨 온 모양이었다. 하지만 정호는 젓가락을 집지 않았다.

"나 감기 걸렸다니까."

"그런데?"

"죽 사다 줘."

유리의 고운 이마에 핏줄이 빡 솟는 모습을 못 본 척하며 정호는 고개를 돌렸다.

유리는 어금니를 꽉 물었다. 그냥 있는 거 먹지, 곱게 자란 도련님 아니랄까 봐 아픈 핑계로 꼭 까탈을 부리고 있다. 그래, 비가 그렇게 오는데 자신을 업고 한참을 걸어와 준 공이 있으니. 냉찜질을 해 준 덕에 다행히 발목도 괜찮았다. 엎어진 꼴라 본인으로서, 지금 감기에 걸렸다는 정호를 영 모른 척할 수는 없었다.

유리는 들고 있던 젓가락을 테이블 위에 탁! 소리 나게 내려놓으며 벌떡 일어섰다. 흠칫 놀라며 정호가 고개를 들었다. 서늘한 기를 뿜으며 사무실 들어올 때는 언제고, 지금 자신이 세게 나간다고 또 움찔하는 걸 보니, 김정호는 영락없이 귀여운 토깽이였다.

"뭘로 사 와?"

안을 수도, 버릴 수도 없는 이 애증의 토깽이여.

"진짜 사 오게?"

그냥 해 본 말이었나 보다. 누구 인내심 테스트하나.

"빨리 말해. 마음 바뀌기 전에."

정호는 씨익 웃으며 말했다.

"야채죽."

"……기다려."

유리가 나간 후, 마스크를 내려 턱에 걸친 채 정호가 소시지를 집어 먹었다. 죽이 아니면 먹지 않겠다던 감기 환자답지 않았다.

"오. 형, 맛있다."

"정호야."

"어?"

풀어진 김밥을 하나로 모아 입에 넣은 정호가 서원을 바라보았다.

"너희, 계속 같이 점심 먹어야 하는 거냐?"

김밥을 우물우물 씹던 정호의 눈빛이 일순 낮게 가라앉았다.

경계 대상 1호에 빛나는 최서원, 조만간 유리에게 더 가까이 다가올 것이라고 예상은 하고 있었다. 유리가 이곳으로 온 지 얼마 되지 않았고, 또 개업 준비 때문에 바쁘다는 걸 알기에 당장은 아니겠지만 말이다. 정호는 유리를 향한 그의 마음을 모르는 척하고 싶었다.

"흐음, 나도 귀찮지. 그냥 때우는 게 편한데. 그래도 마미가 그만하라고 하실 때까지는 시키신 대로 해야지. 뭐, 내가 힘이 있나."

정호가 어깨를 한 번 들썩이고는 도시락만 들여다보았다.

"안 그래도 너한테 제대로 얘기하고 싶었는데."

"……뭘?"

유리에게 괜히 죽 심부름을 시켰다고 후회했다. 서원과 둘만 남으니 난감한 이야기가 시작되어 버렸다. 어차피 서원을 피한다고 계속 피할 수 있는 건 아니었지만. 그렇다고 해서 정식으로 듣고 싶은 말인 것도 아니었다. 정호로서는 어떻게 해 줄 방법이 하나도 없는데.

"나 유리 씨한테 관심……."

그 말이 채 떨어지기도 전에 다시 사무실 문이 열렸다. 유리가 들어섰다.

"어? 유리 씨, 죽 사러 간 거 아니에요?"

생각보다 빨리 들어온 유리를 보고 서원이 적잖이 놀란 얼굴로 물었다. 그녀가 싱긋 웃으며 앉았다.

"사러 나가려고 하니까 엄마가 시켜 주셨어요. 배달 올 거예요."

나가자마자 들어온 유리는 멀쩡히 김밥을 먹고 있는 정호를 보고 멈칫했다. 정호는 마스크를 얼른 올렸다.

"야, 너 밥 못 먹는다며."

꿀꺽 삼킨 정호가 시선을 돌렸다. 유리는 저 화상, 하는 얼굴로 다시 식사를 시작했다. 서원이 싸 온 엉망인 도시락을 맛있게 먹는 유리를 물끄러미 바라보았다. 정호의 얼굴에 다시금 표정이 사라졌다. 가슴속이 뜨겁게 끓어올랐다.

유리가 다른 남자와 있는 모습을 바로 눈앞에서 보는 것이 왜 이리 견디기 힘든지. 언제까지 두 사람을 갈라놓을 수 있을까? 이런 유치한 수작질로는 어림없는 걸 정호도 알고 있었다.

서원만 해도 요즘 계속 유리를 데리고 교외 맛집으로 점심을 먹으러 다녔더니 아예 도시락을 싸서 쳐들어온 게 아닌가. 멀리 가지 못하도록. 서원은 이미 마음을 굳힌 것이 분명했다. 탐색은 끝났고, 이제 슬슬 작업에 들어가겠지.

정호가 그나마 안심했던 이유는 지금까지 그랬던 것처럼, 유리가 당연히 남자의 호의를 가볍게 물리칠 거란 예상 때문이었다. 하지만 몇 발짝 떨어져서 그런 모습들을 지켜봐 왔던 예전과 다르게, 지금은 뭔가 모를 투지가 들끓었다.

포기를 밥 먹듯이 했던 자신이 아니었던가. 왜 딱 하나, 김유리만 죽어도 정리가 안 되는 건지 모르겠다. 이렇게 무엇이든 다 놓아 버리고, 그저 숨만 쉬며 살아가는 것이 전부인 인생…… 어째서 김유리 하나에는 이렇게 욕심이 생기는지.

서원과 단둘이 있는 자리는 절대로 허락하고 싶지 않았다. 단지 밥 먹는 짧은 시간이라 하더라도. 그래서 지금 이렇게라도 자리를 차지하고 앉아 있는 것이다.

정호는 쓰라린 가슴속을 들여다보았다.

이건, 명백한 질투였다.

"유리 씨, 상담은 따로 예약해야 하죠?"

잠시 후 정호가 배달되어 온 죽 포장을 열고 있는데, 커피를 마시며 서원이 말했다.

"아, 네. 어떤 상담 하시려고요?"

"안 그래도 변호사 사무실을 찾을까 했었는데. 이런저런 법률적 조언을 구할 일이 많아서요."

"네에. 예약은 하루나 이틀 전에 해 주시면 제가 시간을 잡기 좋아요. 상담 이외에 다른 업무들도 있어서요."

정호는 따뜻한 죽을 먹지는 않고 플라스틱 숟가락으로 휘휘 저었다. 입맛이 없어졌다.

"그런데 주로 어떤 부분들이에요? 병원 운영?"

"그쪽도 있고, 부동산 관련된 부분들이 좀 더 많아요."

유리를 아예 개인 전담 변호사로 고용할 기세였다. 결국 정호가 입을 열었다.

"김유리는 부동산 쪽이 취약한데."

"맞아요, 로펌에서 쭉 기업 법무 전문으로 일해서, 저도 부동산은 자료 찾아보기도 해야 할 거예요. 특히 그쪽 법령은 제대로 본 지 오래돼서."

"아, 그렇군요. 그래도 뭐, 자료 보시면서 상담해 주실 수는 있죠?"

"물론이죠. 혹시 소송 필요하거나 하시면 제가 다른 전문 변호사분 연결도 해 드릴게요."

"왜, 급하게 상담할 내용이 어떤 건데?"

정호가 죽을 한 숟가락 입에 넣으며 물었다. 그저 궁금해서 묻는 것처럼 보였다. 서원은 사심 없이 답했다.

"아, 얼마 전에 경매로 작은 아파트를 하나 낙찰받은 게 있는데. 전에 살고 있던 세입자가 이사를 못 가겠다고 하면서 이사비를 조금 과도하게 요구했거든. 할 수 없이 법원에 인도 명령 신청인가를 해서 강제 집행을 했어. 그래서 그 사람이 나가긴 했는데……."

"그런데?"

"짐을 안 가져가네. 가구들도 그대로고."

옆으로 듣고 있던 유리가 미간을 찡그리며 물었다.

"일부러 그러는 거네요. 이사비는 얼마나 달라고 했어요?"

"천이요."

"무슨 이사비로 천이나 달래요?"

"네. 그러니까요. 두고 간 짐들은 제가 어떻게 해야 하는 건가 싶어서 골
치가 아프네요."

유리가 어떤 대답을 하는지 정호는 날카로운 눈빛으로 죽을 떠먹으며 귀
를 기울였다.

유리와 서원 사이의 대화는 계속되었다.

"그런 경우에, 보관해 놓은 짐을 합법적으로 처리하는 방법이 있는데요."

"방법이 있어요?"

"시간이 좀 걸리긴 해요. 번거롭기도 하고요. 그래도 임의로 처분하는 것
보다 절차에 의해 진행을 하셔야 할 것 같으니."

"시간은 상관없어요."

서원이 웃으며 하는 말에 유리가 답했다.

"일단 그 사람이 인도 집행 당할 때까지 거주한 기간에 대해서 임차료를
청구하는 소장을 제출하고, 여기에서 승소한 다음에 이 판결문으로 그 짐에
대해 경매를 신청해 매각하는 방식이 있어요. 근데 기간을 대략 최소 4개월
이상은 잡아야 해요."

"정말 오래 걸리긴 하네요."

"네. 그리고 또 하나는 인도 집행하는 데 발생한 비용을 그 사람에게 청구
하는, 집행 비용액 확정 신청을 이용하는 방법이에요. 그럼 이 과정에서 법

원이 그 사람(점유자)에게 최고기간 내에 이의가 없으면 집행 비용액이 확정되어 집행문을 부여받아 유체 동산 경매를 신청하면 돼요."

"아, 유체 동산 경매?"

"네. 이것도 통상 2~3개월 정도가 걸리고요. 그런데 그 짐들이 쓸 만한 가치가 있으면 매각해서 강제 집행한 비용을 받을 수 있으니 유용한 방법이죠."

유리는 말을 이었다.

"또 하나가, 일반적으로 많이 알려지지 않은 건데……. 보관된 짐에 대해서……. 아, 잠깐만요."

참고할 자료를 찾으려고 하는지 유리가 검색을 위해 컴퓨터 앞으로 가려던 때였다. 그새 다 먹은 죽 용기에 애꿎은 숟가락만 툭툭 튕기고 있던 정호가 입을 열었다.

"민사집행법 제258조 6항."

유리가 돌아보았다.

"채무자가 그 동산의 수취를 게을리한 때에는 집행관은 집행 법원의 허가를 받아 동산에 대한 강제 집행의 매각 절차에 관한 규정에 따라 그 동산을 매각하고 비용을 뺀 뒤에 나머지 대금을 공탁하여야 한다."

느릿느릿 흘러나오는 말들은 마치 눈앞에 책을 두고 읽는 것처럼 정확하기만 했다.

유리는 경악한 얼굴로 정호를 보았다.

저 괴물!

지금 시험을 볼 것도 아니고, 토씨 하나 틀리지 않게 다 외우고 있을 필요까진 없는 것 아닌가! 찾아보면 금방인 것을! 하드용량 터지게 왜 그런 걸머리에 다 담고 있는지! 게다가 이쪽에 관심 뗀 지 오래 아니었나.

"일단 이삿짐센터에 짐 맡기면, 내용 증명으로 짐 찾아가라고 통보하고 여러 번 해도 안 찾아가면, 집행관이 매각 명령 신청해서 그 결정문으로 유체 동산 경매 절차를 밟는 거야. 이게 좀 특이한 경우인 게, 형이 직접 신청하는 게 아니라, 담당 집행관이 진행하고 권한도 갖게 되는 거거든. 이것도 통상 2~3개월 걸린다는데, 이건 보관된 짐이 거의 쓰레기 수준일 때 사용하면 돼.”

늘 주머니에 손을 찌르고 어슬렁거리며 동네를 활보하던 추또 정호만 보아 왔던 서원도 놀란 얼굴이었다.

“자, 이 세 가지 중에 어떤 방법을 사용하면 좋을지, 이제 나랑 딥토킹 해 볼까? 난 예약 안 해도 돼, 형.”

“……너랑?”

생각지도 못했다.

“김유리는 부동산 쪽 취약하다니까. 아무래도 형 이런 쪽으로 상담할 거 많으면 내가 해 주는 게 낫겠어.”

유리와 가까워지고 싶어서 일부러 하려고 했던 법률 상담에 정호가 쏙 끼어들 줄은 몰랐다.

“아. 상담료는 받을 거야. 나 말고 여기 로(Law) 카페 앞으로.”

서원은 단단한 그물에 얽혀 든 기분이었다.

“김유리, 내가 서원 형 상담으로 벌어 준 상담료만큼 나 커피 마신다?”

“그럼 선생님 상담은 정말로 김정호 네가 전담하는 거야?”

유리는 이미 정호에게 넘긴 모양이었다.

그리하여 동네 추또의 새로운 직업이 생겼다. 최서원 전담 법률 고문.

질투가 낳은 최고의 업적이었다. 그리고 이건 시작에 불과하였다. 여기서 절대 일을 안 할 거라고 울부짖던 추또는 어디로 갔는가. 제 발로 걸어 들어와 선뜻 일하겠다는 사람은 김정호 본인이었다.

서원과 형, 동생 하며 친하게 지내더니 많이 편한 사이구나, 싶어서 유리는 내심 다행스러운 얼굴로 두 사람을 바라보았다.

비가 그쳤다.

한층 싱그러운 초록빛이 벚나무들 위에 내려앉았다. 아마 다음 주면 벚꽃도 제법 피어날 것이다. 건물을 매입하고 처음 맞이하는 벚꽃 철이다. 유리와의 추억이 있는 바로 그곳을 혼자 바라보는 것만 해도 좋았는데. 이제 한 건물에 있게 되니 기분이 묘했다. 올해는 그 벚꽃, 같이 볼 수 있는 건가.

키스했던 일이 꿈처럼 멀게 느껴졌다. 정호는 난간에 서서 건물 아래 나무들을 내려다보며 제 입술에 검지를 가져다 대었다. 실감이 하나도 나질 않는다. 한 번 더 해 보면 알 수 있을 것 같은데.

"……으으!"

그게 문제가 아니고.

아니, 어쩌자고 서원의 상담을 맡겠다고 나섰는지.

"내가 미쳤다, 미쳤어."

끄응, 정호는 제 머리를 쥐어뜯었다.

하지만 다른 방법이 없었다. 그대로 넋 놓고 있다가는, 서원이 법률 상담 거리를 어떻게든 만들어 유리에게 매일 찾아갈 텐데. 아마 바로 고백하면 단번에 빵 차일 걸 아는 모양이었다. 치밀한 형 같으니. 일단 들어오는 태클을 잘 막아 내긴 했는데…….

"와아! 이게 다 뭐야!"

익숙한 목소리가 뒤에서 들려왔다. 돌아보자 옥상 문을 열고 들어서는

아름다운 사랑이야기. 마음이 따뜻해지는 사람 냄새 나는 이야기
독자 여러분의 마음으로 편안하고 친근한 좋은 책을 만드는 와이엠북스입니다.
와이엠북스 블로그 http://blog.naver.com/ymbooks2012

새연이 보였다.

"뭐야, 이게? 여기서 바자회라도 해?"

대형 천막이 설치되고 있었다. 운동 기구들과 평상, 해먹 위로 지붕이 생기는 셈이다.

"진짜 멋져!"

야외지만 이제 지붕이 있으니 언제든 운동을 할 수 있다. 그 말인즉슨, 비가 와도 유리가 옥탑 피트니스를 이용할 수 있다는 얘기다. 아침에 비가 와서 운동을 못 하겠다고 말하던 게 못내 마음에 걸려 바로 설치업체를 알아본 정호였다.

"이따 저녁에 또 비 온대. 우리 여기서 부침개 해 먹자!"

"야, 야, 꼬마야. 인사나 먼저 하고 부침개를 부쳐 먹자 그래라, 어?"

정호는 새연의 이마를 손가락으로 콕콕 두드리며 말했다.

"예에, 집주인님. 안녕하세요. 여기서 밤에 부침개 좀 부쳐 먹게 해 주세요, 네?"

새연은 배 속의 아기 때문에 배꼽 인사는 못 했지만 정중하게 고개를 숙여 인사했다.

"준원이는?"

"당연히 오지. 유리한테 저녁 먹자고 했거든. 근데 밖에 나갈 필요 없겠다. 여기서 고기도 좀 구워 먹고. 와, 짱이야. 놀러 온 기분 나는데?"

설치 막바지인 대형 천막을 보면서 새연은 매우 기분 좋아 했다.

"내 스케줄은 신경 안 쓰냐? 누구 마음대로 여기서 저녁 회동이야."

"뭐, 다른 일 있어?"

"없어!"

"……없는데 왜 나한테 앙탈이야?"

"몰라!"

짝사랑을 격하게 하다 보면 질풍노도의 시기가 찾아오는 건가. 이러다 건드리면 눈물도 나겠네.

"이거 언제 끝나? 나랑 장 보러 가자."

물론 정호의 감정이 어떤 건지 모르는 새연은 그저 방실방실 웃기만 할 뿐이었다.

"나 감기 걸렸어."

정호는 마스크를 끌어 올리며 말했다.

"그래? ……그럼 뭐, 할 수 없지. 나 혼자 봐야지……."

잔뜩 풀이 죽은 목소리.

정호는 결국 임신부인 새연을 혼자 보내지 못했다. 천막 설치가 끝나자 함께 마트로 향했다. 정호가 미는 카트 안에 새연은 자신이 먹고 싶은 것을 야무지게 담았다. 고기, 과일 등이 무겁게 채워졌다.

"쪼그만 게 식탐 하나는. 너 진짜 이걸 다 먹겠다고?"

"야, 사람이 몇 명이냐. 다섯이나 되는데."

자신과 유리, 새연과 이따 올 준원까지 넷 아닌가 싶은데 새연이 뭔가를 발견하고 쪼르르 달려갔다.

"한새연! 같이 가!"

새연은 데친 두부를 잘라 놓은 시식대 앞으로 가더니, 두부를 집어 한 입 쏙 넣었다.

"음! 맛있어!"

뒤늦게 정호가 카트를 밀며 나타나자 하나를 찍어 내밀었다.

"정호야, 마스크 좀 내려. 이거 먹어 봐."

"아유, 새댁이 싹싹하고 너무 예쁘네. 신랑이 복 받았네요."

시식대 앞에 있던 중년의 여인이 말했다. 여전히 마스크를 하고 있는 정호에게 다가가 장난스럽게 팔짱을 끼며 새연이 물었다.

"저희 잘 어울려요?"

"신혼부부죠? 잘 어울려요."

푸홋! 새연이 웃음을 터뜨렸다.

"야, 한새연. 너 나한테 이러면 곤란하다. 내가 아무리 온 국민이 원하는 이상적인 남편감에다가 전대미문의 미남이라고 하지만, 나한테 반해서 이렇게 수작 걸고 그러면 안 되는 거야. 가정도 있는 여자가, 어휴, 이렇게 얼굴을 밝혀요."

추리닝 입고 꼴에 한다는 말이 참. 새연은 더욱 장난스럽게 말했다.

"아줌마, 죄송해요. 얘가 하고 다니는 행색이 이렇지만, 머리도 정상은 아니라서요. 똑똑하긴 한데, 원래 천재랑 바보는 종이 한 장 차이……."

"팔 좀 놔라, 놔. 이거나 먹어."

정호가 새연의 팔을 빼고 두부를 집어 그 입에 넣으려고 하는데, 갑자기 어둠의 기운이 느껴졌다.

"……떨어져라."

정호와 새연이 동시에 고개를 돌렸다. 준원이 싸늘한 시선으로 바라보고 있었다. 마트를 통째로 얼려 버릴 기세로.

"어! 언제 왔어?"

새연은 단숨에 정호의 팔을 팽개치듯 놓아 버리고 준원에게 다가갔다.

"야, 무서워. 그런 눈빛으로 보지 마라, 좀."

정호는 정말 억울해하는 목소리로 말했다. 준원이 새연의 어깨에 손을 올려 감싸면서 여전히 싸한 눈빛으로 정호를 보았다.

"너, 한새연 몸 1미터 이내로 접근하지 마라."

접근 금지 명령이 떨어졌다.

"죽여 버린다."

어기면 최소 사망이란다.

"뉘예……. 암요."

정호는 자포자기하는 심정으로 고개를 끄덕거렸다. 닭살을 대패로 밀어도 모자란 친구 부부의 애정 행각을 감내하며 정호는 묵묵히 카트를 밀었다.

정말이지 서럽다, 서러워. 와이프 없는 사람 정말 서러워서 어디 살겠냐고.

그러면서도 준원의 뒷모습이 왠지 다르게 보였다.

저쪽은 친구도 그냥 친구가 아니었다. 오총사는 고등학교에서 만났지만, 그중 저 둘은 더욱 각별했다. 준원과 새연은 무려 같은 산부인과 출신으로, 태어날 때부터 함께했던 사이가 아니던가.

그런 평생 친구를 아내로 쟁취한 남자. 숱한 역경과 고난을 다 이겨 내고 결국 승리한 남자! 빤히 질투할 상황도 아닌데 무조건 독을 품은 시선으로 경계하며 저렇게 제 아내를 싸고돈다. 질투도 클래스가 다른 저 남자. 왠지 모를 경외심이 피어올랐다.

"선생님……."

가히 스승으로 모셔도 좋을 만한 인재였다.

"야! 그만 먹어! 그거 이따가 먹으려고 산 거란 말이야."

준원의 차 뒷좌석에 앉은 정호는 믹스너트 통을 끌어안고 야금야금 꺼내 먹고 있었다. 조수석에 앉은 새연이 돌아보며 팔을 뻗었다.

"이리 내!"

"싫은데?"

이게 뭐라고, 목숨 걸고 사수하는 정호에게서 너트 통을 쉽게 빼앗을 수는 없었다.

마트에서 장을 다 보고 돌아가는 길이었다. 올 때는 택시를 이용했지만, 옥탑 건물로 돌아갈 때는 준원의 차를 타고 갈 수 있었다.

"너는 감기라면서 자꾸 그런 것만 먹고 있어도 돼?"

정호는 뭐가 문제냐는 듯 어깨를 한 번 들썩해 보였다. 어차피 반은 꾀병인데, 뭐.

"견과류가 몸에 얼마나 좋냐. 두뇌 발달에 성인병, 심장병, 치매 예방되지, 피부에 좋지, 노화 방지에도 좋지……."

"어이구. 그래, 아는 거 많아서 먹고 싶은 것도 많겠다!"

새연이 괜히 말을 시켰다는 듯 정호를 살짝 흘겨보았다.

"똑바로 앉아. 위험해."

운전하던 준원이 한 손으로 새연을 붙잡아 앞을 보게 했다. 준원으로서는 오래 참은 편이었다.

새연과 정호는 붙여 놓으면 안 된다고 생각하는 준원이었다. 두 사람은 뭐랄까, 아웅다웅하면서도 서로를 끔찍이 위하는 쌍둥이 남매 같았다.

유리와 정호가 티격태격하는 모습이 '톰과 제리'보다 포악성을 몇 단계 레벨 업 한 본격 전쟁판 느낌이라면, 새연과 정호의 케미는 그보다 더 아기자기한 느낌이었다. 아마 제 아내 새연이 어디에 내놔도 사랑스러운 기운을 풍기기 때문이겠지.

김정호 저 자식에게도 어서 빨리 제 짝이 생겨야 할 텐데. 그래야 내 마누라 데리고 알콩달콩 사랑싸움 연출을 안 할 텐데 말이지.

신호에 걸려 차가 멈춘 틈에 준원은 룸 미러로 땅콩을 씹고 있는 정호를 바라보았다. 그저 본 것뿐인데도 거울을 통해 눈이 마주친 정호는 움찔 놀라는 눈치였다.

"왜, 왜! 나 가만히 있는데 왜 그렇게 봐!"

쳐다보지도 못하나.

준원은 낮은 목소리로 말했다.

"견과류가 아무리 몸에 좋아도 그 믹스너트는 염분에 당분, 기름 덩어린데, 많이 먹지 마."

"예에, 셰프님. 참된 조언 감사드립니다."

"그리고 너."

"왜."

"여자 친구 안 만날 거냐?"

뒤에서는 격한 한숨 소리가 들렸다.

"낸들 안 만나고 싶어서 이러고 있겠냐?"

하긴. 작년까지만 해도 죽어라고 소개팅을 했던 정호였다. 모든 인맥을 동원해 할 수 있는 소개팅이라고는 다 했었다.

특히 새연의 대학 동창, 동료 교사들까지 정호와 만나 보지 않은 여자가 없을 정도였다. 입만 열면 나도 애인이 생겼으면 좋겠다, 노래를 부르며 열심히 다니더니 결국 대실패한 채 지금은 이렇게 솔로로 살아가는 중이다.

"웃기시네."

새연이 비웃었다.

"김정호, 네가 솔직히 애인 만들 의지가 있기는 해? 아니잖아."

"의지가 왜 없어. 나도 외롭다고."

"외롭다는 인간이, 기껏 잡아 준 소개팅마다 거지 몰골로 나가냐?"

준원 눈에는 딱히 거슬리는 바가 없었지만, 대부분 깔끔한 외모를 좋아하지 않던가. 소개팅 자리까지 저 상태로 나갔다면 그건 문제긴 했다.

"내가 너 때문에 들어먹은 욕 생각하면."

어휴, 하고 새연은 치를 떨었다.

"게다가 얼마나 개매너였는지. 내 친구 중에 그 젤 예쁜 양지연 있지. 지연이가 정호한테 '왜 이렇게 얇게 입고 나오셨어요. 춥지 않으세요?', 그랬더니 이 자식이 '나오는데 옷 찾기 귀찮아서요.' 그러더래. 아니! 소개팅 나오는 남자가 귀찮아서 대충 걸쳐 입고 나온 게 말이나 되냐!"

조그만 주먹을 말아 쥐고 바르르 떨면서 새연이 계속 말했다. 룸 미러로 보니 정호는 딴청을 피우며 믹스너트를 오물오물 씹고 있었다.

"거기다가 지연이가 '뭐 먹으러 갈까요? 어디 맛있는 데 있어요?' 하고 물었더니, 저 자식이 건방지게 주머니에 손 찌르고 '배 속에 들어가면 다 똑같은데 그냥 이 근처에서 아무거나 먹죠.' 하더래."

"어휴, 내가?"

"그래! 네가! 난 솔직히 김정호가 상거지 스타일 때문에 맨날 애프터 실패하고 들어오는 줄 알았거든? 사실은 저놈이 애초에 애프터를 할 생각도, 의지도, 관심도 없었던 거야. 나중에 물어보니 단 한 명도 애프터를 받은 애가 없었어! 뭘 받아야 뺑뺑 차든가 말든가 하지!"

워, 워. 준원이 조심스럽게 한 손을 뻗어 새연의 주먹을 잡았다.

"아니, 그럼 소개팅은 왜 하냔 말이야."

"그래서 지금은 안 하잖아."

정호가 태연스럽게 한마디 보탰다.

"이제 더 시켜 주고 싶어도 시켜 줄 사람이 없다!"

한량 같은 놈이 그저 한때 즐긴 놀이였던 모양이다. 불성실한 자세로 소개팅에 임하여 상대녀를 멘붕에 빠뜨리기.

"그래 놓고 자긴 여자 친구 언제 생기냐며 얼마나 우는소리를 했었냐. 거기에 넘어가 온갖 소개팅 다 시켜 준 내가 순진했지."

"김정호, 너 혹시, 그때…… 좋아하는 사람 따로 있었냐?"

바로 이어진 준원의 말에 아작, 땅콩을 씹던 정호의 움직임이 그대로 멈췄다. 심상치 않은 기운을 느낀 새연이 재빨리 돌아보았다.

"뭐야, 진짜야?"

"아, 아니야."

"아니긴 뭐가 아니야! 빨리 불어! 누구야? 응? 누구였는데?"

새연이 다시 뒷좌석을 향해 손을 허우적댔다. 정호의 머리끄덩이라도 잡고 싶은 심정인 듯했다. 준원은 그런 새연을 잡아 다시 앞으로 돌려놓았다.

"그런 거…… 아니야."

정호는 대충 얼버무리며 창문 쪽으로 딱 붙어 다시 믹스너트 통에 손을 집어넣었다. 왠지 깊어진 그의 눈빛이 마음에 걸렸다. 준원은 룸 미러에서 시선을 떼며 고개를 살짝 갸웃거렸다.

한새연은 당연히 아닐 거고. 그럼…… 누구지.

옥탑 마당 절반을 차지한 대형 천막 아래에는 평상도, 해먹도, 운동 기구들도 모두 한 자리씩 채우고 있었다. 이제는 비가 와도, 눈이 와도, 햇빛이 쨍쨍 비추어도 천하무적이다.

넓은 평상 한쪽에서는 준원이 삼겹살을 굽고 있고, 또 한쪽에서는 정호가 김치전을 부치고 있었다. 새연은 임신 6개월 차 부푼 배를 안고 평상 위에 대자로 누워 있었다. 세상 그렇게 편한 임신부님은 없어 보인다. 철퍽. 부침개를 뒤집으면서 정호는 새연을 빤히 쳐다보았다.

이건 뭐, 이준원과 자신이 노예1, 노예2도 아니고.

펼쳐 놓은 상 위에는 이미 채소며 쌈장, 간장 등등 고기와 부침개를 먹을 준비가 다 되어 있었다. 물론 준원과 정호가 다 차린 거고, 새연은 손가락 하나 까딱하지 않았다.

"야, 한새연. 접시 좀 더 가져와."

"그래."

그런 새연이 얄미워 심부름을 시켰더니, 어느새 준원이 슥 다가와 일어나려는 새연의 이마를 손가락으로 눌러 다시 눕혔다.

"마누라, 넌 그냥 누워 있어."

물론 모든 것은, 새연을 꼼짝도 못 하게 하는 이준원 바로 저놈 때문이다. 제 아내를 얼마나 끔찍이 위하는지, 눈꼴시어서 못 봐줄 지경이었다. 원래도 심했는데, 아기가 생기니 훨씬 더 심해졌다.

그때 삼겹살을 굽고 있던 준원이 불도 끄지 않고 옥탑방 안으로 빠르게 걸어 들어갔다.

"쟤 뭐야. 고기 타면 어쩌려고 이걸 그냥 두고 가."

정호가 불을 꺼야 하나 말아야 하나 안절부절못하고 있는데, 어느새 준원이 접시를 들고 나타났다. 그리곤 정호에게 턱, 안기고 동시에 고기를 좌아악, 뒤집었다. 기름이 맛깔나게 뚝뚝 떨어지면서 노릇하게 익은 면이 위로 올라왔다.

"헐."

이건 또 웬 고기굽기 명인이냐. 달리 스타 셰프님이 아니었다. 접시를 가지러 가기 전, 아니 새연의 이마를 누르기 전 이미 고기를 뒤집는 시간까지 다 계산했던 모양이었다. 그 잠깐 사이에.

"저기, 어디서 타는 냄새 안 나요?"

새연이 킁킁 코를 찡긋거리며 몸을 일으켰다.

내 마음이 불타고 있잖아요, 이따위 닭살 멘트만 날려 봐. 너희 부부 죽을 때까지 다시는 안 볼 거야. 아니, 죽어서도 안 볼 거야.

정호가 어금니를 꽉 깨물었다.

"야, 부침개 탄다."

준원의 말에 흠칫 정신이 들었다. 깔끔하고도 똑떨어지게 고기 굽는 스킬을 멍하니 바라보고 있던 사이, 부침개가 홀랑 타 버렸다. 아아. 누구는 마누라 손끝 하나 못 움직이게 하면서도 심부름도 하고, 고기도 굽고 귀신같이 다 하는데.

"난 죽어야 해."

새까맣게 변해 버린 부침개를 접시에 탁 엎어 놓으며 정호가 자조했다.

"우아! 진짜 맛있다!"

그사이 준원에게서 잘 익은 삼겹살을 한 입 받아먹은 새연이 생긋 웃었다. 새까맣게 타는 건 부침개가 아니라 제 마음이었다.

하아! 외롭다, 외로워.

"맛있는 냄새! 와! 장난 아니네. 여기 잔칫집이야?"

어느새 옥상으로 올라온 유리가 감탄하며 다가왔다.

"근데 이건 뭐야?"

그러고는 처음 본 대형 천막을 놀란 얼굴로 올려다보았다.

"짱이지? 아까 정호가 사람들 불러서 설치했어. 여기 완전 좋은 것 같아."

평상 위에 차려 둔 상 옆에 누운 새연이 천막 그늘을 제대로 만끽하며 상기된 표정으로 자랑을 늘어놓았다.

"그러네. 진짜 좋다."

유리가 감탄 어린 표정으로 천막의 폴대를 잡아 보았다. 튼튼하고 견고하여 폭풍우가 불어도 쓰러질 것 같지 않았다.

"비 많이 와도 이제 여기서 운동할 수 있고 좋네."

유리의 눈에는 안전지대 안으로 들어온 운동 기구들이 가장 먼저 보이는 모양이었다. 정호는 뿌듯했다. 제일 큰 목적이 바로 그거였으니까.

"나날이 발전하는 옥탑 피트니스네요. 회원으로서 자랑스럽습니다."

유리가 엄지를 척, 올려 보이며 웃었다.

"오냐. 알면 갑님께 더욱 충성을 다하라."

"네에! 여부가 있겠습니까, 이 토깽이 자식아."

얌전하게 인사를 하는가 싶던 유리가 옆에 있던 정호의 머리를 옆구리에 껴안았다. 간밤에 키스를 나눈 남녀답지 않았다. 격한 헤드록에 정호가 버둥거렸다. 이 상황이 익숙하다는 듯 준원과 새연은 관심도 없이 본인들 깨볶는 일에 열중이었고.

"으아아. 놔라!"

헤드록은 언제나 굴욕감을 선사한다. 마음만 먹으면 유리를 떨치고 빠져나올 수도 있지만 그럼에도 불구하고 그저 당해 주는 척하는 건.

"귀여워서 그러지. 우리 토깽이!"

이럴 때마다 그녀의 음성에는 웃음이 가득 섞여 있었기 때문일 것이다. 제 머리를 마음껏 흐트러뜨리는 손짓에는 과한 애정이 깃들어 있고.

물론 '친구로서'겠지만.

하지만 늘 그렇듯 그녀의 가슴 옆 부분에 머리가 눌리는 건 대체 어떻게 받아들여야 할지 모르겠다.

어떻게 보면…… 이거 되게 야한 건데. 버둥거릴 때마다 팔이며, 어깨, 그리고 허리에 닿는 손도 어떻게 처신해야 할지 모르겠고. 마음 같아서는 어디든 확 잡아 버리고 싶다. 아니면 허리를 꽉 안아 버리든가.

"어! 쌤 오셨어요? 이쪽으로 오세요!"

새연의 반가워하는 목소리가 들려왔다. 정호는 허리가 반으로 접혀 유리의 팔 안에 머리가 낀 채로 천천히 시선을 올렸다. 옥상에 올라온 서원이 저만치 서 있었다.

"내가 오시라고 했어."

새연이 유리를 향해 찡긋 눈웃음을 치며 말했다. 다섯 명 중 나머지 한 명의 정체는 서원이었던 모양이다.

정호의 피가 차갑게 식었다.

그래, 잘 불렀다.

정처 없이 버둥거리며 떠돌던 손이 더 이상 헤매지 않고 목적지로 착 내려앉았다. 모른 척 유리의 허리에 손이 얹어졌다. 물론 서원의 시선은 단번에 정호의 손 위로 내리꽂혔다.

'내 것.'

힘을 주어 유리의 허리를 안았다. 포박하듯이.

'……내 것이라고.'

누군가에게 이 여자를 내어 줄 생각은 전혀 없다. 점점 마음은 굳혀지고 있었다. 이러다 곧 터지지 싶다. 때는…… 본인도 알 수 없었다. 다만, 다가오고 있다는 건 알겠다.

"아, 오셨어요?"

유리가 헤드록을 풀어 주었다. 계속 옆구리에 찰싹 붙어 있고 싶지만 할 수 없이 정호는 몸을 일으켰다. 손에는, 그녀의 허리를 움켜잡았던 감촉이 그대로 남아 있었다.

헤드록은 참, 바람직한 스킨십이다. 비록 목은 좀 뻐근해지는 게 흠이긴 하지만.

세차게 내리던 비는 오후 내내 소강상태에 접어들었다가, 해가 지자 다시 부슬부슬 내리고 있었다. 천막 안에는 그새 조명까지 달아 놓아 분위기가 그야말로 완벽했다.

이 와중에 새연은 지난번보다 더욱 강력해진 중매 실력을 뽐내고 있었다. 제대로 작정하고 서원과 유리를 엮어 주려는 심산인가 보다. 유리는 피곤한 마음에 술잔을 꺾었다. 이틀 연속 음주에 야식이니, 내일 아침 얼굴 상태는 안 봐도 훤했다.

"어쩜 이렇게 쌤은 우리 유리가 좋아하는 인상으로 생기셨을까. 정말 완벽하세요."

최서원 선생님은 유리가 콕 집어 좋아하는 인상이 아니고, 모두가 보편적으로 좋아하는 호감형 인상이었다.

난감한 유리는 미간을 좁혔다. 새연이 이런 자리까지 만들 줄 몰랐다. 알았으면 더욱 진지하게 얘기했을 텐데. 지금은 연애하고 싶은 마음…… 없다고.

그 와중에 가만히 술을 들이켜고 있는 정호가 눈에 들어왔다. 아까 멀쩡히 장난을 주고받을 때는 화가 다 풀린 것 같더니. 잊었던 화를 금세 다시 찾아온 모양이다. 유치한 초딩 토깽이 같으니. 게다가 감기 걸렸다고 툴툴거리던 사람이 저렇게 술 마셔도 되는 건가. 왠지 모를 어두운 분위기를 잔뜩 풍기고 있다. 하아. 한숨을 흘리며 유리는 빈 잔에 스스로 소주를 따랐다.

"유리 씨, 너무 빨리 드시는 것 같은데. 괜찮으세요?"

소주병을 잡으려던 서원의 손이 실수로 유리의 손목을 스쳤다. 순간 고개를 들던 정호의 시선이 유리와 쨍하니 부딪쳤다. 놀란 유리가 저도 모르게 손을 확 올렸다. 그 바람에 잔에서 넘친 소주는 허공 위를 날았다.

촤아아앗!

서원의 얼굴 위로 투명한 소주가 제대로 뿌려졌다. 눈을 질끈 감은 서원이 소주 세수를 한 모습에 유리가 기겁했다.

"아이고. 죄송해요! 이러려던 게 아닌데."

새연이 얼른 옆에 있던 화장지를 내밀었다. 이를 받아 든 유리가 서원의 얼굴로 손을 뻗었다.

"괘, 괜찮아요."

"아니에요. 죄송해서 어떡해요."

미안한 마음에 유리는 서원을 향해 무릎을 꿇고 앉았다. 한 손으로 서원의 어깨를 잡고 얼굴에 묻은 소주를 닦아 주었다. 마주 본 채 제법 가깝게 다가선 자세였다.

그때 준과 은강이 옥상 문을 열고 들어섰다. 우산 없이 올라왔는지, 내리는 비를 피해 빠르게 뛰어 천막으로 들어왔다.

"오오. 이 분위기는 뭐예요?"

준이 머리와 어깨의 빗물을 손으로 툭툭 털며 물었다.

"어, 어! 유리 누나랑 쌤, 두 분, 혹시 오늘부터 1일?"

서원과 유리를 보며 준이 다 알겠다는 표정으로 웃었다.

그 순간 정호가 프라이팬을 들더니 손목의 스냅을 이용해 타닥타닥, 맛있게 익어 가는 부침개를 세차게 뒤집었다.

철퍽!

분노의 뒤집기에 시선이 쏠리며 분위기는 흐트러졌다.

"우와. 진짜 맛있겠다."

준이 군침을 삼키며 평상 위로 올라왔다. 할 수 없이 끌려온 듯 은강도 느린 동작으로 옆에 앉았다.

왠지 이 자리가 어색하게 느껴졌던 유리가 조금 전 카페에 전화해 마감하는 대로 빨리 올라오라 부른 참이었다.

"매니저님은 집으로 들어가셨어요. 애들 노는 데 안 끼고 싶으시다고."

준이 젓가락을 집어 들며 말했다. 그나마 두 사람이라도 오니 낫다 싶었다. 새연의 '묻지 마 중매'가 덕분에 중단되겠지 했다. 하지만 유리는 곧바로 후회했다.

"그런데 두 분, 분위기 오늘 좀 그러네요? 진짜 사귀시는 거예요?"

강력한 복병을 제 손으로 소환한 셈이었다.

"배준, 네놈의 입에다 주리를 틀기 전에 닥치지 못……."

"네가 봐도 그렇지? 좀 그렇지? 두 사람 진짜 잘 어울리지 않아?"

새연이 신이 나서 얼른 대꾸했다. 물 만났네, 저 고기.

그녀의 말에 준이 연신 고개를 끄덕였다. 새연과 준이 합심하여 몰아가자 분위기는 걷잡을 수 없이 흘러갔다.

"나이도 네 살 차이에, 아까 두 사람 서 있는 거 보니까 키도 잘 맞고. 분위기도 잘 어울리고. 그리고 유리한테는 쌤처럼 과묵하면서도 다정한 스타일이 딱이라니까. 전 이 만남, 완전 찬성입니다."

새연이 주스 잔을 움켜쥔 손을 들어 보였다.

아이고, 머리야. 유리는 손으로 이마를 짚었다. 잘못이 있다면 제게 있는 것을 누굴 탓하겠는가.

"저도 찬성입니다!"

준이 그저 해맑은 웃음을 지으며 젓가락으로 상을 두드렸다. 그러자 새연이 준원의 옆구리를 쿡 찔렀다. 고기를 더 구워 상에 놓아주던 준원이 반사적으로 입을 열었다.

"괜찮은 조합이라고 생각해."

준원 역시 새연에게 제대로 교육받고 온 모양이었다.

"은강아. 너는, 너는?"

붙임성 좋은 새연이 은강에게까지 의견을 물었다. 서은강이 퍽도 대답이나 하겠…….

"이 건물, 공식 1호 커플. 축하드립니다."

아아. 서은강 이 자식, 너마저!

오늘 당장 결혼식 올려 주고 신혼여행까지 보내 줄 사람들이다. 대체 당사자의 의견은 어디에 묻어 버리고 자기들끼리 찬반 투표를 하고 있는지 모르겠다.

하지만 유리는 여기에서 바로 나서서 불쾌한 티를 드러낸다면 옆에 있는 서원이 굉장히 민망해지리란 걸 알고 있었다. 그래서 선뜻 이러지도, 저러지도 못하고 있는데.

"김정호, 너는?"

정호에게 질문의 화살이 돌아갔다. 프라이팬에 부침개 반죽을 펼치던 정호가 고개를 들었다. 가라앉은 그의 눈빛에는 아직도 왠지 모를 화가 실려 있었다.

'아아, 쟤는 또 오늘따라 왜 저렇게 저기압이야. 아까 헤드록을 너무 세게 걸었나. 친절하게 좀 대해 줄걸. 어째서 여기 내 편은 하나도 없냐. 진짜 난 감해 죽겠네.'

유리는 몰래 한숨을 쉬며 정호를 바라보았다.

"나는."

정호의 입술이 떨어지자 유리의 가슴이 쾅쾅 뛰고 침이 바짝바짝 말랐다. 이건, 다른 의미인 것 같다. 기름 위에서 지글지글 부침개가 익어 가는 소리와, 천막과 바닥에 투두두두 떨어지는 빗소리만 한데 어우러져 귓가에 윙윙거렸다.

"나는……."

무슨, 연말 시상식 대상 발표하는 것도 아니고. 뜸 들이기만큼은 국민 MC급이다. 정호가 쉽게 운을 떼지 못한 채 '나는' 소리를 반복했다.

투두두두. 투두두두.

부침개와 비님이 환상의 오케스트라 실력을 뽐내고 계시는 가운데.

"두 사람……."

발표자 밀당 좀 할 줄 아시네. 왜인지 흥미가 생겨 모두 정호의 입술만 바라보고 있을 때였다.

그때, 드르르륵!

상 위에 올려놓은 정호의 휴대폰이 부르르 몸을 떨었다. 설마, 안 받겠지. 이렇게 중요한 순간에. 하지만 우리의 발표자는 모두의 기대를 저버리고 산뜻하게 휴대폰을 택했다.

아아. 김빠진 탄식이 누구의 것이랄 수 없이 여기저기서 새어 나왔다. 지금 휴대폰 볼 때냐, 빨리 너의 의견을 말해 보아라. 새연이 정호의 목을 잡고 짤짤 흔들 기세로 눈을 부릅뜨는데, 휴대폰을 쥔 정호가 무거운 낯빛으로 액정을 바라보았다.

"왜 그래?"

"아니야. 너희 먹고 있어."

정호는 통화하기 위해 자리에서 일어섰다. 유리는 빗속을 걸어 옥탑방으로 들어서는 정호의 뒷모습을 걱정스럽게 바라보았다. 무슨 일이 있는 건가? 연달아 폭탄이 터지듯 서원의 목소리가 바로 이어졌다.

"사실 유리 씨가……."

유리가 고개를 돌려 서원을 보았다. 눈이 마주치자 서원이 따뜻하고도 부드러운 그 목소리로 고백하듯 말했다.

"제 첫사랑과 정말 많이 닮았어요."

"네?"

"그래서 눈길이 갔어요. 처음부터."

"에이! 쌤, 요즘 누가 그런 수법을 써요."

새연조차 고개를 내저었다. 유리가 자신의 첫사랑과 닮았다고 하는 서원의 말을 듣고는 단호하게 실드 불가 판정을 내렸다.

"맞아요! 너무 고전적입니다!"

준도 지켜 주지 못해 미안한 표정을 지었다.

"안 믿으셔도 할 수 없지만, 거짓말은 아니에요."

서원은 웃으며 대꾸했다. 유리에게 관심이 있다는 것을 알고는 도와주려 했던 사람들. 내내 그녀와 자신을 엮어 주려고 노력하던 사람들이 참 고마웠다.

유리가 부담스러워할 수도 있으니 적당히 거리를 두면서 지켜보려고 했는데, 이제는 서서히 제 마음을 드러내도 되지 않을까 싶었다. 그러니 누가 도와주지 않아도 스스로 한 발짝 다가설 셈이었다. 단순한 호기심도, 유리를 쟁취하겠다는 욕심도 아니다. 그러기엔 자신의 나이가 적은 것도 아니니 말이다.

이따금 떠오르는 기억 속의 아이. 죽고 싶을 만큼 힘들었던 시간 속에 생생하게 살아 숨 쉬는 아이. 이름조차 묻지 않았던 것이 아직도 못내 마음에 걸리는, 그래서 찾을 수도 없었던 그 아이. 생각하는 것만으로도 가슴이 따뜻해져, 가끔 생각하며 웃곤 했는데.

여기서 처음 유리를 본 순간, 총명하고도 사랑스러운 눈빛을 가진 그 아이와 꼭 빼닮은 유리를 본 순간, 심장이 뛰기 시작했다. 새로운 하루하루였다. 얼마 만에 느끼는 설렘인지 알 수 없었다.

"아련하기는 한데."

상념을 일깨우는 목소리는 유리의 것이었다. 마치 제삼자인 것처럼 무덤덤한 음성으로 그녀가 말했다.

"첫사랑이랑 닮았다는 이유로 눈길을 끈다는 게 ……썩 기분 좋은 일만은 아니네요."

유리의 단도직입적인 말에 분위기는 조금 가라앉았다.

"여자라면 누구나, 상대방에게 유일무이한 존재가 되고 싶지 않을까요."

"……."

"제가 선생님께 그런 존재가 됐으면 좋겠다는 말은 아니지만요."

유리는 반론의 여지 없이 제 마음을 튕겨 내고 있었다. 관심의 표현 방법도 마음에 들지 않고, 행여 표현이 마음에 들더라도 거절을 하고야 말겠다는 확실한 의지.

제대로 머리를 맞은 듯, 그리고 가슴을 얻어맞은 듯 서원은 쓰린 통증을 느꼈다. 어떻게 해도 넌 안 돼! 라고 말하는 듯했다. 게다가 유리는 계속 옥탑방 쪽을 돌아보고 있었다. 정호가 어두운 표정으로 휴대폰을 쥐고 들어간 곳이었다.

"아, 그리고 선생님."

유리는 마지막 펀치를 날릴 준비를 하고 있었다. 아무래도 첫사랑 이야기는 신의 악수(惡手)였던 것 같다. 서원은 조금 후회가 들었다. 이 자리에서 이렇게까지 말하려고 하진 않았다는 듯 유리가 조금 망설이다가 말했다.

"저는 선생님을 다른 마음으로 볼 일은 없을 것 같아요."

"……."

"그냥 저는 1층 카페 사장, 선생님은 2층의 친절한 의사 선생님. 오며 가며 인사하고 일 생기면 도움 주고받고. 이 정도 관계로만 지냈으면 좋겠습니다."

새연과 준원, 은강과 준이 말없이 하늘을 보거나 상을 내려다보고 있었다. 차마 두 사람을 바라볼 수도 없고, 그렇다고 티 나게 자리를 피할 수도 없어 난감해하는 중이었다.

많은 사람 앞에서 일부러 창피를 주려고 하는 말은 아닐 것이다. 서원은 다 알기에 유리에게 서운함을 느끼지는 않았다. 다들 도에 지나치게 두 사람을 커플로 몰아가니, 모두의 앞에서 확실히 해 두려고 마음 단단히 먹고 말하는 것이겠지.

사실 저렇게 사람들 앞에서 단호하게 구는 스타일이, 뒤에 가서는 혼자 얼마나 마음에 걸려 괴로워하는지 잘 안다. 그러니 거절당한 지금, 서원은 자신보다도 유리가 더 걱정스러웠다.

"네, 그래요. 유리 씨 부담스러울 수도 있는데 제가 너무 제 생각만 했네요. 저는 신경 쓰지 마세요. 괜찮아요."

그녀의 마음을 토닥이듯 말했다.

"이해해 주셔서 감사합니다."

처음부터 그랬듯 그녀는 예의 바르게 행동했다. 좀 더 편하게 대하면 좋을 텐데, 그건 자신의 욕심일 것이다.

유리가 친구인 정호에게 하듯, 제게도 격의 없이 대해 주려면 얼마나 걸릴까. 1년? 5년? 아니면, 10년? 자신도 그렇게 오랜 시간 동안 곁에서 친하게 지낼 수 있으려나.

말하는 중간중간 옥탑방으로 향한 시선을 쉽게 떼지 못하던 유리가 평상에서 내려갔다.

"나 손이 좀 끈적거려서, 씻고 올게."

"아. 그, 그래."

새연이 얼떨결에 대답했다. 신발을 신고 우산을 펼친 유리가 옥탑방 쪽으로 향했다. 서원은 허탈한 숨을 가볍게 내쉬며 고개를 돌렸다. 이 분위기 어쩔……. 준이 애써 활짝 웃었다.

"하하. 수, 술 마실까요? 이렇게 모이기도 쉽지 않은데."

"네, 저도 한 잔 더 주세요."

서원도 마주 웃으며 잔을 내밀었다. 그리고 새연에게 말했다.

"새연 씨, 신경 써 주셔서 정말 고마워요."

"괜히 제가 나서서 더……."

못내 미안해하는 눈치였다.

"아니에요. 저야 감사하죠. 좋게 생각해 주셔서 그런 건데."

그리고 무척 아쉬워했다.

"유리가 지금 연애할 정신이 정말 없나 봐요. 에휴. 쌤 아까워서 다른 제 친구 소개해 드리고 싶어도, 뭐, 줄 선 분들이 한둘이 아니실 테니."

"저한테도 좋은 인연이 생기겠죠. 억지로 되는 건 아니니까."

서원은 새연의 마음을 편하게 해 주기 위해 일부러 더 가볍게 말했다. 제대로 시작도 해 보지 않고 포기할 생각은 없었지만.

"한새연."

지금까지 듣고만 있던 준원이 새연을 불렀다.

"응?"

"내 앞에서 외간 남자 너무 탐낸다, 너."

"아하하."

새연의 웃음소리가 퍼졌다.

"탐나지, 그럼! 내가 딸 있었으면 사위 삼았으면 좋겠다!"

애인이나 남편보다는 사윗감으로 탐난다는 말. 딸은커녕 배 속의 아이가 아직 나오지도 않은 시점에서, 저보다 나이 많은 서원을 사윗감으로 보는 새연 덕분에 분위기는 조금 유연하게 풀어졌다.

"카페에는 요즘 손님이 좀 많아졌다면서?"

자연스럽게 카페 이야기로 화제가 옮겨졌고, 서원은 가벼운 대화가 오가는 가운데 흘깃 옥탑방 쪽을 바라보았다.

한편, 유리는 현관문을 마음대로 열어도 될까 잠시 고민하는데, 문이 이미 조금 열려 있는 것을 발견했다. 조심스럽게 문 사이를 더 벌리고, 우산을 접으며 안으로 들어갔다.

'아직 통화 중인가.'

창가에 등을 지고 선 정호의 뒷모습이 눈에 들어왔다. 창문은 마당이 아닌 거리 쪽을 향해 나 있어서 아마 자신이 오는 걸 보지 못했을 것이다.

다른 사람들 앞에서 서원의 관심을 거절하고 나니 영 마음이 불편했다. 잠시 벗어나려고 했는데 이쪽 분위기는 더욱 무거운 듯했다. 안으로 들어서자 왠지 싸늘하게 가라앉은 공기가 느껴졌다.

정호는 유리가 들어오는지 모른 채 수화기에서 흘러나오는 음성에 귀를 기울였다.

─……지내는 데 힘든 건 없고?

망설이듯 느리게 흘러나오는 목소리는 영 낯설기만 했다. 살갑게 서로의 안위를 걱정할 부자 관계는 아니건만, 오늘은 웬일로 아버지가 먼저 전화를 걸어오셨다. 액정에 뜬 '아버지'라는 세 글자를 본 순간 정호는 숨이 턱 막히는 기분이었다. 휴대폰을 쥐고 옥탑방 안까지 천천히 걸어 들어오는 동안 진동음은 멈추지 않았다. 받을 때까지 하실 모양이었다. 평소답지 않게.

"무슨 일 있으세요?"

-꼭 무슨 일이 있어야 전화를 하느냐.

불편하기 그지없었다. 어서 전화를 끊고 싶은 마음뿐이었다. 빗물이 맺히는 창문 앞에 서서 정호는 숨을 죽였다. 침묵이 이어지자, 건너편에서 아버지가 다시 입을 열었다.

-그래…… 선은 보지 않겠다고 했다면서.

후우. 결국 그 얘기를 하고 싶으셨던 거다. 어머니께 전해 들으셨을 텐데도, 기어이 직접 확인하고 싶으신 거지.

"다시는…….."

정호는 힘겹게 입을 열었다.

"아버지와 관련된 그 어떤 자리에도."

이런 말을 하는 순간마다, 칼끝은 오히려 제 가슴을 찔러 댔다.

"······엮이고 싶은 생각 없습니다."

아프게. 또 아프게.

"절대로요."

세상에 없다던 그 절대.

"그러니까 이렇게 멀리 떨어져 계시면서까지 힘들게 하지 마시고, 그냥 내버려 두세요. 이대로가 저는······ 천국입니다."

이미 '절대'는 깨어졌다.

법조계 일은 다시 하지 않겠다고 공언했으면서, 어쩌다 보니 최서원의 법률 자문을 맡겠다고 스스로 나서기까지 했으니까. 제 일상에 유리가 끼어든 순간, 어쩌면 그건 이미 무너졌다.

하지만 한 가지, 아버지 김승운과 연관된 일이라면 이제 죽어도 하고 싶지 않다는 생각은 변함없을 것이다.

박주훈 대법관의 딸과의 선 자리임을 알고 단칼에 거절했었다. 박주훈 대법관은 아버지의 오랜 지인이었다. 그쪽에서 정호를 매우 좋게 봐서 청해 온 자리였기에 드물게 아버지도 만남이 성사되기를 기대했다고 하였다.

그러나 정호의 반응을 보고 어머니는 그럴 줄 알았다 하시며 두 번 권하지 않았다. 선 자리를 만들려 한 장본인인 아버지는 그저 뒤에만 있다가, 이제 와 넌지시 묻는 걸 보니 그쪽에서 또 말이 나온 모양이었다.

선은 사실 못 볼 것도 없다. 유리를 잊기 위해 소개팅도 많이 했었고, 차라리 선을 봐서 대충 결혼을 해 버릴까 하는 생각도 하긴 했었다. 다만 상대방에게 너무 못할 짓인 것 같아서 참았을 뿐이다. 그러니 선이 문제가 아니라 아버지와 엮이는 것 자체가 달갑지 않기 때문에 피한 자리였다.

-그래서, 너는 대체 언제까지 그렇게 살······.

"더 하실 말씀 없으시면 끊겠습니다."

들을 필요가 없는 말이니 못 들은 걸로 쳤다. 정호는 차갑게 말하며 종료

버튼을 눌렀다.

상처는 절대 나아지는 법이 없다. 세월이 흐를수록, 제대로 치료한 적 없는 상처는 더욱 곪고 자꾸만 짓무를 뿐. 그 위로 새로운 상처가 덧새겨진다. 아프게. 또 아프게. 정호는 옆에 있는 침대 위에 털썩 주저앉았다.

"후우."

쓴 한숨이 밀려 나왔다. 하나뿐인 아버지. 하나뿐인 아들. 부자지간에 깊게 새겨진 골은 아마 쉽사리 나아질 수 없을 것이다. 이대로라면. 어쩌면 평생.

"아."

그때, 머리를 스친 생각.

"아……."

맞다. 오늘. 아버지의 생신이었다.

정호는 허벅지 위에 팔꿈치를 대며, 아래로 향해 숙인 얼굴을 손으로 받쳤다. 깊은 한숨이 흘렀다.

그 일이 있고 난 후, 아버지의 생신에 식사 한 번 같이한 적이 없었다. 이번에도 미리 알았다 해도 내려가 보진 않았겠지만. 그래도 알고 가지 않은 것과, 완전히 잊고 있었던 것은 다르다.

어머니가 며칠 전 전화를 해서 제 기분을 살핀 것도 그 때문인 듯했다. 아버지도 결국 오지 않은 아들을 종일 기다리다가 밤이 다 되어서야 전화를 한번 걸어 보신 건가.

화제라고는 자신이 싫어할 게 분명한 이야기들뿐이면서. 오늘이 내 생일인데 왜 오지 않느냐, 당당하게 말씀하시지도 못할 거면서. 자신이 '생신 축하드려요.'라고 말하지 않을 것을 뻔히 아시면서.

"……헤이."

그때 말간 얼굴 하나가 시야에 쏙 들어왔다. 뒷짐을 진 채 몸을 숙인 유리가 제 얼굴을 들여다보았다.

"뭐야. 너 언제 들어왔어?"

정호가 놀라서 뒤로 물러나 앉았다.

"조금 아까."

"들었어?"

"응."

"어디부터?"

"……'끊겠습니다.'부터."

통화 끝 무렵에 들어온 모양이었다. 화장실이나 싱크대가 옥탑방 안에 있으니, 누가 들어올 수도 있어 문을 잠그지 않고 있었다. 통화하며 신경을 쓰려고 했는데 막상 아버지의 목소리를 들으니 머릿속이 새하얗게 되어 버려 잠깐 잊고 있었다.

어차피 앞의 통화 내용은 들어도 상관없었다. 그쪽 세계에 환멸을 느껴 검사직을 때려치우고 나온 것이 아버지와 관련되어 있다는 사실 정도는 친구들도 알고 있으니까. 자세히는 아니더라도 말이다.

유리는 아무렇지 않게 허리를 폈다. 그리고 앉아 있는 정호의 어깨를 툭툭 두드렸다.

"친구, 혼자만의 시간이 필요하구나? 오냐. 방해 안 하겠다."

마치 동성을 격려하듯 터프한 두드림이었다. 유리가 몸을 돌렸고, 정호의 미간이 좁혀졌다. 마음에 들지 않았다. 이런 거, 정말. 이젠 화가 난다. 정호는 돌아서는 유리의 손목을 잡았다.

"아얏!"

일어서며 자신에게로 당겼다. 유리는 바람에 나부끼는 이파리처럼 한 번에 이끌려 왔다. 정호는 제게 폭 안긴 그녀를 힘껏 끌어안았다.

"야, 야……."

"잠깐만."

너 이미 나한테 여자인데.

친구가 아니라 좋아하는, 여자라고.

"잠깐만 이대로 있어 줘."

"……."

"있자, 좀."

……제발.

그를 밀어내려고 올라갔던 유리의 손에서 힘이 빠졌다. 그토록 애절한 목소리는 들어 본 적이 없었다. 좀처럼 제 마음을 꺼내 놓지 않던 정호가, 오늘만큼은 다른 사람 같았다. 유리의 손이 정호의 등을 토닥토닥 두드리기 시작했다.

힘들구나, 정호야. 소리 없는 위로가 가만히 스며들었다. 유리가 힘들 때 그가 곁에 있었듯 정호가 힘들 때 그녀가 옆에 있어 준다. 이건 매우 간단한 공식이다. 하지만 이전에는 해 본 적 없는 것이기도 했다.

둘 사이에 예전과 다른 향기의 바람이 불어왔다. 정호는 눈을 감고, 유리의 뒤통수를 꽉 당겨 안았다. 그녀를 품에 안자 커다란 위안을 받는 듯 마음이 편안해졌다. 유리를 바라보는 것만으로도 족했었는데. 이제 서서히 욕심이 깃들고 있었다.

"점심을 빵으로 때우자고?"

사무실 테이블에 잔뜩 늘어놓은 빵을 보고 정호가 멈칫했다.

"때우긴! 맛있게 먹자는 거지."

"웬 빵이 이렇게 많아? 빵집 털었냐?"

"아까 오전에 빵집 사장님 상담해 드렸거든. 전세 계약이 끝나고, 얼마 전에 새로 분양받은 아파트로 이사 가셔야 하는데 집주인분과 마찰이 있었나 봐. 집이 안 빠진다고 보증금을 안 주고 계속 기다리라고 한다나."

"그래서 그거 상담해 드리고, 상담료를 빵으로 받은 거야?"

유리는 고개를 저으며 페스츄리 비닐을 하나 뜯었다.

"아니, 설마. 상담료는 제대로 주시고, 카페 식구들이랑 먹으라고 빵도 가져다주신 거야. 애들도 먹으라고 줬는데, 남은 게 이렇게 많다."

"나 감기 아직 안 나았는데, 죽……."

"죽 소리 그만해라. 죽빵 날리는 수가 있다."

살벌해진 유리를 보고 정호는 냉큼 빵을 집었다.

비는 완전히 그쳤고, 새벽에는 운동도 함께했다. 유리는 어젯밤 왜 그랬냐고, 무슨 통화였냐고 묻지 않았다. 관심이 없어서가 아니라, 자신을 존중해서임을 잘 알았다. 아무 일도 없었던 것처럼 편하게 대해 주는 그녀가 더욱 고마웠다.

"그래도 이제 상담하러 오시는 분들이 좀 계시네?"

"응, 많지는 않은데 그래도 조금 늘었어. 처음 상담했던 손님이 좋게 얘기해 줘서, 이게 뭐 하는 건가 하고 막연하게 생각했던 분들도 이젠 좀 편하게 느끼시는 것 같아."

빵을 한입 베어 물고 정호가 끄덕거렸다.

"그럼 다행이고."

"좀 바쁘긴 하다."

"그렇겠지. 상담만 하는 게 아니잖아. 자잘한 건이 많으니까 오히려 더 바쁠 거 아냐. 근데 국선 사건은 좀 들어와? 그래도 최소 10개 정도는 맡아야 하는 거 아니야?"

유리가 휴우, 한숨을 쉬었다.

"신청했는데 배당을 하나도 못 받았어. 요즘은 국선 전담에게 다 가고, 따로 받을 수 있는 건 거의 없다나 봐. 다른 데는 몰라도 우리 소재지에서는 그런 듯해."

"그럼 어쩌냐?"

"복잡하지 않은 형사 사건 몇 개 수임하기로 했어."

결국에는 조금이나마 타협하고 마는구나 싶어 정호는 씁쓸했다. 물론 이런 과정에서 유리는 정말 자신이 원하는 것에 조금씩 더 다가가고 있는 것이겠지만.

"근데 직원 없이 소송 준비할 수 있겠어?"

"별수 있어? 해야지. 안 그래도 나 이거 빨리 먹고 법원 가 봐야 해."

"왜?"

"기록 복사하러."

"뭐?"

듣지 못할 것을 들었다는 듯 정호가 매우 놀랐다.

"기록 복사를 네가 직접 한다고?"

"그럼 누가 해? 여기 나뿐인데."

기록 복사는 법률 사무직원이 이행하는 업무였다. 재판에 필요한 수사 기록, 증거 기록 등을 보관하고 있는 법원이나 검찰청에서 해당 기록을 복사해 오는 일인데, 한 건에 A4용지로 최소 천 페이지에 달하는 양이었다. 그야말로 '최소' 기준이다. 아주 간단한 소송의 경우에도 오백 페이지가 넘는 경우가 허다했다.

쉽게 볼 일은 또 아닌 것이, 직원의 업무 능력 중 기록 복사를 잘하는 것을 으뜸으로 칠 정도로 중요한 일이기도 했다. 기록 복사의 달인으로 소문난 직원은 스카우트도 해 갈 정도라니까.

하지만 시간이 꽤 걸리는 잡무라서 변호사가 직접 하는 경우는 거의 없었다. 일을 도와줄 직원이 없으니 유리는 그걸 직접 하겠다는 것이었다. 아직 자리도 안 잡힌 상황에서 월급 주고 사람을 쓰느니, 자신이 잠을 줄이는 게 낫겠다고 판단했을 것이다.

"갔다 와서 나 밤도 새워야 해. 그러니까 얼른 먹고 올라가 놀아. 누님은 좀 바쁘시다."

유리는 빵을 입에 넣고 우물거리며 서류를 챙기고 있었다. 무슨 부귀영화를 누리겠다고 저렇게 일을 하는지.

애초에 유리가 이곳에 들어올 때 자신이 격렬하게 반대하던 기억이 났다. 죽어라고 열심히 일할 김유리의 모습이 그려졌었다. 힘들어하는 걸 옆에서 보는 정호 자신은 더 견디기 괴로울 거로 생각했었다. 그건, 현실이 되었다. 이제 뭐, 별수 있나. 순응하는 수밖에 없지.

정호는 씹고 있던 빵을 삼키며 우유를 들이켰다. 그리고 입가에 묻은 우유 자국을 손등으로 쓱 닦으며 말했다.

"밤새울 생각 하지 말고, 넌 다른 일 하고 있어."

"어?"

"기록 복사, 내가 해다 줄 테니까."

내가 지금 헛것을 들었나. 유리는 눈을 동그랗게 뜨며 되물었다.

"뭐?"

"이 몸이, 친히 복사 신공을 펼쳐 드리겠다고."

"거, 검사님!"

김유리 변호사의 허가받은 사무원 자격으로, 서관에 있는 기록 복사실에 나타난 이는 김정호 전(前) 검사였다. 그를 알아보는 사람마다 꽤 놀란 얼굴이었다.

그도 그럴 것이, 아무리 사직하고 떠난 검사라 하지만 공판 전 기록 복사를 직접 하러 오는 건 그야말로 드문 일이기 때문이었다.

"와, 진짜 김정호 검사님이네요!"

법원 로비를 지나고, 엘리베이터에 오를 때에도 언뜻 정호를 알아본 사람들이 수군거리기는 했었다.

검사 경력은 짧다지만, 이곳에서 판사 시보를 하기도 했고 법대 시절부터 얽힌 인연이 많으니 누가 알아보는 것도 무리는 아니었다. 게다가 나름 유명인이 아닌가. 괴물 천재로, 그리고…… 그분의 아들로도.

"에이, 무슨 검사님. 저 이제 검사 아닌데요. 그냥 백수예요."

다행히 기록은 양이 많지 않아 오백 페이지 정도 되었다. 정호가 복사기 앞에 삐딱하게 선 채 한 장씩 내용을 훑으며 복사를 하는 도중 나타난 이상섭 실무관은 아무래도 소문을 듣고 달려온 듯했다.

"아니, 아무리 그래도……."

"잘 지내셨죠?"

동네 돌아다니듯 주머니에 손 찌르고 어슬렁거리며 나타난 정호는 누가 봐도 전직 검사로 보기는 힘들었다. 난데없이 법원에 센세이셔널한 바람을 몰고 나타난 추리닝남을 이 실무관은 당황 어린 얼굴로 바라보았다.

"네, 네. 저야 잘 지냈지만……."

"다행이네요."

"검사님도 잘 지내신 거…… 맞으시죠?"

직접 기록 복사를 하러 온 데 한 번 놀랐고, 꾀죄죄한 추리닝 차림에 또 한 번 놀랐으니. 김정호는 법조계를 떠났어도 여전한 괴짜였다.

"아, 물론이죠. 이렇게, 보시다시피."

정호가 싱긋 웃으며 어깨를 으쓱해 보였다. 이 실무관이 정호를 당겨 안았다.

"검사님, 많이 힘드셨군요."

작은 키 덕분에 정호의 가슴에 폭 안긴 형국이 되었다. 정호는 이 실무관의 머리라도 쓰다듬어 드려야 하는 건가 잠시 혼란스러웠다.

"아니, 왜 그렇게 난리들이죠. 복사하면 하는 거고, 추리닝을 입으면 입는 거지. 대체 뭐가 문제라는 건지 모르겠네."

체면만 생각했다면 오지 않았을 거다. 아니, 일전에 유리와 함께 밥을 먹으러 법원 구내식당을 찾지도 않았겠지.

부끄러워 오지 않은 것이 아니었다. 이 세계를 등진 건 스스로 내린 결정이었다. 제 발로 걸어 나갔기에 정호는 눈치 볼 것도 없었다. 누가 뭐라 하든 상관없었다. 지금은 올 만하니까 온 거다. 다른 건 몰라도, 잡무 때문에 다른 일이 밀려 밤을 새워야 한다는 유리를 두고 볼 수 없었던 것뿐이다.

'이걸 왜 그렇게 급하게 해야 하는데. 다음 주에 하면 안 돼?'

'어. 안 돼. 항소 이유서 제출 기한이 딱 월요일까지야.'

'오늘이 금요일인데?'

'그래. 그걸 이제 가져와서 해 달라니 나도 어이가 없는데. 어쩔 수 없지. 부탁받은 거니까.'

유리가 로펌에서 같이 일했던 동료 변호사의 부탁으로 수임한 사건은 공동상해 항소 건이었다.

동료의 사촌 동생 일인데, 술자리에서 난 친구의 싸움에 끼어들어 말리다가 공동상해 혐의로 기소된 바 있다고 하였다. 1심에서 벌금 1천만 원이 선고된 불구속 피고인인데, 자신은 말리기만 했을 뿐이라 이조차도 억울하다는 의견이었다.

변호인을 바꾸어 항소하고 싶다고 하였단다. 동료 변호사는 어차피 자신이 맡지는 못하니 이번에는 유리에게로 데려온 모양이었다. 실제로 폭행에 가담한 건 아니지만, 어지간히 그 집안의 사고뭉치인 듯했다.

'그런데 이제 오면 어떻게 해?'

'몰라. 잊어버리고 있었나 봐.'

새로운 변호사를 선임하기 전 우선 항소장부터 제출해 놓았고, 유리에게 온 것은 그 나중이었다.

형사 소송법 제361조의3 제1항에 의하여, 소송 기록 접수 통지서를 받은 후 20일 안에 항소 이유서를 제출해야 하고, 시일이 지나면 항소가 기각된다. 유리를 변호인으로 선임한 것은 소송 기록 접수 통지 이후의 일이라, 날짜 계산은 피고인이 통지를 받은 그때부터였다.

그런데 의뢰인은 기한을 단 며칠 남겨 둔 시점에서 찾아온 것이었다. 그야말로, '지금까지 넣 놓고 있다가' 말이다.

'그러니까 내가 이렇게 급하지⋯⋯.'

금요일인 오늘 오후, 전날 신청해 둔 기록 복사를 하기 위해 급히 법원에 가려던 참이었다. 그래야 주말에 기록을 정독하고 항소 이유서를 써서 월요일에 제출할 수 있을 테니, 시간이 없었다.

어제 면담을 통해 대략적인 내용은 모두 파악했지만, 아무래도 1심에서 했던 소송 자료만 가지고 항소심에서 새로운 판단, 즉 무죄를 구해야 하므로 이런 경우 항소 이유는 무엇보다도 중요했다.

1심 법원에서 선고한 판결이 어떤 판단을 어떻게 잘못한 것인지, 항소인은 무슨 이유로 불복하였고, 2심 법원이 어떻게 판단하기를 원하는 것인지 등을 요령 있게 작성해야만 했다.

달리는 택시 안에 앉아 두툼한 서류 봉투를 손에 쥔 정호는 창밖을 응시했다. 가슴에는 뿌듯함이 밀려들었다. 유리에게 뭔가 굉장한 도움이 되는 일을 한 것 같다. 아마 카페로 돌아가서 활짝 웃는 그녀의 모습을 본다면, 성취감이 증폭할 듯했다.

"아, 저기서 세워 주세요."

택시 안에 있던 정호는 도로변 은행을 가리켰다. 들어가는 길에 겸사겸사 은행에 들러 기한이 다 된 보안카드를 교체할 요량이었다. 일부러 나오기 귀찮은데 잘됐다 싶었다.

그 단순한 생각이 어떤 결과를 불러올지, 그때는 알지 못했다.

그사이 유리는 다른 업무를 마치고 난 후 초조하게 정호의 도착을 기다리고 있었다.

잠깐 은행에 들렀다 온다던 정호에게서 아직 연락이 없었다. 이제 도착할 때가 되어 가는데. 중간에 누구를 만나기라도 하는 건가. 서류는 좀 주고 가지. 빨리 읽기 시작해야 하는데. 유리는 답답해져 카페로 나가야겠다는 생각으로 사무실 문을 막 열었다. 그때.

"끼약!"

카페 문 쪽에 앉은 여자 손님 몇 명이 소리를 질렀다. 들어선 남자의 행색이 말이 아니었기 때문이다.

"기, 김정호."

평소 새집 머리에 추리닝 차림에서 더 망가질 비주얼은 없을 것이라 생각했는데 오판이었다. 조금이라도 나아지기는커녕 거기서 한 단계 더 발전된, 완전히 무너진 모습으로 서 있었다. 이쯤 되면 난놈은 난놈이란 생각이 들었다. 흙에 구르기라도 했는지 추리닝은 군데군데 더럽혀져 있고, 얼마나 뛰었는지 땀까지 범벅이 되어 있었다.

"무슨 일이야. 왜 이래?"

누구와 시비 붙어 싸우기라도 했나. 유리가 걱정되는 마음에 다가서려고 하는데, 정호가 먼저 저벅저벅 걸어왔다. 유리의 손목을 확 휘어잡더니 사무실로 끌고 들어갔다. 탁, 문을 닫은 후, 조용한 사무실 안에서 그가 말했다.

"항소 이유서, 월요일까지 제출이라고?"

"응."

갑자기 유리의 가슴속으로 불안감이 밀려들었다.

"화요일은 안 되고, 정말 월요일이야? 확실해? 딱 월요일까지야?"

"얘가 나가서 뭘 잘못 먹었나, 왜 그래? 무슨 일이야? 기록은 어디 있어?"

유리는 정호의 빈손을 보자 심장이 쿵쾅쿵쾅 뛰기 시작했다. 왜 자료가 없지. 그거 없으면 안 되는데……. 그간 종종 느꼈던 설레는 감정이고 뭐고, 지금은 쭈뼛쭈뼛 척추를 타고 내리는 식은땀이 가히 폭포급이었다.

"월요일에 다시 복사해서 읽기 시작하면, 그날 작성해서 바로 제출하기에 너무 빠듯하겠지?"

"안 되지, 이 자식아! 말이 되는 소리를 해. 그거 어쨌어? 너 지금 장난치는 거지?"

유리는 정신이 번쩍 들었다. 진짜다. 진짜 무슨 일이 일어난 거다. 그 오백 페이지나 되는 문서를 어디다 버리고 온 거야. 어쩌려고. 대체 어쩌려고. 정호의 팔을 붙잡고, 잔뜩 미간을 찌푸리며 대답을 재촉했다.

그는 고개를 돌려 벽에 걸린 시계를 보았다.

금요일 오후 5시 30분.

'불금'은 시작되었다. 결코 좋은 의미의 불금은 아니었지만. 돌이킬 수 없는 시간은 주말로 접어들며 부지런히 흘러가고 있었다. 이제 더는 방법이 없어 보였다.

"은행에서 나오는데, 그 앞에서 오토바이 소매치기를 만났어. 그 소매치기가 내가 쥐고 있던 서류 봉투를 훔쳐서 달아났고."

"뭐?"

"돈이나 뭐 중요한 게 들어 있는 줄 알았나 봐."

정호의 말을 듣고 다리에 힘이 풀렸는지 유리가 소파로 가서 털썩 주저앉았다. 안 그래도 의뢰인이 사건 의뢰를 너무 늦게 하는 바람에 모든 시간이 촉박했는데, 이는 엎친 데 제대로 덮친 격이었다. 유리는 손을 뻗어 휴대폰을 들어 어디론가 전화를 걸었다. 상대가 받지 않는지 몇 번이고 전화하고 또 했다.

"하아, 진짜……."

그리고 다시 이어서 전화를 했고, 이번에는 상대가 받았다.

"박 변! 동생이 전화를 안 받던데, 혹시 무슨 일 있어?"

대답을 듣고 유리는 벌떡 일어섰다.

"어딜 가? 제주도를 갔다고? 하, 참! 아무리 불구속이라 해도 너무 태평한 거 아니야? 무슨 일이 생길 줄 알고 서울을 벗어나!"

꽤 흥분했는지 유리의 목소리가 높아졌다.

"아, 아니. 그건 아니고. 그냥 간단하게 물어볼 게 있어서 잠깐 전화한 건데 안 받아서……."

상대방이 동생을 왜 급히 찾느냐고 한 모양이었다. 유리는 정신을 추스르고 대충 얼버무리며 일단은 전화를 끊었다. 사무실 안에 침묵이 흘렀다. 얼굴 가득 난감함이 서린 유리가 다시 소파에 천천히 앉았다.

"추가 면담을 할 수도 없는 상황이야. 대략적인 사항들에 대해서 면담한 자료밖에 없고……."

"……."

"이대로라면 항소 이유서를 제대로 써서 낼 수도 없고. 그럼 항소 기각인데. 그것도 변호인 측 실수로……."

사실 불변 기간(不變期間)은 별것 아닌 듯 보여도 굉장히 중요한 사안이었다. 의뢰인에게 경제적 혹은 기타 손해를 입힐 수 있어 큰 문제로 번질 수있기 때문이다.

한 번에 많은 건을 동시 진행하는 로펌에서는 이런 불변 기간을 혼동하는 실수를 하는 직원도 간혹 있었다. 법률 업무를 하면서 절대 놓치지 말아야 할 것이 바로 이것이고, 실제로 치명적인 실수로 막대한 손해를 끼쳐 사직하는 경우도 빈번했다.

유리가 고개를 들고는 구르고 깨어져 엉망이 되어 돌아온 정호를 바라보았다.

"문서 되찾으려고 꽤 고생했나 보네, 너도."

자포자기의 눈빛이었다. 유리는 정호의 탓을 하지 않았고, 그럴 여력도없었다.

정호는 죽을힘을 다해 오토바이를 따라갔지만 역부족이었다. 돈이 아니니 확인하고 어딘가 버리지 않았을까 싶어서 근방을 샅샅이 뒤져 댔다.

기록 복사는 미리 신청하고 예약해야만 가능하기에, 이제 와 다시 법원에돌아간다고 해도 소용이 없었다. 새로 그 많은 양을 복사할 수 있는 상황이절대 아니었다. 게다가 업무를 종료하는 시간이 임박해 있었다.

해 보는 데까지 다 해 보고 정호가 카페로 돌아왔을 때, 유리가 불같이 화를 내리라 예상했지만 생각보다는 훨씬 침착한 모습이었다. 더 이상 방법이없다는 것을 알아서일까.

"힘들었겠다, 너도."

"……"

"고생했어. 나 도와주려고 그런 건데, 어쩌다 일이 그렇게 돼서……. 어서올라가서 쉬어. 나는 일단 면담한 것 가지고 알아서 해 보……."

"유리야."

이름을 불러 말을 끊어 놓고, 일단 정호는 한숨을 길게 내쉬었다. 카페에 들어온 후, 미안하다는 말조차 하지 못했다. 그녀 역시 그런 말을 들을 생각조차 하지 않았다. 미안한 게 중요하지 않을 만큼 상황은 심각했다. 유리는 부질없는 화를 내지 않았다. 정호는 그게 더 마음이 아팠다.

차라리 네가 나를 비난하며 궁지로 몰았다면. 내가 서류를 잃고 싶어 일부러 그런 것이겠냐고, 비겁한 변명이나 하며 맞섰겠지. 나는 할 만큼 하고 왔으니, 더 이상 할 게 없다고. 나 역시 너와 엮이고, 하루가 말려서 굉장히 힘들다고. 그냥 다 쏟아붓고, 다 내던지고, 그래서 이대로 돌아서면. 그렇게라도 나에게서 너란 존재를 걷어 낼 수만 있다면 참 좋을 텐데. 그럼 참 편할 텐데.

하지만.

"김유리……."

네가 이런 여자라서. 약한 나를 자꾸만 일으키는 너라서.

"왜?"

"내가."

나에게 유일한 너라서.

"전부."

그냥 네 앞에서 다 놓아 버려야겠다. 이제는 정말, 더 이상 도망칠 수가 없겠다. 도저히, 안 되겠다.

"책임질게."

"뭐?"

"내가 다, 책임진다고."

6. 고백할 마음

타타타탁.

조용한 사무실에 키보드를 두드리는 소리만 울려 퍼졌다. 벌써 몇 시간째인지. 이미 카페는 마감하고 다들 퇴근한 상태였다.

유리는 사무실 안 컴퓨터를 정호에게 내준 채 소파에 앉아 노트북으로 인터넷 무료 상담 건을 확인 중이었다. 신경은 온통 정호가 두드리는 키보드 소리에 집중되어 있지만.

고의도, 실수도 아니었으나 그가 사고를 친 건 맞았다. 정호가 서류를 도난당하지 않았다면 이렇게 곤란한 상황은 생기지 않았을 테니까.

하지만 달리 방법이 없지 않은가. 잃어버린 기록들을 다시 찾아올 수도 없고, 다시 법원으로 가 복사를 해 올 수도 없었다. 쥐고 있는 것이라고는 의뢰인과 면담했던 기록뿐이고, 이마저도 항소 이유서를 성실하게 작성하기엔 불충분하였다. 작은 사건이라 기록이 많지 않다손 치더라도, 오백 페이지다. 말이 오백 페이지지, 사실상 일반 소설책으로 비한다면 세 권은 되는 분량이었다.

1심 소송 기록과 증거 기록을 면면이 살피지 않고서 항소 이유서를 제대로 작성하기란 어려운 일이다. 항소심에서는 원칙적으로 1심 판결 이후 새로운 양형 요소가 있어야 감형이 가능한데, 가뜩이나 무죄를 바라고 찾아온 의뢰인이 아닌가.

정호에게 무턱대고 화풀이를 한다고 해결될 일은 아무것도 없기에 애써 분한 마음을 드러내지 않았지만 솔직히 막막했었다. 속이 새까맣게 타들어 가는 기분이었다.

그런데 정호는 자신이 다 책임을 지겠다고 말했다.

'어, 어떻게 책임을 진다고?'

정호의 말이 의아하면서도, 갑자기 빛이 쏟아진 듯 막연한 기대감이 폭발했었다. 사실은 뻥이었어, 라고 말해 주기라도 바랐다. 그만큼 상황은 끔찍했으니까.

정호는 길게 한숨을 내쉬더니 말했다.

'두 가지 방법이 있어.'

'그게 뭔데?'

'하나는, 내가 항소 이유서를 대신 작성해 주는 것.'

'뭐?'

그때쯤엔, 이게 분위기 파악을 못 하고 사람 가지고 노는구나 싶었다.

'야. 됐다.'

'되긴 뭐가 돼. 내가 검사 그만두기 전에, 물론 다른 것도 다 잘했지만 항소 이유서는 더욱더! 아주 기가 막히게 잘 썼지. 1심 판결 엎을 정도로 2심에서 가차 없이 아주 나이스하게……'

'장난칠 기분 아니야.'

뭘 안다고 자기가 면담도 하지 않은 의뢰인의 항소 이유서를 작성해 주겠다는 건지. 당연히 정호가 할 수 없는 일이라는 생각에 유리는 오히려 울컥했다. 그렇게 고생했다고 올라가라고 할 때 갈 것이지, 기어이 맞아야 정신을 차리려나 하는데.

'그럼 두 번째 방법은.'

정호가 다시 입을 열고 한 말은 더 가관이었다.

'……기록 복사해 온 것 그대로 네 앞에 내어 줄게. 직접 읽어 보고 항소 이유서는 네가 작성해.'

이게 도대체 무슨 소리를 하는 건지. 책임을 진다더니 이런 허무맹랑한 소리만 해 대는 정호에게 기어이 버럭 소리를 높이려는데, 그가 손을 올려 제 머리를 쓰다듬는 것이 아닌가.

'씻고 내려올게. 기다려.'

확신에 찬 그 음성에 유리는 숨이 탁 막혔다. 땀과 먼지에 엉망이 된 정호가 그 몰골과는 동떨어진 청량한 미소를 남기고 사무실을 나갔다.

그리고 잠시 후, 깨끗한 옷으로 갈아입고 다시 나타났다. 물론 그놈의 추리닝은 여전히 혼연일체였지만. 막 샤워를 하고 왔는지 약간 젖은 머리카락과, 수염을 제대로 깎지 않았을 뿐인 매끈한 피부, 그리고 시원한 향기를 머금은 모습으로 정호는 컴퓨터 앞에 앉았다.

'그럼 우리 지금부터 오늘 밤. 같이 불태워 볼까?'

장난스럽게 웃더니, 깍지를 낀 손을 앞으로 뻗으며 우두두둑 소리를 냈다. 그리고 그때부터 저렇게 키보드를 두드리고 있는 것이다.

타타타탁. 타타타탁.

그의 손에 의해, 백지는 1심 기록으로 채워져 갔다. 그것도 무서운 속도로. 유리는 고개를 들고 여전히 쉼 없이 타이핑 중인 정호를 잠시 바라보았다. 공부할 때도 느긋하기만 하던 김정호가 모니터를 쏘아보고 있었다.

"괴물."

믿을 수 없는 광경을 목도하고 있자니, 정말 기가 막혔다. 진짜 오백 페이지를 채우려는 모양이었다. 기록 복사는 아무래도 제 머리에 해 온 듯했다.

미친놈을 눈앞에서 본 기분이었다.

"후아아아. 350페이지 돌파. 나 화장실 좀 갔다 온다."

정호가 늘어지게 기지개를 켜며 일어섰다. 복사와 스캔이 뇌로도 가능한 인간 복합기가 저벅저벅 걸어서 사무실 밖으로 나갔다.

유리는 얼른 일어서서 컴퓨터 앞으로 갔다. 아까 백 페이지에서 확인했을 때도 기함했었다. 이게 토씨 하나 안 틀리고 정확한 건지, 이 자식이 지어서 쓰고 있는 것인지는 원래 기록을 보질 않았으니 모르겠지만, 대략 맞아떨어지는 내용이기는 했다.

그런데 삼백오십 페이지. 이미 절반이 훨씬 넘은 양까지 이렇게 일정한 퀄리티를 유지하고 있다니. 진짜 오백 페이지를 뇌 속에 스캔한 것인가. 그야말로 온몸의 세포에 소름이 돋을 지경이었다.

머리가 좋은 건 당연히 알고 있었지만, 이 정도인지는 몰랐다. 14년을 곁에 두고도, 이 정도로 미친 천재성을 가진 것은 오늘에서야 깨달았다. 새삼스럽게. 그저 보통 사람보다 조금 더 머리가 좋은 줄 알고 있었는데, 이건 뭐, 조금 정도가 아니었다. 기인열전에 나가야 할 수준 아닌가.

신께서 이 미친놈을 쭉 가호하시기를. 그리하여 종국에는 오백 페이지 달성에 성공하여 그 모든 영광, 제가 받게 하소서.

"김유리."

"히익!"

뒤에서 들린 소리에 유리가 소스라치게 놀랐다.

"왜 그렇게 놀라고 그래."

씻고 온 손을 제 앞에 착 펼치며 물기를 통통 튕겨 냈다. 유리는 인상을 찌푸리며 물기를 닦아 냈다.

"아니. 그런데…… 너 정말 미친 거 아닌가 하고. 제정신 맞지? 내 친구 김정호 맞는 거지?"

"네, 맞습니다. 그러니까 저리 가. 아직 남았어."

"뭐…… 커피 더 마실래?"

본인이 친 사고를 스스로 수습하는 중이니 엄연히 따지자면 이건 김정호의 자업자득이다. 힘들게 고생하고 있는 것에 대해 안쓰럽거나, 미안하거나, 고맙거나, 사실상 그 어떤 감정도 어울리진 않았다. 그럼에도 불구하고 유리는 심장이 쿵쿵, 뛰는 중이었다.

"어. 한 잔 더 주면 고맙고."

제게 관심이라고는 전혀 없이, 커피 잔을 밀어 주며 다시 모니터에 집중하는 정호의 눈빛 때문이었다.

정말 중요한 시험이 있을 때나 나오던 그 눈빛. 모니터고 책이고 뚫어 버릴 듯 쏘아보던 눈빛 말이다. 차갑고, 뜨겁고, 그래서 보는 사람 마음조차 온통 뒤죽박죽으로 만들어 버리는 그의 낯선, 바로 그 눈빛.

유리는 커피를 한 잔 더 내려서 가지고 들어왔다. 빨리 끝내 버려야겠다는 생각인지, 정호는 다시 무섭게 기록을 타이핑하는 데 몰입하고 있었다.

유리가 그런 정호의 옆에 컵을 내려놓고 돌아설 때였다.

"김유리."

나지막한 목소리가 그녀를 붙잡았다. 돌아보자 정호가 천천히 모니터에서 시선을 떼어 올려다보았다.

"나, 손 좀."

키보드를 두드리던 손을 유리에게로 내밀었다.

"주물러 줘. 쥐 날 것 같다."

길고 섬세한 손가락이 유리를 향해 안마를 요구했다.

쿵쿵, 쿵쿵, 쿵쿵쿵.

떨린다. 가슴이, 심장이, 그리고 새어 나오는 숨마저도, 한없이 떨리기 시작했다.

"나 손 아프다니까. 빨리 좀 주물러 봐."

사심 없이 손을 내밀고 태연하게 주물러 달라는 이 남자를 어쩌면 좋을지. 보기 좋게 쭉 뻗은 이 손을 맞잡고 어떻게 해야 할지. 숨을 한 번 크게 삼키고, 마음을 먹은 유리가 정호의 손을 잡았다.

"으아아아악! 아파아아!"

유리는 손가락을 한꺼번에 잡고 센 악력으로 꾹꾹 누르기 시작했다. 동시에 정호가 몸을 비틀며 소리를 내질렀다.

"그래야 좀 풀리지. 저럴 것 아냐. 가만히 좀 있어 봐."

일부러 더 세게 잡았다. 그래야 강하게 몰아치는 이 가슴속 바람을 모른 척할 수 있을 것 같았다.

"야악! 진짜 너, 너무 아파! 흐악! 잘못했어! 김유리! 아니, 누나! 아니, 누님!"

정호의 손가락 사이에 자신의 손가락을 넣어 깍지를 낀 후 뒤로 팍 꺾으며 손 스트레칭을 해 주었다. 물론 그는 죽겠다며 몸을 틀었다.

"나는 너 같은 사고뭉치 동생 쉬키 둔 적 없다."

"아아악."

그러고도 정호의 비명은 계속되었다.

정호는 뻐근한 목을 스스로 주무르며 고개를 들었다.

마지막 장까지 모두 타이핑을 마쳤다. 프린터를 통해 기록이 인쇄되어 나오기 시작했다. 용지가 모자라지 않도록 보충하기 위해 옆에 가져다 놓고, 출력된 내용을 바로바로 확인했다. 그 후 차곡차곡 철하여 쌓았다.

이제 유리가 이 기록들을 읽기만 한다면 항소 이유서를 충분히 작성할 수 있을 것이다. 애초에 문제 될 것이 아니었는데 너무 먼 길을 돌아온 셈이었다.

오랜만에 보는 재판 기록들이라 궁금하기도 하고 흥미도 생겨서, 한 장씩 복사하며 빠르게 훑어본 것이 그나마 다행이었다. 작정하고 본 게 아니라 그야말로 슥 스치듯 읽어 보기만 한 것이라 곧 잊어버리겠지만 아직까진 눈앞에 생생했다.

정호가 가진 '포토그래픽 메모리'라는 게 눈으로 본 것이 사진 찍히듯 뇌리에 저장이 되는 거라 학창 시절 시험도 혼자서만 오픈북으로 보는 형국이긴 했었다.

사실 그런 능력이 마냥 좋은 것만은 아니었다. 오히려 불편한 순간이 더 잦았다. 지나친 정보와 기억으로 과부하가 걸릴 때가 훨씬 많았으니까. 뭐든 되도록 깊이 파지 않고 가볍게 흘려보내는 것만이 살 길이었다.

하지만 적어도 지금은 다행이라 여겨졌다. 유리를 덜 힘들게 해 줄 수 있다면 그것만으로 충분하다. 책을 펴 놓고 그대로 타이핑하는 단순노동의 느낌이라 고단하고 힘들기는 했어도 다 끝내고 나니 뿌듯해졌다.

어느덧 새벽이었다.

"후우우."

정호가 깊은 한숨을 내쉬며 소파 쪽을 바라보았다. 유리는 조금 전에 잠이 들었다. 노트북을 들여다보며 뭔가 열심히 하더니, 꾸벅꾸벅 졸다가 이내 소파에 길게 누워 있었다. 그가 책상 위에 놓여 있던 무릎 담요를 들고 가서 유리의 몸 위에 덮어 주었다. 오물오물 입술을 씹으며 유리가 뒤척이듯 움직였다.

"어."

바닥으로 굴러떨어질 것 같아서, 정호는 얼른 무릎을 굽혀 앉으며 그녀의 몸을 받을 준비를 했다. 다행히 유리는 다시 반대로 몸을 돌려 소파 등받이 쪽으로 붙었다.

빈손을 접으며 정호는 그대로 바닥에 엉덩이를 대고 앉아 버렸다. 소파에 등을 기댄 채 지친 숨을 뱉어 냈다. 열린 노트북에는 유리가 개설한 인터넷상의 무료 법률 상담 카페 화면이 열려 있었다. 답변을 작성하던 중이었나 보다.

"어후. 힘들게 정말, 얘는 왜……."

왜 이런 것까지 하느냐고 덧붙여 중얼거릴 순 없었다. 유리의 신념은 언제나 한결같았으니까.

국선 변호사라든지, 법률 구조 공단의 무료 상담 같은 제도들이 마련되어 있지만 이건 그야말로 최소한의 지원 방안일 뿐이다. 보다 완벽한 도움을 받기 위해서는 그에 상응하는 비용을 치러야 했고, 자본주의라는 경제 체제 아래 이건 너무도 당연한 논리였다.

하지만 문제는 언제나 이기적인 인간의 본성으로부터 발생한다. 재력을 이용해 법의 구멍을 교묘하게 이용하는 사람들이 있는 한, 공정사회는 이루기 힘든 유토피아일 것이다.

그리고 유리는 유독 그걸 경멸했다. 표면적으로 드러낸 적은 없지만, 정호는 그런 유리 앞에 서기가 늘 부끄러웠다. 어떻게 보면 모든 것을 다 가진 건 자신 쪽이었지만, 언제나 당당한 건 유리였다.

'가끔은 엄마가 그렇게 소송에 매달리지 않았으면 어땠을까, 하는 생각을 해. 아빠 보험금까지 다 재판에 쏟아붓고. 그것도 모자라 빚까지 지고. 안 그랬으면 우리도 그렇게까지 어렵게 살진 않았을 텐데. 엄마가 그렇게…… 고생하지 않으셔도 됐을 텐데.'

바위를 친 계란은 무참히 깨졌다고 했다.

'돈 날리고, 시간 날리고. 보상도 못 받고.'

상대는 굳건한 바위였다.

'지금도 생각만 하면 정말 가슴속이 너무 끓어. 그렇게 가 버린 아빠도 불쌍하고. 인정하지 못하고 몇 년이나 재판에 모든 걸 쏟아부은 엄마도 불쌍하고. 내 다리 붙들고 밥 달라고 칭얼거리던 유찬이도 불쌍하고. 어린 나이에 너무 많은 걸 알아 버린 나

도…… 참 불쌍하고.'

의료 사고로 아버지를 잃고, 병원 재단을 상대로 낸 소송은 항소에 상고를 거듭하여 대법원까지 갔지만 결국 한 푼도 받아 낼 수 없었다. 이미 돈이 문제가 아니었다.

'나 잘 때 그 병원 쪽으로는 발도 안 뻗잖아.'

뜯기고 내던져진 채 어린 남매를 데리고 그녀의 어머니가 얼마나 많은 고생을 하셨는지. 정호도 알고 있었다. 너무 잘 알았다. 그런 이유로 미친 듯이 공부하고, 악착같이 노력하여 변호사가 된 유리이기에, 그녀의 앞에 서기가 더욱 겁이 났다.

자신이 김승운 전(前) 검사장의 아들이라서.

그분이 평생 쓰고 계시던 청렴한 법조인의 가면이 결국 불미스럽게 벗겨진 그 순간, 도망칠 수밖에 없었다. 달려온 모든 시간의 의미를 잃어버렸다. 놓아 버렸다. 스스로 그렇게 버리고 말았다.

유리가 그토록 경멸하는 돈의 지배를 받아 법을 조종하던 부류가 바로 자신의 아버지인 이상, 숨어들 수밖에 없었다. 제 마음을 고백할 수 없었다. 그래서는 안 된다고 생각했다. 이 정도 관계만으로도 감사하다고 생각했다. 친구로서 함께할 수 있다는 게 어디냐, 감지덕지라고 여기면서 그렇게 지냈다.

유리의 노트북 화면에는 채무를 일부 변제하고 나머지 금액에 대해 추후 변제를 합의했는데도 불구하고 재산을 압류당한 사람의 사연이 떠 있었다.

정호는 물끄러미 쳐다보다가 손을 올려 키보드 위에 얹었다. 관련된 조항과 판례가 머릿속에 쭉 떠올랐다. 천천히 답변을 작성해 나갔다. 그리고 나서도 밀려 있던 상담까지 모두 읽고 하나하나 답변을 써서 올렸다.

굳이 외우려 하지 않아도 머릿속과 눈앞을 빽빽하게 채워 버리는 화면들 때문에 괴로운 순간이 더 많았다. 이제는 그런 자신의 머리에 조금 감사한 마음이 든다. 유리의 앞에 서는 것은 둘째치고라도 이렇게나마 그녀를 도와줄 수 있으니.

이 끔찍한 짝사랑이 자신을 더욱 강하게 옭아매도 견딜 수 있다. 세상에 부딪히는 유리의 몸이 상하지 않도록 조금이나마 막아 줄 수 있다면, 그럴 수만 있다면, 제 머리는 깨어져도 좋았다. 차라리 제 몸이 부서지는 편이 좋았다.

아무래도 좋았다.

이제는…… 유리를 위해 무엇이든 하고 싶었다.

아침 해가 밝아 왔다.

유리는 출력한 오백 페이지 기록을 들춰 보며 감탄했다. 게다가 정호가 자신 대신 처리해 놓은 인터넷 상담 건도 보면서 그저 놀랍다는 듯 탄성을 흘릴 뿐이었다.

"아아, 이것도 다 해 놓은 거야? 너 진짜 대박이다. 내가 종일 하려고 했었는데."

보통 로펌 변호사들은 하루에 어느 정도의 빌링 아워(billing hour: 자문료를 청구할 수 있는 시간)를 기록했는지가 중요한 평가 기준이 된다.

물론 무료 상담에 답변을 작성하는 건 빌링 아워와는 거리가 멀었다. 그럼에도 불구하고 유리는 여기에 그렇게 많은 시간을 할애하겠다니, 진짜 이러다 카페고 사무실이고 다 말아먹겠구나, 하는 생각이 들었다.

"앞으로 그 카페에 올라오는 상담, 답변은 내가 해 줄게."

"……정말?"

최서원 전담 법률 자문에 이어, 무료 상담 답변 작성까지 정호가 스스로 하겠다고 나서는 일이 하나둘 늘어 가고 있었다. 자신의 의지대로 움직이는 것이기에 괴롭지도, 억울하지도 않았다.

"그럼 나야 정말 좋지."

환하게 웃는 유리의 얼굴을 보는 것만으로도 그저 좋을 뿐이었다.

사무실에서 밤을 보낸 유리는 아침이 되어서야 기록 문서를 품에 안고 나섰다. 이른 아침 모두가 출근 전인 카페 문을 일단 닫았다.

"난 그냥 주말 내내 집에서 일하려고. 항소 이유서도 집에서 쓰고. 카페엔 아예 안 나올 거야. 점심 알아서 잘 챙겨 먹어."

"내가 뭐, 너 없으면 밥 굶냐?"

"아우. 하도 우리 모친께서 너 밥 챙기라고 날 쪼아 대시니, 내가 아주 노이로제 걸리겠어."

"우리 마미가 날 좀 예뻐하긴 하시지."

조용한 도로에 서서 택시가 오는지 살피면서 유리가 말했다.

"너 뭐, 우리 엄마한테 이쁜 짓 한 거 있냐? 진짜 왜 그렇게 네 편만 드는지 몰라. 가끔 보면 내 엄만지, 네 엄만지 모르겠다니까."

"……다 잘생긴 덕분 아니겠냐."

"잘생기긴, 개뿔이 대풍이네. 아, 택시다."

무심히 중얼거리던 유리 앞으로 택시가 와서 멈추어 섰다. 유리는 뒷문을 열고 타서 창문을 내렸다. 그리곤 자신을 보고 있는 정호에게 한마디 건넸다.

"하긴, 추리닝에 면도 안 해도 너만큼 잘생긴 남자가 흔하진 않지."

순순히 인정하는 유리의 태도에 오히려 정호가 겁을 먹었다.

"왜, 왜 그래? 내가 잘못했어."

유리가 싱긋 웃었다.

"고마워. ……진심이야."

진심. 고맙다는 건지, 잘생겼다는 건지, 아니면 둘 다라는 건지. 진심이라 말하는 유리의 미소가 거리를 환하게 물들였다. 정호가 뭐라 대답을 못 하는 사이 택시가 떠났다.

연분홍으로 물들어 가는 봄의 꽃나무들 사이로 택시가 점점 작아져 갔다. 택시가 눈앞에서 사라질 때까지 정호는 멍하니 한참 서 있었다.

손을 들어 가슴에 얹었다.

뛴다, 세게. 금방이라도 터질 것만 같았다.

이 거리, 벚꽃이 피어나고 있었다.

토요일 밤.

"여긴 걱정하지 말고, 끝나면 천천히 조심해서 와. ……응, 알았다니까. 자리 옮기면 문자 남겨 놓을게."

새연이 전화를 끊자마자 정호가 불평하듯 말했다.

"대체 몇 번째 통화냐? 이준원은 일 안 하고 전화만 하는 거야?"

"촬영이 딜레이 돼서 대기 중이래. 이제 다시 시작되면 아마 전화는 못 할 거야."

남편의 관심이 싫지 않은 새연은 생긋 웃으며 앞에 놓인 치킨을 집어 들었다.

"짜식, 속 좀 타겠네."

정호가 중얼거리며 새연의 조그마한 잔에 오렌지 주스를 채워 주었다. 원래 유리와 준원까지 넷이 함께 한잔하자고 했던 날이었다. 그런데 유리는 일해야 하니 아무래도 못 오겠다며 빠지게 되었다. 의뢰인이 이렇게 주말까지 일해야 하도록 급하게 찾아올지 몰랐으니 말이다.

그럼 유리 빼고 셋이라도 먹자고 했는데, 준원마저 오지 못하고 있다. 준원은 진행하고 있는 요리 프로그램의 촬영이 늦어진다고 했다. 결국 지금, 새연과 정호 두 사람만 치킨집에 와 있었다.

"응. 안 그래도 준원이가 오늘 약속 파투 내라고는 했었지. 너랑 둘만 만날 거면 당장 집에 가 있으라고."

임신부라서 술은 입에도 못 대는 새연과 정호가 독대하게 생겼으니, 준원은 아마 촬영 현장에서 발깨나 구르고 있을 것이다. 평소 진중하고 차분하던 모습답지 않게. 푸흣, 웃는 새연을 향해 정호가 툴툴거렸다.

"대체 이준원은 네 어디가 그렇게 예뻐 죽겠다고 그러는 거냐? 태어날 때부터 지금까지 계속 봤으면서 지겹지도 않대?"

"넌 밥이 지겹다고 안 먹어?"

"적어도 밥을 먹을 때마다 맛있어 죽겠다고 난리 치진 않지."

"아."

새연은 깨달음을 얻은 듯 눈을 동그랗게 떴다.

"죽겠다고 난리 치는 준원이가 특이하긴 하네."

그 집 남편은 밥 먹을 때마다 환장하는 모양이었다. 사랑을 듬뿍 받는 여자 특유의 당당하고 사랑스러운 미소를 지은 새연이 금세 수긍했다.

결혼할 때야 한창 사랑에 불타오를 때니까 그러려니 했었다. 하지만 시간이 지날수록 제 아내를 향한 이준원의 사랑은 나날이 레벨 업 되고 있으니……. 지금도 불안해서 십 분이 멀다 하고 계속 전화를 해 대는 것이다.

준원을 스승으로 받들어야겠다던 정호의 생각은 더욱 확고해졌다. 친구에서 연인으로 가는 길은 꿈꾸기도 힘들 만큼 저로선 어렵기만 한데, 준원은 그쪽으로 이미 승리했으니 말이다. 이런 건 기꺼이 배워야 한다.

"솔직히 준원이가, 내가 너랑 둘만 있는 거 질투하는 것도 이해는 해. 내가 고1 때 처음 너 보자마자 '와, 쟤 되게 잘생겼다.' 하고 바로 준원이한테 얘기했었거든."

새연이 고등학교 때 이야기를 꺼냈다.

"하여튼 넌 어려서부터 보는 눈이 너무 정확해서 탈이야."

"그래, 그때는 네가 이렇지 않았지. 솜털 보송보송하니 얼마나 예뻤냐. 나 진짜 솔직히 옆 학교 친구들한테 네 사진 많이 팔아먹었다. 한때 아이돌 인기를 능가했지, 김정호."

"친구라는 작자가 내 얼굴을 팔아 장사를 했다니."

"그걸로 우리 떡볶이랑 핫도그 사 먹은 거야."

"건설적인 일에 사용했으니 내 더 이상 책임을 묻지 않겠다."

"물론 애가 헛소리만 해 대니 관심은 금방 식었지만. 근데 준원이는 아직도 마음에 걸리나 봐. 살면서 내가 먼저 관심 보인 남자는 네가 처음이라나."

정호는 웃으며 소주를 들이켰다. 후끈후끈 속을 데우며 술기운이 퍼졌다.

"공부까지 그렇게 잘할 줄은 몰랐는데. 입학할 때 딱 한 번 빼고 너 계속 1등이었잖아. 입학할 때에는 유리가 1등으로 들어왔었지?"

"그랬지."

어릴 때는 남들도 다 그런 줄 알았었다. 사진 찍은 것처럼 한 번 본 내용이 눈앞에 그려지는 게 누구나 같은 줄 알았다. 한 번 본 선생님의 칠판 글씨, 교과서의 그림과 활자가 각인되어 떠올랐으니 그에게 시험이란 쓸데없는 과정과도 같았다. 오픈북 테스트처럼 원하는 페이지를 찾기만 하면 되었으니까.

그렇게 치른 시험에서 당연하게 만점을 맞다가, 지나친 관심이 제게 쏟아지기 시작하자 정호는 힘들어졌다. 버거운 관심이었다. 무거웠고, 갑갑했다. 이건 아니구나 생각했다. 그래서 일부러 잘못된 답만 써서 내 버렸다. 그럼 편해지겠지. 그러나 성적이 최하위권으로 치닫자 그전보다 훨씬 더 큰 관심과 걱정들이 쏟아졌다.

어리둥절했다. 무엇이든 극으로 가는 건 좋지 않구나, 하고 어린 정호는 생각했었다. 이후로는 적당하게, 튀지 않을 정도로, 관심도, 걱정도 불러일으키지 않을 만큼만 하고 살았다. 중학교 때도 외고에 겨우 합격할 정도의 성적만 유지했다. 부모님 의견을 거역하며 반항할 정성까지는 제게 없었다.

무엇보다 그럴 이유가 없었다. 등 따시고 배부르게 집과 밥을 제공해 주시는데. 부모님이 원하는 학교 가는 게 뭐, 대수라고. 그 정도는 하면서 살 의향이 있었다. 입학식 때 1등을 하여 신입생 선서를 하러 나간 유리를 눈여겨보지 않았다면, 계속 그렇게 살았을 것이다.

"유리 진짜 공부 살벌하게 했었는데."

새연의 중얼거림에 정호는 말없이 소주를 또 한 잔, 들이켰다. 그 시절의 유리를 떠올리면 왠지 가슴 한쪽이 시큰거리기도 했다. 유리를 쫓아 영어 회화 동아리에도 가입했었다. 거기서 준원, 새연, 혁준을 만났다. 모두와 어울리면서 가깝게 지내다 보니, 유리가 얼마나 악착같이 공부를 하는지 정호도 알 수 있었다.

"공부하다가 코피 쏟은 적이 한두 번이 아니었잖아."

새연은 물어뜯은 치킨을 냠냠 씹으며 여상하게 말했다. 술이 들어가면 말수가 적어지는 정호를 개의치 않는 모습이었다.

그사이 정호는 점점 짙게 번지는 그리움을 어쩌지 못하고 자꾸만 교복 입은 유리를 떠올렸다.

친해진 지 얼마 안 되었을 때, 모여서 시험 공부를 하다가 쏟아지는 코피를 막으며 뛰어나가는 유리의 뒷모습을 물끄러미 쳐다보았다.

문득 나쁜 생각이 들었다. 어린 마음이었다. 힘없는 미물을 제 손에 놓고 괴롭히고 싶은 그런 본성. 그래서 정호는 시험 범위 전부를 눈으로 익혔다. 오랜만에 한 공부였다. 물론 어렵지 않았다. 한 번 읽어 내리는 정도였고, 그 잠깐의 노력으로 정호는 전교 1등을 해 버렸다.

1등을 꿰차고 있던 유리가 2등으로 내려앉는 순간이었다. 중간쯤의 등수를 유지하던 정호가 단숨에 전교 1등으로 치고 올라오자 교내의 관심이 대단하였다. 그 성가심을 감수할 정도로 정호는 유리의 표정이 심히 궁금하기만 했다.

예의 그 사나운 표정으로 자신을 볼까. 혹은 놀라워하려나. 질투할까. 부러워할까. 설레는 마음으로 기다렸다. 어쩌면 발악을 기대했는지도 모르겠다. 그토록 1등에 목을 매던 김유리였으니까. 대체 어떤 표정을 지으려나.

하지만 돌아온 건, 어깨를 툭 치며 다가서는 소녀의 맑은 웃음이었다.

'여어, 김정호 좀 하네? 진작 좀 그렇게 공부하지 그랬어.'

전교 50등까지 이름과 성적이 깨알같이 적혀서 나붙었다. 그 앞에 서서 유리는 정호에게 그렇게 담백하게 굴었다.

'오! 근데 내 거 봤냐? 나 평균 1점 올랐어. 저거 봐 봐.'

단지 본인의 평균 성적이 올랐다고 기뻐할 뿐이었다. 금방 선두 자리를 되찾아 올 수 있다고 생각하는 걸까. 1등을 빼앗긴 것에 대해 그리 상심하지 않는 걸 보면. 정호는 자신의 가슴속에 오기란 감정이 있는 줄 그때 처음 알았다.

결국 그다음 시험은 물론이고, 치르게 된 모든 정규 시험과 모의고사에서 내리 전교 1등을 꿰찼다. 악바리처럼 공부하는 김유리가 한 번쯤은 자신에게 발끈하는 모습을 보여 주지 않을까 기대하면서.

하지만 그 모습은 영영 볼 수 없었다. 만년 2등이 되었지만, 유리는 누구보다 당당한 1등처럼 보였다. 죽도록 공부해도 2등에 머물렀고, 책 한 번 휘리릭 넘기는 김정호가 늘 1등을 차지했지만 한 번도 그녀가 억울해하는 걸 본 적이 없었다.

새연도 그때가 떠오르는지 말을 꺼냈다.

"그렇게 미친 듯이 공부하고도 유리는 항상 너에게 1등을 뺏겼었잖아. 너 기억나? 그래서 내가 유리한테 물어봤던 것. 김정호만 없으면 네가 1등일 텐데, 정호 안 밉냐고. 질투 안 나냐고."

"기억나지."

"나도. 그때가 정말 생생하게 기억나. 뭐랄까. 같은 여자고, 친구지만, 내가 유리에게 반했던 순간이라고 해야 하나."

새연의 질문에 어깨를 으쓱하던 유리를 기억했다.

'정호가 왜 미워? 정호는 정호대로 최선을 다하는 거고, 나는 나대로 최선을 다하는 건데. 남과 비교하는 순간부터, 나는 지옥에서 살게 되는 거야.'

그 지옥으로 몰아넣으려던 것은 정호 자신이었다. 제게 부딪혀 절망을 느끼길 바랐던 철없는 마음이었는데. 유리는 그 안으로 발 한 짝도 담그지 않았다. 꿋꿋하고 의연했다.

유리가 원하는 건 1등이 아니었다. 처음부터 그녀에게 라이벌이란 없었다. 경쟁은 중요하지 않았다. 그렇다고 승부욕이 없었을까. 아니, 그녀는 늘 불타오르고 있었다. 본인 스스로가 라이벌인 셈이었다.

10대인 시절에 이미 상대적 가치를 시원하게 무시해 버렸다. 인생 다 산 늙은이처럼 진리를 알고 있었다. 세상에 어느 열일곱 살 소녀가 그토록 열심히 공부하면서도 경쟁과 등수에서는 초연해질 수 있을까.

"유리가 또 뭐라고 했었더라. 1등이 문제가 아니고 변호사가 되고 싶어서 공부하는 거라고 했었나."

"그랬지."

정호는 또 한 잔 삼켰다. 투명한 술이 가슴속을 찌르르 울린다.

유리에게는 확실한 꿈이 있었다. 무지개를 향해 달려가는 그녀의 길에는 오로지 절대 가치만이 존재하였다.

'결국 완전히 다 패소하고 마지막 판결이 있던 날. 엄마는 나랑 유찬이를 안고 얼마나 울었는지 몰라. 나도 울고, 유찬이도 울고. 사실 그 재판에서 이긴다고 죽은 아빠가 다시 오는 것도 아니었는데.'

아마 그날 유리가 처음 얘기했었을 것이다. 아버지가 안 계시다는 건 알

앉지만 그런 사정이 있는 줄은 몰랐었다.

'병원 측 변호인단이 어마어마했어. 그렇게 들일 돈이 있으면 차라리 우리에게 사과하고 보상해 줬으면 좀 좋아. 사과할 상황은 절대 안 만들겠다고 변호사들에게 돈 쏟아붓는 거 보니 피가 거꾸로 솟더라. 그에 비해 우리가 선임한 변호사는 다른 일에 치여서 그야말로 대충대충인 거야. 어차피 이건 안 될 싸움이라는 걸 알았겠지. 난, 그때 변호사가 되겠다고 결심했어. 살면서 다시는 억울한 일을 겪지 않으면 좋겠다. 빌어먹을 돈 앞에 억울해지는, 이런 개 같은 세상. 제대로 살아가려면 내가 먼저 정신 똑바로 차려야겠다. 공부해야겠다. 한국대 가야겠다. 법대 가야겠다. ⋯⋯변호사든 뭐든 되어야겠다. 내 힘으로 엄마와 유찬이를 지켜야겠다. 부둥켜안고 우는 건 오늘이 마지막일 것이다. 그렇게⋯⋯ 생각했지.'

그러니 그녀는 흔들리지 않을 수 있었다. 목표가 있으니 앞만 보면 되는 것이었다. 1등을 하든, 2등을 하든, 혹은 10등을 하든 상대적인 등수는 중요하지 않았다. 오로지 한국대에 갈 수 있느냐 없느냐, 사법고시에 합격할 수 있느냐 없느냐, 변호사가 될 수 있느냐 없느냐 그것만이 중요했다.

김유리는 감히 제 손 위에 올리고 괴롭힐 미물이 아니었다. 정호는 그날로 그녀를 이기겠다는 생각을 버렸다. 이길 수 있는 존재가 아니었으니, 싸움이 될 리도 없었다. 늘 유리보다 한발 앞서서 가볍게 1등을 차지했지만, 정호는 한 번도 그녀 앞에서 진정한 1등인 적이 없었다.

"나는 유리가 정말 행복했으면 좋겠어. 가슴에 독을 품고 있는 것 같아서, 유리 보면 항상 마음이 짠해. 힘들어도 힘들다는 말조차 안 하는 거 보면 더더욱."

새연의 말에 정호는 고개를 끄덕이며 또 한 잔을 따랐다. 얼마 전, 제 앞에서는 눈물을 보이며 힘들어했던 유리였다. 그녀도 약했고, 그녀도 사람이었다.

"배우자가 인생 전부는 아니지만, 그래도 항상 자기편이 되어 줄 사람이

있는 건 되게 든든한 일이잖아. 난 진심으로…… 유리가 연애도 하고, 사랑
도 하고, 결혼도 하고. 좋은 사람 만나면 정말 좋겠어. 속으로는 참 외로움도
많이 타는 앤데.”

진심 어린 새연의 말을 들으며 정호는 채운 잔을 또 꺾었다.

“어우. 야, 근데 너 안주는 안 먹고 왜 계속 술만 마셔. 얘 좀 봐. 미쳤나
봐. 그냥 맥주로 바꿔서 마시든가.”

“원래 치킨에 궁합이 잘 맞는 게 소주야. 소치(소주+치킨) 모르냐, 소치!”

“치킨이나 제대로 먹으면서 그 소릴 해라. 지금은 소주만 마시고 있잖아, 너.”

새연은 닭 다리를 집어 살을 발라내었다. 그리고 정호의 입에 쑤시듯 넣
어 주었다. 술만 연달아 계속 마시던 정호는 입에 들어온 닭고기 살을 무료
하게 씹었다. 아무런 맛도 느껴지지 않았다. 가슴속은 온통 유리에 대한 마
음뿐이었다.

“한새연.”

마주 앉은 새연의 이름을 부르는 정호의 목소리가 흐릿해졌다.

“왜?”

새연은 전혀 인식하지 못하고 정호 입에 넣어 줄 치킨을 또 손으로 찢어
어미 새처럼 넣어 줄 준비를 하고 있었다.

“……유리는 지금 뭐 하고 있을까?”

그때 낮은 음성이 테이블 위로 침전하듯 깔렸다.

“뭐 하긴. 일하겠지.”

새연이 태연하게 대답했다. 정호는 후우우, 한숨을 내쉬었다. 술기운이
온몸 구석구석 퍼져 나갔다. 심장이 덴 것처럼 뜨거웠다.

어젯밤 함께 있었다가 아침에 보내 줬는데도, 안 본 지 겨우 12시간밖에
되질 않았는데도 ……보고 싶었다. 유리가 너무나도 보고 싶었다. 14년을
봐 왔는데도, 그렇게 그녀가 그리웠다. 자신을 괴롭히던 그 모든 감정까지

다 던져 버리고, 유리 앞에 나설 수 없게 했다고 생각했던 상황들까지 모른 척하고 싶어졌다.

그냥 남자가 되고 싶었다. 친구라는 이름을 떼어 버리고, 남자로 서고 싶었다. 그래서 가슴이 지독하게 아팠다. 술은 참 사람을 곤란하게 하는 재주가 있다. 이건 모두, 술 때문이었다.

"야……. 너 무슨 일 있어?"

안 그래도 평소와 분위기가 조금 달라졌다고 생각했는지, 새연이 이제 걱정스러운 얼굴로 정호를 살폈다.

"혹시 유리랑……."

"……."

"싸웠어?"

그 말에 정호는 피식, 웃어 버렸다. 평소처럼 그저 싸웠냐고 물어볼 뿐이지만, 사실 새연의 목소리 톤도 전과는 달랐다. 미묘한 분위기가 흐르는 걸 느끼는 모양이었다.

"음, 안 되겠다. 너 일단 술 좀 깨자."

"노래방! 노래방 가자!"

치킨집에서 나오자마자 새연이 노래방을 보고는 정호를 잡아끌었다.

"우리 김정호 씨, 일단 노래 한번 하십쇼. 꺄아아악. 난 네 노래 듣는 게 제일 좋더라!"

일부러 더 밝은 목소리를 내며 새연은 안으로 들어섰다. 요금을 내고 방에 들어오자마자 먼저 리모컨을 잡고 노래 검색을 하기 시작했다.

정호가 후우우, 내뱉는 숨에 술 냄새가 짙게 서려 있었다. 눈앞이 탁하니 흐리고, 몸에는 힘이 없었다. 말수는 점점 더 없어졌고, 금방이라도 테이블 위로 엎어질 것처럼 어지럼증이 밀려왔다.

아마 새연은 알 것이다. 이대로라면 술 취한 자신이 잠들어 버릴 테고, 내일이 되면 지금 풍겼던 묘한 이 느낌은 온데간데없이 사라진 듯 행동할 것을. 늘 숨어 버리고 감춰 버리기 바빴던 자신을, 새연도 알고 있을 것이다. 그러니 지금 기회를 어떻게든 놓치지 않으려고 하겠지.

"내가 선곡했어! 자, 태교에 좋은, 김정호 노래 한번 들어 봅시다!"

김동률의 노래 '감사'의 전주가 흐르기 시작했다. 어떻게든 술이 깨도록 해 보겠다는 의지. 정호는 후우우, 또 깊은숨을 내쉬며 마이크를 잡았다.

유독 김동률의 노래, 그리고 자신이 불러 주는 노래를 좋아하는 새연은 본인의 결혼식 축가마저 이 곡으로 지정해 주기까지 했었다.

정호는 머리를 뒤로 기대고 다리를 꼰 채 무성의한 자세로 노래를 부르기 시작했다. 첫 소절부터 소리를 질러 주며 아줌마의 격한 리액션을 시전하는 새연 덕분에 둘만 있어도 분위기는 그리 처지지 않았다. 새연은 노래를 부르지도 않으면서 정호가 부를 곡만 신나게 선곡해 댔다. 그 와중에 촬영이 끝났다는 준원의 전화까지 걸려 왔다.

"어어, 여기 노래방! 응, 그때 그 건물 2층! ……어휴. 걱정도 팔자. 별일 없으니까 운전 조심해! 너무 밟지 말고!"

두 사람의 모습이 참 부럽다는 생각이 들면서 정호의 머리는 더욱 어지러워졌다. 그리고 몇 곡이나 흐르는 동안, 정호는 딱 새연의 기대만큼만 노래를 불렀다.

"술 취한 목소리로 부르는 게 왠지 더 좋다니까. 역시!"

대충 부르고 있는데 그게 오히려 마음에 드는지 새연은 눈을 반짝거리며 경청했다. 귀여운 새연의 모습에 심각했던 마음마저 풀어지는 기분이었다.

그리고 그때.

김동률의 '취중진담' 전주가 흘러나왔다. 정호는 느릿느릿 시선을 옮겨 화면을 바라보았다. 왠지 모를 찌릿한 기분이 가슴을 타고 지나갔다. 그게 조금 아픈 것 같기도 했다.

취한 기운을 빌어 속말을 꺼내는 남자. 첫 소절부터 정호의 심장을 꽉 쥐고 놓아주지 않는 건, 바로 그 사랑 노래의 가사였다. 어쩌면 흔하다고도 할 수 있는 고백. 그러나 정호에게는 가슴으로 와 닿는 그 노랫말들.

정호는 '취중진담'을 불렀다. 아니, 제 이야기처럼 하기 시작했다. 지금껏 깍깍 소리를 내며 반응하던 새연마저 목소리를 잃은 사람처럼 입술만 살짝 벌린 채 몸이 굳어 버렸다.

쿵쿵, 새연의 심장이 떨렸다. 정호가 남자로 멋있어 보여서가 아니었다. 지극히 낮은, 여자의 마음을 설레게 하는 그 목소리가 마음을 세차게 찔러댔기 때문이었다.

금방이라도 술기운을 빌려 정말 고백을 하는 것처럼, 한 소절, 한 소절 꾹꾹 눌러 부르는 정호를 그저 멍하게 바라볼 뿐, 새연은 아무런 말도 할 수 없었다.

진심이 담기지 않고서야 이렇게 부를 수 없다는 생각이 들 정도였다. 눈물이 날 것처럼 가슴이 격하게 요동쳤다. 새삼 다른 정호의 모습이 이 순간 새연을 설레게 했다. 유리의 이야기를 하면서 빠르게 술잔을 비우던 정호였다. 순간 그 모습들이, 지금 노래를 부르는 정호의 모습 위로 겹쳐졌다.

항상 앞에서는 반대로 말하고 후회하던 남자의 고백. 용기가 없어도 진심만은 담뿍 실린 진하고 진한 남자의 고백. 지금 이 순간의, 취중진담……. 가늘게 떨리는 정호의 속눈썹과, 젖은 눈빛, 그리고 사랑을 말하는 그 입술.

……알겠다. 알 것 같았다.

깨달음은 그렇게 찾아왔다. 새연은 뒤통수에 뭔가를 얻어맞은 기분이었다. 퉁, 하고 울리는 느낌에 숨이 다 막혔다.

마지막 소절을 토하듯 부른 정호는 이내 마이크를 내려놓았다. 노래는 끝났다. 누군가를 향한 취중진담도 끝나 버렸다.

꼬았던 다리를 풀면서 그대로 테이블 위에 상체를 숙였다. 엎드린 정호가 눈을 감았다. 말이 점점 없어지고, 잠이 드는 건 그의 유일한 술버릇. 어쩌면 지금 이 순간을 기억 못 할지도 모르겠다.

적막이 가라앉은 노래방 안에서, 엎드린 정호의 옆얼굴을 물끄러미 바라보며 새연이 중얼거렸다.

"그런 고백을 내 앞에서 하면 어쩌냐…… 이 멍청아."

그때, 싸늘하게 식은 목소리가 뒤에서 들려왔다.

"고백…… 이라."

이미 머리를 뎅 얻어맞은 것처럼 울리는 탓에, 새연은 천천히 고개를 돌렸다. 언제부터인지 모르게 문 앞에 선 준원이 자신과 정호를 내려다보고 있었다. 남편의 차디찬 음성과 시선의 심각성을 인지하지 못하고 새연이 조그만 입술 사이로 한숨을 뱉으며 말했다.

"후우, 정호 어떻게 하지?"

머리가 깨어질 듯 아팠다. 미간을 잔뜩 좁히며 몸을 일으킨 정호가 천천히 주변을 둘러보았다.

낯익지만 낯선 풍경이다. 와 본 적이 있다는 의미에서 낯익은 곳이지만, 아침에 눈 뜨자마자 보기엔 너무도 낯선 풍경이란 이야기. 본인의 집이 아니기 때문이었다. 정호는 숙취로 인해 아픈 머리를 부여잡고 천천히 문 쪽으로 다가갔다. 방문 손잡이를 잡고 열려는데 바깥에서 소리가 들려왔다.

"역시, 콩나물국은 우리 남편이 최고!"

"앉아 있어. 가만히. 국자 이리 내놓고."

"애는 여태 자나? 한번 들어가 볼까?"

"내가 좀 이따 가서 깨울게. 어디 외간 남자 혼자 자는 방에 들어가려고. 겁도 없이."

정호는 소리 없이 문을 다시 닫았다. 한숨이 새어 나왔다. 여긴 이준원과 한새연의 집임을 확인했다. 술 취한 자신을 작은방에 넣어 둔 것이다.

방 안을 서성이며 언제 잠들었는지를 떠올려 보았다. 머릿속이 조여들었다. 단편적인 기억들이 뇌를 찔러 댔다. 부분부분 끊긴 장면들을 추려 내 이어 붙였다.

그래, 그랬다. 새연의 폭풍 선곡으로 인해 연이어 노래만 부르다가 지쳐 잠이 들었다. 마지막에는 유난히 가슴이 찢어질 것처럼 아프기도 했었다. 견디지 못해 쓰러지듯 잠이 들었으니 그게 끝…… 이 물론 아니었다. 갑자기 몸이 일으켜졌고, 멱살이 잡혔던 것 같다.

'야. 김정호. 이 새끼 너! 지금 우리 새연이한테 무슨……'

준원의 목소리가 음산하기까지 했고, 어리둥절한 나머지 술 취해 축 처져 있던 몸뚱이에 힘이 바짝 들어갔다. 무슨 소리지. 새연이한테 내가 뭘 어쨌다고.

새연이 준원에게 달려들어 말리지 않았으면, 아마 휘두른 그 주먹에 맞았을 것이다. 설마하니 진짜 마누라를 뺏기기라도 할까. 제 것을 지키려는 수컷의 본능이 강하게 불타오르던 준원이었다. 사랑에 빠지면 미친다더니 진짜 저놈이 제대로 미쳤구나 싶었다.

그렇게 제 눈앞에서 스쳐 간 주먹이 떠오른 순간, 끊겼던 기억이 온전히 떠올랐다. 정호의 얼굴이 하얗게 질려 버렸다. 미친 건 이준원이 아니었다. 자신이었다. 술 취한 가운데에서도 너무 어이가 없어 내지르고 말았으니, 지금껏 한 번도 내뱉지 못한 말이 그렇게 터져 나왔다.

'이 자식아. 내가 안고 싶은 여자는 네 마누라가 아니야!'

'아니면?'

'김유리야.'

'뭐? 누구?'

'……김유리라고!'

여기까지 떠오르자, 몸속에 흐르는 피가 순식간에 차게 식어 버렸다. 등골이 다 서늘했다.

"으악."

정호는 작게 소리를 지르며 머리를 부여잡았다. 대체 무슨 짓을 한 거지. 꿈이길, 꿈이었길!

하지만 어림없다는 듯 노크 소리가 들려왔다. 그 소리가 이건 돌이킬 수 없는 현실임을 알려 주었다. 정호가 다시 누울 틈도 없이 바로 문이 열렸다. 덕분에 방 안으로 들어서려던 준원과 눈이 딱 마주쳐 버렸다. 머리를 쥐어뜯으며 서 있던 정호가, 더욱 엉망이 된 모습으로 그를 빤히 쳐다보았다.

두 남자 사이에 침묵이 흘렀다.

준원의 저 모습을 보아도…… 꿈은 진정 아닌 모양이었다. 뭔 놈의 기나긴 비밀 짝사랑이 이렇게 허무하게 밝혀지냐. 정호는 절망 속에 가라앉아 점이 되는 기분이었다.

"야, 김정호……."

준원이 뭐라 말을 잇기도 전에 정호가 터벅터벅 걸어서 다가갔다. 팽글팽글 돌아가는 어지러운 세상 속에서 정호는 그냥 의식을 놓아 버리기로 했다. 재고 따질 게 뭐 있나. 인생 한 번 살지, 두 번 사냐!

"선생님!"

어리둥절한 준원의 손을 맞잡고, 정호가 결의에 찬 목소리로 이어 말했다.

"많은 지도 편달 부탁드립니다! 저 좀 살려 주세요, 선생님!"

"헐, 대박. 진짜, 옛날부터? 고등학교 때부터? 와아. ……대박, 대박. 진짜 몰랐어!"

새연이 발을 동동 굴렀다. 도대체 이 감정이 언제부터 시작되었는지가 가장 큰 관심사였던 모양이다. 순순히 유리에 대한 마음을 인정한 정호에게 그것부터 물었으니 말이다. 정호가 콩나물국을 훌훌 들이마시는데 새연의 질문 공세는 계속 이어졌다.

"그럼 유리가 그 나쁜 김성준 놈이랑 처음 사귄다고 했을 때 마음 되게 아팠겠다, 너."

"그땐 그렇게까지 내가 유리를 좋아하는지 인식하기 전이었지. 돌아보니 그때도 좋아하고 있었지만."

"가짜로 남친 되어 달라고 한 것도 그래서 받아 줬구나."

"그래."

"아무리 친구지만, 진짜도 아니면서 말로만 사귀는 게 어떻게 가능하냐고 신기했었지. 그게 다 한쪽이 마음에 있으니 가능했던 거였어. 역시."

새연의 눈이 초롱초롱했다. 역시 남의 연애사가 제일 재미있는 법이다.

"그런데 정말 고백할 마음이 있는 거야?"

"……할 거다. 깨져도."

"우오! 김정호와 김유리의 조합이라니! 진짜 신기하다! 생각지도 못했어!

나는 너희 둘만 좋다면 허락할게!"

"그래서, 고백은 어떻게 할 거야?"

자신이 더 설레는 듯 안달하는 새연의 말을 가르며 준원이 물었다. 팔짱을 탁 끼고 앉아 정호를 마주 보는 준원은 진중한 눈빛을 품고 있었다. 오래된 친구 사이인 여자를 홀로 마음에 품은 괴로움이 어떤 것인지 이미 경험해 본 자다웠다.

"고백? ……음."

마음이 끓어올라 폭발할 것 같았을 뿐, 어떻게 고백을 해야 할지 생각해 본 적은 없었다. 정호는 잠깐 고민에 빠졌다가 말했다.

"나도 너처럼, 사고라도 당했다가 깨어나서 김유리가 내 마누라라고 한번 우겨 볼……."

"닥쳐라."

미친 이준원의 시작점을 고스란히 읊어 대자, 당사자가 정호의 말을 싸늘하게 막았다. 입을 합, 다문 정호가 이내 웃어 버렸다.

"정호야, 너 지금 속 편하게 웃을 때가 아니야."

보다 못한 새연이 끼어들었다.

"전략을 잘 짜 보자. 철의 여인 김유리 꼬시기! 치밀한 작전이 필요하겠어. 난이도가 최고란 말이지."

가만히 있던 정호가 조용히 물었다.

"그런데, 너는 서원 형이랑 김유리 밀려고 하던 것 아니었냐?"

그래서 내 가슴에 스크래치를 정성껏 수놓지 않았더냐, 이 쪼그만 오지라퍼야.

"나한텐 김유리의 행복이 최우선이야. 러브 라인이 억지로 민다고 되겠어? 저번에 유리가 그 쌤한테 마음 없다고, 엮지 말라고 딱 잘라 말해서 그때 이미 접었어, 나도."

"김유리가…… 그랬어?"

금시초문이라는 듯 정호가 되물었다.

"그래. 아, 넌 전화 받는다고 방에 들어갔을 때 그랬을 거야. 너희 집 마당에서 다 같이 고기 먹던 날. 얼마나 딱 잘라 거절하던지, 그때 다들 민망해서 죽는 줄 알았다니까. 의사 쌤 상처 많이 받으셨을걸. 어우, 야, 너 그러다 입 찢어져. 그만 웃어!"

점점 벌어지기 시작한 정호의 입술이 조만간 귀에 걸릴 예정이었다. 유리가 대놓고 서원에게 퇴짜를 놓았다는 말에 숙취가 다 해소된 듯 산뜻하게 웃었다.

"아…… 서원 형에겐 미안하지만 ……김유리, 역시 장하다!"

나이스! 브라더! 나의 전사여! 정호는 제 가슴을 주먹으로 툭툭, 치고 입을 쪽 맞춘 후 허공으로 키스를 날렸다.

"1단계."

쓸데없는 장난질하지 말라는 듯, 준원이 묵직하게 치고 들어왔다.

"김유리를 애인으로 만들기, 작전 1단계. 우선 너……."

"어. 뭐?"

제 얼굴부터 몸까지 스윽 훑어보는 준원의 노골적인 시선에, 정호는 팔을 엑스 자로 만들며 의자를 뒤로 물렸다.

"왜. 왜. 뭐. 날 왜!"

준원이 턱을 살짝 치켜들었다. 그리곤 견적을 내듯 더욱 뚫어져라 정호를 빤히 쳐다보았다. 이대로 사는 것은 끝이라고 말하는 듯, 차고 분명한 시선이었다.

"우선 머리카락부터 좀 쳐내고."

준원의 기다란 손가락이 정호의 머리카락 쪽을 가리켰다. 그러자 신나는 듯 밝은 목소리로 새연이 덧붙였다.

"수염! 수염도!"

"그래, 면도도 해야지."

"오예에! 김정호 면도한다!"

새연이 어깨를 들썩거렸다.

"그놈의 추리닝도 좀 벗어."

정호는 결국 발끈했다.

"야, 이준원. 너 솔직히 내가 이러고 있어도 잘생겼다고 했잖아. 배신감 느껴진다, 너!"

"내 눈에 멋있으면, 너 나랑 사귈 거냐?"

그 말에 정호는 입을 다물었다. 이준원, 저 객관적인 자식 같으니.

"밥 다 먹었으면, 일어서."

쇠뿔이든 개뿔이든 단김에 빼 버리겠다는 준원의 기세에 이제는 정신을 못 차릴 지경이었다. 술 마시고 잠들었던 것뿐인데, 깨고 보니 너무 많은 일이 자신을 기다리고 있었다.

"헐. 이것도, 이것도. 참 나, 이것도."

옷장 안에서 증식된 세균처럼 추리닝은 끝도 없이 나왔다. 정호는 남의 집 불구경하듯 그냥 침대 위에 옆으로 누워 버렸다. 내 추리닝이 저렇게 많았나, 하고 새삼스러웠다. 하긴 필요할 때마다 추리닝만 샀을 뿐, 제대로 된 옷을 산 게 벌써 몇 년 전인지 기억도 나지 않으니 말이다.

"너도 추리닝에 대한 집착 쩐다, 진짜. 옷장에 쑤셔 박아 놓은 줄 알았더니, 그것도 아니네. 참 나, 옷걸이에 이렇게 얌전히 걸어 놓은 것 좀 봐."

휙, 휙. 새연이 던진 추리닝이 바닥에 산처럼 쌓이기 시작했다.

"어후. 이거 내가 다 불태워 버릴 거야!"

추리닝 화형식을 하겠다며 새연은 결의를 다졌다. 정호는 누운 채 그 모습을 바라보며, 될 대로 되라는 심정으로 눈만 껌뻑이고 있었다. 준원이 정호에게로 다가왔다. 제 머리 위를 드리운 어둠의 그림자에 정호가 흠뻑 겁을 집어먹은 눈으로 올려다보았다.

"왜, 또 뭐! 왜! 너 무서워, 이제!"

선생님이라며 도와 달라고 할 때는 언제고, 이제는 두려움에 떨고 있었다.

"그거 벗어."

정호는 벌떡 일어나 앉았다. 그리고 자신이 입고 있는 청록색 추리닝 앞섶을 두 손으로 부여잡았다. 이거 내 소중한 추리닝인데!

"싫어. 저거 다 버린다며. 이건 그냥 놔둬."

장난감을 빼앗기기 싫은 유치원생에 빙의하여 정호는 입고 있는 추리닝을 사수했다.

새연이 저 난리를 치며 옷장을 뒤집어엎고 있어도, 여유롭게 보고만 있던 이유는 하나, 지금 입고 있는 추리닝을 제일 아끼기 때문이었다. 저걸 다 의류함에 넣든 버리든 불태우든, 그래도 이거 하나만이라도 지키면 된다고 생각했는데.

"시끄러워, 빨리 벗어. 이게 제일 거슬려."

준원이 정호의 추리닝 아랫자락을 잡았다.

"야! 야! 좀!"

당장 벗겨 내려는 준원의 억센 힘과, 지키려는 정호의 버티기가 팽팽하게 맞붙었다. 볼거리가 생겼다는 듯 새연이 생글생글 웃으며 이쪽을 바라보았다.

이미 바버숍(Barbershop)에 전화해 내일 예약까지 마쳐 둔 상태였다. 오늘 이 추리닝을 처단하고, 내일 바버숍에 데려가 제대로 면도와 헤어 스타일링, 그리고 옷까지 몇 벌 새로 사서 입히는 것이 준원과 새연의 계획이었다.

수염! 머리! 그리고 추리닝!

이른바 김정호의 삼단 변신!

"와아, 나. 이준원 이 자식 힘센 것 좀 보게. 인간적으로 이건 그냥 뒈라. 나도 남는 게 있어야지! 더 이상은 절대 못 빼 줘! 아우, 너무하시네!"

조력자들이 이렇게 적극적인데, 당사자는 겨우 입고 있는 추리닝이나 사수하겠다고 난리니. 새연은 쯧쯧, 혀를 차면서도 왠지 재미있어 내내 웃고 있었다. 준원은 말없이 추리닝을 잡아당길 뿐이었다.

"야! 솔직히 내가 갑자기 수염 깎고, 정장 입고 딱 나타난다 한들 유리가 혹하겠냐? 상식적으로 생각 좀 해 봐. 내가 무슨 신데렐라도 아니고! 드라마 찍냐!"

준원의 손이 잠시 멈추었다. 하아! 이제야 숨 좀 돌리겠다는 듯 정호가 호흡을 고르며 다시 이어 말했다.

"유리가 내 멀쩡한 모습을 안 본 것도 아니고. 갑자기 이런다고 한눈에 반하기라도 하겠어? 그건 아니잖아. 외모에 홀릴 거였으면 지금까지 친구로 있지도 않았지! 새삼스럽게 꼭 이렇게까지 해야……."

정호는 싸늘한 준원과 새연의 시선을 받으며 이어 말했다.

"……지. 해야지! 꼭 해야지! 암요, 암요! 일단 고백이고 뭐고 하려면 정상인의 모습으로 해야지! 그렇지!"

"알면 이리 와라."

상큼하게 뜻을 꺾은 정호에게 까딱까딱 손가락을 접어 보였다. 그러다가 기습적으로 추리닝 밑자락을 다시 휘어잡은 준원이 재빨리 위로 당겨 올렸다. 훌륭한 습격이었다. 정호의 상의가 위로 홀떡 올라가며 탄탄한 상체가 그대로 드러났다.

"꺅!"

새연이 두 손으로 눈을 가리며, 그 모습을 손가락 사이로 야무지게 관람했다. 제 남편 못지않게 꽉 잡힌 정호의 복근이 고스란히 눈에 들어왔다. 신체 조건이 월등히 좋은 건 알았지만, 저렇게까지 몸이 좋았나! 흐뭇하니, 태교에 좋은 광경이로다!

정호의 머리에서 추리닝을 마저 빼내기 위해 준원이 계속해서 잡아당길 때였다.

"김정호? 여기 왜 문이 열려 있……."

조용히 말하면서 현관에 들어서던 사람은 유리였다. 손에 가득 기록 뭉치를 든 유리가 훤히 드러난 정호의 맨몸을 보고 굳어 버렸다. 아무것도 모른 채 뒤집어 올려진 옷에 얼굴이 덮인 정호가 버둥거렸다. 유리를 본 준원의 손에서 힘이 살짝 빠진 사이 겨우 정호가 떨어졌다.

"내가 벗는다, 내가 벗어!"

아들 옷 벗기듯 하던 준원의 손에서 해방된 정호는 스스로 씩씩하게 탈의했다.

"됐냐? 벗었다! 소원대로 추리닝, 내가 벗었……."

그 아끼던 추리닝을 바닥으로 툭 내리꽂은 순간, 저만치 앞에서 자신을 바라보던 유리와 눈이 마주쳐 버렸다. 저도 모르게 정호는 배에 바짝 힘을 주었다. 지극히 반사적인 행동이었다.

갈라져라, 더욱 갈라져라. 그리하여 모세의 기적을 내 배 위에 새기리라! 더욱 단단해진 복근을 유지하며, 정호는 애써 여유롭게 웃었다.

"와, 왔냐, 김유리?"

어색한 인사, 경직된 미소 아래 타들어 가는 가슴. 유리가 흠, 흠, 하고 숨을 가다듬으며 구두를 벗고 올라왔다. 전에 자신이 샤워하겠다며 추리닝을 벗어 던질 때 장난스럽게 웃기만 하던 반응과는 달랐다. 오늘의 유리는 왠지 시선을 피하는 것처럼 느껴지기도 했다.

"너흰 어쩐 일로 여기 다 모여 있어? 어제는 잘들 놀았어?"

유리는 새연과 준원을 보며 물었다. 새연이 얼굴을 가리고 있던 손을 내리며 배시시 웃었다.

"잘 놀았지. 아주아주 잘 놀았지."

"……왜 이렇게 웃어? 좋은 일 있어?"

"있지. 아주아주 좋은 일 있지."

새연이 계속해서 생긋 웃기만 했다.

"아직 첫째도 안 낳았는데, 벌써 둘째가 생긴 것도 아니고. 좋은 일이 뭐야?"

"음, 나중에."

유리는 의심스럽게 바라보다가 바닥에 산처럼 쌓인 추리닝을 보고 기겁했다.

"이건 뭔데! 너희 무슨 작당을 하는 거야?"

이제껏 가만히 있던 준원이 가벼운 미소를 입가에 머금었다.

"작당은 무슨. 그냥 김정호, 사람 하나 만들까 하는 거지."

정호는 옷장으로 가서 그나마 무난한 진회색 티셔츠를 하나 집어 입었다. 아마 청록색 추리닝을 다시 입을 일은 없을 것이다. 이 무시무시한 코치 부부 때문에라도, 이제 마음 단단히 먹어야 했다. 굿바이, 나의 피붙이 같은 추리닝이여.

"뭐, 얘가 그런다고 사람 되겠냐. 추리닝 벗어 봤자, 그냥 추리닝 벗은 토깽이지."

"왜? 정호 꾸미면 엄청 잘생겼잖아. 이제 상거지 스타일 탈피하면……."

"추리닝 입은 꼬라지 보기 싫기는 한데, 그런다고 뭐, 얼마나 달라지겠냐 싶다. 김정호가 김정호지."

유리의 말에 갑자기 정호의 찡그린 눈썹이 스윽 올라갔다.

아무리 멀쩡한 모습, 망가진 모습 다 보면서 함께 자라 온 사이고, 인기 많을 때도 유리가 별 감정 보인 적은 없었지만. 그러니 새삼스럽게 수염 깎고 추리닝 벗는다고 유리가 한 번에 혹하겠냐마는. 지금 정호 본인의 마음

가짐이 예전과는 확연히 다르다. 본격적으로 홀리겠다고 마음먹고 외모를 가꾸면, 예전과는 비교할 수도 없을 것이다.

이제 게임은 시작되었다. 오랜만에 자신감이 솟구친 정호의 한쪽 입꼬리가 올라갔다.

조심해라. 김유리.

너, 나한테, 꼭, 반하게 만든다.

분서갱유(焚書坑儒).

불사를 분, 글 서, 구덩이 갱, 선비 유.

진시황제가 정치 비평을 금하고 탄압하기 위하여 서책을 불태우고 학자들을 구덩이에 생매장하여 베푼 가혹한 정치를 이르는 말이다. 지금 이 순간, 분서갱유에 맞먹는 사건이 일어나고 있다. 지금 이곳, 옥탑 마당에서 말이다!

아아, 무참히 탄압받는 나의 추리닝이여. 활활 불타는 추리닝을 보며 정호는 크흑, 미간을 손으로 잡았다. 슬프다, 슬퍼……. 참으로 슬픈 일이도다!

비도 오지 않는 맑은 하늘. 해는 무심하게도 쨍쨍 밝게 빛났다. 준원과 새연은 어디서 큰 양동이까지 구해 왔다. 거기에 추리닝을 넣고 불을 내어, 안전하게 '분(焚)추'(불사를 분, 추리닝 추)의식을 거행하는 중이었다. 입을 만한 것들은 의류함에 넣기로 하고, 구제하지 못할 것들만 태우는 중이라 그 양이 매우 적기는 했다.

말하자면 분(焚)추는, 상징적인 의식이었다. 그렇다고 해도 진짜로 태울 줄은 몰랐다. 독한 부부 같으니.

"다 낡아 빠진 추리닝 태우는데 뭐가 그렇게 아쉬워?"

새연이 물었다. 정호는 평상에 털썩 앉았다.

"막상 이렇게 타는 거 보니까 내 살이 타는 것 같구나……."

"1층 내려간 유리가 들었으면, 지랄한다고 욕했겠다."

유리는 정호에게 가져온 문서에 대해 몇 가지만 묻고는 얼른 다시 1층으로 내려갔다. 할 일이 많은 모양이었다.

준원은 정호의 어깨에 손을 얹었다.

"마음 굳게 먹어라."

진지한 준원의 말에 오히려 정호가 빵 터지고 말았다.

"푸하! 진짜로, 신데렐라 변신시켜 주는 요정 할머니들 같다, 너희."

"신데렐라가 너처럼 말이 많지는 않았지만, 대충 그런 걸로 하자."

준원이 손을 툭툭 두드려 정호에게 힘을 실어 주었다.

"그러니까 우리가 하자는 대로 해. 너 이대로 있다가는 김유리가 독신 선언 꺾고 시집가서 애 낳고 잘 사는 것까지 보게 될지도 모른다고."

갑자기 머릿속이 꽉 죄어 왔다. 뭐? 김유리가 시집을 가고, 애를 낳는다고? 정호가 입가에서 웃음을 싹 거두고 벌떡 일어섰다. 불타는 추리닝을 보며 잠시 약해졌던 승부욕이 다시금 솟구쳐 올랐다.

"다른 남자 애 낳는 건 내가 죽어도 못 보지."

한국대 학보사에 있는 준의 과 동기가 로(Law) 카페 취재를 위해 방문하고 싶다고 했다. 유리는 카페 홍보를 위해서 기꺼이 허락했다. 부탁해서 기사를 실어 달라고 해도 부족한 마당에, 먼저 와 주겠다고 하니 고마울 따름이었다.

안 그래도 얼마 전에 교수님도 한번 다녀가시더니, 강의하실 때 학생들에게 말씀도 해 주셨단다. 어쩐지, 법대 후배들도 많이 온다 싶더라니.

"그나저나 내일 월요일에 준이 너 쉬어야 하는데, 취재 때문에 나와서 미안해 어쩌니?"

"아니에요. 화요일에 쉬면 되죠! 쉬어 봤자 게임밖에 안 하는데요, 뭐. 카페 나오는 게 더 재미있어요."

유리는 준의 포슬포슬한 머리를 쓰다듬어 주었다. 으유, 귀여워라.

"그래도 우리 카페 점점 잘되는 것 같아서 진짜 좋아요. 누나 진짜 성공하셨으면 좋겠어요."

"나는 성공보다도, 망하지 않고 계속 이렇게만 지낼 수 있으면 좋겠어. 사람들이랑 같이 이야기하고, 도와주고 하면서."

"이런 변호사가 내 주변에 있다니. 정말 자랑스러워요. 세상에 누나 같은 좋은 변호사가 있다니."

"그런 말 제발 하지 마. 남들이 들으면 완전 비웃어. 세상에 좋은 변호사들이 얼마나 많은데. 수임료도 아예 안 받으면서 어려운 사람 위해 일하시는 공익 변호사분들도 계시고, 봉사 꾸준히 하시는 분들도 정말 많거든. 알고 보면 나는 받을 것 다 받고, 챙길 것 다 챙기면서 하는 일인데, 뭐."

"아, 나 진짜 누나한테 반할 것 같아."

유리가 두 손으로 준의 볼을 잡아 '아유, 귀여워.' 하며 흔들고 있는데 누군가 다가와 유리의 손목을 탁 잡았다. 고개를 올려다보니 정호였다.

"우리 준배한테 손대지 말라니까."

유리를 떼어 낸 정호가 준을 보호하듯 가로막았다.

"네. 두 분, 예쁜 사랑 하세요."

정호와 준의 사랑을 축복하며 유리가 머리 위로 하트를 그려 보였다.

"아, 뭐예요, 형. 나 여자 겁나 좋아하는데!"

"나도 여자 겁나 좋아한다."

"그럼 우리는 이제 그만 헤어져요."

"하지만 나는 우리 준배도 겁나 좋아."

웃으며 준의 어깨에 손을 올렸다.

"지금은 손님도 별로 없는데, 우리 준배 아이스크림이나 한 컵 하러 가자. 변호사 누나랑 계속 붙어 있어 봤자 너 좋은 꼴 못 본다."

"아, 싫어요, 싫어어어."

"제가 준배 좀 빌려 갑니다."

정호는 준의 거부에도 아랑곳하지 않았다.

"그래, 준아. 너 아까 밥 먹고 제대로 쉬지도 못했는데 좀 나갔다가 와."

마미마저 허락했다. 정호가 준을 포박하듯 끌고 나갔다. 정호 혼자 내려온 것을 보니, 준원과 새연은 돌아간 모양이었다. 유리는 못 말리겠다는 듯 고개를 절레절레 저으며 사무실로 향했다.

"어우, 뭐야. 준이 오빠 끌려갔어."

사무실 문 옆 테이블에 앉아 있던 학생들이 아쉬운 듯 말했다.

"납치한 사람 누구야? 무서워. 혹시 범죄자 아니야?"

그 소리에 유리가 걸음을 멈추었다.

"저 사람 여기 맨날 추리닝 입고 왔다 갔다 하는 아저씨잖아."

"아아, 그 초록색 추리닝! 추리닝 또라이라고. 추또래! 여기 카페 분들 얘기하는 거 들었었어. 오늘은 티셔츠 입고 있어서 몰랐네. 저 추또 아저씨 왜 우리 귀여운 오빠 끌고 가고 그래. 짜증 나게."

여학생들의 테이블 앞에 유리가 탁 하니 가서 섰다. 팔짱을 끼고 내려다보는 시선에 여학생들이 천천히 고개를 올렸다.

"왜, 왜요……? 선배님?"

자주 오는 학생들은 오너인 김유리 변호사가 한국대 출신이라는 걸 대부분 알고 있기에 변호사님 아니면 선배님이라고 부르는 경우가 많았다.

"아저씨 아니거든."

차갑게 깔리는 유리의 말에 학생들이 긴장한 얼굴로 바라보았다.

"저 추또가."

"……."

"한국대 법대 수석을 한 번도 놓친 적 없었던, 니들 학교 선배라고."

"……정말요?"

믿을 수 없다는 듯 눈을 데굴데굴 굴리며 학생들은 자신들끼리 시선을 주고받았다. 거기에 유리가 덧붙여 말했다.

"그리고."

"……."

"말도 못 하게 잘생긴 사람이야."

"예에?"

이거야말로 황당한 모양이었다. 학생들의 시선이 우왕좌왕하며 허공에서 부딪쳤다.

"너희가 어려서 스타일만 보나 본데, 기본적으로 잘생긴 얼굴이나 기럭지는 어디 안 가거든. 물론 내면은 더더욱 훌륭하고. 사람 보는 눈을 좀 높여야겠다, 너희."

팔짱까지 끼고 나지막한 목소리로 이야기하던 유리가 살짝 웃으며 말을 마쳤다.

"그럼 즐거운 시간 보내."

유리가 또각또각, 힐 소리를 내며 사무실 안으로 사라졌다. 문이 닫히자 학생들은 어이없다는 듯 표정을 구기며 속삭였다.

"뭐야. 저 선배님 눈 되게 낮은가 봐."

"아니면 성격이 엄청 좋든지. 어떻게 그 아저씨를 잘생겼다고 할 수가 있지?"

"친구라고 실드 쳐 준 거지. 눈물겨운 우정이다."

"그런데 맨날 법대 수석 했던 사람이 왜 저러고 있어?"

한 여학생이 귀 옆에 대고 손가락을 빙글빙글 돌렸다.

"공부를 너무 많이 해서 사람이 이렇게 미친 거지."

"진짜 그런가 봐!"

어린 학생들은 상큼한 준과 말끔한 은강의 비주얼에 밀려도 한참 밀리는 추또를 미남이라고 도저히 인정할 수가 없었다.

"야! 이건 또 웬 추리닝이야!"

정호를 보자마자 새연이 기겁을 했다.

"이거 그냥 추리닝 아니고, 외출복이에요, 선생님."

"허얼."

청록색은 아니었다. 회색 후드 상의에 검은색 하의였다. 몸에 핏되면서도 세련된 것이, 전에 입던 후줄근한 추리닝과는 확실히 다르긴 했다.

"그래도 추리닝은 추리닝이잖아! 이건 어디서 났어! 어제 다 버리고, 불태웠잖아!"

"중요한 날 입으려고 사 놓은 거지."

정호는 어제 그 난리 통에서도 이 외출용 추리닝만은 사수했다는 것이 뿌듯한 모양이었다.

"어휴. 널 누가 말려. 일단 들어가자."

한남동의 한 바버숍(Barbershop).

새연은 정호의 옷자락을 붙잡아 이끌었다. 준원의 스타일링을 맡아 주는 단골 바버숍이라 새연과도 친분이 있는 곳이었다.

"준원 씨는 오늘 안 오시구요?"

"네. 오늘은 이 친구만 부탁드려요."

어제 추리닝을 불태우고 레스토랑에 바로 들어가 봐야 했던 준원은, 오늘도 급한 예약이 잡혀 함께 오지 못했다.

새연과 정호 둘만 보냈지만, 전과 같이 질투하는 모습은 전혀 보이지 않았다. 유리를 향한 정호의 마음을 알더니 이제는 걱정이 되지 않는 모양이었다. 알고 보면 이준원도 단순한 남자라며 새연은 생글생글 웃었다.

"수염은 이대로 다듬어 드릴까요?"

"아니요! 다듬지 말고! 싹! 싹! 다 밀어 주세요! 아주 그냥 깨끗하게!"

바버숍 실장의 물음에 새연이 큰소리로 외쳤고, 정호가 항의하듯 말했다.

"아니, 왜 내 수염을 네가 결정⋯⋯."

"말 잘 듣기로 했잖아."

조그만 새연이 무서운 눈빛을 번뜩였다. 정호는 얼른 입을 다물었다. 새연은 다시 방긋 웃으며 말했다.

"수염 아주 그냥 확, 싹, 막 밀어 주시구요. 아, 그리고 머리는 너무 짧게 치지 말고 여기서 살짝 다듬어 주세요. 근데 좀 단정하게요. 얘는 머리 짧은 건 안 어울려요."

"네, 그렇게 하겠습니다."

실장도 당사자인 정호보다는 새연의 말을 더 신뢰하는 모양이었다.

"그래. ⋯⋯다 네 마음대로 해라."

정호 역시 끈을 확 놓아 버렸다. 남의 편일 때 무섭지만, 내 편일 때는 든든한 여인, 한새연을 완전히 믿어 버리기로 했다. 1단계인 '삼단 변신'이 얼마나 큰 반향을 불러일으킬지 모르겠지만, 혼자 마음 끓이는 것보다는 낮지 않을까.

"자, 이쪽으로 오세요."

실장이 정호를 안내했다. 드디어, 시작이다. 면도가 뭐라고 가슴이 이렇게 떨리는지. 정호는 이상하게 쿵쾅거리는 마음을 안고, 새연의 응원을 받으며 실장의 뒤를 따랐다.

"거봐, 훨씬 낫지!"

새연은 내내 감격 어린 표정으로 정호의 얼굴을 쳐다보았다.

"가만히 있어 봐. 사진 좀 찍자."

"하지 마라."

"준원이한테 사진 보내 줘야 해. 중간보고 하기로 했어."

"정말 대단한 부부다."

정호는 혀를 내두르며 차에 올라 시동을 켰다.

"전송 완료!"

새연이 정호의 모습을 휴대폰으로 찍어 준원에게 보낸 후 활짝 웃었다.

"진작 이렇게 면도만이라도 하면 좀 좋아! 물론 머리도 정말 마음에 든다. 아, 속이 다 후련해!"

새집 머리와 수염. 게으른 지난날의 표상과 이렇게 이별 의식을 행하였다. 정호는 몇 년 만에 되찾은 깔끔한 턱을 손으로 쓸어 보았다. 매끈한 피부의 감촉이 영 어색하기만 했다.

"진짜 괜찮은 거 맞지?"

"야! 당연하지!"

미심쩍은 듯 묻는 정호에게 새연이 벅찬 음성으로 대답해 주었다.

"우리 정호가 이렇게 생겼었지! 싶다니까. 그리고 너, 내 결혼식 때 꾸몄던 것보다 훨씬 더 멋있어진 것 같아. 서른 넘고 뭔가 눈가에 깊이가 생긴 건가?"

"깊이는 무슨, 주름이겠지."

툭 내뱉듯 말하며 정호가 운전을 시작했다. 새연이 명한 목적지는 백화점이었다.

"주름이 아니고, 깊이라니까."

마미도 그런 말씀을 하셨었다. 눈매가 더 깊어졌다고. 유리에 대한 감정을 정리하지 못한 채 괴로워하다 보니 마음고생한 게 눈으로 다 몰렸나.

"뭔가 살짝 섹시해진 그런 느낌이라고 해야 하나? 하여튼 이렇게 수염 진짜 잘 깎았다. 이제 인물 나는구나!"

새연은 후련한 마음이었다.

"그런데 한새연. 만약에 말이야. 유리가…… 내가 아닌 서원 형이 좋아졌다고 하면."

정호의 말에 새연은 숨을 죽였다.

"그때는 이렇게 나 도와줄 수 없겠지?"

"……왜 그렇게 생각해?"

새연이 되묻자 정호가 쓸쓸하게 웃었다.

"유리를 위해서라면, 서원 형과 잘되게 해 주는 게 맞잖아."

"나는 유리가 행복했으면 좋겠지만 ……너도 행복해졌으면 좋겠어."

"……"

"숨지 말고, 당당해져. 네 유일한 단점이 뭐냐면."

"……"

"네가 잘났다는 사실을 모르는 거야."

정호가 푸훗, 하고 웃으며 대꾸했다. 가볍게, 한없이 가볍게.

"내가 왜 몰라. 야, 내가 얼마나 잘났는데. 잘난 부분만 골라서 책으로 쓰면 완결이 안 난다니까. 안 그러냐?"

그걸 아는 사람이 단번에 제 꼬리 자르고 그렇게 숨어 버렸을까? 조금만 더 버티지 그랬어. 그 자리 지키고, 당당하게 고개 들고 살아갈 자격…… 너는 충분했는데 말이야. 가슴속이 아릿해졌다. 새연은 힘들었던 정호의 시간을 기억하며 창밖으로 고개를 돌렸다.

"야, 한새연, 왜 대답을 안 해? 인정할 건 인정해라."

장난스럽게 정호가 팔을 툭 쳤다.

"알았으니까 운전이나 잘해!"

"임신부 히스테리인가. 갑자기 왜 그래?"

"너 꼭! 유리한테 고백도 성공하고, 연애도 하고, 그래야 해."

있는 인맥 없는 인맥 다 끌어다가 정호에게 죽어라고 소개팅을 시켜 줬던 새연은, 그가 왜 그렇게 여자를 제대로 만나지 않았는지 이제 알 것 같았다.

마음속에 품은 여자라고는 지금껏 오직 유리 하나뿐.

어쩌면 정호가 세상을 다 놓아 버린 듯 대충 살아가던 것도, 유리의 마음을 얻는 순간 좀 달라지지 않을까? 더 열심히 살고 싶어지지 않을까? 사랑은 그렇게, 정호를 변화시킬 수 있지 않을까? 새연은 조심스럽게 기대를 해 보았다.

백화점.

"남자는 역시 슈트지."

최근 몇 년간 스포츠 매장에서 대충 추리닝이나 구입했던 정호는, 단호하게 슈트를 고집하는 새연에게 이끌려 남성복 매장에 들어섰다.

"나 오늘 진짜 신데렐라 같다."

"그래, 제대로 한번 해 보자니까. 주문 알지? 비비디 뭐, 있잖아."

"살라카둘라 메치카불라 비비디 바비디 부."

"그래, 암튼 그거. 어휴! 쓸데없는 것 좀 외우고 다니지 마라. 머리 터지겠다."

정호는 어깨를 으쓱 들어 보이며 말했다.

"그런데 신데렐라도 자비로 드레스 샀냐? 이런 건 원래 요정 할머니가 쏘는 거 아니야?"

"야, 네가 입을 옷인데 우리가 사 주리?"

"암요, 네. 내 몸뚱이가 입을 옷인데, 내가 사야지. 우리 요정 할머니들은 금전 관계 참 확실하시네."

정호는 후드를 뒤집어쓰고 끈을 꽉 조였다. 상의 주머니에 대충 손을 찌르고, 그 모양이 다 그 모양 같아 보이는 슈트들을 훑어보았다.

"뭐가 뭔지 하나도 모르겠다. 나한테 원래 있는 거랑 뭐가 다르냐?"

"준원이랑 어떤 스타일로 살지 어제 다 의논했거든."

"미리 회의도 하고 오셨어. 성실하기까지!"

"거부하면 준원이가 진짜 자기 돈으로라도 다 사 올 거야. 너 입히면 옷값 아깝진 않을 거라고 하더라."

"내가 그렇지. 뭘 입어도 사람이 귀티가 줄줄 흐르는 게 보통 인물이 아니잖……."

"네…… 맞아요."

낯선 여자의 목소리에 흠칫 놀라 정호는 옆을 돌아보았다. 매장 여직원이 얼굴을 살짝 붉힌 채 서 있었다.

"손님 워낙 키도 크시고 몸도…… 좋으시고, 얼굴도 너무 잘…… 생기셔
서."

마치 고백이라도 하는 사람처럼 상기된 얼굴로 직원이 말을 이었다.

"어떤 슈트를 입으셔도 잘 소화하실 것 같아요."

판매 직원의 입에 발린 소리라고 생각하며 정호가 억지로 웃었다.

"그렇죠? 얘가 기본은 해요. 보시고 추천 좀 해 주세요. 클래식한 슈트는
어느 정도 있다고 하니 그런 것 말구요. 너무 유행 타지 않으면서 적당히 트
렌디한 걸로. 요즘 잘 입을 수 있는 걸로요."

새연이 싹싹하게 웃으며 직원에게 원하는 스타일을 설명해 주었다. 휴대
폰에 저장한 사진을 보여 주기도 했다.

"이런 거, 이런 것도 괜찮구요. 이 연예인이 입은 것도 여기 것 맞죠?"

"네, 네, 맞아요. 이쪽에 있어요. 보여 드릴게요."

새연과 직원이 옷을 살펴보는데 정호가 심드렁하게 말했다.

"무슨 재킷까지 다 갖춰서 입히려고 그래. 좀 있으면 더워지는데. 야, 그
냥 대충 셔츠에……."

"그놈의 대충 소리 좀 하지 말자. 너, 대충 차이고 싶어?"

"아니."

"그럼 주는 대로 입어!"

"……네."

엄청나게 말 안 듣는 아들 데리고 쇼핑하는 것처럼 새연이 윽박지르자
직원이 물었다.

"두 분, 부부 사이가 아니신가 봐요."

도톰하게 부푼 배가 딱 봐도 임신부니, 당연히 쇼핑 나온 젊은 부부인 줄
안 모양이었다.

"아니에요."

새연의 대답에 직원의 표정이 밝아졌다.

"쟤 짝사랑하는 여자한테 잘 보이려고 옷 사러 온 거예요."

이어지는 말에는 다시 얼굴이 어두워졌다. 그 얼굴에는 스위치라도 있는지 표정의 전환이 참으로 빠른 직원이었다. 새연은 저만치에 서서 이쪽을 흘깃거리는 직원들과 다른 고객들의 시선도 캐치했다. 후드를 뒤집어쓰고는 있지만, 면도한 깔끔한 본래 얼굴만으로도 정호는 확실히 눈길을 끌고 있었다.

하지만 이 정도로는 부족하다. 유리가 본래 잘생긴 정호 얼굴을 모르는 것도 아니고, 그 이상의 한 방이 필요하기는 했다.

"자, 들어가서 이거 입고 나와 봐."

"그냥 사면 안 돼? 꼭 여기서 입어 봐야……."

"……."

"……지. 입어 봐야 사지. 네, 그럼요. 입겠습니다. 백 번도 더 입겠습니다아……."

투정 좀 작작하라는 새연의 눈빛에 불평도 쏙 들어갔다. 새연과 직원이 합심하여 품에 안겨 주는 슈트를 안고 정호는 피팅 룸으로 들어갔다. 닫힌 문을 보면서 새연이 힘들다는 듯 제 목을 주물렀다.

"하긴, 금방금방 말 들을 것 같으면, 지금까지 저러고 살지도 않았겠지."

배우려는 의지는 있으나 천성이 게으른 학생이라 조금 피곤했다. 추또로 살아온 날들을 어찌 하루아침에 내던질 수 있겠는가. 사람은 그렇게 순식간에 변하는 것이 아니었다. 새연은 기다리는 사이 제 남편 준원에게 어울릴 만한 타이를 구경하기 시작했다.

딸깍.

"어머!"

잠시 후 직원이 탄성을 내질렀다. 그 소리에 문이 열린 피팅 룸 쪽으로 새연의 고개가 돌아갔다. 곧 타이를 손에 든 채 새연이 그대로 굳어 버렸다.

"시간 내주셔서 정말 감사합니다."

"우리가 더 감사하지. 기사 잘 써 주세요, 후배님들."

유리가 대외적으로 통하는 부드러운 미소를 지어 보였다.

학보사 취재가 있었다. 준의 과 동기인 남학생 한 명, 그리고 같은 학보사에 있는 여학생 한 명 이렇게 두 사람이 카페로 찾아왔다. 준과 같은 동기로 올해 복학한 민호와 1학년 신입생인 은수였다. 유리와 마미를 인터뷰하고, 카페 공간을 스케치하고, 은강과 준에게도 간단한 질문을 한 후, 이제 막 취재를 끝마친 참이었다.

"잠깐만 기다렸다가 같이 저녁 먹으러 가요. 맛있는 거 사 줄게."

"앗, 정말요?"

유리의 말에 두 사람이 반색했다.

"응. 내가 30분 정도만 일 마무리하면 되니까, 잠깐 앉아서 커피 마시고 있어요. 같이 나갑시다."

"네. 저희야 좋죠!"

민호가 싹싹하게 대답했다. 준과 친구라더니 비슷한 성격이라 귀염성이 있었다.

"아! 그런데요, 선배님."

준은 편하게 누나라고 부르지만, 다른 연결고리가 없는 민호는 취재 내내 선배님이라는 호칭을 사용했다.

"음?"

"아, 이 질문을 안 드렸네요. 하나만 더 여쭤볼게요."

"해요."

유리가 잠깐 맞은편 의자에 앉았다.

"보통 변호사 사무실에는 업무를 도와주시는 직원분들이 계신 걸로 아는데, 선배님은 혼자서 다 하시잖아요. 그게 어떻게 가능하신 건지. 소송 업무를 많이 안 하고 상담에 치중하기 때문인가요? 그래도 상담이 너무 많으면 그건 어떻게 하시는지⋯⋯."

"아, 도와주는 사람 있어요."

민호의 질문에 유리가 대답을 이어 했다.

"처음에는 나도 혼자서 다 할 수 있을 거라고 생각했거든요. 원래 로펌에서 하던 일보다 훨씬 적으니까 가능하겠다 싶었는데, 막상 시작해 보니 그게 아닌 거야. 엄청 버거웠죠. 일이 그렇게 많지가 않은데도 혼자 다 하기에는 효율성이 좀 떨어진다고 해야 하나. 그런데 다행히 주변에⋯⋯."

"네."

"같은⋯⋯ 전공자가⋯⋯."

"네?"

"⋯⋯있어서. 그⋯⋯ 친구가⋯⋯."

점점 흐릿해지는 목소리. 그리고 어딘가를 배회하는 시선. 또박또박 분명한 음성으로 답변하던 유리가 조금 이상했다. 그 모습에 민호와 은수는 어리둥절했다.

"왜, 왜 그러세요?"

"⋯⋯아니, 도와주는⋯⋯ 친구가."

민호의 어깨 너머 문 쪽을 바라보는 유리의 눈빛은 분명 흔들리고 있었다. 민호와 은수가 그녀의 시선을 따라 뒤를 돌아보았다.

웬 남자가 카페 안으로 들어서는 중이었다.

장신의 키에 적당히 벌어진 어깨, 길게 뻗은 다리, 날렵한 핏감을 자랑하는 세련된 블랙 슈트. 마치 런웨이를 걷다가 막 빠져나온 모델 같았다.

학교 후문의 이런 작은 거리에서 쉽게 보기 힘든 인물이었다. 그야말로 작정하고 스타일링한 배우가 일상 속으로 들어왔을 때의 비현실적인 느낌이랄까. 균형 잡힌 이목구비와 수려한 입가에 스치듯 걸린 미소까지. 과장을 조금 하자면, 드문드문 테이블 앞에 앉아 있던 학생 몇 명은 금방이라도 쓰러질 것 같은 표정을 하고 있었다.

"야…… 너……."

유리가 남자를 보며 일어섰다. 채 말을 잇지 못하는데, 그가 타박타박 걸어 앞까지 오더니 입고 있던 슈트 재킷을 벗었다. 그리고 유리의 옆자리에 천천히 앉으며, 다리를 꼬는 동시에 셔츠 소매의 커프스단추를 풀었다.

그는 풀어 낸 셔츠 소매를 걷어 올렸다. 보기 좋게 솟은 힘줄과 잔근육이 잡힌 팔뚝이 드러났다. 모든 동작은 여유가 넘쳤고, 지극히 유려하였다. 그를 아는 사람, 모르는 사람 모두 숨을 죽였다. 카페에는 흐르는 음악 외에는 아무런 소리도 나지 않았다.

"계속 그렇게 서 있을 거야?"

길게 뻗은 눈매. 날카롭게 베일 듯한 콧날, 수려한 턱선. 그가 시선을 들어 유리를 삐딱하게 바라보았다.

철렁, 유리의 심장이 내려앉았다.

7. 너한테 반했다고

후우우우. 유리는 숨을 몰아쉬었다.

아무렇지 않게 걸어서 사무실 안으로 막 들어온 참이었다. 그녀는 문을 닫자마자 기대서서 참았던 호흡을 길게 뱉었다.

'어유. 우리 정호 이제 좀 사람다워졌네!'

아까는 정호의 등을 두드리며 일부러 더욱 씩씩하게 말했다. 마미와 준은 이 남자가 정말 정호인지, 아니면 정호를 잡아먹고 나타난 호랑이인지 확인하느라 여념이 없었다. 다른 사람 일에 크게 관심 두지 않는 은강조차 바에 선 채 놀란 눈으로 바라보았었다.

유리는 앞에 앉은 후배들에게 일을 도와준다는 친구가 바로 이 사람이라고 설명해 주었다. 더불어 원래는 추리닝만 입고 면도도 안 하는데, 오늘따라 멀쩡한 모습이라고 덧붙였다. 민호와 은수는 아아, 하고 고개를 끄덕이며 수긍했다.

'그런데 상상이 안 가요. 지금 모습만 보면…… 정말 모르겠는데.'

은수가 믿을 수 없다는 듯 말했다. 그렇겠지. 마치 태어날 때부터 슈트 입고 카리스마 넘치게 응애, 한 남자처럼 정호는 엄청난 '슈트 간지'를 보여 주고 있으니까.

대체 무슨 일이지? 왜 머리를 다듬고, 면도하고, 정장까지 입은 걸까? 소개팅할 때조차 거지 몰골로 나가서 주선해 준 새연을 기겁하게 했던 뻔뻔한 인물이 아니었던가.

유리의 머릿속이 복잡해졌다. 선이라도 보는 거냐고 묻고 싶었는데, 후배들도 있고 해서 참았다. 일을 빨리 마무리해야 한다고 사무실로 들어온 것이지만, 사실은 도망친 것이나 다름없었다. 심장이 세게 뛰어 견딜 수가 없었다.

"아니…… 쟤 멀쩡한 모습을 처음 본 것도 아니고…… 내가 왜 이래?"

아무리 생각해도 달랐다. 전과는 확연히 달랐다.

그래. 다른 점이 있다면 이것.

추리닝 입었든, 수염을 안 깎았든, 그 모든 것과 상관없이 요즘 들어 이미 정호에게 그녀의 심장이 반응하고 있었다는 사실이다. 그 상태로도 충분히 좋았다.

그런데 멋있는 모습으로 나타나니 '더' 좋은 것이다. 전보다 훨씬 가깝게 지내는 동안, 정호와 함께 있게 되면서 흔들렸던 제 마음 전부가 오롯이 그를 향해 있었다는 것을…… 완전히 깨달아 버렸다.

새연의 결혼식 날 나타났던 모습과 비슷하지만, 그때는 알아보지도 못했었다. 정호인 것을 알게 되고도 설레는 마음 따위는 없었다.

하지만 지금은 다르다. 카페에 들어서는 정호의 모습을 본 순간, 세상이 하얗게 부서지는 기분이었다. 모든 것이 전부 다 날아가고 오로지 정호만 남은 것 같았다.

그가 다가오는 한 걸음, 한 걸음이 마치 제 심장을 밟는 것만 같았다. 인정해 버리고 나자 밟힌 심장은 이제야 알았냐고 원망하듯 더욱 거세게 날뛰기 시작했다.

이게 뭐야, 대체. 나한테 왜 이래?

유리는 아랫입술을 지그시 깨물었다. 익숙하지 않은 감정에 당황스러움
이 밀려들었다.

유리가 가방을 챙겨 들고 카페로 나왔다. 둘러보자 정호는 없었다. 마치
신기루처럼 사라져 버리고 말았다.

커피를 마시며 기다리고 있던 민호와 은수가 일어섰다. 함께 가서 저녁을
얻어 먹으라며 마미는 준도 일찍 보내 주었다. 준이 퇴근할 준비를 하는 사
이 유리가 마미에게 물었다.

"정호는?"

"올라갔지."

빨리도 올라갔네. 유리는 너무 잠깐 보았던 정호의 모습이 아쉽게 느껴졌
다.

"근데 정호 오늘 진짜 멋있었다, 그치?"

"멋있긴. 그래 봐야 지가 추또지."

물론 다른 사람 앞에서는 마음과 다른 말이 먼저 튀어 나가지만 말이다.

"추리닝을 벗었는데 왜 추또니?"

"그럼 슈트 입었으니까 슈또네."

"슈또?"

마미가 웃음을 터뜨렸다.

"남의 집 귀한 아들한테 왜 자꾸 또라이래."

"웃으면서 하실 소리는 아닌 것 같습니다만."

유리는 준과 민호, 은수까지 모두 데리고 학교 정문 쪽 도로의 패밀리 레스토랑으로 갔다.

이야기를 나누며 음식을 먹으면서도 아까의 정호 모습이 좀처럼 지워지지 않았다. 한 번만 더 보고 싶었다. 유리의 입술 사이를 비집고 계속해서 한숨이 흘러나왔다.

"그런데 아까 그 선배님이요."

은수가 수줍은 얼굴로 말을 꺼냈다.

"응? 무슨 선배님?"

유리가 생각하고 있던 바로 그 남자.

"아까요, 드라마에 나오는 남주처럼 멋있는 그분……. 정장 입고요."

"김정호?"

"……네."

"걔, 왜요?"

은수가 조심스럽게 입을 열어 물었다.

"결혼하셨어요?"

"아, 아니."

"다행이다."

준과 민호가 앞다투어 은수의 말에 반응했다.

"뭐야? 은수 너, 정호 형한테 관심 있어?"

"헐. 그 선배님 나이 많아!"

이제 막 스무 살이 된 은수. 그리고 정호는 서른한 살. 무려 열한 살 차이가 났다.

"제 이상형이에요."

은수의 말에 모두가 입을 딱 벌렸다. 기가 막힌다는 듯 민호가 말했다.

"우리 학번 애가 세 명이나 고백했는데, 너 다 찼잖아. 와…… 복학생이라 나이가 많아서 싫어하는 줄 알았더니, 그거 아니었어?"

파릇파릇한 학생들의 대화에 유리는 팔짱을 끼고 앉은 채 바라보기만 했다.

"나이가 문제가 아니고, 그냥 그 오빠들이 제 스타일이 아니었던 거예요."

이제 대학생이 된 지 한 달 반밖에 안 되었는데, 벌써 고백을 그렇게 많이 받았단 말이야? 공개된 것만 그 정도면 실제로는 더 많을 수도 있다. 유리는 은수를 다시 보았다. 교복을 벗은 지 두 달도 안 된 꼬꼬마였다. 애티를 아직 벗지도 못한. 그런데 애가 지금 ……정호한테 반했다, 이거지.

"저는 아까 그 선배님처럼, 세련되고 지적이고 그러면서도 분위기가……."

"개뿔."

"네?"

"아니, 계속해요."

"분위기가 차가운 듯하면서도 뭔가 사연도 있어 보이고."

은수의 말에 유리는 기분이 점차 가라앉았다. 그래서일까. 저답지 않게 질척하게 덧붙였다.

"걔 평소에 안 그래요. 아까 얘기했잖아. 원래는 면도도 잘 안 하고, 다 해진 추리닝만 입고, 헛소리나 하고, 그런다구요. 후배님이 어쩌다 본 그 모습이 전부는 아니라니까."

준이 맞장구쳤다.

"내가 알지, 내가 알아. 진짜 그래. 정호 형 오늘 같은 모습은 나도 처음 봤어."

"수염에 추리닝이라니……. 아무리 상상해 보려고 해도 잘 안 돼요. 진짜 그렇다면, 그건 좀 싫은데요."

은수가 하는 말에 유리의 기분이 또 한 번 상했다. 아니, 추리닝이 뭐가 어때서! 추리닝을 입었든, 수염을 가슴께까지 길러서 땋았든 그게 무슨 상관인가. 자신은 그저 김정호의 있는 그대로를 좋아했다. 진정한 사랑이라면 그런 걸 따지고 그러면 안 되는 거지!

하지만 여기서 그걸 감싸 주면 안 된다. 은수가 정호의 모든 면에 홀딱 넘어가도록 내버려 두어서는 안 되었다. 내면의 여러 자아와 치열하게 싸운 끝에 유리가 다시 말했다.

"그렇지, 그렇지. 좀 싫을 거예요. 어휴우. 나도 싫은걸! 친구니까 참고 봐주는 거지, 누가 그걸 이해해. 수염에 추리닝이라니! 어유우우! 그냥 딱 관심 꺼요. 우리 후배님처럼 앞날이 창창한 친구가 마음에 담기엔 걔가 너무 별로야."

"그래도……."

뭐지, 이 질긴 생명력의 정체는.

"아까 카페에 딱 들어오실 때 그 모습은 정말 멋있었어요."

은수의 마음속에 깊게 뿌리내리고 피어나는 연심(戀心)이라는 이름의 꽃이었다. 아아! 이게 어디 은수 한 사람뿐이겠냐고! 아까 카페 안 여자 손님들의 시선이 일제히 정호에게로 향하던 그 순간이 떠올라 버렸다. 유리의 폭주 심장이 다시 동동동 뛰기 시작했다.

가뜩이나 오랜 친구 사이에 이런 마음을 갖게 된 것도 난감해서 어떻게 해야 할지 모르겠는데, 생각이 정리되기도 전에 연적들의 등장이라니. 머리가 지끈지끈 아프기 시작했다.

내가 이래서 연애를 싫어하는 거야. 신경 쓸 게 어디 한두 가지여야지. 유리는 속으로 중얼거렸다. 하지만 아직 연애를 시작하기도 전인데 이런 걱정거리까지 생겨 버렸으니, 이를 어떻게 해야 하나.

일방통행이란 게 원래 좀 괴롭다. 상대방의 감정이며 상황은 하나도 모르는데, 혼자 미친년 널뛰듯 하는 제 마음만 보고 있으니.

짝사랑의 전초전.

유리는 제 머리를 쥐어뜯고만 싶어졌다.

"효과 있는 것 확실해?"

-그럼! 원래 감질나야 더 궁금한 법이지!

정호는 침대 위에 벌렁 누운 채 새연과 통화 중이었다. 최대한 멋있게 등장하되, 노출 시간을 10분을 넘기지 말라고 했다. 짧게 치고 빠져야 임팩트가 있다는 선생님의 조언이었다.

"감질은 내가 난다!"

유리의 반응이 어떤 건지 확실히 감이 안 왔다. 자신을 알아보고 놀란 것 같기는 한데, 결론적으로는 별 관심이 없어 보였으니까. 그냥 사람다워졌다고만 하고, 바쁘다며 사무실로 들어가지 않았던가. 모양 빠지게 따라 들어가서 계속 뽐낼 수도 없고. 어휴. 겨우 10분을 위해 대체 몇 시간을 고생한 건지. 꾸민 보람도 없이 너무 아깝지 않은가.

-조금만 참아. 애가 완전히 달라졌는데 보기 힘들면 어떻겠어? 더 보고 싶겠지! 야, 나만 해도 내가 본 게 꿈인지 생신지 다시 확인하고 싶은데. 나 정말 아까 너 피팅 룸에서 딱 나오는데…… 할 말이 없더라, 진짜.

거울을 통해 본 자신의 모습이 그럭저럭 나쁘지는 않았다. 요즘 옷이 참 잘 빠졌구나, 생각했다.

-아마 유리도 지금쯤 또 궁금해하고 있을 거야. 처음부터 온종일 보여 주면 오히려 관심이 확 떨어진다니까.

"그래, 그렇다고 치자."

-어허! 선생님에 대한 불신이 가득한 것 같은데?

"아니요, 아니요. 오해십니다."

-2단계 안 잊었지?

그걸 어찌 잊겠나.

"생활 속의 터치."

-그렇지. 내일도 건투를 비네.

"오케이."

-아침에 꼭 면도해! 이제 매일 해!

"……알았다, 알았다고."

몇 번이고 다짐을 받은 후에야 새연은 전화를 끊었다. 셔츠 소매를 어느 선까지 걷어 올리는지까지 꼼꼼하게 코칭해 준 새연이었다.

정호는 침대 위에 옆으로 누운 채, 정리가 덜 끝나 열어 둔 옷장 안을 쳐다보았다. 오늘 산 옷들이 옷걸이에 걸려 새로 자리 잡고 있었다. 추리닝의 허전한 자리를 채우는 새 옷들을 보자니 마음이 참 심란했다. 저 옷들을 입고, 준원과 새연의 가르침대로 자신이 잘 해낼 수 있을지.

고개를 저었다. 애써 불안감을 지워 냈다. 혼자 좋아해 온 기간이 너무도 길었기에 이렇게 바짝 다가서는 것이 두렵기는 했지만.

짝사랑의 종지부. 이제야말로 진짜 사랑을 시작할 것이다. 잘할 수 있다고, 스스로 믿기로 했다.

"안녕하세요."

"어, 그래."

누군가 붉어진 얼굴로 인사했지만 눈에 들어오지 않았다. 정호는 대충 대답하며 카페를 가로질러 바 쪽으로 갔다. 은강이 핸드 드립으로 커피를 내리는 모습을 유리가 지켜보고 있었다.

정호는 스스로 마지막 점검했던 자신의 모습을 떠올렸다.

머리, 제대로 되어 있고. 면도, 아침에 또 했고. 타이를 매지 않은 화이트 셔츠에, 핏감이 훌륭한 바지, 그 위에 회색 블레이저를 걸쳐 입었다. 그리 못 봐줄 정도는 아닐 것이다. 요즘 어느 배우가 즐겨 입는 스타일이라나. 자신감은 필수라고도 했지. 개뿔도 없는 이 몸에 가득 찬 거 하나는 자신감 아닌가. 할 수 있다!

정호는 어금니를 한 번 깨물었다가 놓으며 두 팔로 바를 탁 소리 나게 짚었다. 은강의 수려한 핸드 드립 솜씨에 감탄하고 있던 유리가 고개를 들었다. 짧은 시간 안에 유리의 반응을 캐치해야 한다. 반했나, 안 했나.

잠시 시선이 마주쳤다. 자신을 본 유리의 눈빛이 0.1초간 흔들렸다. 반한 거다. 하지만 0.1초 만에 정호의 어깨 너머 다른 곳으로 시선이 향했다가 한참 만에 다시 돌아왔다. 이건 뭐지. 아직 안 반한 건가. 정호는 애써 여유로운 미소를 지으며 말했다.

"추리닝 입었을 땐 멋있었는데, 슈트 입으니까 더 멋있어서 놀랐냐. 우리 사이에 너, 그렇게 막 나한테 습관적으로 반하고 그러면 곤란하다니까."

"쟤하고 인사했어?"

"누구?"

정호는 뒤를 돌아보았다. 아까 제게 인사했던 여자. 그러고 보니 어제 취재한다며 왔던 그 어린 학생이었다.

"아. 했어."

대뜸 인사를 해 오니 받기는 했다. 어쨌든 그게 문제가 아니다. 유리의 표정부터 살피려는데, 그녀의 충격적인 한마디가 이어졌다.

"너 지금 그 스타일, 진짜 안 어울리는 거 알아?"

정호는 화면을 뚫어 버릴 기세로 TV를 노려보았다.

트렌디한 스타일의 남자들이 몰려나와 이번 시즌 유행하는 옷이며 액세서리를 소개하고 있었다. 이른바 핫한 숍들을 찾아 서울 시내 곳곳을 뒤지는 이 프로그램을 자신이 보게 될 줄이야. 그것도 이렇게 열심히.

새연과 함께 가서 산 옷들만으로는 부족해서였다. 더불어 유행도 어느 정도 파악을 해야겠다는 생각이었다. 시키지 않아도 자율 학습을 하니 성실한 학생의 표본이었다. 물론 계속 보다 보니 유행은 정말 중요하지 않다는 걸 파악했다. 중요한 건 기본적인 아이템도 훌륭하게 소화할 수 있는 본판!

정호는 TV를 보다 말고 욕실로 들어가 거울 앞에 섰다. 자신의 턱과 볼은 손으로 스윽 훑으며 거울 속 얼굴을 살폈다.

"뭐, 이 정도면."

전에도 못 봐주겠다고 여긴 적은 없었다. 수염을 안 깎았어도, 남자가 이만한 얼굴이면 대충 됐지, 영화 찍을 것도 아니고 꾸미긴 뭘 꾸며, 라고 생각했으니까. 하지만 귓가에 맴도는 건 유리의 싸늘한 목소리다.

'너 지금 그 스타일, 진짜 안 어울리는 거 알아?'

'수염 깎은 거 진짜 별로야. 어후. 옷은 또 그게 뭐냐. 추리닝이 낫다!'

눈 하나 깜짝하지 않고 자신에게 독설을 퍼붓던 여자. 애틋한 짝사랑 상대에게 그런 공격을 당하니, 정호는 상처를 입고 말았다. 더구나 유리에게 잘 보이려고 한 건데. 내 이 사이비 요정 할머니들을 그냥!

'유리 눈이 그새 왜 그렇게 높아졌지? 이상하다? 너 진짜 멋있었어. 익숙하지 않아서 그런가 봐. 너무 걱정하지 마.'

새연은 의아해하면서도 정호가 힘을 낼 수 있도록 응원해 주었다. 그래, 굴하지 말자.

뭐든지 설렁설렁하던 정호는 오직 유리에게만 오기가 발동하는 남자가 아니었던가. 제대로 자극받았다. 거울 안을 들여다보는 정호의 한쪽 눈썹이 치켜 올라갔다.

내 꼭, 더 멋있어져서 군소리 못 하게 하리라. 그리고 2단계, '생활 속의 터치'! 동시에 수행하고야 말겠다.

다음 날 낮.

정호는 한쪽 다리를 길게 꼬고 앉아 있었다. 한 손에는 에스프레소, 또 한 손에는 영자 신문. 커피 잔을 쥔 손과 지그시 내린 눈, 살짝 아래로 향한 고개…… 이 모든 건 계산된 각도를 철저히 유지하고 있다. 이로써 날카로운 콧날과 턱선을 강조하는 중이었다.

어제 카페에 들어서던 순간부터 유리 앞에 올 때까지 걸음 하나하나까지 치밀하게 짰는데, 오늘은 그보다 훨씬 더 신경 써서 행동하고 있다. 점심도 거르고 숍에 한 번 더 갔다 왔는데, 빈속에 쓴 커피를 넣고 있으니 속이 쓰리기만 했다.

이 짓도 계속하자니 힘들다. 어깨도 아프고. 눈도 아프고. 에스프레소는 왜 이렇게 쓴지. 캐러멜마키아토가 먹고 싶다. 생크림 잔뜩 올려서. 아아! 유리는 언제쯤 나타나려나.

"쟤 어제부터 뭐 잘못 먹었나?"

마미가 멀찍이 떨어진 바에 턱을 괴고 정호를 바라보았다.

"그러게요. 진짜 무슨 바람이 들어서……."

준도 도저히 적응되지 않는 정호의 모습에 연신 놀라움을 감추지 못했다.

"그런데 정호 형, 저 정도일 줄 몰랐는데, 진짜 놀랐어요. 사람이 어떻게 저리 달라지지?"

마미가 준에게 싱긋 웃어 보였다.

"내가 그랬잖아. 원래 원판부터 참 잘났다니까, 저놈이."

"마미는 근데 정호 형 왜 그렇게 예뻐하세요? 유독 잘해 주시는 것 같은데. 건물주라서? 아님 외모 서열 1위라서?"

"돈과 외모가 전부는 아니지."

"에이, 마미가 무슨 그런 말씀을."

그런 발언은 마미와 어울리지 않는다는 듯 준이 장난스럽게 웃었다.

"마음보다 더 중요한 건 없어."

마미가 잠시 애정 어린 눈길로 정호를 바라보고는 덧붙여 말했다.

"정이란 게 오고 가야 하는 거 아니겠니?"

"네?"

"그러니 내가 정호를 예뻐할 수밖에."

준에게 싱긋 웃어 보이고는 마미가 안쪽 준비실로 들어갔다. 멍하니 마미의 뒷모습을 보던 준은 다시 정호를 돌아보았다.

"그게 무슨 말이야. 뭐가 오고, 뭐가 갔다는 거야?"

아무것도 모르는 정호는 그저 우수에 젖은 눈빛으로 영자 신문을 보고 있었다. 그 순간 저만치 떨어진 테이블에 앉은 학생 몇 명이 정호를 바라보며 속삭이는 모습까지 준의 눈에 들어왔다.

"어휴, 인기 폭발이네. 아까도 몇 명 들러붙어 귀찮게 하더니."

다 싫고 귀찮다며 벌써 도망가고도 남았을 법한 정호가 꿋꿋이 카페 안에 앉아 있는 게 오히려 신기했다.

그때, 외부에 일이 있어 나갔던 유리가 카페 안에 막 들어섰다. 유리가 정호를 발견하고 빠른 걸음으로 다가갔다. 유리는 벌처럼 정확한 동작으로 정호의 영자 신문을 탁 빼앗았다. 팡팡 내리치려는지, 손을 추켜올렸다.

평소 추리닝을 입은 정호였다면 지극히 자연스럽게 보일 텐데. 세련된 차림으로 느른하게 앉아 있는 저 미남자에게는 절대…… 해서는 안 될 행동처럼 느껴졌다. 유리도 이질감을 느낀 모양이었다. 신문은 그대로 탁, 테이블 위로 떨어졌다.

"야. 너, 너 때문에 아침에 운동하고 샤워도 못 하고. 너 새벽부터 어딜 갔던 거야? 점심은? 점심 먹으러 오지도 않고. 온종일 어딜 갔었어!"

뭐, 물론, 추리닝을 벗었어도 밥은 밥이네. 유리 누나의 밥. 준은 재미있다는 듯 관람을 계속했다.

"그만 놀고 컵 씻어라."

곧, 은강에게 목덜미가 붙잡히고 말았지만.

"아아아. 지금부터가 하이라이트인데!"

준이 울상을 지으며 은강에게 끌려가는 사이, 유리는 화를 내듯 정호의 앞을 버티고 서 있었다. 정호는 그녀를 올려다보며 여유롭게 웃고는 물었다.

"와, 김유리. 하루 사이에 나 보고 싶었냐?"

의자에 등을 기대며 팔짱을 끼는 정호의 눈매에는 유들유들한 미소가 걸렸다. 마치 꼬리를 치듯. 나 멋지지 않냐, 하고 물어보듯. 자기 잘생긴 사실을 아는 남자가 얼마나 재수 없는지 모르는 걸까. 꾀죄죄한 차림으로 자백 발언을 했을 때는 그저 불쌍하다고 생각했지만, 저렇게 차려입고 그런 말을 하면…….

"이렇게 나를 자꾸 그리워하면, 내가 어디 부담스러워서 카페 내려올 수나 있겠냐. 이해는 한다. 거울 보면 나도 깜짝 놀라는데, 보는 너는 어떻겠어. 내가 이렇게 멋있다고 자꾸 나한테 반하고 그러면 우리 우정에 금 가고, 그럼 곤란하잖아."

역시나 재수 없다. ……사실은 사실이라 더 재수가 없었다. 그리운 것도 맞고, 깜짝 놀란 것도 맞고, 그래, 반한 것도, 곤란한 것도 맞다. 전부 다 맞다고! 왠지 분해졌다.

결국 유리는 내려놓았던 신문을 들어 유리가 정호의 머리를 팡, 팡! 먼지 나게 두드렸다.

"으아악!"

잘 다듬은 머리가 사르르 흐트러졌다. 그런데 왜 그것도 멋있는지. 정호가 그렇게 부르짖던 내추럴한 멋이 제대로 느껴졌다. 처음으로 정호를 보는 눈에 콩깍지를 장착한 유리는 속이 갑갑해졌다.

"맞아야 정신을 차리지. 쓸데없는 소리 좀 그만해. 한창 일해야 할 대한의 건아가 이 시간에 옷 빼입고 카페에 앉아서 에스프레소는 개뿔. 아주 정신이 제대로 가출하셨어. 이럴 에너지 있으면 좀 인생에 도움이 되는 일을 해라."

정호가 2차 공격을 피해 재빠르게 일어났다. 두 대밖에 못 때렸는데! 유리가 아쉬움에 눈을 부릅뜨는데 정호가 그녀의 팔목을 탁 잡았다.

유리의 숨이 잠시 탁 멎었다. 쿵쿵. 심장이 울리는 소리가 카페 안을 가득 채우는 것 같았다. 얼른 정호를 밀쳐 낸 유리가 뒤로 물러섰다.

그런데 정호가 오히려 한 발짝 앞으로 다가서더니 제게로 손을 뻗는 게 아닌가. 이놈이 어딜 훅 들어와.

유리가 황당한 얼굴로 뒤로 더 물러서려는데, 이번에는 정호가 자신의 쇄골에 손을 뻗는 것이다. V자로 목선이 파인 블라우스라 가운데 쇄골이 시작하는 부근은 맨살이었다. 천천히, 천천히. 정호의 긴 손가락이 제 쇄골에 와서 닿았다.

유리의 몸이 완전히 굳어 버렸다. 간질간질. 아주 미세한 접촉이었다. 그의 손가락 끝이 자신의 맨피부를 건드렸다. 도저히 손을 쓸 수가 없었다. 침조차 꿀꺽 넘길 수 없을 정도였다.

"머리카락."

가느다란 머리카락을 한 올 떼어 낸 정호가 그것을 유리의 눈앞에 보여 주었다. 쇄골에 내려앉은 모양이었다. 저걸 떼어 준다고 지금 이런 거야?

'와……. 이게 사람을 들었다 놨다 하네.'

유리는 차디찬 시선으로 정호를 올려다보았다. 제 마음도 모르면서, 정호는 그저 빙긋 웃고만 있었다.

"머리카락 붙어 있으면 간지럽잖아. 고맙지?"

이 정신 나간 미친놈이 어딜 훅…… 사람을 흔들고 난리야, 정말…….

"머리카락 하나 떼어 주면서 유세는."

유리는 손바닥을 쫙 펼쳐 정호의 얼굴을 콱 눌러 밀었다.

"우우웁."

정호의 입에서 참기 힘든 비명이 눌려 나왔다. 그녀의 손에 코와 입이 사정없이 막혀 뒤로 밀려나고 있는데, 누군가 옆에 와서 섰다. 유리가 먼저 옆을 돌아보았다.

"어. 은수구나? 또 왔네."

"안녕하세요."

취재하러 왔던 학생 은수였다. 그날 이후로 출근 도장을 찍고 있었다.

벌써 사흘째. 유리는 일부러 더 정호의 얼굴을 구기듯 손으로 눌렀다. 남자의 힘이라면 유리의 손을 충분히 밀치고도 남았을 텐데, 정호는 꼼짝없이 당해 주고 있었다. 착한 건지, 맹한 건지. 아니면 심심해서 놀아 주는 게 좋은 건지.

"우푸픕."

정호의 얼굴을 누르고 있었더니 제 손바닥에 뜨거운 입김이 느껴졌다. 움직이는 입술조차. 이만큼 간지럽다고 설마 죽기야 하겠냐만 견디기 힘든 건 사실이었다. 마치 손바닥에 츄읍, 입술을 맞추는 것처럼 느껴지기 시작할 때 유리는 얼른 손을 떼어 버렸다.

헐. 지금 좀 느낌 이상했어. 정신이 하나도 없었다. 뭐든 닿기만 하면 녹아 버릴 것 같으니, 이 일을 어쩐단 말인가. 김정호 이 슈또 새끼, 어디 페로몬 독에 빠졌다가 온 것은 아닌지!

"저기, 선배님."

잊고 있던 은수가 옆에서 조심스럽게 입을 열었다. 은수의 시선은 정호에게 가 있었다. 그러니 '선배님'이라고 부른 대상은 유리가 아닌 정호였다.

"나?"

"네. 제가…… 선배님이 그리신 웹툰 열심히 봤거든요. 팬이에요."

유리는 입을 딱 벌렸다. 지금 이건 또 무슨 상황이야. 은수가 종이 한 장을 내밀었다. 예전에 정호가 그렸던 웹툰의 한 장면을 출력해 왔다. 정호는 그때도 제 본명 그대로 연재를 했으니, 그가 웹툰을 그렸다는 사실만 알아도 이걸 찾기는 별로 어렵지 않았을 것이다. 그래도 그렇지. 그걸 자기가 열심히 봤다니. 말도 안 되는 그 졸작을! SF판타지서스펙트스릴러다큐병맛만화를!

은수는 수줍게 웃으며 말했다.

"사인 한 장 부탁드려요."

은수가 정호에게 한눈에 가 버렸다는 건 알았지만, 아무리 그래도 이런 식으로 작업 스킬을 발휘할 줄은 몰랐다. 스무 살 꼬꼬마가! 게다가 또 얼굴도 예뻐. 분위기는 청초해. 때 묻지 않은 순수함까지 느껴지고!

저런 애가 관심을 표하며 막 들이대는데, 정호 이 자식 아주 그냥 신이 나겠지. 헤벌레 해서는 '우쭈쭈, 재미있게 봐쪄요? 오디? 오디다가 사인해 주까요? 오구오구, 선배님 말고 오빠라고 불러 볼래. 우쭈쭈.' 하고 냅다 사인을 해 주겠…….

"나, 사인 없는데."

……지, 가 아니네?

생각보다 너무도 차가운 목소리였다. 의외로 싸늘하게 뱉듯이 말하는 정호를 보고 오히려 유리가 놀랐다.

"그냥 '은수에게'랑 선배님 성함만 써 주셔도 영광……."

"싫다."

대놓고 거절하는 정호를 앞에 두고 은수의 얼굴이 벌게졌다.

"나 뭐 손으로 쓰는 것 딱 질색이라서."

언제 유리의 손바닥에 얼굴이 눌릴 만큼 나사 빠진 사람이었나 싶도록 정호는 쌀쌀맞기 그지없었다.

"그리고 그 만화는 잊어 줘라. 나도 지웠어."

"아……. 죄송합니다."

은수가 저도 모르게 정호를 향해 꾸벅 인사하며 사과를 했다. 조금의 친절도 없는 그의 태도는 유리조차 낯설게 느껴졌다. 멀쩡한 비주얼로 저렇게 말하니, 옆에 있는 자신까지도 긴장이 될 정도였다.

손으로 쓰는 것이 질색이라니. 기록 복사 대신 500페이지를 타이핑해 출력해 주었던 날, 그 많은 자료에 중요한 부분을 일일이 체크하여 손수 설명까지 적어 주었던 김정호였다. 게다가 잊고 싶은 만화라니. 오총사 친구들이 아무리 졸작이라 놀려 대도 꿋꿋하게 제 작품에 대한 애정을 드러냈던 김정호가 아니었던가.

그러니 이 모든 건, 은수의 관심을 차단하기 위한 정호의 철벽인 것이다. 그제야 유리는 속으로 흐뭇하게 웃었다. 잘했다. 그래야 우리 토깽이지.

"냉미남이야, 냉미남."

원래 자리로 돌아온 은수에게 기다리고 있던 친구들이 흥분하며 말했다.

"저런 게 진짜 차도남이지. 완전 멋있어."

"'싫다.' 할 때 표정 봤어? 와, 대박."

"저래도 내 여자에게만은 따뜻하겠지! 하아! 멋있어."

그런 말들이 유리의 귀에 들어와 쏙쏙 박혔다. 안심할 때가 아니었다. 뭐라. 냉(冷)미남. 차도남? 사람 볼 줄을 그렇게 몰라서야, 어디 이 험난한 세상 어찌 살아가려고. 쯧쯧.

"그렇지? 정말 멋있지? 내가 눈이 높다니까."

은수는 대놓고 까였는데도 기분이 그리 나쁘진 않은 모양이었다. 같은 나이 또래가 아니어서 그런가. 오히려 까칠한 선생님을 보고 설레듯 상기된 얼굴로 이쪽을 힐끔거렸다.

유리는 별안간 짜증이 솟구쳤다. 이건 대체 무슨 감정들인지. 정호를 좋아하는 마음을 스스로 인정해 버리고 나자, 하루에도 열두 번씩 오만 가지 감정이 고장 난 롤러코스터처럼 폭주했다. 이런 게 짝사랑이라면 못 해 먹겠다, 진짜.

"칠칠치 못하게."

그 와중에 자신의 재킷 깃을 정호가 매만져 주었다. 옆으로 살짝 젖혀져 있던 모양이다. 또다시 마주한 시선이 가깝게 닿았다가 떨어졌다. 정호는 무심하게 눈길을 내리며 툭툭 재킷 깃 위를 두드려 주었다. 다 했다는 표시였다.

수없이 손도 잡아 봤고, 안아도 봤고, 심지어 키스까지 해 봤는데. 뭐, 이런 말도 안 되는 설렘이 다 있단 말인가. 예전에는 몰랐던 새로운 느낌들이었다.

유리는 이를 부득 갈며 정호를 노려보았고, 정호는 흠칫 놀라며 뒤로 물러섰다. 냉미남이고, 냉장고고 다 필요 없다. 내 기필코 다시 추또로 컴백시켜 버리고 말겠어!

그 결의는 질투의 다른 표현이며 소유욕의 발현임을 그녀는 스스로 깨달지 못했다. 무슨 이유든지 일단 '나만의 추또'여야 안심이 될 것 같았으니까.

옥탑방으로 올라온 정호는 새연에게 전화를 걸었다.

통화하는 내내 한숨만 새어 나올 뿐이었다. 효과가 없어도 이렇게 없을 수가 있나.

-뭐, 2단계도 안 먹힌다고?

"그래. 야, 1단계 업그레이드에다가 2단계 동시 진행했는데. 우와아! 김유리 진짜 살벌하게 노려보더라."

-너 제대로 한 것 맞아?

새연과의 통화는 매일 점점 길어지고 있었다. 그래도 별 뾰족한 방법은 없었다.

1단계 '삼단 변신'에 이어, 2단계는 '생활 속의 터치'. 스킨십을 반복하여 두 사람은 이성 관계라는 사실을 확실히 주입해야 한다고 했다. 여기서 은근한 분위기가 조성되지 않으면, 절친의 벽을 넘기 힘들다면서.

원래 친구에서 연인으로 가는 길이 쉬워 보이지만 사실은 굉장히 어렵더라는 경험자들의 뼈아픈 조언이었다. 뭔가 간질거리는 이 분위기가 만들어지지 않으면 3단계로 넘어가기 힘들 테니까. 억지로 넘어가더라도 잘 안 될 가능성이 컸다.

-너무 조바심 내지 말고 천천히 해. 유리도 곧 마음 열 거야.

새연이 다시 힘을 불어넣어 주었다. 이렇게 붙어 있을 정도면 유리도 마음이 없을 리 없다면서, '각성'의 과정이 분명히 필요하다고 했다.

옥상 난간에 선 채 정호는 한숨을 내쉬었다. 아래로 벚꽃길이 보인다. 어느덧 꽃이 만발하여 연분홍빛으로 아름답게 물들어 있었다.

"그래, 고맙다."

전화를 끊고도 정호는 한참이나 꽃길을 내려다보았다.

며칠 만에 옥탑 피트니스가 다시 문을 열었다. 정호가 옷을 챙기러 본가에 가느라 새벽에 자주 집을 비운 탓에 같이 운동하는 건 꽤 오랜만이었다. 꽃망울이 터진 화사한 봄답게, 유리의 옷은 점점 더 가벼워지고 밝아졌다. 하물며 운동복까지 시원해졌다.

평상 위에 도톰한 요가 매트까지 깔아 놓고 아주 제대로다. 사람을 말려 죽이려고 작정하고 저런 운동복을 입는 건가. 자긴 남자로 보이지도 않는 것인지. 유리를 유혹해야 할 사람은 자신인데, 제게 마음이 1g도 없는 유리에게 자꾸만 끌려가는 상황이 되어 버린다. 활처럼 휘어지는 허리를 보고 있자니, 여전히 몸도 마음도 괴로웠다.

정호는 그녀를 간신히 외면하며 반대쪽에 있는 러닝머신 위에 올랐다.

"나 샤워 좀 먼저 할게."

땀에 흠뻑 젖은 유리가 활짝 웃으며 말했다.

"어. 뭐. 그래라."

정호는 건성으로 대답하고는 안으로 향하는 유리의 뒷모습을 바라보았다. 살랑거리는 걸음이 두렵게 느껴졌다. 쟤가 오늘 왜 저러나. 뭐, 기분 좋은 일이라도 있는 건가. 어제까지만 해도 자신을 죽일 듯이 노려보던 유리가 오늘은 또 꽃처럼 화사하게 웃고 있으니, 알다가도 모를 여자였다.

그리고 잠시 후, 유리가 샤워를 마치고 나온 욕실로 정호가 들어갔다.

"야, 김유리! 내 면도기! 이거 왜 이래!"

정호는 부서진 면도기를 들고 뛰어나왔다. 그러자 한쪽에서 드라이어로 머리를 말리고 있던 유리가 천천히 고개를 들었다.

"아, 그거. 내가 샤워하다가 떨어뜨려서 모르고 밟았어."

"뭐? 밟았다고?"

"어떡하냐? 너 오늘은 면도를 못 하겠다? 미안."

하지만, 유리는 전혀 미안한 얼굴이 아니었다. 말과는 다른 표정에 정호는 기가 막혔다.

"어휴. 설마 내가 면도기 망가뜨렸다고 열 받은 거 아니지?"

유리가 드라이를 마친 후 머리를 찰랑거리며 다가오더니 생긋 웃어 보였다.

"내가 면도기 똑같은 걸로 새로 사다 줄게."

"됐어."

"면도 제대로 안 하고도 잘만 살았으면서 하루 이틀 안 한다고 병나는 거 아니잖아. 사다 줄 때까지 조금만 참아."

정호는 정말이지 혼란스러워졌다. 자신이 수염을 깎고, 옷을 제대로 챙겨 입는 건 진정 저 여자에게 아무런 자극도 되지 않는단 말인가. 그저 아무렇지 않게 말하는 유리를 보면서, 고백을 제대로 할 수나 있을까 두려움이 밀려들었다.

꽃잎이 떨어지기 전에. 십 년 전, 마지막을 고했던 바로 그 자리에서. 영원한 시작을 약속하고 싶었는데. 이대로 다시는 놓아주지 않을 거라고, 네가 원하는 무엇이든 하겠다고 말하고 싶은데.

"뭐, 면도 하나 안 하나 차이도 없으면서. 괜히 외모 꾸미느라 시간 들이고, 너도 요즘 참 피곤하겠다."

혀를 차며 돌아서는 유리의 말을 듣자니 무한한 절망감이 느껴졌다. 1단계고, 2단계고, 다 때려치워 버릴까. 이렇게 노력해 봤자 유리에게 자신은 그저 친구일 뿐인데 괜히 나섰다가 평생 보기도 어려워지는 건 아닌지.

유리가 카페로 내려가고 난 후 정호는 침대에 벌렁 누워 천장을 바라보았다.

하지만, 포기란 없다! 차라리 고백하고 엉덩이가 걷어차이는 한이 있어도, 이제 제 마음을 막을 수 있는 건 그 무엇도 없을 것이다.

정호가 벌떡 일어섰다. 당장 편의점에 가서 일회용 면도기라도 사 와야겠다는 생각이었다.

푸하하. 유리가 웃음을 터뜨렸다. 정호는 손을 올려 입가를 가렸다.

"손 내려 봐. 이게 뭐야."

입술 아래쪽에 베인 자국이 드문드문 나 있었다. 일회용 면도기는 제법 날카로웠고, 정호는 서툴렀다. 재미있어하는 유리 때문에 입가에 난 상처보다 가슴이 더 따끔거렸다.

"하여튼, 안 하던 짓 하면 안 된다니까! 그냥 하던 대로 하고 살아!"

"너 때문이잖아. 네가 면도기를 부숴 버려서."

"내가 일부러 그랬냐?"

설마 일부러 그러지는 않았겠지만, 표정만 보면 그런 것도 같다.

"빨리 면도기 새로 사 오기나 해."

"넵."

대충 대답하며 유리는 서랍에서 무언가를 꺼냈다.

"일단 이리 와 봐."

"뭔데."

"약 발라 줄게."

정호는 유리 앞으로 다가가서 그녀가 내어 주는 의자에 앉았다. 유리는 면봉으로 연고를 묻혀 상처 난 부위에 발라 주었다.

여기서 괴로움 포인트 하나. 너무 가깝지 아니한가! 숨이 닿을 만큼 가까운 거리가 문제였다. 침조차 삼키기 어려울 정도였으니까. 유리가 살며시 제 입가로 시선을 내리며 손을 뻗는 모습에 정호는 가슴이 떨렸다.

괴로움 포인트 둘. 길게 드리운 속눈썹에, 연고를 바르느라 집중해서 동그랗게 모은 입술. 유리의 얼굴을 바라보고 있자니…… 덮치고 싶지 아니한가! 으아아아. 정호의 내면 깊은 곳에서 떨림을 넘어선 무언가가 강하게 울려 퍼졌다.

저 볼을 한번 쓸어 보고 싶고, 입술을 만져 보고 싶고, 품에 안아 보고 싶고, 그리고 깊게…… 키스를…….

"됐다."

유리가 뒤로 훅 물러났고, 정호는 홀로 자책감에 빠졌다. 내가 미쳤구나. 제대로 고백할 생각부터 해야지, 얄팍한 흑심에 휘둘리다니. 아무래도 자신이 하는 모든 행동이 유리에게 씨알도 안 먹히기 때문인 것 같다.

"이게 뭐니?"

사무실에서 나오는 정호를 마미가 의아한 눈빛으로 바라보았다.

"왜, 왜요?"

따님에 대한 흑심으로 가득했던 자신을 아시는 걸까. 괜한 죄책감이 일어 정호는 심장이 쿵쾅거렸다. 그때 마미가 한 발짝 다가왔다. 그리고 주머니에서 손거울을 꺼내 정호의 앞에 내밀었다.

"헐……."

거울 속 자신의 얼굴을 본 정호는 말문이 막혔다. 자신의 입가 아래 뽀로로 밴드가 덕지덕지 붙어 있었다.

"그거 붙이고 다니려고 했어?"

아까 연고를 바르고 밴드를 붙여 놓은 모양이었다. 유리의 얼굴을 하염없이 바라보느라 뽀통령님께서 제 얼굴 위에서 난리 블루스를 추고 있는 줄은 몰랐다.

기껏 노력하고 있는데 면도기를 부수질 않나, 하필이면 이런 밴드를 붙여 놓질 않나. 이 상태로 카페에 앉아 에스프레소 마시며 폼이라도 잡고 있었으면 얼마나 우스꽝스러웠을까. 유리는 대체 자신에게 무슨 악감정이 있기에 이러는 건지. 고백으로 향하는 길은 정말 험난하기만 했다.

한편, 정호가 사무실에서 나가고 난 뒤, 유리는 턱을 괴고 모니터를 물끄러미 바라보며 생각에 잠겨 있었다.

아침에 정호가 샤워하는 사이 옷장 문을 살짝 열어 보았더니, 어디다 치워 버렸는지 그 안에 추리닝은 없었다. 마음 같아서는 그 멀쩡한 옷들을 전부 치워 버리고 다시 추리닝으로 꽉꽉 채워 넣었으면 좋겠건만.

준원과 새연 부부는 왜 정호를 저렇게 만들어 놓았는지 이제는 슬슬 원망스럽기도 했다. 정호의 고집을 어떻게 꺾었는지 사람답게 변신시킨 것이 놀랍기는 했지만, 결과가 영 마음에 들지 않았다.

"으아! 짜증 나."

이유는, 점점 정호를 보러 오는 학생들이 늘고 있기 때문이다. 그뿐일까.

카페 SNS 계정은 정말 경악스러웠다. 마미가 정호를 찍어 올려 둔 사진 아래로 이미 보고 온 자들과, 보러 가고 싶은 자들의 댓글이 줄을 이었다. 거의 뭐, 찬양 수준이었다.

"아니, 왜 자꾸 애를 보러 온대. 여기가 성지야? 지금 성지 순례해?"

유리는 번뜩이는 눈빛으로 인터넷 쇼핑몰 화면을 열었다. 그전까지만 해도 저놈의 추리닝을 찢어 버려야 한다고 부르짖던 유리였지만, 지금은 다르다. 정호가 입었던 후줄근한 추리닝과 같은 디자인을 찾기 위해 인터넷의 바다를 헤매기 시작했다. 제 손으로 그 추리닝을 사다 바칠 예정이었다. 김정호 비주얼 파괴의 과업을 달성하기 위하여 유리의 하루는 분주히 흘러갔다.

"선생님이 좋은 일 많이 하시네."

마미가 2층 소아청소년과 간호사 영미에게 커피를 건네주며 감탄했다.

"그렇죠? 저희 선생님 정말 대단하세요. 바쁘신데도 이런 일은 꼭 챙기시거든요."

서원에 대한 칭찬이었다. 다음 주 금요일과 토요일은 진료하지 않는다는 안내문을 보고 마미가 그 이유를 묻자 커피를 사러 온 영미가 대답해 주었다.

두 달에 한 번, 한 섬으로 의료 봉사를 가기 때문이라고 했다. 금요일에 출발하여 토요일 종일 진료를 하고 일요일에 돌아오는, 2박 3일 일정으로 간호사는 돌아가며 두 명씩 동행한다고 했다. 벌써 2년이나 해 온 일이라고.

"그게 봉사인데도 저희한테는 꼭 특별 수당을 주세요. 힘들기는 하지만 그래도 공기가 좋고 사람들도 좋아서 여행 가는 셈 치면 되는데, 저희가 수당 안 받으려고 하면 꼭 선물이라도 대신 주실 정도예요."

영미의 말에 마미가 웃으면서 유리에게 말했다.

"우리도 갈까?"

"섬에? 거길 왜 가려고?"

옆에서 말을 듣고 있던 유리가 황당한 얼굴로 되묻자, 마미는 여전히 웃는 얼굴로 말했다.

"소아청소년과 팀은 의료 봉사 하고, 우리는 커피 봉사 하고! 가서 섬에 계신 분들 맛있는 커피 한 잔씩 대접하자고. 너, 봉사 좋아하잖아?"

"어휴. 민폐 끼치려고 어딜 따라가."

유리가 고개를 절레절레 젓는데 영미가 반색하며 말했다.

"왜요! 민폐 아니에요. 같이 갈 수만 있다면 정말 좋을 것 같은데. 오히려 감사하죠. 선생님 동기분이 지금 그 섬 보건소에 계시거든요. 그래서 가는 건데, 워낙 육지로 나오기가 번거롭고 힘들다 보니 모든 게 다 귀해요. 아마 커피 대접해 주시면 마을 분들이 엄청 좋아하실 거예요."

폐가 아니라 감사할 일이라고 말하는 영미를 앞에 두고, 유리는 더 이상 반대하지 못했다. 봉사하러 가는데 장사를 포기하는 건 기본이라는 듯, 마미는 과감하게 결정을 내렸다.

"여기가 학교 앞이라 주말에는 그렇게 사람이 많지도 않았잖아. 금요일 오후에 출발해서 일요일에 오는 거니까. 어떠니? 선생님만 괜찮다고 하면, 우리도 가자. 준아, 넌 어때?"

"저야 완전 좋죠!"

봉사가 아니라 여행이라도 가는 분위기다.

"단합 대회도 할 겸! 가자!"

"네! 좋아요!"

역시나, 그런 속셈이었다. 죽이 척척 맞는 마미와 준을 보며 유리는 심드렁하게 한숨을 내쉬었다. 영미도 이번에는 함께 갈 사람들이 늘어 기쁜지, 2층에 올라가서 말씀을 드리겠다며 카페를 나섰다.

"그럼·갔다 오든가."

유리의 말에 마미가 날카로운 눈빛으로 바라보았다.

"남의 일처럼 말하네. 너도 가야지."

"커피 봉사라며. 난 안 가. 내가 왜 가?"

"지금 네 커피, 내 커피 따질 때야? 한배를 탄 사이에 어딜 빼려고. 그리고 또 알아? 법 없어도 사실 분들이겠지만 혹시나 자문이 필요할 일이 있을지. 그런 게 없어도 도울 일이 있으면 돕고 그래야지. 어딜 빼, 빼기는."

"……알았어."

덧붙여 마미가 말했다.

"그러니까 정호도 가야지."

"걔까지 왜!"

"일손은 하나라도 더 있어야 좋은 거야. 어떻게든 끌고 가야지."

유리는 잠시 생각에 잠겼다.

그래, 거기 20대 젊은 여자들은 별로 없을 거야. 그러니 정호가 간다 해도 상관없겠지. 따라붙는 여자만 없으면, 뭐, 괜찮잖아. 1차원적으로 생각한 유리는 이내 고개를 끄덕였다. 정호가 순순히 간다고 할지는 모르겠지만 데려가서 나쁠 건 없겠지 싶었다. 이제는 매일 보는 게 익숙해져서 하루라도 안 보면 안 될 것 같았다.

마미는 새어 나오는 웃음을 참으며 말했다.

"아아, 다음 주 기대된다! 재미있겠다!"

준이 옆에서 어깨춤을 추며 맞장구쳤다.

"진짜요! 섬이니까 바다도 보고, 공기도 맑고, 와, 신난다!"

그때 카페 안으로 은행에 갔던 은강이 들어섰다.

"아, 은강아, 다음 주에……."

마미가 말을 하다가 멈추었다.

"어머? 이슬이 아니니?"

은강의 뒤로 따라 들어온 이슬을 보고 마미가 반갑게 웃었다.

"이슬아, 너희 엄마는?"

"음, 아직 퇴근 안 하셨는데요. 제가 열쇠를 잃어버려서 집에 못 들어가고 있었어요."

"아. 그래서 여기로 왔구나."

"아니, 놀이터에 혼자 있었는데. 저기 오빠가 데려왔어요."

설마, 서은강이? 모두가 놀라운 얼굴로 은강을 돌아보았다.

"마셔."

태연하게 은강은 바나나 스무디를 픽업대 위에 올렸다.

"저 오늘 돈 없는데요."

"내가 사 주는 거야. 그냥 마셔."

"정말요?"

두 번 말하지 않겠다는 듯 은강이 돌아섰다. 이슬은 어리둥절한 눈으로 주변을 돌아보았고, 마미와 준, 유리가 웃으며 고개를 빨리 끄덕여 주었다. 은강의 마음이 변하기 전에 얼른 가져가라는 듯.

쉽사리 스무디에 손을 대지 못하는 이슬이 중얼거리듯 말했다.

"엄마가 모르는 사람한테 함부로 뭐 얻어먹지 말라고 했는데……."

"카페 오빠는 모르는 사람 아니니까 괜찮아. 마셔도 돼."

유리가 안심시키며 말해 주자, 이슬이 다시 조그맣게 말했다.

"그 뭐지…… 엄마가…… 면식범? 그게 더 무섭다고……."

"됐다, 마시지 마."

차가운 얼굴로 은강이 컵을 치우려고 하자, 이슬이 두 손을 뻗어 야무지게 쥐었다. 그리고 배시시 웃었다.

"성의를 거절하는 것도 예의가 아니라고 배웠으니까……."

그러고는 은강에게서 바나나 스무디를 빼앗듯이 당겼다.

"감사합니다. 그럼 잘 마시겠습니다."

꾸벅, 고개를 숙여 인사한 이슬은 총총총 걸어 창가 자리에 앉았다. 그리고 책가방을 옆에 내려놓고는 책을 하나 꺼내더니, 스무디를 마시면서 보기 시작했다.

그 모습이 귀여워서 유리는 풋 웃어 버렸다. 그리고 고개를 돌리다가 보았다. 아이에게서 시선을 거두며 돌아서는 은강의 입매에도 부드럽고 옅은 미소가 스치는 것을.

"이게 다 뭐야?"

유리는 자신이 펼쳐 놓은 청록색의 향연에 뿌듯함을 금치 못했다.

"뭐긴 뭐야아. 추리닝이지."

"……."

"네가 그렇게 아끼는, 소중한 추리닝!"

"……."

"낡아서 다 버린 거 아니야? 내가 새로 샀어. 몇 벌."

정호의 방에서 완전히 박멸당한 추리닝이 끈질긴 생명력을 과시하며 부활했다. 그것도, 김유리에 의해.

"역시 친구밖에 없지? 내가 이렇게 널 지극하게 생각……"

흐뭇한 미소를 지으며 당당히 추리닝을 내밀던 유리가 일순간 말을 멈추었다. 전에 없이 차가워진 정호의 얼굴이 당황스러울 정도로 낯설었다. 저 반듯한 콧날에는 서늘함만이 가득했다. 지금 정호는 전혀 다른 사람 같았다.

쿵쿵. 쿵쿵. 가슴속이 긴장감으로 팽배했다. 이내 먹구름이 밀려들었다. 추리닝을 쥔 유리의 손이 가늘게 떨려 왔다.

"뭐? 정호한테 뭘 사 줘?"

"아니, 추리닝 좋아하는 애한테 추리닝 사 준 것도 죄야? 내가 그렇게 잘못한 거야?"

"죄라기보다……."

새연은 당황하여 뭐라 대답을 해야 할지 몰랐다. 자신의 퇴근 시간에 맞추어 학교 앞으로 찾아온 유리는 한탄하며 이어 말했다.

"그렇게 편하게 입던 애가 각 잡고 슈트만 입고 있으니 얼마나 피곤하겠어. 정호 추리닝 낡아서 너희가 다 버렸다며. 생각해서 애써 새로 사다 줬더니……."

"……."

그걸 왜 사다 주냐, 이 여자야. 일부러 다 처리했구만. 새연은 유리의 이야기를 들으며 속으로 긴 한숨을 내쉬었다. 누구 때문에 간신히 추리닝을 박멸시켰는데, 당사자가 손수 부활시키다니.

그런데 유리가 펼쳐 놓은 추리닝을 보는 정호는 마치 다른 사람처럼 차가웠단다. 새연은 안 봐도 상황이 뻔하다는 걸 느꼈다. 그 반듯한 콧날에 서늘함이 잔뜩 서렸겠지. 제 마음 몰라주는 유리가 야속하기도 참 야속했을 것이다.

"김정호 진짜 너무해. 어쩜 그렇게 날 무섭게 쳐다보는지. 내가 뭘 그렇게 잘못했냐? 네가 말해 봐. 나 잘못한 거야?"

"진정하고 커피부터 좀 마셔."

유리의 흥분을 가라앉혀 주며 새연은 커피 잔을 밀어 주었다. 눈을 질끈 감았다가 뜨며 이를 꽉 깨무는 게 보통 화가 난 모습이 아니었다. 아니, 극도의 서운함이 분노로 번졌다고 해야 할까.

새연은 이내 겨우 커피를 한 모금 마시는 유리를 가만히 바라보았다. 화는 많이 났지만 정작 정호 앞에서는 한마디도 못 했던 모양이었다. 이 정도 부르르 떠는 모습만 보자면, 정호를 쥐 잡듯 잡고도 남았을 것 같은데 의외였다.

정호가 강하게 나오자, 오히려 유리는 힘을 전혀 쓰지 못한 듯했다. 이렇게 제게 달려와 어린아이가 고자질하듯 정호와의 일을 털어놓는 유리의 모습은 처음 보았다.

새연은 어제부터 정호가 전화를 안 받아 안 그래도 걱정하던 참이었다. 하루에도 몇 번씩 전화해서 경과보고를 하더니 연락이 뚝 끊겨서 무슨 일이라도 있는 건 아닌가 싶었는데, 역시나 일은 일이었다.

유리의 이야기를 듣고 있자니, 도리어 이해가 되는 건 정호 쪽이었다. 새연은 눈앞에 그려지는 상황에서 정호가 얼마나 상심했을지 충분히 이해하고도 남았다. 노력이 물거품이 되었는데 상처받을 법도 하지. 누구한테 잘 보이려고 그런 건데.

"정호 추리닝 벗고 면도하니까 진짜 멋있지 않아?"

새연이 태연하게 묻는 말에 유리는 흐음, 하고 헛기침을 하며 시선을 돌렸다.

"멋있어 봐야 토깽이가 토깽이지. 정호 멀쩡한 모습을 처음 보는 것도 아니고."

그게 포인트였다. 14년간 정호가 늘 추토 상태로 있었던 건 아니다.

예전에 샤방샤방하던 고등학생 시절부터, 연수원에 있을 때, 검사 재직때, 나름 멀끔한 상태로 있었던 정호였다. 유리는 그런 정호를 이미 실컷 봤었으니까, 새삼스럽게 반할 리가 없겠지. 그래서 새연과 준원은 2단계 작전을 바로 들어가라고 조언하지 않았던가.

하지만 정호는 연락이 없고, 유리는 화가 나서 제게 달려왔고. 이걸 보니 그리 희망적인 상황은 아닌 것 같았다. 터치 작전도 소용없을 만큼 뼛속까지 친구 사이란 말인가!

"기껏 정신 차리고 사람답게 살아 보려고 하는데 네가 초 치는 것 같아서 정호도 삐딱하게 구는 거 아닐까?"

"추리닝만 벗는다고 사람다워지니?"

"일도 많이 도와주기 시작했다며. 원래 걔 절대로 법 쪽 일은 다시 안 한다고 했었잖아."

"……그렇긴 해."

"그것만 해도 정말 대단한 거 아니야? 네가 가까이 있으니까 정호도 삶에 자극받고, 좋은 것 같아. 내가 보기에는."

"그런가."

"둘이 제발 좀 사이좋게 지내라."

나아가 정호 마음도 좀 알아주고!

새연은 차마 하지 못하는 말을 꿀꺽 삼켰다. 다른 건 몰라도 정호의 마음 전하는 일을 자신이 먼저 해 버릴 순 없었다.

"그런데 정호네 아버지 말이야."

새연은 조심스럽게 물었다.

"응."

"이제 좀 어떠신 것 같아? 시간도 많이 흘렀는데……."

"정호가 부모님 이야기는 도통 안 하는데, 뭐. 그냥 뉴스에서 본 게 나도 전부야."

어떻게든 유리보다 먼저 시험에 통과해 자리를 잡은 후 고백하고 싶었다던 정호였다. 그가 왜 고백이고 뭐고 다 포기한 채 지금까지 그냥 지내 왔는지 새연은 이제야 조금 이해할 수 있었다. 상대가 다른 누구도 아닌, 유리니까. 그런 배경을 가진 정호라면 포기할 법도 하지.

높은 직책에 있던 아버지였다. 청렴결백하기로 명성이 자자했던 아버지가 하루아침에 그런 큰 비리 사건에 연루되어 불명예스러운 퇴직을 하셨으니. 뉴스와 신문에서는 김승운 전 검사장을 연일 두드려 패기 바빴다. 게다가 대단한 스펙으로 초임지부터 서울 중앙지검에 발령받은 아들 김정호 검사까지도 의심의 화살을 피해 갈 수는 없었다.

자신의 아버지가 사회적으로 이슈가 되었을 때 정호의 기분이 어땠을지. 새연은 감히 상상하지 못했다.

그런 상황에서 모든 것을 다 놓아 버렸던 정호가, 어찌 사랑이라고 유리를 붙잡을 수 있었을까. 그나마 '대충'이라도 살아가는 것이 다행인 정호가, 무슨 일이든 악착같이 해내는 유리를 향해 더 이상 무슨 욕심을 낼 수 있었을까. 그렇기에 접어 두었겠지. 그렇기에 덮어 두었을 거야.

새연은 정호를 생각하면 가슴 한구석이 먹먹해졌다. 그런 정호가 이제는 혼자 아파했던 지난 시간을 뒤로하고 용기를 낸다고 하니, 어떻게든 도와주고 싶었다. 유리의 마음을 얻고, 자신감을 회복하고, 그리고 얼마나 삶이 치열하게 아름다운 것인가를 알게 된다면. 유리로 하여금 정호가 그렇게 변화할 수 있다면. 새연은 그렇게만 된다면 바랄 것이 없겠다고 생각했다.

그러나 유리는 생각이 달라 보였다.

"그 자식은 부모님 고마운 것도 모르고. 낳아 주신 것만 해도 감사한 줄 알아야지, 어디 부모님을 등지고 살아. 어떤 일을 하셨든 부모님은 부모님이지. 그래 놓고 건물은 왜 받았대? 그럼 아예 돈도 받지 말든가."

제힘으로 여기까지 달려온 유리가, 태생부터 다른 정호의 안일한 삶이 곱게 보일 리는 없겠지. 물론 정호의 앞에서 그렇게 말한 적은 한 번도 없겠지만.

"정호가 마음이 참 약하잖아. 앞에서 맨날 뻔뻔하게 구는 것 같아도, 상처 받으면 푸르르 숨어 버리고. 그러니까 네가 옆에서 좀 잘 다독여 줘. 그나마 어머니가 그 건물이라도 안 해 주셨으면, 애가 정말 뭐 먹고살았겠냐."

"몰라. 암튼 김정호 ……마음에 안 들어."

그런 정호가 너를 좋아해. 그래서 이제는 달라지고 싶대.

새연은 유리를 물끄러미 바라보았다. 유리는 불만과 근심이 공존하는 표정으로 커피 잔을 톡톡 두드리고 있었다. 새연의 가슴속에 안타까운 마음이 피어올랐다.

그러니까 유리야, 부디 정호 내치지 말아 줘. 정호가 내미는 손을 부디…… 꽉 잡아 주라. 유리야.

새연은 간절히 바라고, 진심으로 기원하였다. 두 친구가 서로 마주 볼 수 있기를. 온전히 마음을 나눌 수 있게 되기를.

새연과 이야기를 하고 돌아오는 길. 유리는 더욱 마음이 복잡해졌다. 자신의 속마음과는 다른 말들이 자꾸만 흘러나왔다. 정호 편만 드는 새연을 보니 괜히 불퉁해져서 더욱 툴툴거리기는 했지만, 정호를 이해 못 한 적은 단 한 번도 없었다.

버스 안에 앉아 바깥으로 보이는 풍경을 멍하니 바라보는데 가슴속 어딘가가 쿡쿡 쑤셔 왔다.

유리는 고등학교 시절이 떠올랐다. 자신이 되고 싶은 직업을 조사하는 과제가 있었다. 정호의 아버지가 검사라는 것을 알고, 유리는 정호에게 졸라 집에 찾아갔었다.

명성과 기세가 대단하였던 그의 아버지. 처음 맞닥뜨린, 서늘한 기운이 팽배한 눈빛. 그의 아버지가 호랑이 검사라는 말이 괜히 나온 게 아닌 모양이었다. 정호와는 이미지가 아주 딴판이었다. 오히려 어머니 쪽이 대단한 미인에 상냥하기까지 하셔서, 정호가 어머니를 닮았구나, 하는 생각은 했다.

하지만 유리는 정호의 아버지를 보고 전혀 기죽지 않았다. 준비해 간 질문을 모두 하고, 답변을 열심히 받아 적고, 눈빛을 반짝거리며 경청했다. 결국 정호의 아버지는 자신의 머리를 쓰다듬어 주셨다. 편하게 웃기도 하셨다.

'유리라고 했지. 네가 나중에 어떤 법조인이 될지. 아주 기대가 되는구나.'

살짝 아들의 흉도 보셨다.

'정호에게는 뭐가 되고 싶으냐고 물어도 대충 아무거나요, 이렇게 대답한단다. 정호 이놈이 통 포부가 크질 않아 걱정인데 말이다.'

그리고 진심으로 격려해 주셨다.

'부모님께서 너를 아주 훌륭히 잘 키우셨구나. 씩씩한 모습이 보기 좋으니, 열심히 해 보렴.'

처음 가 본 정호의 집은 화려하진 않지만 정원도 크고 내부도 대단히 넓었다. 미술을 전공하셨다는 어머니가 그린 유화가 곳곳에 걸려 있었다. 소담한 꽃을 그린 그림들이었다. 교양 있는 부모님, 유복한 환경, 좋은 두뇌. 모든 것을 다 쥐고 태어난 정호는 그 순간에도 소파에 깊게 몸을 묻은 채 감흥 없는 얼굴로 만화책을 보고 있었다. 아버지 앞에서는 무뚝뚝한 아들인지, 부자는 그리 친해 보이지 않기도 했다.

그래도 정호가 결국 법대에 진학하고, 아버지의 뒤를 이으려는지 검사가 되겠다고 결정해서 다행이라고 생각했었는데. 이렇게 또라이 기질 충만한 백수로 전락할 줄 그때는 아무도 몰랐다. 정호의 아버지는 혹시 자책하고 계실까. 아들의 인생이 그리된 것은 모두 자신의 탓이라고.

아니길. 그건 아니길. 적어도 정호는 이제 조금씩 앞으로 나아가려고 하는 중이다. 이런 변화로 하여금, 부자 사이에 깊게 파인 골도 점차 채워지기를 바랐다. 어떤 일을 행하셨든, 그는 정호의 아버지니까.

유리는 속으로 깊은 한숨을 내쉬었다. 새연은 자신과 가까이 있으면서 정호가 변하고 있어 좋다고 했지만, 한편으로는 그 앞날을 자신이 막고 있는지도 몰랐다.

멋있어서서 남의 이목을 끄는 것이 싫다는 이유로 훼방이나 놓으려고 하고. 스스로 생각해도 한심하기 짝이 없었다. 좋아한다는 마음을 자각하자마자 이렇게 형편없는 질투나 하고 있다니. 추리닝만 입고 동네에만 틀어박혀 있던 시기의 정호는 가장 힘든 나날들을 보내는 중이었을 것이다. 그가 빛나는 것이 싫다고 하여 예전으로 돌아가게 하는 건 분명 자신이 잘못하는 일이었다.

유리는 가만히 손을 들어 검지 끝으로 제 입술을 쓸었다. 좋아서 두렵기까지 했던 키스의 기억이 가만가만 피어올랐다. 댕겨진 불이 걷잡을 수 없이 번져 나갔다. 십 년이라는 세월을 뛰어넘어, 그가 제 가슴에 깊숙이 새겨지고 말았다.

이제는 어쩔 수 없지. 좋아해도 할 수 없지. 혼자 사랑해 버려도 ……하는 수 없지. 요즘 정호는 보란 듯이 더욱 근사해졌고, 자신에게는 더없이 차가워졌다. 더 많이 사랑하는 쪽이 약자라면, 처음으로 정호에 대한 마음을 깨닫게 되어 버린 자신이 바로 약자 쪽이었다.

정호는 이렇게 짝사랑을 시작해 버린 제 마음 절대 모를 텐데. 알게 되더라도 부담스러워 밀어낼 것이 분명하다. 함부로 휘두를 땐 언제고, 이제 와좋다고 하면 비웃을지도 모르지.

창밖에 휙휙 빠르게 스쳐 가는 연분홍빛 꽃나무를 보면서 유리는 내내 정호를 생각했다. 벚꽃이 흐드러지게 피고 지는 이 계절. 그녀는 처음으로 이 계절에 오롯이 그를 떠올렸다. 왜인지…… 마음이 아팠다.

정호는 로(Law) 카페 창가에 앉아 눈앞 가득 펼쳐진 벚꽃을 바라보았다. 그는 매년 이 계절마다 오롯이 그녀를 떠올렸다. 작년에도, 재작년에도…… 십 년 전부터 쭉. 벚꽃이 절정에 이른 이번 주. 아마 주말에 비가 온다고 하였으니, 다음 주에는 흩어진 꽃잎만 바닥에 뒹굴 것이다. 쓸쓸하게도.

그래, 유리가 그랬지. 감질나서 더 아름다운 꽃이라고. 일 년을 기다려 겨우 일주일 볼 수 있는 이 꽃 때문에, 이 심장은 매년 이렇게 미친 듯 뛰고 있다. 어김없이 찾아오는 이 계절. 그래서 놓지 못하고, 그래서 잊지 못한다고 하면 그건 핑계겠지.

유리의 카페에 앉아 그 자리를 바라보게 될 날이 올 줄 어떻게 알았을까. 물론 유리는 여전히 제게 관심이 없고, 오히려 자신이 뛰고 날고 블루스를 춰도 친구로만 볼 뿐이니, 허탈한 마음만 가득했다.

추리닝을 잔뜩 사 온 유리. 자신의 가슴이 절망으로 가득 찬 것을 알지 못하고 그저 해맑게 웃기만 하던 유리. 그런 유리 때문에 정호는 지금 극도로 예민해진 상태였다. 궁지에 몰리면 고양이를 무는 쥐도 있지 않은가. 유리를 향해 으르렁 짖지만 않았을 뿐이지, 현재 정호는 의도치 않게 그녀에게 싸늘해진 상태였다.

혼자 좋아하다가, 혼자 상처받고, 혼자 경계하니, 그야말로 혼자 북 치고 장구 치는 멀티플레이어가 되어 죽을 때까지 짝사랑만 할 팔자인 모양이었다. 한숨, 한숨, 한숨. 밀려 나오는 건 한숨뿐이니.

"무슨 걱정 있으세요?"

그때 나란히 앉아 있던 꼬마가 말을 걸어왔다. 요즘 들어 이 꼬마가 눈에 굉장히 자주 띄었다. 아무래도 카페를 전세 낸 모양이었다. 자신의 지정석이라도 되는 것처럼 같은 자리에 앉아 책을 보고 있었다. 이름이 이슬이라 했던가.

"아니. 걱정 없다."

새삼스럽게 걱정은 무슨 걱정. 짝사랑 하루 이틀 하는 것도 아니고. 그저 이제 좀 꼬셔 보겠다고 하는데도 꿈쩍도 하지 않는 유리가 야속할 뿐. 이 정도 타격이야 내성이 생길…… 리는 사실 없다. 아무리 당해도 아픈 건 아픈 거다.

정호는 다시 한번 깊게 한숨을 내쉬었다.

"꼬마야, 책 많이 읽어라. 책이 남는 거다."

책을 꽉 쥐고 있는 이슬의 머리를 톡톡 쓰다듬어 주었다.

"네. 그럼 책 읽는 데 조금 신경 쓰이니까, 한숨은 그만 쉬어 주세요."

"오냐."

쿨하게 대답은 했지만 눈앞의 꽃을 보면 또 한숨이 새어 나온다. 후우우우. 깊숙한 곳에서 끌어 올린 한숨을 내뱉는데, 찌릿, 옆에서 바라보는 시선이 느껴졌다. 흠, 정호는 헛기침하며 고개를 돌려 이슬이 보고 있는 책을 들여다보았다. 대체 무슨 책을 그렇게 열심히 보기에, 중요한 시험을 앞둔 예민한 수험생처럼 구는 것인지.

"뭐야. <콩쥐 팥쥐>네."

책장 가득 그림이 그려진 동화책이었다.

"이런 건 보통 유치원 때 다 떼지 않나? 너 초등학생이잖아. 1학년이라며."

"저 초등학생 된 지 이제 겨우 두 달도 안 됐거든요? 그리고 이거 재미있어서 열 번째 읽는 거예요."

이슬은 다시 책으로 시선을 돌렸다. 짝사랑의 감정에 휩쓸려 괴롭던 정호는 기분 전환을 할 겸 이슬이 보는 책을 다시 한번 들여다보았다. 아무래도 뭔가 글자만 보면 읽고 싶어지는 이놈의 활자 중독증이 문제였다. 일단 보니 참견하고 싶어졌다.

"너희 엄마가 그럴 일은 없겠지만, 혹시 콩쥐네 새엄마처럼 구박하고 학대하면 당장 신고해야 한다."

열 번이나 읽은 책이라서 그런지 이슬은 독서에 방해받았다는 생각보다는 오히려 정호의 개입이 반가운 모양이었다. 책 내용에 대해 말을 꺼내자 얼른 고개를 들며 대꾸했다.

"우리 엄만 안 그래요. 그런데 아저씨가 보기에도 이 콩쥐 새엄마는 진짜 나쁘죠?"

"그래, 엄청 나쁘지. 일단 폭행죄야. 형법 제260조 1항. 이게 구타, 그러니까 막 사람을 때리는 것, 그것만 폭행이 아니고 일단 다치게 하는 건 몽땅 다 폭행죄라고 생각하면 돼. 근데 이게 콩쥐가 '저는 괜찮아요. 신고 안 할래요. 용서해 줄래요.' 그러면 새엄마한테 콩밥을 먹일 수가 없어요. 피해자가 인정해야 성립되는 법이지."

"아……."

이슬은 끄덕거리며 정호의 말을 열심히 들었다.

"게다가 학대죄도 있지. 자신의 보호를 받는 사람을 학대하면 그것도 죄가 되는 거야."

"그런데 학대가 뭐예요?"

"학대란 말이 뭐냐면, 새엄마가 콩쥐랑 자기 딸 팥쥐를 막 차별하고. 밭을 맬 때도 팥쥐한테는 쇠 호미 주면서 콩쥐한테는 나무 호미 줘서 일부러 고생시키거나, 잔칫날에도 팥쥐만 데려가면서 콩쥐한테는 밑 빠진 독에 물 붓기 같은 일을 막 시키거나. 아무튼 때리는 것뿐 아니라 정신적으로 고통 주고 차별하는 것까지도 다 학대야."

"아, 그럼 그건 뭐예요? 숫자가?"

"숫자?"

"아까 법. 뭐. 그거."

"학대죄는 형법 제273조."

이슬은 '우와.' 하고 입을 동그랗게 벌렸다. 그게 정확한지 아닌지 어린 이슬로서는 알 수 없었지만, 척하면 척하고 나오는 정호가 대단해 보였으니 말이다.

"그뿐이겠냐. 팥쥐는 콩쥐를 죽여서 살인죄까지……."

"어? 팥쥐가 콩쥐 안 죽였는데요?"

"연못에 빠뜨려 죽였잖아."

"……아닌데."

정호는 이슬이 가진 책 뒷부분을 넘겨 보았다. 원래대로라면 팥쥐가 흉계를 꾸미며 콩쥐를 죽인 후 그녀의 행세를 하며 원님과 결혼 생활을 하는 내용이 더 있어야 했다. 꽃으로 환생한 콩쥐가 원님 앞에 현신하여 억울한 사정을 알리고, 원님은 팥쥐를 죽여 독에 넣어 그 어미에게 보내면, 어미는 딸의 시신을 받고 기절하여 죽는다는 내용까지. 권선징악의 대미를 장식하는 후반부가 이슬이 보는 책에는 빠져 있었다.

수위가 조절된 저학년용 동화책이었다. 꽃신이 제 것인 듯 거짓말을 한 팥쥐 대신 진정한 꽃신의 주인인 콩쥐를 알아본 원님이 프러포즈하고 결혼하는 것으로, 오래오래 행복하게 살아갈 미래를 약속하며 이야기는 아름답게 끝나 있었다.

"원래는 팥쥐가 콩쥐를 죽여요? 진짜?"

"음, 네가 그것까진 알 필요 없겠고."

아이에겐 좋은 것만 보여 주고 싶은 이 갸륵한 동화책 출판사의 성의를 무시할 순 없지. 정호는 그에 맞추어 이야기를 이어 했다.

"그것보다 이 책대로라면, 팥쥐가 콩쥐 신발을 자기 신발이라고 거짓말하잖아. 이게 공갈죄인데……."

"몇 조?"

"형법 제350조."

이제는 척척 묻기까지 하는 이슬은 제법 흥미로운 모양이었다.

"그리고 손괴죄도 있어. 형법 제366조. 남의 물건이든 문서든 뭐든 암튼 망가뜨리거나, 아니면 숨겨서 사용할 수 없게 하거나. 그럴 때야. 이건 팥쥐가 그 꽃신을 숨기기까지 했으니까. 아주 이 모녀가 가지가지 했네. 그래서 벌 받은 거야. 네가 상상 못 하는 어마어마한 그런 벌이 있어. 알겠지?"

이슬은 자신을 해일처럼 덮친 법률 용어 속에서 다소 얼떨떨한 기분으로 앉아 있었다. 그렇지만 분명한 건, 정호가 들려주는 이야기들이 크게 어렵지 않고 재미있기까지 했으니 신기했다. 자신이 보던 이 얇은 동화책이 새삼 다르게 보이기까지 했다. 집에 있는 다른 책들 속에도 이런 이야기들이 숨어 있을까. 궁금하기도 했다.

"어, 저기 변호사 언니다!"

이슬이 창밖을 보며 손가락으로 가리켰다. 정호가 고개를 들어 그쪽을 바라보았다. 저만치에서 걸어오고 있는 유리의 모습이 보였다.

하필이면 이 벚꽃 거리에 자신이 건물을 사고, 또 하필이면 이 건물에 그녀가 카페를 차렸으니. 지금 이 순간, 벚나무들을 지나쳐 걸어오고 있는 유리는 필연적일 수밖에 없다.

그러니 잔인하다. 같이 있는 시간 모두가, 그에게는 온통 잔인하게만 느껴졌다. 잠시 이슬과 이야기를 나누며 유리에 대한 생각을 떨쳤나 싶었는데, 눈으로 본 순간 심장에 박힌 유리처럼 빼낼 수 없다는 걸 알아 버렸다.

카페 문이 열리고 유리가 들어섰다. 문가 가까운 곳에 앉아 있던 자신과 시선이 바로 마주쳤다.

끼이익. 약한 소리를 내며 의자가 밀렸다.

"꼬마, 그럼 다음에 보자."

일어선 정호는 이슬에게 인사를 건넨 후 카페 문으로 향했다.

됐다. 얼굴이라도 봤으니 됐다. 오늘도 이 정도면…… 됐다.

아려 오는 가슴을 들키지 않기 위해 정호는 오히려 얼굴을 굳혔다. 유리에게 말 한마디 붙이지 않고 그대로 옆을 지나쳤다. 요 며칠 인사조차 하지 않은 채 냉랭한 분위기를 유지했고, 유리 또한 그런 제게 별다른 반응을 보이지 않았다.

그래, 나만 미친놈이지.

그런데 그때. 정호가 걸음을 멈추었다. 고개를 돌렸다. 시선을 아래로 내렸다. 제 셔츠 소매를 꽉 붙들고 있는 유리의 손을 물끄러미 바라보았다.

순간, 모든 것이 멎어 버렸다. 그저 심장만 죽어라 뛰어 댔다.

쿵. 쿵. 쿵.

"인사도 안 할 거야?"

유리는 겨우 소리 내어 물었다. 내내 정호에게선 낯선 냉기가 물씬 풍겼기에 더 이상 두고 볼 수만은 없었다. 이게 대체 며칠째인지 모르겠다. 이대로 절교를 하겠다는 건 아니겠지, 설마.

막상 자신을 지나치는 정호를 잡았지만, 그 단단한 팔을 붙든 순간 숨부터 콱 막혔으니, 유리는 말 한마디 뱉는 것조차 힘겨웠다.

"뭐가."

하지만 정호의 목소리는 가슴이 철렁 내려앉을 정도로 차가웠다.

"나 봤잖아. 보고도 왜 그냥 지나가."

"매일 보는데, 새삼스럽게 무슨 인사야."

정호는 소매를 붙잡은 제 손을 무감한 눈으로 내려다보다가 이내 시선을 올렸다. 눈이 다시 마주쳤다. 유리는 심장이 철렁했다. 정호와 시선이 닿으면 이상하게 자꾸 세상이 하얗게 부서진다. 아까 카페에 들어올 때도 그랬다.

이 일을 어쩌면 좋지. 정호에게 빠져도 단단히 빠진 듯했다. 이 정도면 중증이다. 유리는 이런 경험도, 이런 감정도 모두 처음이었다.

"할 말 없으면 이거 좀 놔."

정호가 제 팔을 조금 들어 보였다. 목소리도, 얼굴도, 정호는 다 그대로인데 어쩌면 이렇게 다른 사람 같은지. 유리는 가슴이 저릿해져 견딜 수가 없었다.

"기 싸움 장난 아니네."

옆에서 들려온 소리. 마미의 목소리였다. 정호에게 집중하느라 몰랐는데, 고개를 돌려 보니 카페 안 손님들도 이쪽을 보고 있었다.

"나이 처먹고 여태 그리 싸우냐, 너희들은."

심상치 않은 분위기를 보고 마미가 문가까지 나온 모양이었다. 그만하라는 의도일 것이다. 유리도 남들의 구경거리가 되고 싶은 생각은 없었다. 소리를 높여 싸운 것은 아니지만, 나직하게 오간 소리가 그다지 정답지는 않았으니까.

유리는 마음을 굳게 먹고 정호의 팔을 더 세게 붙들었다.

"너, 잠깐 나와."

팔을 잡아끌었다.

"너희 어디 가는데?"

마미가 걱정스러운 목소리로 물었고, 유리는 비장한 각오로 대답했다.

"옥상."

마치 제 밥인 녀석을 옥상으로 끌고 가는 불량 학생의 자태였다. 유리는 사람들의 눈에 그렇게 보이든 말든 상관치 않고 정호를 힘껏 끌었다. 정호의 명복을 기원하는 마미와 준의 간절한 눈빛을 뒤로하고 그들은 카페에서 나왔다.

"언제까지 삐쳐 있을 건데. 나 정말 답답해서 못 살겠거든."

정호는 옥상 마당에 올라오자마자 쌓인 불만을 터뜨리는 유리를 바라보았다. 생각보다 늦게 터졌을 뿐, 유리가 직구를 던질 거라 예상은 했었다.

웃지 않고, 장난도 걸지 않고, 헛소리도 하지 않는 자신이 어색하기는 할 것이다. 불편하기도 하겠지. 하지만 이런 상황 속에서도 실없이 굴 생각은 없었다. 아무렴 쓸개 빠진 놈에게도 한계는 있으니 말이다.

"네 눈에는 내가 삐친 걸로 보이냐?"

목소리는 자신도 주체할 수 없을 만큼 차갑게 흘러나갔다.

"화났으면 화났다고 말을 해. 그래야 풀어 줄 거 아니야. 이렇게 사람 숨 막히게 좀 굴지 말고."

아직 유리는 정호의 팔을 잡고 있었다.

"삐쳤냐니."

"……."

"겨우 그게 다야, 너는?"

"면도기 부순 건 미안하다고 했잖아. 그래서 새로 사다 줬고. 또 뭐가 맘에 안 드는데? 추리닝 사 온 거? 아님 뭐, 내가 너 이렇게 입은 거 멋있다는 말 안 해서? 서, 설마 정말 그런 거야? 아니지?"

정호는 어금니를 한 번 깨물었다 놓으며 말했다.

"김유리, 너……."

"……."

"내가, 우습냐?"

자신의 냉기 어린 음성에 유리의 손이 움찔 떨리는 게 느껴졌다.

"놓으라고 했잖아."

이내 힘이 빠진 유리의 손이 천천히 아래로 떨어졌다. 정호는 그 움직임을 가만히 쳐다보기만 했다. 아무래도 이렇게 감정이 뒤죽박죽 섞인 상태로는 1단계고, 2단계고…… 꽃이 다 지기 전에 3단계고 뭐고, 전부 안 되겠다 싶었다.

유리에 대한 서운함이 이렇게 클 줄이야. 괜찮다고 생각했는데. 혼자 좋아해도, 이렇게 얼굴을 볼 수 있는 것만으로도 다 참을 수 있다고 생각했는데. 어쩌면 자신에게 화가 난 건지도 모르겠다.

그저 유리 하나만 보고 있어도, 수백 가지, 수천 가지 감정이 들었다가 가라앉길 반복하니까. 이런 자신이 정말 미친놈 같고, 이런 자신이 진짜 바보 같아서.

"너, 그냥 내려가라."

적어도 오늘 하루는 지나야 할 것 같다. 이대로는 너무도 복잡한 마음이라 그 어떤 말도 하고 싶지 않았다.

내일 정도는 되어야 사실은 내가 감히 널 좋아해서 그런 것이다, 날 남자로 보지 않는 네가 야속해서 그런 것이다, 그러니 이 모든 것은 전부 내 탓이다, 내 잘못이다, 미안하지만 널 오랫동안 사랑하고 있는 나 때문이다, 사실대로 말할 수 있을 것 같았다.

죽이 되든 밥이 되든, 내일 결전을 치러야겠다. 우선 머리가 아프니 잠부터 좀 자야겠…….

"누가 너더러 우습대?"

……다고 생각했는데.

몸을 돌려 방 쪽으로 걸어가는 정호의 등 뒤에 그녀의 목소리가 와서 부딪쳤다. 걸음이 뚝 멎고 말았다.

"너 하나도 안 우스워. 우스워서 그런 것 아니야."

정호는 다시 뒤를 돌아 유리의 얼굴을 확인하고 싶었지만, 어쩐지 뜻대로 되지 않았다. 왜…… 유리의 목소리가 심하게 떨리는지, 전혀 가늠할 수 없었다.

"추리닝을 입어도 잘생겼고, 슈트를 입으면 더 멋있다며. 그래서 반하면 곤란하다며. 우리 우정에 금이 간다며!"

뒤에서 들려오는 목소리는 분명 유리의 것이었지만, 믿을 수 없을 만큼 울먹거리고 있었다. 왜, 왜……? 울어……?

"야! 나 곤란해졌어."

머리가 텅 비어 버린 것 같았다.

"너한테 반했다고."

"……."

"그래서 곤란해. 무척, 미치게, 아주 많이."

이건 현실이 아니다. 상상이라도 해 봤으면 모를까. 한 번도 생각해 본 적 없던 순간이었다. 그야말로 이건…… 꿈이다.

"아무리 깊게 생각해 봐도."

"……."

"내가 널 좋아하게 되어 버린 것 같아."

심장이 꽉 묶여 버린 듯했다. 온몸으로 피가 흐르는 길은 모조리 막혀 버린 느낌이 들었다. 정호는 아무런 생각도, 아무런 행동도 할 수 없었다. 유리가 타박타박 걸어와 정호의 앞에 섰다. 현실과 동떨어진 기분은 여전했다.

그녀의 눈에 가득 들어찬 것이 눈물이라는 사실조차도 실감할 수 없었다.

받아들일 수 있는 한계치 이상의 것이 해일처럼 밀려들었다.

"내가 너무 경솔해 보일 수 있겠지만, 나는 정말 모르겠어. 이대로 그냥 너에게……."

"……."

"뺨을 맞는다고 해도 상관없어."

유리가 팔을 뻗었다. 제 목을 잡아당겼다. 부유하는 먼지처럼 자신의 몸에 아무런 힘도 느껴지지 않았다. 당기면 당기는 대로 그저 끌려갈 뿐.

유리가 입을 맞춰 왔다. 입술이 완전히 포개졌다. 눈을 질끈 감은 유리가 흐리게 시야에 들어왔다. 맺혀 있던 눈물이 주르륵 흘러내린 모양이었다. 짭짤한 맛이 흘러들어 왔다. 그저 입술을 꾹 눌렀을 뿐인, 담백한 입맞춤.

몇 초가 지났을까. 아니 몇 분, 아니 몇 시간, 아니 며칠일지도 모른다. 모든 감각이 붕 떠 버렸으니 정호는 그 무엇도 정확히 파악할 수 없었다. 그저 유리의 입술이 떨어지는 찰나, 꽃 내음을 품은 바람이 한 줄기 스쳤다는 것밖에는.

"놀라게 해서…… 미안."

유리는 손을 들어 제 눈물을 얼른 훔쳐 냈다. 아무 말도, 아무 표정도 없는 자신을 보던 그녀가 아랫입술을 잘근 깨물었다. 어떤 말이든 해 주길 기다리는 모양인데, 정호는 지금 말은커녕 숨도 쉴 수 없는 상태였다.

유리가 머뭇거리며 말했다.

"아……. 안 되겠다. 너 못 보겠어. 뺨은 그냥 내일 맞을게."

정호는 그저 유리를 쳐다보는 것 외에는 무엇도 할 수 없었다.

"정말 미안. ……미안해. 나 내려갈게. 얘기는 내일 하자."

이내 유리가 서둘러 몸을 돌렸다. 또각또각. 힐이 바닥에 세게 부딪쳤다. 아마도 뛰는 모양이었다.

안 되는데. 저러다 재 넘어지는데.

정호가 고개를 돌렸을 때, 이미 유리는 옥상 문을 탁 닫은 후였다. 신기루처럼, 모든 게 사라져 버렸다.

그대로 얼어 버린 정호의 사고 회로가 아주 느릿하게 돌아가기 시작한 건, 시간을 가늠할 수 없을 만큼 한참이 지난 후였다.

겨우 숨이 쉬어지고, 겨우 손이 말을 들었다. 제 가슴께를 움켜쥐고, 멍한 시선을 허공에 꽂은 채 정호는 또 한참을 서 있었다. 그러다 겨우 움직여지는 발을 떼어 평상까지 힘겹게 걸어갔다. 털썩, 주저앉았다.

뭐라고 했더라. 너한테 반했다고, 그래서 곤란해. 내가 널 좋아하게 되어 버린 것 같아. 그러고는 한없이 미안해, 미안해만 남겨 놓고 사라져 버렸다.

꿈이 아니라면. 눈뜨고 선 채로 꿈을 꾼 게 아니라면. 유리가 자신에게 고백했다. 14년 만에 있을 수 없는 일이 일어나 버렸다. 안 그래도 뒤죽박죽 복잡하던 정호의 머릿속은 더욱 제멋대로 엉켜들었다. 매듭을 찾아내기 어려울 만큼 완전히 꼬이고 말았다.

이게 지금 현실인가. 말이 되는 이야기인가. 내가 뭘 잘못 먹었나. 여름도 아닌데 더위를 먹었나. 겨울도 아닌데 머리가 얼었나. 어떤 답도 스스로 찾을 수 없었다. 그저 가슴이 미친 듯 뛸 뿐. 심장의 존재가 이토록 대단한지 난생처음 알았다.

정호는 그대로 평상 위에 누워 버렸다. 복잡하게 꼬인 머릿속을 모두 들어내고 텅 비울 때까지 하늘만 올려다보았다. 푸르던 하늘이 오색으로 물들고 마침내 새까맣게 변해 버리는 걸 장시간 동안 그저 멍하니 바라보기만 했다.

8. 그토록 바라던 말

"허어어어어어. 미쳐……. 미쳤어, 내가. 돌았어! 돌았나 봐!"

무표정으로 자신을 바라보던 정호의 모습이 눈앞에 선했다. 사무실 책상 앞에 앉은 유리는 다시 제 머리를 마구 헝클어뜨렸다.

어쩌자고 그런 짓을! 고백에다가 억지 키스라니! 엎지른 물은 쓸어 담으면 조금이나마 채울 수나 있지, 이건 다시 돌이킬 수도 없는 일이었다. 정호가 자신을 얼마나 미친 여자로 봤을까. 답답함이 사무친 것까지는 좋다. 그런데 터져도 어떻게 그렇게 터졌지. 밑도 끝도 없이 '널 좋아해.'라니. 정호도 어이없었을 것이다.

이러다 친구 잃으면 어쩌나 싶어서 허심탄회하게 얘기나 해 볼까 하고 옥상에 올라간 건데, 결과는 이렇게 참담하였다. 이제 제대로 친구 잃게 생겼다. 그건 모두 자신이 자초한 일이었다.

"어쩌지. 하아……. 진짜 어쩌지?"

유리는 산발이 된 채 허공을 보며 중얼거렸다.

그렇게 고백이라도 해 버리면, 정호가 '그래, 사실은 나도 널 좋아해.' 하고 받아 줄 거로 생각했던 걸까? 평소 똑똑한 척은 혼자 다 하면서, 실제로는 전혀 그렇지 못한 자신을 스스로 증명이라도 해 보인 기분이었다. 창피하고, 서글퍼졌다.

'너한테 반했다고.'

'…….'

'그래서 곤란해. 무척, 미치게, 아주 많이.'

그가 습관적으로 하던 말에 세뇌라도 당해 버린 것인지.

'내가 이렇게 멋있다고 자꾸 나한테 반하고 그러면 우리 우정에 금 가고, 그럼 곤란하잖아.'

아주 오래전부터 정호가 뻔뻔스럽게 우겨 대던 그 상황에 맞닥뜨렸다. 결국 이렇게 얄팍한 우정에 금이 가고 마는 것인가! 욱하는 성질에 고백까지 해 버린 건 그렇다 치고.

"우와아아아. 나 진짜 미쳐 버리겠네."

키스! 키스는 또 어쩔 거냐고. 딥키스는 아니었지만 일단 입은 맞췄고, 그건 자신이 먼저 시도한 것이었다.

키스만 아니었어도 그냥 농담이었다며 하하 웃고 넘어갈 수도 있었다. 아니, 눈물만 안 흘렸어도! 호기롭게 뺨까지 맞겠노라 당당하게 나섰는데, 없어 보이게 눈물은 왜 났는지.

정호는 딱 굳어서 자신을 싸하게 쳐다보고만 있었기에 그때는 피가 완전히 말라 버리는 기분이었다. 도저히 정호의 얼굴을 볼 수 없을 것 같다. 오늘은 좀 일찍 퇴근해야겠다.

정호가 이런 상황에 사무실 정리를 하러 내려오진 않겠지만, 그래도 유리는 그와 부딪치지 않으려고 서둘러 가방을 챙겼다. 대충 머리를 만지고 얼른 사무실에서 나왔다.

"엄마, 나 먼저 들어가요. 애들아, 수고해."

인사를 하고 카페를 가로질러 나가려고 하는데, 그 순간 문이 열리고 정
호가 들어왔다.

"김유……."

그가 이름을 다 부르기도 전에 유리는 쌩하니 달려 나왔다. 5분만, 아니
1분만 더 일찍 나올걸! 그럼 아예 마주치지도 않았을 텐데.

이게 시작이었다. 이때부터 유리는 정호를 필사적으로 피해 다녔다. 숙제
처럼 남겨 둔 뺨을 맞기 싫었다. 더욱이, 당황했던 정호가 제게 건넬 거절의
답변 같은 건 듣기도 싫었다. 미룬다고 언제까지 미룰 수 있을지는 모르겠
지만, 최대한 미루고 싶었다.

……우정에 금이 간 걸 확인하고 싶지는 않았으니까. 어쩌면 이대로 버티
다 보면 아무 일도 없었던 것처럼 다시 웃으며 볼 수 있게 되지 않을까.

물론 그건 유리의 헛된 망상이었다.

꼬리 밟기 게임처럼 유리는 잡힐 듯 잡힐 듯, 절대 잡히지 않았다. 마주치
면 사라져 버리고 도망가 버렸다. 정호만 보면 저승사자라도 본 것처럼 사
색이 되어 온갖 핑계를 다 대고 달아나 버리는 통에 이야기는커녕 제대로
얼굴을 볼 수도 없었다.

대차게 고백부터 지른 건 딱 김유리가 할 법한 일이었다. 하지만 후환이
두려워 이리 빼고 저리 빼는 건 유리답지 않았다. 그런데 정호의 눈에는 그
모습이 오히려 사랑스럽기까지 했다.

아니, 자신이 무슨 대답을 할 줄 알고 저렇게 도망만 간단 말인지. 아무래

도 그녀 혼자 자신을 짝사랑한다고 생각하는 모양이었다.

유리가 자신을 좋아한다니. 지난 14년간 가슴앓이했던 그 모든 순간을 한 꺼번에 보상받는 느낌이었다. 가슴이 벅차고 설레어 견딜 수가 없었다. 유 리가 마음껏 착각하도록 내버려 두고 조금 만끽해 볼까. 14년이 아닌 14일 이라도.

하지만 그건 불가능한 일이었다.

"여전히 아쉬운 놈은 난데."

그렇게 허비할 시간 1분 1초가 아까운 것을. 빨리 유리의 눈을 들여다보 고 싶었다. 정말 자신을 좋아하는 눈빛이 맞는지. 다시 한번 얘기해 줄 수 있 는지. 그 마음이 진심인지. 확인하고 싶었다.

아니, 사실은 그것보다, 이젠 어찌 되든 상관없으니 널 좋아하는 내 눈을 봐 달라고. 얘기할 테니 들어 달라고. 이 마음, 죽어도 진심이라고. 말하고 싶은 쪽은 오히려 정호 자신이었다.

속이 바짝바짝 타올랐다. 밀고 당기는 방법도 여러 가지. 유리는 의도한 것이 아니겠지만 정호는 충분히 그녀의 밀당에 휘둘리고 있었다.

이제 더 이상은, 단 하루도 참을 수가 없었다.

최근 유리는 새벽에 운동하러 가지 않았다. 점심때는 밖에서 밥을 먹고 들어오고, 오후 일찍 퇴근했다. 일과에서 김정호를 완전히 빼 버린 생활 패 턴이었다. 유리는 이대로 조금만 더 힘내자고 스스로 파이팅을 외쳤다.

다만 잠이 좀 부족했다. 밤마다 온갖 잡생각이 머리를 어지럽혀 늦게 잠들곤 했다. 일찍 퇴근하는 대신 일을 미리 해 놓기 위해 첫차로 운행되는 버스를 타고 출근을 했으니 수면 시간은 짧을 수밖에 없었다. 거의 비몽사몽 수준으로 축 늘어진 걸음을 떼며 정류장에서 카페 쪽으로 움직였다.

호젓한 벚꽃 거리. 차도 다니지 않고, 가게들도 문을 열지 않은 이른 새벽 시간. 사람들조차 보이지 않았다. 내일 오전부터 비가 온다고 했으니, 이 벚꽃도 오늘이 끝이겠구나. 유리는 감회 어린 얼굴로 거리를 가득 채운 꽃을 바라보았다.

은근한 바람에 꽃잎이 흩날렸다. 이제 떨어질 때가 다 되었는지 약한 바람에도 쉽게 흩어지고 있었다. 마음이 짠하면서도 그 모습이 너무 아름다워 넋을 놓고 보게 되었다.

그리고 미약한 안개 사이로, 저만치 서 있는 누군가가 보였다. 이렇게 이른 시간에 누가 나처럼 출근하는 사람이 또 있구나.

유리는 가볍게 생각하며 천천히 카페 쪽으로 향했다. 그 사람과 가까워질수록, 익숙한 실루엣에 유리의 눈이 조금 더 커졌다.

"아……."

바지 주머니에 양손을 푹 찌른 채 길가 벚나무에 기대어 서 있는 사람. 정호였다. 마른침이 꿀꺽 넘어갔다.

바람은 꽃잎을 건드리고, 정호의 머리카락까지 약하게 날리면서, 이 모든 풍경이 마치 꿈속인 듯 몽연(蒙然)해졌다.

이렇게 이른 새벽에 굳이 이 길에 나타나서 ……왜 나를 기다리고 있는 거지? 설마 뺨 하나 때리자고 이 성의를 보이는 건 아니겠지. 사실이라면, 그래, 기꺼이 맞아 주자. 도망 다니기도 지쳤다. 까짓것, 한 대 맞고 끝내.

유리는 아랫입술을 깨물며 걸음을 멈추었다. 그러나 마음과는 달리 통 발이 움직여지지 않았다.

겁나는 건 허락 없는 키스의 응징으로 뺨 맞는 게 아니다. 혹시나 정호가 친구로도 보지 말자고 말할까 그게 제일 두려웠다.

그때 물끄러미 자신을 보고 있던 정호가 이쪽으로 걸어오기 시작했다.

오, 온다. 아, 그냥 아까 뒤돌아서 도망가 버릴걸.

몇 초 만에 생각이 뒤바뀌었다. 하지만 이미 후회하기엔 너무 늦어 버렸다.

결국 유리는 눈을 질끈 감았다.

그녀가 오길 한참이나 기다렸던 정호는 이제야 한 발짝 다가섰다. 다가서고 또 다가섰다. 이렇게 유리 앞으로 가는 길이 떨렸던 적이 있었던가. 아니, 없었다. 있었다 해도 지금만큼은 아닐 것이다.

준비했던 그 모든 말이 산화되어 부서졌다. 보여 줄 듯 말 듯 도망만 가던 유리가 제 앞에 멈춰 서 있는데, 그 어떤 말이 필요할까.

숨을 몰아쉬며 다가선 정호는 그대로 유리의 볼을 감싸 쥐었다. 양손으로 그녀의 얼굴을 잡자, 유리가 놀라서 눈을 반짝 떴다. 키스해도 되겠냐는 듯, 깊고 짙은 시선이 제게 와서 닿았다.

적요 속에서 그런 정호를 피하지 않고 마주 바라보자, 그가 허리를 숙이며 그대로 입을 맞췄다.

"……읍!"

외마디 비명이 입 속으로 사라졌다. 유리의 입술을 탐하는 움직임이 느긋하지 못했다. 그럴 수가 없었다. 이만큼도 정호로서는 꽤 참은 것이었다. 촉촉하고 말랑거리는 입술을 매만지듯 키스하며 유리의 머리카락 사이로 손을 넣었다.

깊어지는 키스. 놓아줄 수 없었다. 제게로 더 바짝 당겼다. 그녀의 안을 파고들며 달콤하고 뜨거운 속을 마음껏 유영하였다.

유리도 눈을 감았고, 밀려든 정호를 온전히 받아들였다. 팔을 뻗어 그를 당겨 안았다. 두 사람은 더욱 밀착되었고, 전에 없이 강렬한 입맞춤이 이어졌다.

네 번째 키스. 두 사람이 이렇게 뜨겁게 맞닿아 서로를 나누는 건 네 번째 키스 만에 처음이었다.

얼마나 흘렀을까. 살짝살짝 입술을 건드리는 움직임이 여유로워졌다. 정호의 단단한 등을 안은 채 그가 퍼붓는 키스 아래 정신을 차리기 힘들었던 유리도 이내 조금 몸을 떨어뜨렸다.

입술이 떨어졌고, 두 사람의 시선이 닿았다. 많은 말을 내포한 눈빛이 심연처럼 깊었다. 이대로 놓아주기 아쉬운 듯 정호가 다시금 눈을 감으며 고개를 기울였다. 다가오는 것을 보며 유리 또한 천천히 속눈썹을 드리웠다.

또 한 번 입을 맞추었다. 달콤한 기운이 맞닿은 입술 위를 완전히 뒤덮었다. 그 입술이 살며시 벌어졌다. 머리 위로 꽃비가 쏟아졌다.

두 사람이 가짜 연애에 종지부를 찍었던 바로 그 벚꽃 거리, 바로 그 벤치 앞. 십 년 전 바로 그곳에서 오늘 두 사람은, 진짜 연애를 시작하게 되었다.

"그러게 왜 그렇게 도망을 가냐. 그래 봤자 같은 건물인데."
"여기에 카페 차린 거, 진심으로 후회되더라."
"처음부터 반대했던 건 나였다. 그러니까 애초에 들어오지 말라고 했잖아."

"말 들을걸. 괜히 여기 와서……."

그렇게 진한 키스를 나누고도, 마음이 통했다는 걸 알았음에도, 티격태격하는 관계는 쉽게 변할 리 없었다.

"그래서, 정말 여기 온 게 싫어?"

정호가 나직하게 물었다.

"아니."

"……."

"좋아. 여기 와서."

물론 유리가 마음 표현만은 솔직하니, 정호는 믿기지 않는 현실의 연속이었다. 가슴이 벅차고 사실은 무슨 말부터 해야 할지 몰라 그저 벤치에 앉아 손만 잡고 있을 뿐이었다.

언제부터 좋아했는지, 어디서부터 시작인지, 지금으로서는 하나도 중요치 않았다. 이야기는 차차 해도 늦지 않을 것이다. 오직 이 자리에 유리와 함께 있다는 사실이 경이로웠다. 이래서 정말 사람은 앞일 모른다고 하는구나. 갑자기 인생사를 통달한 느낌까지 들어 버렸다.

"우선 카페 안으로 들어가자."

유리가 손을 놓고 일어섰다.

"왜? 여기 좋은데."

정호는 이대로 좀 더 있고 싶었다. 아름다운 풍경 속에 손잡고 머물러 있고 싶었다. 마음을 확인했어도 크게 어색해지지 않은 지금이 딱 좋았다. 구구절절 말로써 사랑을 깨우치지 않아도, 그저 서로의 숨소리를 듣고 있는 것만 해도 좋았다.

"여기 이제 사람들 지나다닐 텐데."

"그런데?"

유리가 고개를 휙휙 돌려 사방을 살폈다. 그리고 말했다.

"카페 사무실 안에 가면 우리 둘만 있을 수 있잖아. 애들 출근해서 카페 열려면 아직 멀었고."

"헐. 김유리 완전 엉큼하네. 야, 네가 이렇게 밝히고 그러면 이 연애가 어떻게 되겠냐."

"바람직하겠지."

"그렇지!"

정호가 엷은 미소를 띤 얼굴로 얼른 일어섰다. 그렇지, 뭐니 뭐니 해도 이렇게 탁 트인 길거리보다는, 사방이 꽉 막힌 방이 최고지. 어휴. 진작 얘기를 하지.

유리는 서둘러 카페 잠금장치를 해제했고, 정호는 그 뒤를 따라 들어갔다. 어제와 같았던 카페 안이 다르게 보였고, 사무실도 또 다르게 보였다. 아니, 세상이 달라 보인다고 해야 할 것이다. 공기마저도 어제까지 마시던 공기가 아닌 것만 같았다. 꿀을 바른 듯 그저 다디단 향내가 곳곳에서 풍겼다. 머리가 아플 정도였다.

사무실에 들어가 문을 닫기 무섭게 유리가 심각한 표정을 지으며 돌아섰다. 들어오자마자 다시금 유리를 안고 입술을 삼키고 싶었던 정호였다. 이제껏 참은 게 어디 한두 번일까. 무르익어 제대로 터졌으니 이제 남은 건 키스 폭탄뿐이다. 그런데 유리의 얼굴이 자못 진지했다.

"왜 그래?"

야릇한 분위기와는 거리가 멀어 정호는 조금 긴장이 되었다. 왜, 대체 왜. 이제 마음 확인했는데 뭐, 왜 그러는 건데.

"김정호, 나 있잖아."

"말해."

"사람 일은 어떻게 될지 모르는 거라고 생각해."

"그래서?"

심상치 않은 기운이 전해졌다.

"우선은 너무 갑작스럽고, 감정에 너무 휩쓸린 게 아닌가 해서 불안한 마음도 있어."

그렇겠지, 그러니까 그렇게 도망을 다녔겠지.

"알다시피, 내가 좀 서툴러. 연애해도 뭘 어떻게 해야 할지 모르겠고, 나 진짜 구구단 처음부터 배우는 심정이야."

"……."

"너도 그렇고. 우리 둘 다, 너무 한심할 정도로 모르는 것투성이잖아. 이 감정이 순간적인 건지 아닌지도 분간이 안 되고."

사리 분별 잘 하고 냉철한 그녀로서는 쓰나미처럼 밀어닥친 이 연애 감정이 당황스러울 것이다. 정호는 충분히 이해가 되었다. 자신이야 워낙 오래된 마음이니까, 이대로 변하고 말고 할 것도 없겠지만. 아무래도 유리는 제 감정이 일시적인 것일까 두려운 모양이었다.

"그런데 너도, 나도……."

"……."

"공유하는 부분이 너무나 많아서."

"……."

"만약에 우리가 어색하게 끝이 난다면, 서로 잃게 되는 게 정말 많을 거야."

그건 사실이었다. 이렇게 맺어질 줄 몰랐듯, 혹시나 헤어진다면 그 또한 예측할 수 없는 삶의 한 부분이리라. 어린 나이가 아니니, 영원한 사랑에 대한 로망이 있는 건 아니었다. 죽음과 바꿀 수 있을 듯한 강렬한 사랑도 끝나고 돌아서면 남는 건 결국 망각이거늘. 그저 지금껏 유리를 마음에 품고 살아왔듯 묵묵히 사랑하며 살아가면 그뿐. 흘러가는 인생 속에서 자연스럽게.

정호는 그 힘으로 이 오랜 시간 그녀만 사랑해 올 수 있었다. 그러니 유리가 어떤 것을 걱정하는지 잘 알지만, 한편으로는 자신 있었다. 다짐의 말 한마디보다는 앞으로 행동으로 보여 주면 되겠다고 생각했다. 평소 그렇게 헛소리는 일삼아도, 중요한 말은 허투루 내뱉지 않았다.

"그래서, 정호야."

"응."

"우리 마음이 좀 안정되고 확실해질 때까지."

유리는 정호의 안색을 살피며 말을 이었다.

"우선 두 달 정도만."

"……."

"아무한테도 말하지 않으면 어떨까."

"두 달……?"

"응."

"비밀이라."

이건 계약인 동시에 비밀이었다. 십 년 전 했던 가짜 연애는 비밀이 아니었다. 주변 누구나 다 알았다. 그걸 목적으로 하기도 했고, 마음은 없었지만 말이다.

하지만 이번에는 정반대. 두 사람의 마음만 있는 연애. 아무도 잃지 않기 위해, 아무에게도 알리지 않는, 진짜지만 비밀인 연애. 잃고 싶지 않은 건 주변 사람뿐이 아니다. 서로가 서로에게 마찬가지이기도 했다.

정호는 유리의 팔을 당겨 안았다. 제게 푹 파묻히듯 안긴 유리는 갑작스러운 포옹에 놀랐는지 어깨를 움찔 떨었다.

"그러니까 혹시 우리 중 하나라도 연애 감정이 아니다 생각이 되면, 이런 관계는 쿨하게 그만두는 거고."

그녀를 움직일 수도 없을 만큼 꽉 끌어안고서 말했다. 쿨하게 헤어진다는 말과는 전혀 상반되는 포옹이었다.

"그리고 아무 일도 없었던 것처럼 친구 사이로 돌아가면 된다, 이거지."

유리는 고개를 끄덕일 수조차 없었다. 정호가 부서지게 안고 있어서 숨이 막히고 가슴이 터질 것만 같았다.

"그러면 우리는 아무것도 잃는 게 없을 테니까. 그렇지?"

"……응."

"그러자. 그렇게 하자."

정호는 살짝 유리를 놓아주었다. 틈이 생겨 숨을 탁 내쉬는 유리의 입술을 놓치지 않고 바로 삼켰다.

"흐읍."

제 모든 것을 맛보듯 농밀하면서도 정성이 한껏 깃든 키스에 유리는 몸에서 힘이 다 빠지는 것만 같았다. 사무실 안에서 두 사람이 피워 내는 열기는 마주 닿은 입술로부터 뜨겁게 퍼져 나갔다.

한창 키스로 사람 혼을 쏙 빼놓더니, 컴퓨터를 빼앗아 잠시 뚝딱거린 정호가 프린트한 종이를 내밀었다.

"연애 협약서?"

"그래."

"두 달. 비밀 계약 하자며."

같은 공간에 있는 것이 이제 못 견디게 두근거린다. 유리는 겨우 아무렇지도 않은 척하며 정호가 내민 종이를 받아 들고 소파에 앉았다. 정호가 그녀의 옆에 와서 나란히 앉았다.

〈연애 협약서

김정호(이하 '갑'이라 한다)와 김유리(이하 '을'이라 한다)는 다음과 같이 연애에 관한 협약을 체결한다.〉

이 부분까지 읽은 유리가 인상을 찌푸렸다.

"내가 왜 을이야?"

"갑정호 님이라며."

"그거야 건물 계약이나 해당하는 거지."

"네가 먼저 좋아한다고 매달렸으니까 네가 을이야."

유리는 입을 다물었다. 그건 사실이니까.

〈제1조 (목적)

본 협약은 '갑'과 '을' 사이에 연애에 관한 권리 의무 및 협력 사항을 분명히 함으로써, 상호 신뢰하에 성공적인 연애를 수행하는 데 있다.

제2조 (협약 내용)

'갑'과 '을'은 상호 감정 상태와 일상을 공유하고 배려, 존중함으로써 이 연애 협약으로 인하여 상호의 이익이 증진하도록 한다.〉

"대체 상호의 이익이 뭔데?"

"키스하고 싶은 욕구 해소. 안고 싶은 욕망 해소. 보고 싶은 열망 해소?"

"흐음."

"그리고 심리적 안정감. 충족감. 기타 등등."

정호의 막힘없는 대답에 유리는 살짝 눈을 흘겼다. 입만 살아 가지고.

〈제3조 (협약의 기간 및 해지)

연애 협약 기간은 '갑'과 '을'의 계약일로부터 2개월간으로 한다. 별다른 협약 해지 없이 기일이 되면 협약은 자동으로 해지된다.〉

"협약의 연장에 관한 부분은 없어?"

"왜, 벌써 막 연장하고 싶고 그래? 하여튼 본인이 두 달 하자고 했으면서, 막상 두 달은 아쉽겠지. 두 달만 만나 보기엔 내가 너무 멋……."

"그만해라."

〈제4조 (협약자의 상호 의무)

'갑'과 '을' 쌍방은 원활한 연애를 위하여 상호 협조하며, '갑'과 '을'은 연애에 필요한 행위 요청이 있는 경우 최대한 협조하기로 한다. 또한 '갑'과 '을'은 상대방의 감정에 해를 끼치는 행위, 상대방이 금지하는 행위 등을 하지 않기로 하며, 일방에 의해 상대방에게 정신적, 물리적 손해가 발생한 경우 적절한 보상을 하기로 한다.〉

"이거 너무 뭉뚱그린 조항 아니야? 연애에 필요한 행위 요청이 뭔데?"

"예를 들면 키스나, 아니면 키스, 혹은 키스 같은 거?"

"야!"

"왜, 싫어?"

정호의 여유로운 미소를 보며, 유리는 아무래도 자신이 말려든 것 같다는 생각을 지우지 못했다.

"대답해. 싫으냐고. 그럼 상대방이 금지하는 행위에 키스를 넣……."

"아니야! 안 싫어."

싫으니 죽지. 유리는 인상을 팍 쓰며 다음 조항을 읽었다.

〈제5조 (비밀 유지)

'갑'과 '을'은 연애 과정이나 연애가 완료된 후에도 진행된 연애에 관한 모든 정보를 비밀 유지하며 상호 간 사전 승인 없이 제삼자에게 공개 또는 유출하지 아니한다. 일방의 실수로 공개되는 경우, 책임과 배상 여부는 추후 논의토록 한다.〉

"진짜야. 아무한테도 얘기하면 안 돼."

유리가 이 부분이 제일 못 미더운지 재차 확인하였다.

"안 해. 안 해. 걱정하지 마."

정호는 건성으로 대답했지만, 이 점만은 제대로 지켜야겠다고 생각하고 있었다. 다른 것도 아닌, 유리가 원하는 일이니까. 어느 쪽으로든 유리를 평생 편하게 보고 살려면 비밀 연애를 하든, 결혼하든 둘 중 하나일 것이다.

자신의 마음을 알고 어떻게든 도와주려고 애썼던 새연과 준원에게는 좀더 나중에 밝혀야겠다. 유리의 마음이 안정되고 나면. 더 이상 우리의 연애가 비밀이 아니게 될 그때, 그때도 늦지는 않을 것이다.

〈제6조 (협약서의 작성 및 보관)

이상과 같이 협약을 체결하고 이 사실을 증명하기 위하여 협약서 2부를 작성하여, 기명 날인 하고 '갑'과 '을'은 각각 원본 1부씩을 보관하기로 한다.〉

"오케이. 자."

유리가 곳곳에 지문을 꾹꾹 눌러 찍었다. 정호도 마저 확인한 후에 협약서를 나누어 가졌다. 그리고 정호가 손을 내밀고 유리가 그 손을 잡으며, 중요한 업무 제휴라도 하듯 진지하게 악수했다.

"김정호, 우리 최선을 다해 보자. 이번에는 진짜로."

"……그래. 진짜."

피식, 유리의 입가에 웃음이 먼저 터지고 말았다.

소파 위에서 유리에게 바짝 다가앉은 정호가 그 미소를 제 입술로 덮어 버렸다.

그때, 사무실 밖에서 시끌시끌한 소리가 들려왔다.

"환기 좀 시키고. 준아, 문 앞에 꽃잎들 좀 쓸어. 밟으면 지저분해질 거야."

"네! 마미! 형, 그런데 빗자루 어디다 놨지?"

"준비실."

"오케이!"

"유리는 또 벌써 왔나 보네."

소파에 누운 유리, 그녀의 몸 위로 올라간 정호. 두 사람은 밖에서 나는 소리에 그대로 굳어 버렸다.

곧이어 똑똑, 문을 두드리는 소리가 들렸다.

"유리 왔니?"

대답을 듣기도 전에 문부터 열어 버리는 패기를 가진 자. 그 이름, 물론 마미였다. 벌컥, 사무실 문이 열고 마미가 들어섰다.

"문을 왜 이렇게 꽉 닫아 놓고 있어? 카페에 사람도 없는 아침 시간에는 좀 열어 놓지, 혼자 답답하지도 않……. 어? 정호도 일찍 왔구나."

소파에 앉아 노트북을 들여다보고 있던 유리와, 책상 앞에 앉아 있던 정호가 각기 다른 곳에서 고개를 들었다.

"나오셨어요?"

정호가 일어서서 꾸벅 인사를 했다. 마미는 흐뭇하게 웃는 얼굴로 정호를 바라보았다.

"뭐 하고 있어? 아침부터 유리가 또 널 부려 먹고 있는 거야?"

"부려 먹긴요. 제가 하겠다고 한 건데요."

요즘 들어 정호는 옷차림이나 외모가 깔끔해진 것은 물론, 유리가 맡은 일까지 나눠서 해 주고 있었다. 그 일이 점점 늘어나는 상황은 전적으로 정호의 의사에 따른 것이라 했다.

점점 달라지는 정호를 보고 최근 주변인들은 모두 놀라고 있었지만 그는 예전부터 늘 보여 줬던 모습인 것처럼 능청스럽기만 했다. 언제 추리닝 입고 어슬렁거리고 돌아다녔나 싶도록.

"그런데 둘이 화해했네?"

"화, 화해는 무슨. 우리가 애들처럼 싸우기라도 했나?"

유리가 아무렇지도 않은 척 대답했지만 마미는 팔짱을 낀 채 두 사람을 번갈아 쳐다보았다. 잠시간의 침묵에 유리는 어색한 얼굴로 침을 꿀꺽 삼켰다. 정호가 나섰다.

"제가 유리를 좀 짜증 나게 했는데요, 얘가 착하다 보니 결국 금세 저 봐 주네요. 싸운 건 아니에요. 미천한 저는 뭐, 김유리랑 파이트 뜰 레벨도 안 됩니다."

그간 냉기를 풍겼던 두 사람 사이가 모두 자신의 탓이라 말하는 정호를, 마미는 다시 물끄러미 바라보았다.

정호는 천천히 웃어 보였다. 깊은 속내가 그대로 배어 있는 미소였다. 바람에 날리듯 한없이 가벼운 모습 속에 실은 진중함이 꽉 들어차 있는 것이 마미의 눈에는 훤히 보였다. 그러니 정호만 보면 가슴속이 뿌듯하게 차오르곤 했다.

유리의 짝으로 탐이 나지 않는다고 하면 거짓말. 두 아이가 물리적으로 가까운 곳에 있으니 좀 묘한 분위기도 내면서 서로를 마음에 두면 얼마나 좋을까 싶었다.

그런 기대감에 달려온 카페이기도 했다. 하지만 두 사람은 매일같이 티격태격 싸우고만 있었다. 사랑이란 게 주변에서 강요한다고 되는 것도 아니니, 마미는 그저 바람과는 먼 현실에 조금 안타까울 뿐이었다.

"하여튼 싸우지들 마. 비싼 밥 먹고 한 번만 더 쌈박질하는 거 보이면 내가 가만 안 둬."

"네, 걱정하지 마세요."

정호가 시원하게 웃으며 대답했다. 마미는 몸을 돌려 나가려다가, 영 불편한 얼굴로 앉아 있는 유리가 눈에 걸려 멈추었다.

"김유리."

"어? 어?"

이름을 부르자 유리가 놀란 얼굴로 대답했다. 집에서 마미가 아끼던 그릇을 깨 먹고 아닌 척 숨기고 있던 어린 날의 그 어느 때를 떠올리게 하는 모습이다. 마미는 유리가 앞에 펼쳐 놓은 노트북 화면을 슥 보았다. 그리고 의아한 표정으로 말했다.

"노트북도 안 켜고 뭐 하고 있어?"

열심히 일하는 것처럼 들여다보고 있더니.

"아, 아! 이거. 어어, 이상하네? 자꾸 한 번에 안 켜지고. 마, 맛이 갔나! 그래서 보, 보고 있었어."

이제야 전원 버튼을 누르는데 화면은 잘만 돌아갔다. 유리가 다시 어색하게 웃었다.

"되다가 안 되다가……. 하하! 진짜 이거 이상하다. 수리 센터 한번 가 봐야겠네."

"그러게. 옛날부터 쓴 거라 오래되긴 했지. 암튼 열심히들 해. 배고프면 얘기하고."

"알았어."

마미는 시선으로 쓰다듬듯 딸과 딸의 절친을 따듯하게 바라보고 사무실에서 나왔다.

문을 닫고 돌아서자 카페 통유리를 통해 바깥의 벚나무들이 보였다. 절정에 다다른 벚꽃이 이제 끝을 알리며 떨어지고 있었다. 대단치 않지만 소소하니 아름다운 그 풍경에 마미도 가슴이 뭉클해졌다.

인생이 그런 거지. 잠깐 아름다웠다가 금세 지고 마는 벚꽃처럼, 그렇게 스쳐 지나가는 게 우리 사는 삶인 게지. 하지만 벚꽃이 진다고 그게 끝일까?

아니다. 꽃의 빈자리를 푸른 이파리들이 대신할 것이다. 울창한 초록빛으로 가득한 나무가 남은 계절을 싱그럽게 빛내 주겠지. 그 잎마저 모두 떨어지면 다시 싹 틔울 꽃봉오리에 대한 기대감으로 혹한을 견뎌 낼 거고.

그렇게 꽃은 다시 피어날 것이다. 잠깐의 절정을 향해 또 후회 없이 아름답게. 낙화에 대한 두려움 따위는 버려두고서. 누구나 언젠가는 죽는다는 걸 알지만 죽기 위해 살지는 않듯. 순간이 소중한 건 인생뿐이 아니었다.

"무슨 생각 하세요?"

준이 다가와 물었다. 녹록지 않았던 지난 삶 속에서 벚꽃을 제대로 본 적 없었다는 걸 그제야 깨달았다. 마미는 제게 와서 살갑게 묻는 준과 저쪽에서 묵묵히 오픈 준비를 하는 은강을 번갈아 보고 웃었다.

"꽃이 참 예뻐서."

새삼스럽게 꽃이 아름답고, 이 공간이 소중하고, 주변의 사람들이 사랑스럽게 느껴지니 이제 자신도 나이가 들긴 들었구나 싶었다.

"꽃이 예쁘다고 이렇게 넋을 잃고 보시고. 어휴. 우리 매니저님 소녀 감성이셔."

"꽃잎은 다 쓸었어?"

"네! 그런데 계속 떨어져요."

"이따가도 틈틈이 한 번씩 봐야 한다. 바닥 지저분해지지 않게."

"네옙!"

준이 시원하게 대답하고는 사무실 문 쪽을 바라보며 물었다.

"그런데 형님이랑 누님, 화해하셨대요?"

"싸운 거 아니라고 잡아떼더라. 초딩들이 따로 없어요."

"초딩이 아니라 사랑싸움 아니에요?"

"갖다 붙일 걸 갖다 붙여라. 저 두 사람이 사랑싸움할 사이로 보이니?"

"……하긴, 엄청 살벌하긴 했죠. 목만 안 졸랐지 이건 거의 뭐……."

냉랭했던 그간의 분위기를 떠올리며 준이 어깨를 떨었다.

"남녀 사이에도 절대 우정이 가능하다는 걸 제대로 보여 주시는 두 분이니까."

말을 잇다가 준이 생각났다는 듯 화제를 돌렸다.

"맞다! 정호 형님이요, 집이 엄청 대단하던데요? 전에 취재 왔던 제 동기 후배 은수요. 학보사에 있는. 걔가 완전히 꽂혔는지 그 웹툰까지 알아내더니 이번에는 형님 집안에 대한 예전 기사들까지 섭렵했다고 하더라고요."

정호가 평범하지 않은 집안의 외아들인 건 마미도 잘 알고 있었다. 평범하고 싶은 바람과는 달리, 타인의 입에 쉽게 오르내리는 위치라는 것도.

"형님 어머니가 태한그룹 막내딸이라면서요. 대애박. 어쩐지 정호 형님 젊은데 이렇게 건물까지 있고, 집이 보통 부자는 아니라고 생각했어요."

"그렇지."

최측근에 있는 사람들로서 그나마 상대적 박탈감이 덜한 이유는 정호가 그런 이유로 있는 척을 단 한 번도 하지 않았기 때문이리라. 약간의 물질만으로도 위세를 떠는 족속과는 다른 인품을 가진 아이라고 마미는 늘 생각해 왔다.

"그래서 형님 아버지가 태한그룹 비리에……."

"준아."

"네?"

"세상이 다 아는 얘기지만 그래도 정호 앞에서는 절대 꺼내면 안 된다."

"아, 네, 그럼요. 근데 그분이 형님 아버지이실 줄은 정말 상상도 못 했어요."

마미는 입 속이 씁쓸하게 느껴졌다. 준이 은강 쪽으로 간 후에도 여전히 생각에 잠긴 채 마미는 천천히 자리에 앉았다.

재벌가 영애치고는 수수한 모습을 지니고 있던 정호 어머니의 옛 모습이 떠올랐다. 항간에 떠돌던 소문처럼 공직에 있는 남편을 홀려 제 가문의 비리를 덮은 여인이라는 느낌은 전혀 없었는데.

애초에 그 소문을 믿지 않은 건 정호 때문이었다. 마미가 직접 겪었던 정호 역시, 부조리한 방법으로 승승장구하던 인물이 아니었으니까. 높은 자리에 있는 아버지와는 관계없이 정호 스스로의 힘으로 해낸 일들이었다.

그 집안을 둘러싼 소문과 의혹들은 상당했다. 세상은 제멋대로 떠들어 댔고, 나락으로 굴러떨어진 건 어쩌면 필연이었다. 유리가 모르는 시간 속에서 잠시나마 그들과 인연이 있었던 마미는, 그래서 더욱 정호가 안타까웠다. 누구의 말도 믿지 않고 마미는 지금껏 자신이 본 것만 믿어 왔다.

앞으로도 그 생각은 변함없을 것이다. 세월이 흐른 지금, 곁에서 보게 된 정호는 영글지 않은 그때와 마찬가지로 여전히 속이 깊고, 여전히 신중한 성품을 지니고 있었다.

"발연기."

정호의 웃음 섞인 비난에 유리는 딱히 대꾸할 말이 없었다. 맞는 말이라서. 사실 발연기도 감지덕지한 칭찬이었다. 갑자기 들이닥친 마미 앞에서 허둥지둥했던 유리는 자괴감에 빠졌다.

"인정."

"너 배우 했으면 진짜 여럿 고생시켰겠다."

할 마음도 없는 배우까지 들먹이며 놀리는 정호에게 유리가 순간 울컥했다.

"연기 안 해, 배우 안 한다고. 누가 배우 한댔어? 내가 왜 그걸 해?"

"일반인으로 남기에는…… 네가 지나치게 예쁘니까?"

책상에 한 손으로 턱을 괴고 천연덕스럽게 말하는 정호를 보고 돌연 심장이 쿵 떨어졌다. 버럭 소리를 내던 유리의 귀가 삽시간에 붉게 달아올랐다.

"뭐, 뭐야. 멘트 엄청 싸구려야."

언제는 그렇게 예쁜 얼굴은 아니라며 대놓고 디스하더니. 연애하자고 한지 반나절도 되지 않아 이제는 저런 식으로 놀리는 모양이었다. 제 얼굴이 붉어지든 말든 정호는 상관하지 않는 듯 말했다.

"제5조. 비밀 유지 알지? 일방의 실수로 공개되는 경우, 책임과 배상 여부는 추후 논의토록 한다."

여전히 턱을 괸 채 느른한 자태로 말하는 저 입술은 연애 협약서 조항을 읊고 있었다. 유리는 두 달간 기한을 두고 연애를 해 보자고 말은 했지만, 이를 선뜻 받아들이고 협약서까지 곧바로 작성한 정호가 영 얄밉게만 느껴졌다.

"너 그렇게 화려한 발연기로 일관하다가는, 아마 두 달은커녕 일주일도 못 가서 걸릴 거다."

자신은 상관없다는 듯 저렇게 말하고 있는 모습도 얄밉고.

"책임과 배상 여부는 추후 논의할 게 아니네. 당장 오늘 저녁에라도 밝혀질 수 있는 일이니까 지금이라도 정해야겠다."

"야, 방금은 너무 갑자기라 놀라서 그런 거지, 앞으로는 그럴 일 없어!"

"세상일 모르는 거다."

아악! 얄미워! 유리는 잔뜩 미간을 찌푸린 채 정호를 노려보며 말했다.

"그래, 내가 을이지! 가만히 있다가 넙죽 고백을 받아들인 네가 갑이다! 이 자식아!"

"어유. 시원시원하셔. 이왕이면 문 열고 소리 지르지 그래."

저도 모르게 계속 큰 소리를 내고 있던 유리는 얼른 입을 다물었다. 심플하고 쿨하다고 자부했던 제 모든 면면이, 그저 단순 무식이었다는 걸 깨닫는 순간이었다. 저 여우 같은 토깽이한테는 절대 못 당하리라는 걸 이제야 알아 버렸다.

눈물 나지만 이 관계에서 자신은 뼛속까지 을인 셈이다. 왜 먼저 좋아해서는. 왜 먼저 고백해서는. 억울해도 억울하다고 말할 수 없는 건, 그래, 역시, 심장이 찌르르 울릴 정도로 정호를 좋아하기 때문이겠지. 저 얄미운 모습들까지도 전부, 한숨 나게 좋으니 말이다.

비밀 연애를 하자고 말하던 유리의 심정은 사실 복잡하기만 했다. 당장은 곁에 두지 않으면 안 될 것 같고, 정호의 몸에 다른 여자들의 시선 하나 닿는 것조차 견딜 수 없어서. 그 마음이 터질 것만 같아서 고백이야 해 버렸지만, 뒷일을 생각하자니 마음에 걸리는 게 한두 개가 아니라서 말이다.

시간이 흐른 후에 서로의 마음이 견고해진다면 더할 나위 없이 좋겠지만, 혹시나 지금의 감정들이 모두 일시적인 것이라 두 달도 되지 않아 식어 버린다면 어떻게 될까.

누구나 아는 상태에서 잠깐 만나고 말 사이는 아니었다. 그렇기에 진지하게 생각한 끝에, 서로의 감정에만 집중할 수 있도록 비밀 연애를 하자고 했던 것이다. 그런데 이 망할 놈의 토깽이는 아무래도 이걸 재미있는 게임쯤으로 여기는 모양이었다.

유리는 속이 타고 목이 탔다. 생각해 보니 자신의 고백에 정호는 그저 순순히 동의했을 뿐이다. 그의 마음이 어떤 건지 유리는 알지 못했다. 계속 저렇게 웃고 있는 것만 봐도, 이리도 애타는 제 마음과는 영 다를 터였다.

나도 널 좋아해. 그런 맞고백은 듣지 못했다. 바란 적도 없기에 아예 묻지도 못했다. 그저 새벽에 정호가 기다리고 있다가 갑자기 다가와 퍼부은 키스로부터 시작되었을 뿐이다. 게다가 정호의 마음을 확인하기 전에 비밀 연애 카드부터 꺼내 든 건 바로 자신이었다.

어떤 걸까. 정호는 무슨 생각으로 이 연애에 동의한 걸까. 무슨 마음으로 고백을 받아 준 걸까. 쿵쿵 울리는 심장을 애써 누르려고 했지만 그건 뜻대로 되지 않았다. 마음에도 없으면서 혹시 심심해서 그런 걸까. 이를 확인하게 될까 봐 두려움도 앞섰다.

유리는 고개를 돌려 정호를 보았다. 자신에게서 시선을 떼지 않고 물끄러미 쳐다보고 있던 정호와 바로 눈이 마주쳤다.

"……왜?"

"그냥 보고 있는 건데?"

태연히 대답하는 김정호. 왜 이렇게 눈만 마주쳐도 심장이 두근거리는 건지. 그동안 지금까지 정호를 보면서 이런 적은 단 한 번도 없었는데. 지금 눈이 마주친 남자는 매우 익숙하지만 또 한편으로 무척 낯선 사람이었다.

턱을 괴고 있던 정호가 다른 손으로 까딱까딱, 검지를 구부렸다. 정호의 담백한 눈매 끝에 묻은 건 낯설기 그지없는 색기였다. 그저 물끄러미 자신을 보는 것뿐인데, 전에 없이 유혹하듯 끌어당기는 힘이 있었다.

유리가 책상 곁으로 다가가자 정호가 의자에서 일어섰다. 그에게서 뿜어지는 위압감이 공기를 잠식했다. 가만히 자신을 내려다보는 그 눈빛이 당황스러우리만치 섹시하게 느껴졌다. 정호에게 이런 면들이 있었나. 새로운 세상에 뚝 떨어진 기분이었다.

아아, 어쩌면 좋지.

그때 정호가 자신의 허리를 잡더니 책상에 앉게 했다. 책상에 엉덩이를 대고 앉으니 서 있을 때보다 눈높이가 좀 더 높아졌다. 정호가 살짝 허리를 굽히며 유리의 얼굴을 바라보았다.

이렇게나 가까이. 진짜 곤란하다. 곤란해 정말 죽겠다. 심장이 진짜 터져 버릴지도 모르는데. 눈앞의 정호는 자신의 이런 상황은 전혀 고려해 줄 용의가 없는 모양이었다. 진짜 서럽다. 별별 생각이 다 들어 머리는 바쁘게 돌아갔다.

이 자식 심심한 것도 심심한 거지만, 혹시…… 오랫동안 혼자 지내다 보니 어디다 풀 곳이 없어서 그냥 고백을 받아 준 것 아냐? 정호가 살짝 올라간 입술에 미소를 머금고서 가깝게 다가왔다. 봐 봐! 또 키스하려고.

"눈 감아야지?"

코끝이 닿을 만큼, 내뱉는 숨소리가 섞일 만큼, 심장 소리가 들릴 만큼. 이렇게 가까운 상태에서.

아아, 정말 미치겠다. 눈에 바짝 힘을 준 채, 마치 정신을 내려놓지 않겠다는 듯 유리가 똑 부러지는 어투로 말했다.

"이러고 있다가 걸리면."

"……걸리면?"

'저 봐, 저 재미있겠다는 표정…….'

머릿속이 지끈 조였다. 연애 두 번만 했다가는 심장이고 머리고 다 남아

나질 않겠다.

"이대로 걸리면 네 잘못이야. 네 실수라고."

"그래."

"그으래애? 네가 책임져야 한다니까."

"알았다고."

정호의 입술이 싱긋 말려 올라갔다.

"까짓것, 책임이야 얼마든지 지면 되지."

뭐지, 이 자식. 뭐가 이렇게 쉬워? 뭔가 잘못 말려든 기분이 들었다. 정호가 이렇게 쿨하게 나오는 이유는 정말로, 이 관계를 더없이 가볍게 여기기 때문인 걸까. 그저, 이렇게 키스하고 싶어서 그러는 것뿐인가…….

어느 사이 고개가 기울어졌고, 그의 입술이 제게 맞닿았다. 눈이 스르르 감겼다. 본능처럼 살짝 벌어진 입술 사이를 가르며 달콤한 기운이 훅 끼쳐 들어왔다.

유리는 팔을 들어 정호의 목을 감쌌다. 더 가깝게 다가온 그가 자신의 허리를 잡았다. 여유롭고, 부드럽고, 다정하지만 무척이나 깊은 키스. 아아, 아무래도 좋다. 게임이든, 장난이든, 그저 여자의 입술이 그리워서든, 뭐든 다 상관없다.

그럴 만큼 유리는 진심으로 좋았다. 앞으로 더 좋아질 거라 예감했다. 싹 트는 이 감정에 그녀는 그저 정신없이 빠져 버렸다. 어떤 일이 일어나든 함께 있을 수만 있다면 좋겠다고 생각했다.

김천댁 아줌마는 커피 우유와 소시지가 든 봉지를 건네주면서 연신 놀라운 표정을 감추지 못했다. 정호가 면도하고 머리를 다듬은 지 벌써 며칠이

나 지났는데도, 볼 때마다 새로운 듯 신기해했다.

"아니, 어떻게 사람이 이래 달라진대."

"다르긴 뭐가 달라요. 똑같지."

정호는 여상하게 대꾸하며 돈을 냈다. 김천댁 아줌마는 거스름돈을 집으면서도 정호의 얼굴에서 눈을 떼지 못했다.

"신기허네. 이목구비는 전이랑 똑같은데, 느낌이 어쩜 이리 다를까."

김천댁 아줌마만의 반응은 아니었다. 마주치는 동네 사람 모두가 정호를 보고 놀라워했다.

"진작 좀 이렇게 하고 다니지. 보기 좋고 얼마나 멀끔해. 이렇게 훤하니 잘난 인물을 엉망진창으로 하고 다녔으니 내가 엄마였으면 속상해서 가만 안 뒀어."

거스름돈을 받아 들던 정호의 손이 잠시 멈칫했다. 척척 엘리트 코스를 밟아 나가던 아들의 어긋난 행보는 모친에게 큰 충격이 아니었다. 큰 산처럼 버티고 있던 남편의 몰락이 그보다 훨씬 더 큰 충격이었으니 말이다.

오히려 서울에 남아 있는 정호가 더 꿋꿋한 셈이다. 부모님은 결국 이곳을 등지고 귀향하셨으니까. 세상에 담을 쌓아 버린 부모님은 몇몇 지인들과의 교류를 제외하고는 별다른 움직임 없이 시골에서 조용히 살아가고 계셨다.

아무런 보호막 없이 내팽개쳐진 정호에게 버틸 힘은 남아 있지 않았다. 차라리 어렸다면, 아무것도 모르고 그저 부모님을 따라 숨어들면 그뿐이었을 텐데.

이제 겨우 조금 일어섰다. 그녀를 사랑하는 마음을 오랜 시간 놓지 않은 덕분에. 고맙게도, 유리를 사랑한 대가를 이렇게 돌려받고 있었다. 하루하루가 꿈처럼, 달콤했다. 감히, 누려도 될까 싶을 정도로.

"그래, 이제 그 변호사 아가씨랑 같이 일도 한다면서. 사람 다 됐어, 우리 주인 총각!"

자신이 키운 아들인 것처럼 김천댁 아줌마는 무척 뿌듯하고 기뻐하였다.

"누가 들으면 늑대인간이 사람 된 줄 알겠어요."

"뭐, 그 정도까진 아니어도 비슷하지 않아? 아가씨가 맨날 자네 등짝 팡팡 두드려 가며 구박하더니. 이렇게 사람 만드는 재주가 다 있었구만."

"네, 김유리 덕분에 사람 됐습니다."

"평강 공주와 바보 온달인가."

"저 바보는 아니거든요?"

김천댁 아줌마는 피식 웃으며 말을 보탰다.

"아니긴? 그 아가씨랑 좀 잘해 봐. 남녀 사이에 친구가 어딨어? 다 그렇고 그런 거지! 아주 똑 부러지고 상냥하니 아가씨가 참 괜찮던데. 어디 가서 그런 아가씨를 만나! 두 사람 좀 일만 하지 말고 연애도 하고 그래. 응?"

이미 하고 있는데. 정호의 입가에 웃음이 씩 흘러나오려고 했다.

"저, 갑니다!"

차마 제 입으로 자랑은 하지 못하고 웃음을 참으며 슈퍼에서 나왔다. 건물로 돌아오는 그의 발걸음은 무척 가벼웠다. 물론 추리닝과 이별을 하면서 생긴 불편한 점은 한두 개가 아니었다. 일단 길거리 아무 데서나 소시지를 까서 먹지 못하게 된 것. 커피 우유는 물론이다.

행동의 제약이 많이 생긴 건 확실히 불편했다. 몸에 착 핏되는 옷 덕분에 걸음걸이, 앉는 것 하나하나 신경이 무척 쓰였다. 이 소시지 든 검은 봉지도, 이렇게 새벽 시간이 아니면 사실 들고 다닐 수 없을 것이다. 폼 잡고 각 잡고 사는 남자들의 인생이 얼마나 피곤한지 새삼 깨닫는 중이다.

그럼에도 불구하고, 다시 추리닝을 입으라면 절대 입지 않을 것이다. 유리가 제게 마음을 연 것도 모두 추리닝을 벗었기 때문이 아닌가. 설마 이런다고 금방 넘어올까 싶었는데, 의외로 유리는 휙 넘어왔다.

그녀가 삼단 변신 이전부터 자신을 마음에 품고 있었다는 것은 상상도 못 하는 정호였다. 단지 1단계, 2단계 작전이 잘 먹혀들어 일이 이렇게 잘 풀렸다고만 생각했다.

정호가 건물에 막 들어서는데 주차장에서 걸어오는 서원이 보였다.

"어, 정호야."

"형, 일찍 오네."

"응, 잠을 설쳐서 일어난 김에 빨리 나왔어. 너는? 오늘은 운동 안 해?"

그는 미소를 지으며 물었다.

"주말은 새벽 운동 안 하려고. 유리도 늦게 나오니까."

정호는 말해 놓고도 스스로 웃음이 나왔다. 언제부터 유리의 스케줄에 맞추어 운동했다고.

"아, 그렇구나."

함께 계단을 올라 2층에 다다랐을 때, 서원이 나지막한 목소리로 물었다.

"차 한 잔 마시고 갈래?"

"……그러지, 뭐."

서원의 뒤를 따라 들어온 정호는 대기실 의자에 앉아 병원 안을 둘러보았다. 규모가 크지 않고, 소박한 느낌의 실내였다. 늘 어린아이들과 보호자로 꽉 차 소란스럽던 병원은 지금 매우 고요하고 평온했다.

파스텔 톤의 차분하고 따뜻한 인테리어. 그럼에도 정호는 맞지 않은 옷을 입은 것처럼, 이곳에 앉아 있는 마음이 그리 편하지만은 않았다. 단순히 병원의 분위기 때문만은 아닐 것이다.

"자."

김이 올라오는 허브차를 가져온 서원이 테이블에 내려놓았다.

"아, 잘 마실게."

정호는 허브차를 한 모금 마시고, 검은 봉지에서 소시지를 꺼냈다. 서원에게 내밀자 그가 웃으며 받아 들었다. 새벽녘. 두 남자는 빈 병원 의자에 앉아 나란히 소시지를 까먹었다.

그들 사이에 묘한 침묵이 감돌았다. 말없이 소시지 반 토막을 쥐고 있던 서원이 먼저 입을 열었다.

"어렵더라."

"……뭐가?"

"유리 씨 말이야."

알면서도 되물었던 정호는 이 새벽 회동이 무엇 때문인지 확실해지는 느낌이 들었다. 서원의 입을 통해 듣는 유리의 이름이 반갑지는 않았다.

"나한테 마음이 없다는 걸 알면서도, 자꾸만 눈이 가."

"……."

"그렇다고 부담 주고 싶은 건 아니라서, 요즘은 일부러 카페에도 덜 가고 그랬거든."

그래서 요즘 서원이 보기 힘들었구나 싶었다. 안타깝게도 그사이, 유리는 제게 고백을 했고, 두 사람은 연애를 시작했지만. 서원은 전혀 모르는 일이었다.

"혼자 이런 마음 가지고 있으니 답답하기도 하고. 사실 어떻게 다가가야 할지도 모르겠고. 유리 씨 반응 보면 다가가면 안 될 것 같고. 그러자니 이대로 얼마나 있어야 하나 막막하기도 하고."

서원의 표정은 진지했다. 물끄러미 바라보던 정호가 한숨을 내뱉듯 말했다.

"형, 짝사랑 처음이지?"

난데없는 질문에 서원이 의아한 표정을 지었다.

"그런 것 같은데……."

"하다 보면 익숙해져. 그 막막한 기분도."

그냥 하는 말이 아니었다. 지난 십수 년의 시간 동안 마치 습관처럼 유리를 바라보았던 정호의 진심이었다.

상처 입은 그녀의 곁을 지키며 말하지 못했던 순간들, 영원한 친구 사이라 낙인찍히던 순간, 기필코 고백을 하겠다고 마음먹고 달리던 순간들, 포기하고 주저앉은 순간들, 그리고 밀어내고 또 밀어내려고 해도 자꾸만 다가오는 그녀를 감내해야 했던 그 모든 순간…….

괴롭지 않았다고 말할 수 없다. 그럼에도 불구하고 유리의 웃는 얼굴을 보면 다시 바보처럼, 흘러가는 이 마음을 어찌할 수 없었으니, 그렇게 지금까지 온 것이다.

짝사랑이라. 홀로 품은 마음의 내공이 이미 보통을 넘어선 정호였다. 서원의 심정이 절실히 이해가 가면서도, 그 앞에 드러낼 수 없는 상황이 안타까웠다. 차라리 서원도 자신과 유리가 사귀기 시작했다는 것을 알면 물러설 텐데. 물론 그 상처가 쉽게 아무는 것은 아니겠지만 적어도 희망 고문은 당하지 않을 것 아닌가.

"짝사랑 오래 해 본 사람처럼 말한다, 너."

"해 봤어."

"결과는 어땠는데."

결과야 당연히 좋다. 구름 위를 걷는 것처럼, 날아가는 기분이다. 물론 14년이나 걸리긴 했지만.

"케이스 바이 케이스인데, 내 결과가 형하고는 상관이 없지."

더구나 목표가 같은 이상. 두 달 후, 서원도 자신들의 관계를 알면 큰 배신감을 느낄 수 있다. 어쩌면 이렇게 마주 대한 채 무슨 말을 하든, 그건 기만이 될 게 분명하니까.

포기하지 말고 계속 좋아하라고 격려해 줄 수도 없고, 그렇다고 어서 빨리 포기하라고 종용할 수도 없고. 난감한 기분으로 정호가 입을 열었다.

"나는…… 형이 유리를 포기하지 못할 특별한 이유가 없는 이상, 마음 빨리 접는 게 좋다고 생각해."

그래서 조건을 덧붙였다. 포기 못 할 특별한 이유. 사실 그런 게 있을 리 없으니까. 같은 건물에서 오며 가며 보고 반한 것 말고, 유리를 지독하게 사랑해야 할 이유 같은 것이, 그에게 있을 리가 없으니까.

다른 사람의 마음을 가벼이 여기는 것은 아니지만, 서원이 유리를 만난 건 이제 겨우 두 달도 안 되었다. 지금에라도 어서 정리하는 편이 그에게도 나은 선택이었다. 정호는 서원 역시 상처받지 않기를 원했다.

"게다가 형, 나이도 있고. 막연한 짝사랑에 목숨 걸고 있을 때는 아니지 않나."

"그래, 나도 결혼할 때지."

"지났지! 지났어. 이러다 눈 깜짝할 사이에 마흔 된다, 형."

정호의 말에 서원이 웃고 말았다. 조금 어색했던 분위기도 살짝 풀어졌다. 서원이 유리와 친구 사이인 자신에게 도와 달라는 등의 부탁을 하지 않아 다행이었다. 그 정도로 막무가내인 사람은 아니긴 했다. 예의가 바르고 속이 깊은 남자라 자신을 곤란하게 하는 일은 전혀 없는 사람임을 알고 있었다.

"아. 다음 주에, 중평도 갈 때 카페 식구들도 함께 가기로 했다는데."

정호는 이 소식을 들은 적이 없었다. 아니, 나만 빼고 어딜 놀러 가는 건가.

"중평도가 어디야?"

"아, 서해 쪽에 굉장히 작은 섬인데, 두 달에 한 번 정도 의료 봉사 가고 있거든. 동기가 거기 보건소에서 근무하는 인연으로. 그런데 이번에 카페에서도 섬 주민들에게 커피 만들어 드린다고 같이 가시겠대. 금요일부터 2박 3일."

아마 마미가 적극적으로 나선 일이겠거니 했다. 정호는 그럼 모두가 다 떠난 주말에 이 건물에는 유리와 자신만 남는 것인가 하는 생각이 들었다. 커피 대접이 목적이라니 유리는 아마 가지 않을 테지. 저절로 웃음이 나오는 그런 상황이었다.

"유리 씨도 함께 가거든."

서원의 말에 정호가 미간을 좁혔다.

"김유리? 개가 거긴 왜 가? 일해야지. 금요일이면 한창 일해야 하는 날인데 어딜 따라간대."

"그때는 휴식 겸 해서 함께 가겠다고 했다는데."

그간 유리와 냉전을 하기도 했고, 또 폭풍처럼 고백이 몰아치기도 해서 그런 이야기를 나눌 겨를이 없기는 했다. 그래도, 아니 자신에게 말도 안 하고 어딜 가겠다는 건지. 그것도 2박 3일씩이나!

"형 좋은 일 하러 가는데 따라가서 민폐 끼치겠구만."

"유리 씨 가는데 나야 좋지."

서원이 싱긋 웃더니 이어 말했다.

"내가 사실 그때 고백을 한번 해 볼까 해."

"뭐? 저번에 고기 먹던 날인가, 유리가 대놓고 거절했다면서."

"그랬지. 아래위층에 있는 사람 관계로만 지냈으면 좋겠다고 하더라."

정호는 놀란 얼굴로 서원을 보았다.

"그런데 고백을 왜, 뭣하러 더 하려고?"

"정식으로 한 고백은 아니었어. 다른 것보다는……."

"……."

"제대로 해 보지도 않고 포기할 수는 없으니까."

"……."

"어쩌다 돌아보면 내가 있다는 것 정도는, 말해 주고 싶어서."

짝사랑의 방식은 저마다 다르다. 이런저런 이유로 오랜 시간 동안 마음을 드러내지 못하고 친구로만 곁에 있었던 정호는, 저와 전혀 다른 서원의 접근 방식에 당황스러웠다.

게다가 그는 연적인지 모르는 자신에게 그저 솔직했다. 공정해도 너무 공정하여 오히려 그가 밑지는 게임인 것이다. 부득이하게 그녀와의 관계를 감추고 있는 자신이 비겁하게 느껴질 정도였다.

"형, 유리…… 정말 좋아하는구나."

"포기하지 못할 특별한 이유라고 했지. ……내게도 그런 게, 있는 것 같다."

결국, 마음을 쉽게 접지 못할 것이라는 말. 구름 위에 떠 있던 몸이 갑자기 아래로 훅 떨어지는 기분이 들었다. 곤두박질치는 가운데 비로소 스파크가 가열하게 튀기 시작했다. 이미 정해진 승자는 자신이라고 생각했지만, 그게 아닐 수도 있었다.

연애를 시작했다고 끝이 아니다. 게다가 비밀 연애를 하기로 한 협약까지 있으니까. 유리의 마음을 백 퍼센트 얻었다고 말할 수는 없는 이 상황에서, 서원의 조용한 뚝심은 제 근간을 뒤흔들고 있었다. 정호는 정신이 바짝 들었다.

정호가 돌아가고 난 후, 서원은 찻잔을 치우고 원장실로 들어섰다.

포기하지 못할 특별한 이유. 그래, 그런 게 있었다. 자신에게 확실한 거절 의사를 표명했음에도 불구하고 자꾸만 유리에게 눈이 가던 것은 바로, 포기하지 못할 특별한 이유가 있기 때문이었다.

'울긴 왜 울어! 뚝 그치지 못해?'

앙칼진 여자아이의 목소리. 자신을 일깨우는 건 늘 그 아이의 목소리였다. 잊고 있었던, 그리운 아이.

'아, 오빠한테 한 말 아니니까 쳐다보지 말고 가던 길 가세요. 지금 얘 울어 대는 것만 해도 제가 머리가 다 빠질 지경이거든요?'

동생을 달래는, 아니 동생을 혼내는 여자아이의 야무진 목소리에 제 눈물마저 쏙 들어가고 말았다. 유리는 자신이 다른 누군가를 떠올리게 하는 존재라는 것이 그리 유쾌하지 않다고 말했다. 그러니 기억 속의 그 아이를 닮아 당신을 좋아한다고 더 이상 말할 수는 없었다.

하지만 어찌 떨칠 수 있을까. 살면서 가장 힘들었던 날, 어린 목숨을 내려놓고 싶을 만큼 그 끔찍했던 날, 자신을 살게 한 건 바로 그 아이였는데 말이다.

볼수록 그 아이를 떠올리게 하는 유리였다. 그런 유리는 가볍게 대할 수 없는 건 서원으로서 어쩌면 당연한 일이었다.

중평도, 아름다운 바다와 하늘이 만나는 곳. 그곳에서 그녀에게 진심을 전할 것이다. 유리의 마음을 쉽게 얻을 순 없겠지만, 그녀를 포기하는 이 마음도 어렵긴 마찬가지였다.

늘 외로웠던 서원의 가슴 한구석은 그 사실만으로도 조금씩 차오르고 있었다. 누군가를 생각하는 것이 이토록 가슴 뛰는 일인 줄 예전에는 미처 알지 못했다.

정호는 천천히 계단을 올랐다. 어쩐지 발걸음이 조금 무거워졌다.

"산 넘어…… 태산이네. 나는 뭐, 이렇게 쉬운 게 하나도 없냐."

자신이 오랜 기간 쌓아 온 짝사랑의 내공이라면, 서원은 또 다른 방식의 내공을 가진 듯했다. 상황 자체가 자신과는 완전히 달랐다. 마음이 정해진 이상, 거침없이 고백하고 몇 번을 차여도 웬만하면 포기하지 않을 정도로 심지가 굳은 사람임이 분명했다. 그렇다면 비밀 연애가 문제는 아니었다.

정호는 훌훌 옷을 벗어 버리고 욕실로 들어가 물을 틀었다. 샤워기 아래서 떨어지는 찬물을 받고 서 있자 더욱 정신이 맑아졌다.

어쩌면 서원은 자신이 유리와 사귀는 것을 알게 되더라도 개의치 않을 수도 있다. 골키퍼가 있다는 이유만으로 슛 기회를 날려 버릴 헛똑똑이도 아닐 것이다.

후우우. 깊은 한숨이 새어 나왔다. 고백이야 홀린 듯 먼저 해 오기는 했지만, 유리는 이것이 일시적인 감정일까 두렵다고 했었다. 그녀에게 확신을 주고, 제대로 사랑임을 깨닫게 해 주어야 했다.

그러니 견고한 사랑으로 발전시키는 것이 우선이다. 잡힐 듯, 잡힐 듯, 뭔가가 손에 꽉 잡히지 않아 조금은 답답했다. 이론은 알겠지만 실전에서 뭘 해야 할지 모르는 기분이었다. '선생님'들에게 조언을 구하고 싶어도, 우선 유리와 비밀 연애를 하기로 하지 않았던가.

다른 건 몰라도, 유리를 속이는 일은 무엇이든 하고 싶지 않았다. 새연과 준원에게 말하고 싶은 것도 일단 두 달만 견디면 되겠지 생각했었는데. 이래저래 복잡한 심경이었다.

이내 샤워를 마친 정호는 수건으로 대충 물기를 닦으며 욕실 문을 열었다. 머리를 터는데 익숙한 목소리가 들렸다.

"왜 이렇게 늦게 나와, 한참 기다렸……."

뚝 끊긴 음성에 정호는 고개를 들었다. 자신 혼자 있는 집이 분명하다. 누군가의 목소리가 들려야 할 이유는 없는데 어째서…….

소파에 앉아 있던 유리가 입술을 벌린 채 자신을 바라보고 있었다. 머리카락의 물기를 털던 정호 역시 그대로 멈추어 버렸다.

어떻게 그녀에게 절대적인 믿음을 주며 앞으로 우리 사랑을 견고히 발전시켜 나가야 할지. 서원의 관심을 어떻게 차단해야 할지. 자신이 얼마나 심각한 생각들에 빠져 있었는지. 아니, 유리는 언제 집에 들어와 있었는지…….

이 모든 생각이 산화되어 날아가 버렸다.

"아……."

샤워하고 나온 몸에는 아무것도 걸치지 않은 상태였다. 하다못해 드라마 속 멋진 남자 주인공들처럼 수건을 허리에 걸치고만 나왔어도 좋았을 텐데. 나…… 지금 다 벗고 있냐.

당황하여 굳어 버린 제 몸에 와서 박혀 버린 유리의 시선. 절대적인 믿음, 견고하게 발전시킬 사랑은 개뿔. 유리가 소리를 바락 질렀다.

"야, 이 미친 변태야! 옷! 빨리 옷 입어!"

솔직히 유리 자신이 눈을 감거나 고개를 돌리면 되는 일이었다. 하지만 그게 되질 않았다. 참 희한하게 눈을 뗄 수가 없었다.

결국 소리를 고래고래 지르면서도 유리는, 볼 거 다 보고 말았다.

"와아…… 진짜 김유리 너."

정호가 머리카락의 물기를 털던 수건을 내려 하체를 가리고 선 채 황당한 표정을 지었다. 흐음, 유리는 헛기침하며 말했다.

"뭐, 내가 뭐?"

"무슨 심장이 튼튼해도 어떻게 그렇게 튼튼하냐. 보통 이런 상황이면 눈부터 감는 거 아니야?"

정호가 손에 쥐고 있는 건 사이즈가 큰 배스 타월이 아니었다. 짧은 수건으로 중요 부위를 가린 저 모습은 정말이지 아찔할 정도였다.

"따질 정신 있으면 가서 옷부터 입으라고!"

"네가 그렇게 눈을 동그랗게 뜨고 있는데 어떻게 움직이냐고!"

하긴. 자신이 시선을 떼지 않는 이상, 뭐든 다시 보이긴 보일 거다. 그렇다면 내 절대로 시선을 떼지 않으리라…… 가 아니고, 흠. 유리는 겨우 고개를 돌렸다.

"알았어. 안 볼 테니까 빨리 옷이나 입어."

유리는 두 손을 올려 얼굴까지 가렸다. 이 정도 해 주니 저쪽도 잠잠해졌다. 정호가 옷장 문을 여는 소리가 들렸다. 뭐, 어차피 이미 다 봤다. 지금 눈 감아도 억울할 건 없었다.

지금까지 김정호의 벗은 상체야 몇 번 보기는 했지만, 전라의 몸을 본 건 처음이었다. 남자의 몸 자체를 생전 처음 본 것이기에 유리의 심장은 멎어 버리는 줄 알았다.

다비드에게 좀 미안하지만, 알량한 경험에 본 것이라곤 그 조각상뿐이니 굳이 비교를 해 보자면, 그보다 훨씬 우월한 키에, 그보다 훨씬 균형 잡힌 몸에, 그보다 훨씬 잘 다져진 근육에, 그보다 훨씬 큰…….

"김유리."

"응!"

유리가 화들짝 놀라 소리를 지르듯 대답을 하며 손을 내렸다. 동그래진 눈을 깜빡이는데, 바로 앞에 얼굴을 가까이 한 정호가 보였다.

흡. 숨이 멎는 것 같았다. 촉촉이 젖은 머리카락 아래 빚은 듯 유난히 아름다운 선의 얼굴. 허리를 반쯤 숙인 채 자신을 바라보고 있는 정호는 검은색 티셔츠와 추리닝 바지를 챙겨 입고 있었다. 단지 편안한 차림에 젖은 머리일 뿐인데, 스크린에서 튀어나온 배우처럼 보였다.

이게…… 정녕 김정호인가. 이게 정녕 내 남친이란 말인가. 유리는 속으로 감격하였다. 나 분명히 전생에 우주대장군이었을 거다. 지구를 구한 걸로는 설명이 안 된다. 이 한 몸 바쳐 우주 전체를 구해도 골백번은 구했을 거다.

그녀는 점차 제 병세가 심각해짐을 느꼈다. 콩깍지가 쓰여도 단단히 쓰였다. 본의 아니게, 아니 계속 보고 있었던 건 본의가 맞지만, 어쨌든 의도치 않게 정호의 알몸을 보게 되어 버린 탓에 사실상 그 증세는 더 심해졌다. 그림처럼 아름다운 몸인 건 확실했으니까.

"안 무섭냐?"

유리의 턱을 가만히 잡은 채, 정호가 물었다.

"뭐, 뭐가 무서워?"

까짓, 그래 봐야 토깽이 놈이.

"다 봤잖아, 너."

"그, 그래. 다, 다 봤다."

"겁도 없이 남자 혼자 사는 집에 막 들어와 앉아 있고."

"누, 누가 그렇게까지 호, 홀딱 벗고 나올 줄 알았냐?"

"그런데 안 무섭냐고. 내가 너 이대로 덮치면 어쩌……."

유리는 정호의 손을 치워 내고 얼른 물러섰다. 제아무리 심장이 튼튼하고 쉽게 꺾이지 않는 강인한 여자라지만, 이렇게 다가오는 남자에게는 당해 낼 재간이 없었다.

"무, 무서운 건 아닌데."

"그런데 왜 말을 더듬어."

자신이 일어난 자리에, 정호가 여유롭게 엉덩이를 대고 앉았다. 수건으로 툭툭 머리를 털면서. 소파에서 비켜선 유리는 그가 얼마나 위험한 남자인지를 체감했다. 어째 저 늑대를 이 오랜 시간 동안 친구로만 생각했을까. 저렇게 머리끝부터 발끝까지 완전, 남자인데.

"너, 두 달 연애 끝날 때까지."

"……."

"더, 덮치는 건 절대 안 돼."

정호가 고개를 살짝 기울이며 물었다.

"두 달 끝나면 되는 거냐?"

"안 돼! 암튼. 너, 조, 조심해."

수건을 탁 옆에 내려놓으며 정호가 일어섰다. 유리는 뒤로 물러섰다. 그가 다가왔다. 한 발, 한 발, 또 한 발. 유리가 뒷걸음질 칠수록 정호는 가까이 걸어왔다.

마침내 등이 벽에 닿아 더 이상 물러설 곳이 없을 때, 그런 유리의 앞으로 정호가 더욱 바짝 다가들었다. 뜨거운 숨이 느껴질 만큼 가까운 거리였다.

유리는 벽에 머리까지 붙인 채 정호를 올려다보았다. 아찔한 시선이 제게로 꽂혀 들었다.

"키스는 되잖아."

허락을 구하듯, 정호의 손길이 제 볼을 쓰다듬었다. 엄지 끝이 입술을 가만히 건드렸다. 이 자식 어디 숨어서 몰래 연애 무지하게 하고 왔거나, 아니면 학원에 다녔거나, 그것도 아니면 약이라도 먹고 온 게 분명하다.

"음? 키스는, 조심하지 않아도 되는 거, 맞지?"

내리뜬 시선이 섹시했다. 달뜬 숨이 공기 중에 흩어졌다. 아아. 이렇게 이 남자 나체를 보자마자 바로 키스해도 생명에 지장 없는 걸까. 벌써 숨이 이렇게나 막히는데. 이 일을 어쩌면 좋아.

생각이 깊어지기도 전에 그의 입술이 느껴졌다. 벽과 그의 사이에 밀착되듯 갇힌 상태로, 유리는 입술을 빼앗겼다. 그 달콤한 속박에 정신을 잃을 것만 같았다. 유리는 정호의 몸을 안았고, 그의 등을 손으로 감쌌다. 이내 더 가까이 눌러 오는 무게를 느끼며 깊은 입맞춤을 이어 나갔다.

황홀한 빛이 몸 안에 저릿하게 퍼져 나갔다. 입 속을 휘젓고 나간 것이 입술을 핥았다. 그리고 잠시 떨어지더니 낮은 음성으로 그가 불렀다.

"김유리."

이렇게 잔뜩 힘이 빠지도록 만들어 놓고 태연히 이름을 부르는 그가 야속했다. 어떻게 대답을 하라고, 부르는 목소리가 야릇하니 더욱 안달이 났다.

"내가 너."

"……."

뭔데. 빨리 말하고 키스나 더 해. 기다림에 지친 유리가 정호의 목을 당겼다. 입술이 닿을 듯 말 듯 가깝게 내려오다가 멈추었다. 역시 이 말은 마저 해야겠다는 듯 그가 말했다.

"정말 많이 좋아해."

스치듯 부딪치는 입술이 간지러웠다.

"네가 생각하는 것보다."

꿈을 꾸는 걸까.

"오래전부터."

그가 하는 모든 말이 꿈결 같았다.

"내가 훨씬 더 많이."

"……."

새록새록 몽혼(夢魂)이 노닐 듯 어지러운 가운데 정호가 가만히 입을 맞추었다. 입술을 벌린 유리가 그가 주는 모든 것을 받아들였다.

좋아한다는 고백, 그토록 바라던 말. 그가 보고 싶어 일찍 출근하고, 그가 보고 싶어 옥탑으로 바로 올라왔던 유리는 지금 이 순간이 못 견디게 행복하기만 하였다.

"일기 예보 귀신같이 잘 맞히네."

오후부터 비가 내리기 시작했다. 안 그래도 학생 손님들이 덜 찾아오는 주말, 비가 내리고 꽃잎이 떨어지자 마미는 쓸쓸한 기분마저 드는 모양이었다. 팔짱을 끼고 문가에 선 채 비 내리는 모습을 가만히 바라보고 있었다.

그러다가 고개를 돌린 마미는, 창가 자리에 앉아 책을 보는 이슬을 보았다. 그나마 카페 한쪽 자리를 차지하고 있는 어린아이를 보자 마미의 입술에도 미소가 감돌았다.

이슬을 또 데려온 건 은강이었다. 카페로 데려와 봤자 주스 만들어 주는 일 외에 딱히 친절하게 말을 거는 것도 아니면서, 동네 어딘가에 이슬이 혼자 배회하는 건 절대 못 보는 은강이었다. 언제나 날을 세운 듯 까칠하게 구는 남자지만, 속내는 은근히 다정하다는 걸 알 수 있었다.

일찍 하교하면 엄마인 송화가 퇴근하기 전까지 혼자 집에서 숙제하거나 책을 본다는 이슬의 말에 마미 역시 카페에 와 있는 것을 찬성했다. 학원이나 방과 후 교실을 몇 군데씩 돌면서 송화의 퇴근 시간까지 견디기엔 이슬이 너무 어리기도 했고, 경제적인 부분도 무시하지 못할 것이다.

마미는 여덟 살밖에 되지 않은 어린아이가 긴 시간 혼자 집에 있는 걸 알고도 그냥 넘길 수 없었다. 그 모녀를 각별하게 생각하고 있기 때문이었다. 워낙 얌전하여 책만 열심히 보다 가는 이슬이 예쁘기도 했다. 이슬에게는 로(Law) 카페가 일종의 돌봄 교실인 셈이었다.

그때 건물 계단에서 나온 정호가 카페 문 앞으로 들어섰다.

"정호 내려왔구나."

"왜 나와 계세요?"

"비님 오시는 거 보려고. 커피 뭐 줄까?"

"당연히 단…… 게 아니고, 아메리카노 마시겠습니다."

추리닝을 버려 불편한 점 또 하나는, 바로 커피를 취향대로 못 마신다는 사실이었다. 멀쩡하게 입은 상태로 생크림 듬뿍 얹은 마키아토는 도저히 못 마시겠으니, 이것 참 이상한 일이다. 자리가 사람을 만드는 것도 아니고 옷이 사람을 만드는 형국이었다.

마미는 웃으며 바 쪽으로 갔다. 창가에 앉은 이슬이, 카페에 들어서는 정호를 보고 얼른 불렀다.

"아저씨."

"왜?"

"이거 살인죄 맞죠?"

이슬은 요즘 정호만 보면 자신이 보던 책을 펼치고 뭔가를 물어보고 있었다. 조그만 여자아이 입에서 태연하게 흘러나오는 '살인죄'라는 말에 주변의 몇몇은 놀란 얼굴로 돌아보았다. 정호는 이슬에게 다가갔다.

읽고 있는 책을 보니 <헨젤과 그레텔>이었다. 새엄마의 계략으로 숲속에 버려진 두 남매가, 과자로 만든 집을 발견하고 정신없이 과자를 먹었지만 친절한 집주인 할머니는 바로 마녀였다.

마녀는 남매를 살찌워 잡아먹으려고 하였고, 이내 때가 되어 물을 끓이게 된다. 남매는 자신들을 삶아 먹으려던 마녀를 물에 밀어 빠뜨리고, 도망쳐 나와 무사히 집으로 돌아갔다는 동화였다.

"마녀 죽였잖아요. 이것도 살인죄 그거 맞죠?"

대단한 것을 스스로 발견했다는 듯, 이슬이 의기양양하게 물었다. 동화책을 보면서 죄목을 읊다니. 리걸 마인드가 제법 살아 있는 꼬마였다.

"얘네 무죄야."

"네?"

"처벌 안 받는다고."

"헐? 마녀 죽였는데요?"

정호는 어깨를 으쓱해 보이며 말했다.

"정당방위."

"정당당⋯⋯. 그게 뭐예요?"

"마녀가 먼저 얘네 죽이려고 한 거잖아. 상대방이 먼저 공격을 해 올 때 스스로 방어하고 보호하기 위해서 한 행동에 대해서는 법이 보호해 주는 거지. 그게 정당방위야."

놀랍다는 듯 이슬이 되물었다.

"뭐야. 그럼 누가 저를 때려서 저도 걔를 때리면 그게 정당방위예요?"

"그건 싸우자는 거고."

"네?"

"미안하지만 그건 법에서는 정당방위로 안 본다. 싸움은 '서로 치고받고, 폭력을 쓰는 행동'이고, 그건 원칙적으론 정당방위가 아니야. 둘 다 혼나야 하는 거지."

"그럼 뭐예요?"

"그래서 판결이 어려운 거야. 정당방위를 막 인정해 주면 그 핑계로 폭력을 쉽게 쓸 수 있게 되니까. 신중해야 하는 거지. 어쨌든 헨젤과 그레텔은 생명의 위협을 느꼈잖아? 가만히 있으면 마녀가 그 끓는 물에 처넣게 생겼는데 살려면 어쩔 수 없었지. 이게 바로 정당방위."

"아!"

또다시 깨달음을 얻은 이슬이 고개를 끄덕거렸다.

"그나저나 그 새엄마는 얘네 숲속에다가 버리고 벌은 받았나 몰라."

"그건 무슨 죄예요?"

"영아 유기죄."

"숫자는?"

"숫자가 아니고 몇 조냐고 물어봐. 형법 272조야."

듣고 있던 준이 끼어들었다.

"이슬아, 너 이거 어려운 말들 다 알아들어?"

이슬은 그게 뭐, 중요하냐는 듯, 정호처럼 어깨를 으쓱 들어 보이며 말했다.

"반은 알아듣고, 반은 못 알아들어요. 반이라도 알아들으면 됐죠, 뭐."

맹랑한 그 대답에 마미와 준이 웃어 댔다.

"우리 유리도 어릴 때 이렇게 똑소리 났는데."

그래서 더욱 이슬을 남 같지 않게 보는 마미라는 걸, 이제는 다들 알고 있었다. 정호는 이슬을 물끄러미 바라보다가 머리를 쓰다듬어 주었다. 마미가 이슬을 보며 어린 유리를 떠올리니, 정호에게도 이 꼬마가 특별하게 느껴졌다.

"꼬마, 궁금한 거 있으면 언제든지 물어봐."

"네, 그럴게요."

멀리서 이 모습을 가만히 바라보던 은강은 한참 후에야 시선을 거두었다. 그때 카페 안으로 송화가 우산을 접고 들어왔다.

"엄마!"

그 소리에 은강도 고개를 돌렸다.

"매번 죄송해요. 카페에 폐 끼치는 거 알면서도……."

"내가 괜찮다고 했잖아요. 이슬이 혼자 집에 있는 거 알면 내가 이제 가만 안 둘 거라니까."

마미는 다감하게 웃으며 말했다.

동네 가까이에 초등학교가 있는 것도 아니라서, 이 근방에 아이들은 거의 없었다. 그러니 이슬이 동네에서 함께 놀 친구도 거의 없어서 다음 달부터는 공부방이라도 보내야 하나 싶었던 송화였다.

다만, 아직 어린 1학년생들은 사실상 돌봄 교실에만 있어도 힘들어한다는 이야기를 많이 들었다. 망설여지던 차에 로(Law) 카페 신세를 지게 되었으니 송화는 죄송하고도 감사했다.

바리스타인 은강이 주스를 자주 사 주었고, 이마저도 부담스러운 송화는 와서 꼭 계산을 따로 하곤 했다. 그래서 마미는 송화의 마음을 편하게 해 주기 위해 두 번에 한 번 정도는 꼭 제값대로 돈을 받았다.

"엄마, 헨젤이랑 그레텔이 마녀를 죽인 거는 정정당당이라 벌을 안 받는대."

더없이 활기찬 이슬의 얼굴을 보면 송화도 조금 안심이 되기도 하였다.

"꼬마야, 정정당당이 아니고 정당방위."

"응, 정당방위. 엄마, 그거래."

송화는 정호에게 고개를 숙여 인사했다.

"아이가 늘 귀찮게 해 드려 죄송해요."

"어, 아닙니다. 애가 똑똑해서 말이 잘 통하는데요. 저랑 정신 연령도 별 차이 없어요."

정호는 입가에 미소를 띠며 말했다. 그사이 혼자 가방을 챙길 수 있다는 이슬과 도와주겠다는 준이 실랑이를 벌이고 있었다. 마미는 따뜻한 시선으로 바라보고 있었고, 사무실에서 나오던 유리가 반가운 얼굴로 웃어 보였다.

하나같이 좋은 사람들. 송화는 울컥, 가슴속이 뜨끈해졌다. 손이라도 잠깐 씻고 와야겠다 싶었다.

"이슬아, 챙기고 있어. 엄마 잠깐 화장실 다녀올게."

"네."

사람들을 등지고 송화는 카페 안쪽 통로를 향해 갔다. 커피를 만드는 바 옆으로 창고를 지나면 작은 화장실이 있었다. 빠른 걸음으로 바를 막 지나치려는데, 누군가 소매를 붙들었다. 놀란 송화가 걸음을 멈추었다. 카페 안 소란스러운 그 모든 소리가 뒤로 멀어졌다.

고개를 돌려 옆을 보니, 은강이 꼿꼿하게 서서 제 블라우스 소매를 잡고 있었다. 송화는 아랫입술을 깨물고 망연한 눈빛으로 바라보았다. 그가 천천히 물었다.

"오늘."

"……."

"무슨 일……."

"……."

"있었어요?"

쿵, 하고 가슴속 모든 것들이 떨어져 내렸다. 그가 처음으로 건넨 그 한마디가, 간신히 버티고 있던 송화를 단숨에 무너지게 했다.

"그럼 너희들 출발할 때 전화해. 너무 늦지 않게 출발하고."

마미가 카페 앞에 나란히 선 정호와 유리에게 말했다. 중평도로 출발하는 날이었다. 그간 서원과 간호사가 단출하게 짐을 챙겨 떠났던 봉사 여행이었지만, 이번에는 카페 식구들과 동행하게 되어 이동 규모가 꽤 컸다.

서원이 운전하는 차, 그리고 마미의 차를 은강이 운전하여 두 대가 먼저 출발하기로 했다. 오전 일찍 항구에서 배에 차를 실어 섬으로 들어갈 예정이었다. 커피 기구와 재료들까지 짐이 무척 많기 때문이었다.

다만, 정호와 유리만이 남아서 일을 하고 조금 늦게 출발하기로 했다. 이날 법원에 내야 할 서류가 남아 있었다. 마지막 배를 타기 위해서는 일을 마치고 늦어도 3시엔 출발해야 했다.

"은강아, 운전 조심하고."

"네."

"엄마, 준이 이따가 보자. 선생님들도 이따 봬요."

유리는 인사를 건넸다. 서원도 눈인사를 하며 저녁에 보게 될 것을 기약했다. 서원과 간호사 영미, 마미와 은강, 준이 탄 차가 먼저 출발을 했다. 정호는 유난히 힘껏 손을 흔들었다. 이내 두 대의 차가 보이지 않게 되자, 싱긋 웃으며 돌아섰다.

법원에 내야 할 서류는 정호가 어제 내지 않은 감정 신청서였다. 물론, 일부러 내지 않았다. 사람들과 떨어져 단둘이서만 움직일 수 있는 시간을 마련하기 위하여 정호는 무던히도 애를 썼고 그 결과는 성공이었다.

3일간 휴무라는 팻말이 걸린 카페 문을 열고 정호가 들어갔다. 매우 가뿐한 걸음이었다. 그 뒷모습을 보며 고개를 갸웃거리던 유리도 이내 그의 뒤를 따라 들어갔다.

일을 모두 처리한 후, 정호와 유리가 출발한 건 3시가 조금 넘은 시각. 배를 타야 하는 항구까지는 차로 2시간 정도 걸리고, 마지막 배는 6시였다. 그러니 쉬지 않고 열심히 달려야 겨우 그 배를 탈 수 있었다.

어제 정호는 섬까지 가져가기 유난스러운 제 차를 두고, 준원으로부터 SUV를 빌려 왔다. 준원과 새연 부부는, 정호가 아직 고백조차 성공하지 못했음을 안타까워했다.

제 일처럼 나서서 도움을 주고 있는 부부에게는 본의 아니게 숨기게 되어 미안했지만, 어서 유리의 마음을 안정시켜 주고 당당히 관계를 공개할수 있을 때까지 조금만 참아야 했다. 섣불리 알렸다가 일을 그르치게 될 것이 두렵기도 했다. 그만큼 유리가 소중했다. 어떤 것이든 그녀가 원하는 것이라면 모두 맞춰 주고 싶었다.

5월 초, 푸른빛이 짙어지는 이 계절. 유리를 옆에 태우고 도로를 달리는 것만으로도 정호는 그저 날아갈 듯 기분이 좋았다. 사실 중평도에 가지 않으면 더더욱 좋겠다는 마음이었다. 이대로 그냥 어디론가 둘이서만 있을 수있는 곳으로 사라져 버렸으면 좋겠는데.

"야, 정말 늦겠다. 빨리 좀 밟아 봐."

유리는 연신 시계를 들여다보며 정호를 재촉했다. 배를 놓치게 될 것이 걱정되는 모양이었다. 정호는 스윽 유리를 보고는 느른하게 숨을 내쉬었다. 걱정되는 것이 그것이라면, 내 걱정을 보태도록 하지.

-경로를 벗어났습니다. 경로를 재탐색합니다.

내비게이션의 낭랑한 목소리가 차내를 가득 채웠다.

"이게 뭐래? 왜 이래?"

당황한 유리가 로딩 중인 내비게이션 화면을 들여다보았다.

"아아. 아까 거기서 빠졌어야 했는데. 어쩌냐!"

정호는 훌륭한 연기를 선보였다. 차는 여전히 고속 도로 위를 싱싱 달리고 있었다.

"김정호! 뭐야, 안 빠지면 어떻게 해!"

이내 다시 로딩된 화면이 펼쳐졌다.

"앗, 다음 IC에서라도 빠지면 되나 보다. 10분밖에 안 늘어났다. 괜찮아, 괜찮아."

운전자인 정호의 실수였으니 그도 당황하리라 생각했는지, 유리는 차분히 마음을 가라앉혀 주었다. 그러나 정작 정호는 느긋하기만 했다.

"1킬로 앞에서 빠지는 거야."

한 번의 실수 때문인지 유리가 바짝 긴장하고 전면을 바라보았다. 자신이라도 정신을 차려야 된다고 생각한 모양이었다.

"500미터다. 야, 야. 오른쪽 차선 타야지!"

"아, 그래."

정호는 느릿느릿 차선을 바꾸었다.

"헐. 야! 야! 여기! 여기이이이!"

"어? 어라?"

IC로 빠지지 않은 차는 곧 죽어도 직진밖에 모르는 것처럼 열심히 내달렸다. 운전 중만 아니었으면 등짝을 연속 백 대는 처맞았을 것이다. 아무리 일부러 한 짓이지만, 정호의 등에 살짝 식은땀이 흐르기 시작했다.

-경로를 벗어났습니다. 경로를 재탐색합니다.

사람 미치게 하는 내비게이션 소리에 유리가 이내 광분하고 말았다.

"어떡해애애애애애!"

어떻게 하긴 뭘 어떻게 해. 정호는 애써 난처한 표정을 지으며 유리를 슬쩍 보았다.

"아, 헷갈렸어. 빠지는 데가 두 군데라서."

"야아아아! 너 바보야?"

못 참고 유리가 정호의 귀를 잡아당겼다.

"아악! 나 운전! 운전! 안전 운전!"

할 수 없이 씩씩거리면서 귀를 놓아준 유리가 내비게이션 화면을 보았다.

"우와. 시간 늘어난 것 봐! 그거 마지막 배란 말이야. 안 그래도 서류 놓쳐서 우리만 늦게 출발했는데. 이 멍청한 토깽이가 운전까지 발로 하고 앉았네!"

"운전하는데 소리 좀 그만 질러라. 이러다 나 또 길 잘못 든다?"

협박 아닌 협박에 유리가 분한 입술을 꾹 다물었다.

정호는 화면을 흘깃 보았다. 그대로 가면 배 타기 5분 전에 도착이다. 일단 항구 근처에 가서 한 바퀴 더 돌아야겠구나 생각했다.

9. 내 모든 것

중평도까지는 하루에 두 번 배를 운행하였다. 오전 배로 섬에 들어간 병원과 카페 식구들은 제공받은 마을 회관에 짐을 풀었다.

오늘 오후와 내일 종일, 서원은 이곳 보건소에 있는 영찬, 동행한 간호사 영미와 함께 무료 진료를 하기로 했다. 카페 팀은 오늘은 쉬고, 내일 무료 카페를 열기로 하였으므로 마미와 은강, 준은 느리게 걸어 섬 주변을 산책했다.

탁 트인 바다와 자그마한 섬마을의 조화가 매우 아름다운 곳이었다. 오랜만에 카페를 벗어나 자연을 만끽하자 모두 숨통이 트이듯 기분이 상쾌해졌다.

"정말 좋다, 여기. 우리 자주는 아니더라도, 한두 번씩 이렇게 따라와야겠다."

마미가 감탄하며 말했다. 유리의 남동생인 유찬보다도 더 어린 준은 마치 막내아들이 애교를 부리듯 마미의 팔짱을 끼며 걸었다.

"저두 꼭 데리고 다니셔야 해요!"

"그럼, 당연하지. 우리 준이 없으면 무슨 재미로 다니겠니."

모자지간 같은 두 사람을 앞세우고, 은강은 뒤에서 천천히 걸었다. 바다를 보고 있으니 생각나는 사람이 있었다.

'오늘 무슨 일…… 있었어요?'

일주일 전, 평소보다 훨씬 안색이 좋지 않던 송화를 붙들고 물은 건 다분히 충동적이었다. 남의 인생에 개입하지 말자고 스스로 다짐했던 것이 단번에 무너진 순간이기도 했다.

'아. 아니에요.'

아니라고 말하던 송화의 낯빛은 더욱 좋지 않았다. 만사에 무심한 듯 굴지만, 실상 이런 부분을 유독 예민하게 잘 잡아내는 은강이었다. 그래서였을까. 처음부터 어딘가 처연한 느낌을 자아내는 송화에게서 눈을 뗄 수가 없었으니. 최근 들어 그녀는 근심이 있는 듯 어두워 보였다.

스르륵 그녀의 소매를 놓아주었다. 멈칫하던 그녀가 서둘러 화장실로 들어갔고, 은강은 제 손에 남은 옷의 감촉을 지우지 못했다. 그냥 모른 척, 손목을 잡아 버릴 걸 그랬나.

이슬은 하교하면 어김없이 카페에 와 있었고, 저녁에 퇴근한 송화는 딸을 데리러 매일 들렀다. 송화가 나타나면 은강은 그녀를 물끄러미 바라보았고, 송화는 무언가 들키기 싫은 사람처럼 그 시선을 피해 버렸다.

여자라면 끔찍했는데. 연상녀라면 더더욱. 그런데 이상하게 자꾸만 떠올랐다. 먼 곳으로 잠시 떠나오니, 그 마음은 더더욱 짙어졌다.

"……생각해?"

"……."

"형!"

은강은 고개를 들었다. 준이 그를 부르고 있었다.

"무슨 생각 하냐고, 형."

"안 해."

"에이, 뭘! 무슨 두고 온 애인 걱정하는 눈빛이었구만. 형, 우리 몰래 숨겨둔 여자 있는 거야?"

준의 말에 은강은 고개를 저었다.

"없어, 그런 거."

내심 놀라기는 했다. 내가 그런 눈빛이었나. 그냥 단순히, 떠올린 것뿐인데……. 대체 왜.

낯선 감정이 은강의 가슴속을 비집고 들어왔다. 오늘은 카페를 열지 않으니, 이슬이 혼자 집에 있으려나. 그 와중에 별걱정이 다 들기 시작했다.

-경로를 벗어났습니다. 경로를 재탐색합니다.

내비게이션은 여전히 신이 난 목소리다. 정호의 마음도 그러했지만, 이 차 안에 단 한 사람, 유리만은 그렇지 못한 모양이었다.

"야, 이 씨! 너, 너, 이 씨!"

"저, 김씨입니다."

"지금 그런 소리가 나와, 이 자식아!"

정호의 정확한 운전 스킬로 인해 결국 차는 마지막 배가 떠난 후에야 항구에 도착하였다. 나이스! 정호는 속으로 쾌재를 부르며 겉으로는 표정 관리에 힘썼다.

벌어진 상황에 분개하며 유리는 마미에게 전화를 걸어 상황을 보고했다.

"어, 이 나사 빠진 놈이 내비 드럽게 못 봐! 아악, 미치는 줄 알았다고. 어! ……이 근처를 몇 바퀴를 돌고 이제 들어왔어! 배 놓쳤을 때 이 자식도 바다에 처넣었어야 해. 삼십 분이나 늦게 들어왔다니까! ……응. 응. 근처에서 자고 내일 오전에 바로 들어갈게. 뭐 ……거기 그렇게 좋아? 알았어. 내 이 자식을 반쯤 죽여서 송장으로 끌고 갈 테니…… 아, 농담이야! 뭘 또 내가 진짜 죽여, 죽이길! 아, 걱정하지 마."

정호는 통화 내용을 들으며 주변을 탐색했다. 목숨에 위협을 받는 상황에서도 그는 여유롭기만 했다.

하룻밤을 보낼 만한 곳 중에 호텔 같은 숙소는 찾기가 어려웠다. 해안선을 따라 횟집들과 모텔들이 있었으니, 오늘 저녁 식사를 하고 밤을 보낼 곳은 이 중에서 골라야 할 것 같았다. 이왕 이렇게 될 거, 좀 근사한 곳이 있었으면 좋으련만.

"너 진짜 우리 엄마 아니었으면 가만 안 뒀어. 뼈를 모조리 해체했다가 다시 맞췄어야 했는데."

"어이구, 무서워라."

정호는 건성으로 대꾸하며, 주차한 차를 뒤로하고 앞서 걸어 나갔다.

"야! 이게 장난인 줄 아네."

그러다 바드득 이를 갈며 뒤를 따라오는 유리를 향해 홱 돌아섰다. 정호의 가슴에 쿵 하고 부딪친 유리가 한 발 뒤로 물러섰다. 정호는 씩 웃으며 유리의 이마를 검지 하나로 눌렀다.

타박이고, 구박이고, 발악이고, 그 무엇이고 다 받아 줄 수 있었다. 하지만 사실은 알려야 했다. 아니면 이 여자는 끝내 모를 테니까.

"왜 그랬을 것 같아?"

"뭐?"

"왜 그랬겠냐고, 내가."

얻어맞은 듯 유리가 멍하니 정호를 올려다보았다.

"모르겠으면."

"……"

"밤새 생각해 봐. 오늘 밤 내내."

그리고 돌아선 정호가 깍지 낀 팔을 위로 쭉 올렸다. 장시간 운전으로 인한 어깨의 피로를 풀면서 그는 홀가분한 미소를 지었다.

"방은 두 개 있어도 하나만 주세요."

정호의 말에 유리가 식겁하며 끼어들었다.

"두 개 주세요, 그냥. 두 개."

모텔 카운터 앞에서 실랑이하는 남녀를 멀뚱히 바라보던 아주머니는, 이내 하나의 카드키를 탁 꺼내 놓았다.

"그냥 하나 써."

"아줌마."

"내가 관상을 좀 볼 줄 아는데."

은근한 카리스마가 느껴지는 아주머니의 말에 유리는 저도 모르게 집중하고 말았다.

"아가씨가 저 총각 잡아먹었으면 잡아먹었지, 총각이 먼저 잡아먹진 않을 것이네."

"네에?"

유리가 황당한 얼굴로 되물었다. 마찬가지로 정호가 괜히 발끈하며 물었다.

"아주머니, 저 너무 과소평가하시는 거 아니에요?"

아주머니는 피식 웃으며 말했다.

"생각이 많은 타입이로구만. 짝사랑해도 오지게 오랫동안 할 스타일이여."

"제가 무슨 짝사랑만 오래 할 스타일……! 아닙니다!"

정호가 카드키를 홱 낚아채 계단으로 갔다. 유리가 난처한 얼굴로 방을 하나 더 달라고 말하려는데, 아주머니가 생긋 웃으며 말했다.

"그래도 한번 마음 주면 죽을 때까지 안 변할 남자구만."

"예?"

"아가씨 좋겠어."

진짜 뭘 알고 하시는 말씀인지 아닌지 헷갈렸다. 유리가 한 층 올라와 복도를 살폈다. 한 객실 문 앞에 정호가 서 있었다.

"야…… 음. 방 하나 더…… 달라고 해야지……."

다가간 유리가 새침하게 말하자, 정호가 걸음을 옮기려고 했다.

"있어 봐. 내가 가서 키 하나 더 받아 올……."

"아니, 뭐, 하룬데 그냥 있든가."

정호의 팔을 잡으며 유리가 말했다. 두 사람의 심장이 쿵쿵 울리는 소리가 복도를 가득 채우는 것만 같았다.

"대신, 협약 기간에는 덮치지 않기로 약속했다, 너……."

"알았어. 들어가."

혹시 술기운에 휩쓸려 기억하지도 못하는 일을 만들까 봐, 저녁으로 회를 먹으면서도 소주 한 잔 나누지 않은 두 사람이었다. 그러니 확실히 맨정신이었고, 그렇기에 더욱 볼이 화끈거렸다.

문을 열고 안으로 들어가자 좁은 실내가 보였다. 침대 하나, 화장대와 TV, 냉장고, 욕실이 전부인 작은 방이었다. 그나마 제법 깔끔해 보이는 게 다행이라고 해야 할까.

이상하게 어색했다. 운전하는 정호에게 갖은 구박을 해 가며 여기까지 올 때는 이전과 다름없는 분위기였는데. 예정대로 섬에 들어가지 못하게 된 것이, 단순히 정호의 반복된 실수 때문이라고 여겨 그때까지만 해도 짜증이 더럭 났는데.

가만 보니 이게 김정호가 다 고의로 한 짓이라는 걸 깨닫는 순간, 분위기는 오묘해졌다. 저녁을 먹으면서 애써 어색함을 떨치려고 노력했으나, 좁은 방 안에 둘만 갇힌 순간 긴장감이 감돌았다. 이건 친구 사이일 때 절대 느낄 수 없었던 성적 긴장감이다.

아무리 무슨 일을 내지 않겠다고 약속이야 했다지만 서른이 넘은 성인 남녀가 아닌가. 약속이야 가볍게 비웃고 어겨 버리면 그만이었다.

"김유리."

"……응? 응!"

놀란 얼굴로 돌아보자, 정호가 품에 가득 자신을 안아 버렸다. 이 페로몬, 위험하다. 머릿속에서 경보음이 마구 울려 댔다. 이 탄탄한 가슴에 안겨, 좋은 향기를 맡으며, 더없이 근사한 얼굴을 보면서, 어찌 아무 일도 안 생길 수가 있겠어. 큰일이다, 큰일.

하지만 음란마귀는 자신만 접신한 모양이었다.

"걱정하지 마. 아무 일도 없어."

그가 자신의 머리를 가만히 쓰다듬어 주었다. 포근한 그 손길에, 둥둥 뛰었던 심장이 점차 가라앉는 것만 같았다.

"네가 원하는 때에, 네가 원하는 장소에서. 그게 아니라면, 나도 싫다."

유리는 팔을 들어 정호의 허리를 감싸 안았다. 가슴속이 꽉 차올랐다. 그건 무엇과도 바꿀 수 없는 믿음이라는 감정이었다.

나는 왜 이런 널 모르고 살았을까. 이토록 날 아끼고, 날 위하는 너를.

'내가 너, 정말 많이 좋아한다. 네가 생각하는 것보다. 오래전부터. 내가 훨씬 더 많이.'

꿈결 같았던 그의 고백이 귓가에 선연했다.

"너, 날 짝사랑해 온 거야, 진짜?"

"……그래."

정호가 자신의 마음을 받아들인 이유가 무엇인지 궁금했을 때에는, 단지 여자와의 스킨십이 그리워 그럴지도 모른다고 생각했었다. 아니, 그래도 좋다고 여겼다. 그런데 그보다 더 큰마음으로 자신을 보고 있었다니.

고백을 듣고도 믿지 못했다. 믿어 버리면 그 마음이 날아가 버릴까 봐. 자신을 비웃고는 신기루처럼 사라져 버릴까 봐. 그래서 자꾸만 확인하고 싶었다.

"그럼 아줌마 말이 맞네. 짝사랑만 오래 할 스타일."

"그건 아니지."

몸을 떨어뜨린 정호가 자신의 얼굴을 들여다보았다.

"지금은 네가 날 좋아하잖아."

못내 참을 수 없다는 듯 유리가 인상을 찡그리며 말했다.

"세월에 당할 수 있냐? 네가 날 더 좋아하지."

"못 참고 먼저 고백한 사람이 있는데. 그 폭발력에 어찌 세월이 당하겠냐."

"누가 더 좋아하는지 한번 얘기해 볼까?"

"그래. 씻고, 누워서."

정호가 아무렇지도 않게 하는 말에 유리는 또 굳어 버렸다. 그에게 마음이 없던 친구 사이일 때는 자신도 여상하게 했던 말들인데, 왜 지금은 듣는 것만으로도 온몸의 세포가 저릿해지는지. 그에 비해 정호는 그저 즐거워 보였다.

"같이 씻을래?"

"야!"

"알았어. 발끈하기는. 내가 먼저 씻는다."

유유히 옷을 챙겨 욕실로 들어가는 정호를 보며 유리는 뒤통수에 혈압이 상승하는 걸 고스란히 느꼈다. 토깽이도, 늑대도 아니었다. 능구렁이 한 마리가 욕실로 들어가고 있었다. 역시 세월이 지닌 힘에는 무엇도 당할 수 없단 말인가.

쏴아아아. 마치 빗소리처럼 시원하게, 샤워기에서 물 떨어지는 소리가 들려왔다. 동시에 얼마 전 샤워를 마치고 나오던 정호의 몸까지 고스란히 떠올라 버렸다. 유리의 얼굴이 화끈 달아올랐다. 쉽게 잊히지 않으니 이 또한

참 죽을 맛이었다.

그냥 예정대로 중평도 들어갔으면 좀 좋아. 왜 경로는 벗어나서 자신을 이렇게 괴롭게 하는 것인지. 연애는 역시 고행이다. 유리는 낯선 곳에서 그와 단둘이 보낼 이 밤이 벌써 버겁게 느껴져 조용히 한숨을 내쉬었다.

아무리 태연한 척하고 있지만 어디 그게 쉬운 일인가. 그토록 오랫동안 짝사랑하던 여자와 이렇게 한방에 있게 되었는데. 이런 상황에 여유가 남아 있는 게 비정상일 것이다.

게다가 낮도 아니고 밤이다. 밖은 이제 칠흑 같은 어둠이 내려앉았고, 안은 사방이 꽉 막힌 가운데 침대만 덜렁 놓여 있다.

시간과 장소 모두 대단히 야한 이 순간. 위이이잉. 유리가 드라이어로 머리 말리는 소리와 예능 프로그램 소리만이 뒤섞였다. 침대 헤드에 기대고 앉은 정호는 TV 화면을 가만히 바라보았다. 무언가 굉장히 웃긴 상황인지 출연자들이 뒤로 넘어가는 소리가 요란하였다.

화면을 보고는 있지만 정호는 마치 벽을 마주 대한 기분이었다. 지금 뭘 보고 있는지도 모를 지경. 옆쪽 화장대 앞에 앉은 유리에게로 자꾸만 신경이 쏠리는 걸 어쩔 수가 없었다. 에라, 모르겠다. 결국 고개를 돌려 대놓고 유리 쪽을 쳐다보았다.

순간, 거울을 통해 정호를 보고 있던 그녀와 눈이 딱 마주쳤다. 흠칫 놀란 유리는 시선의 방향을 바꾸어 본인의 얼굴을 보았다. 그 모습이 매우 어색했다.

정호는 여유를 되찾았다. 혼자만의 짝사랑으로 가슴 졸이고 아파했던 순간이 언제였나 싶도록, 유리는 확실히 지금 자신을 좋아하고 있는 게 분명하다. 속마음을 감추지 못하는 것이 유리의 최대 약점이었다.

"그래서 어디 나 뚫어지겠냐."

정호가 웃으며 말했다. 긴 머리를 옆으로 내려 드라이어 바람에 말리면서 유리는 애써 새침한 표정을 지었다.

"뚫어지긴 뭘 뚫어져."

"날 빤히 쳐다보고 있었잖아."

"어쩌다 눈 마주친 거야."

"하긴. 잠깐도 눈을 뗄 수 없을 만큼 내가 잘생긴 게 죄라면 죄겠지."

"웃겨. 진짜."

입술을 삐죽이는 유리를 보며 정호는 웃음을 참았다. 참느라 가슴 안쪽이 간지러운 느낌마저 들었다.

내가 널 더 좋아하는데. 훨씬 더 좋아하는데. 비교하자면 한도 끝도 없을 텐데. 그럼에도 불구하고 이제 갓 피어난 마음마저 능숙하게 감추지 못하고 제게 들켜 놀림이나 당하는 유리가 사랑스러워 견딜 수가 없었다.

그런 이유로 표면적으로는 갑정호고, 을유리지만, 실상은 분명 그렇지 않았다. 정호의 마음속에 변치 않는 1순위는 언제나 유리고, 자신을 뒤흔들 유일한 존재도 바로 유리였다. 가슴을 후벼 대는 무형의 칼을 모른 척하고 싶을 정도로, 그녀를 담은 마음은 날이 갈수록 커져만 갔다.

유리와 함께 있는 이런 순간들이 아직도 쉬이 믿기지 않았다. 좋아서, 정말 좋아서. 이날의 끝이 오지 않았으면 했다. 진심으로.

"김유리, 머리 탄다."

이미 다 말린 머리에 계속 드라이어를 갖다 대고 있던 유리가 화들짝 놀랐다. 서둘러 드라이어 전원을 끄고 내려놓았다.

정호는 침대에서 내려왔다. 유리에게로 다가가 머리카락을 손으로 잡아 보았다. 얼마나 한없이 대고 있었는지 뜨겁기까지 했다.

"와, 진짜 탈 뻔했네. 야, 아무리 내 얼굴 보는 게 좋아도 그렇지, 이렇게 머리까지 태우고 그러면 어떻게 하냐."

"시끄러워! 저리 비켜."

유리는 정호를 밀치며 화장대 앞에서 일어섰다.

민다고 밀리나. 유리의 등짝 스매싱에 늘 절규하던 정호지만, 기본적인 체력이 남달리 좋다는 점을 잊은 모양이었다. 그녀에게 당해 주고 밀려 주는 것도 정호가 스스로 마음을 먹어야만 가능한 일이었다. 이런 기습 공격에는 꿈쩍도 않는 그의 몸에 도리어 유리가 밀려나 휘청거렸다.

"아…… 아앗!"

방이 좁은 게 다행일까. 정호가 유리의 몸을 받아 돌려 안으며 떨어진 곳은 바로 옆에 있던 침대 위였으니까. 풀썩. 제법 푹신한 침대 위로 유리의 등이 닿았고, 그녀의 허리와 목 뒷부분을 받친 정호가 그 위로 엎어졌다.

오늘 밤, 절대 덮치려고 하지 않았었다. 그러니 이건 절대로 실수고, 사고다. 게다가 이렇게 위험한 자세라니. 신이 자신을 시험하려 못된 장난을 치는 것만 같았다.

그녀의 부푼 가슴이 쌕쌕 들썩이며 오르내렸다. 자신의 몸 아래 깔려 누운 채 올려다보는 유리의 시선, 침대 위에 흐트러진 머리카락, 제 입술에 닿았다가 흩어져 버리는 숨결.

이성이라는 이름의 아주 가는 끈을 간신히 붙잡은 정호가 얼른 몸을 일으키려고 했다. 그때 유리가 손을 뻗어 그의 목을 잡았다.

"엇!"

몸이 당겨졌다. 유리가 먼저 입을 맞추려고 하였다. 정호는 가까스로 상체에 힘을 주며 아래로 더 내려가지 않기 위해 버텼다. 유리가 잡아당기는 힘은 점점 강해졌다.

"뭐야, 키스 정도는 해도 되잖아."

이내 불퉁하게 내미는 유리의 도톰한 아랫입술은, 당장에라도 보듬어 주고 싶을 만큼 사랑스러웠다. 하지만 그녀가 원하는 대로 해 줄 수 없었다.

정호는 유리의 팔을 풀고 몸을 일으켰다. 벌러덩 누워 있던 유리가 얼굴이 달아올라 발딱 일어나 앉았다.

"야, 김정호! 너 지금 나 무시하……."

"키스로 끝날 일 아니니까."

"……."

"그냥 내가 가만히 있을 때, 건드리지 않는 게 좋을 거야."

입술을 안으로 말아 합, 하고 삼키는 유리의 얼굴이 눈에 들어왔다.

연애를 시작한 후로 키스에 그저 푹 빠져 있는 유리였다. 둘만 있게 되면 먼저 입술을 내밀며 달려드는 쪽도 유리일 때가 더 많았다. 협약 기간에는 키스 이상의 스킨십을 하지 말자고 했지만, 사실상 유리는 그 이상 뭐가 있는지도 모르는 것 같았다.

공부와 일에만 열을 올렸지, 연애에 도통 기술을 가진 게 없는 그녀는 이 방면에 있어서 이제 갓 태어난 신생아 수준이었다. 남자를 몰라도 너무 몰라, 심한 자극이 그에게 어떤 부작용을 주는지 그녀는 알 수 없었다.

다른 때와 오늘 밤은 달랐다. 상황과 장소, 시간 모든 것이 일을 치기에 더없이 완벽했다. 제어하지 못하게 되면 어떻게 될지 불 보듯 뻔했다. 다만, 그 불은 함부로 볼 게 아니었다. 이성은 완전히 사라지고 차라리 본능만 남았으면 좋으련만. 이것들이 공존하니 그저 괴로운 건 정호의 몸뿐이었다.

"후우우!"

보란 듯이 깊게 한숨을 내뱉자, 유리도 더 이상 아무 말도 하지 못했다. 허리에 손을 얹은 정호가 몇 발짝 떼어 걸었다.

"으아아아!"

벽을 향해 갑작스레 내지르는 소리에 유리의 어깨가 흠칫 위로 올랐다가 떨어졌다. 정호가 휙 돌아보았다.

"그러니까, 건드리지 맙시다. 오케이?"

그의 말에 유리가 천천히 고개를 끄덕였다.

"대답해라."

"아, 알았어."

저 활화산이 터지면 어떻게 될지 내심 궁금한 마음도 있었다. 유리는 호기심과 장난기가 동해 한번 툭 건드려 볼까 하다가 이내 생각을 접었다. 자신을 배려하는 그의 깊은 마음을 무시할 수는 없었다.

다시 돌아서서 심호흡하는 그의 넓은 어깨와 등을 바라보는 것도 좋았다. 왠지 모르게 가슴이 떨렸다. 이런 게 또 다른 의미의 가학성인지는 모르겠지만, 괴로워하는 듯한 정호의 모습이 그녀의 설레는 마음을 충족시켜 주었다.

지금 날 무척 안고 싶어 하는구나. 그저 남자의 본능일 뿐이라 해도, 지금 정호를 온통 채우고 있는 상대가 자신이라는 사실이 매우 흐뭇하기까지 했다.

순간, 정호가 휙 돌아서더니 성큼성큼 걸어왔다. 눈이 동그랗게 벌어진 유리가 입술만 벌린 채 멍하니 그를 바라보았다.

뭐, 뭐야. 못 참겠어? 호, 혹시, 도저히 안 되겠는 거야? 그래도 안 되지. 아, 안 되는…….

입술이 닿았다. 유리의 봉긋한 이마에. 단정하게 내려앉은 입술이 도장을 찍듯 꾸욱 눌러졌다. 눈을 질끈 감았던 유리의 가슴속에 봄기운이 사르르 흩날렸다. 널뛰던 그 모든 감정을 가라앉혀 주었다. 지극히 따뜻하고 섬세한 입술이었다.

이내 떨어지는 느낌이 들었다. 유리는 눈을 뜨지 못했다. 가슴이 터질 듯했다.

"다음은 나중에. 네가 원할 때."

"……."

"자고 있어. 한 시간만 나갔다가 올 테니까."

눈을 감고 있으니 낮게 깔리는 그 음성이 더 애잔하게 귓가에 스며들었다. 자박자박 걷는 소리에 이어 문이 열리고, 다시 닫히는 소리까지 들려왔다. 모든 소리가 물러가고 난 후에야, 유리는 참았던 숨을 몰아서 내쉬었다.

눈을 떴다. 빈방의 풍경이 시야에 들어왔다. 정호는 몸과 마음을 식히기 위해 정말 밖으로 나간 모양이었다. 결국 저럴 거 방 두 개 쓰지, 괜히 하나 쓴다고 해서는…….

유리는 이마에 가만히 손을 대어 보았다. 정호의 숨이 아직 배어 있는 듯 따스했다. 입가에 살며시 미소가 퍼졌다.

좋다. 그래, 이 맛에 연애하는 거지. 숨 쉬는 순간마다 즐겁고 행복했다. 연애는 고행이라고 했던 아까의 생각은 이미 팔랑이는 종잇장처럼 뒤집어 버렸다. 김정호가 제게 이런 기쁨을 가져다줄지 상상도 못 했었는데. 이마 뽀뽀 하나에도 그저 설레고 두근거리다니.

유리는 그의 번뇌와는 별개로 마냥 행복하기만 하였다. 연애가 이리도 좋은지 진작 알았다면 추또 이놈을 더 빨리 꼬드기는 건데! 유리는 들뜬 미소를 입가에 품고 침대에 누웠다.

모텔 주변을 한참이나 배회하고 나서야 정호는 천천히 방으로 돌아왔다. 오빠 믿지, 손만 잡고 잘게. 그 말처럼 우스운 게 없다고 생각했었다. 결국 길은 하나로 통할 텐데, 사기를 치는 것도 아니고 말이다. 그럼에도 불구하고 정호는 진심으로 오늘은 손만 잡고 잘 생각을 하긴 했었다.

방을 따로 잡지 않은 이유는, 옆에 두고 얼굴이라도 봐야지, 밤새 떨어져 있는 건 싫기 때문이었다. 물론 그 안일한 생각이 자신을 죽일 듯 괴롭혔지만 말이다.

간신히 참고 있는 자신에게, 키스 정도는 해도 되지 않냐니. 아주 득도를 시키려고 작정한 여자가 분명했다. 그 와중에 끝까지 참아 낸 자신이 스스로 존경스러울 정도였다.

방으로 돌아왔을 때, 유리는 잠이 들어 있었다. 다행이었다. 정호는 아까 씻었던 몸을 한 번 더 씻었다. 찬물로 샤워를 마치고 나오자 여전히 고른 숨소리를 내며 잠든 유리가 눈에 보였다. 천장을 향해 바로 누운 유리를 바라보며 침대 위로 올라간 정호는 그녀의 옆에 누웠다.

고단했던 몸이 스르르 녹는 것처럼 편안했다. 산책과 연이은 샤워로 어느 정도 진정이 된 상태라, 유리의 옆얼굴을 바라보는 마음 역시 조금 편해졌다. 깊게 드리운 속눈썹. 매끈한 콧날. 붉은 입술.

옆으로 누운 정호는 한 손으로 제 머리를 받치고, 다른 한 손을 유리의 얼굴 위로 뻗었다. 그녀의 봉긋한 이마 선을 따라 정호의 검지가 그림을 그리듯 움직였다. 1센티 정도 간격을 두고 이마를 지난 손가락 끝은 콧대의 선을 그렸다. 인중을, 입술을, 그리고 턱을 따라 너울지듯 천천히 움직인 손가락은 다시 접혀 제자리로 돌아왔다.

"예쁘다, 너."

속삭이듯 낮은 목소리로 말했다. 자격 없는 심장이 여전히 세차게 뛰고 있었다.

이래도 될까. 이렇게 예쁜 너를. 감히 내가. 나까짓 게. 나 따위가. 내 주제에. 내가 널 바라봐도 정말…… 괜찮은 걸까. 나를 전부 알게 되어도, 네가 나를 계속 좋아해 줄까. 그럴 수 있을까.

이제 더는 참을 수 없다는 생각에 내달려 결국 여기까지 왔으니, 이제는 돌아보지 않겠다고 다짐했다. 그래도 시시때때로 약해지는 마음이 자꾸 제 발목을 잡고, 제 가슴을 어지럽혔다. 이렇게 지금처럼.

"사랑해."

한숨처럼 내뱉은 말이 지그시 이어졌다.

"……그래도 될까, 정말."

누군가 확실한 답을 주면 좋겠다고 생각했다. 그게 눈앞에 있는 유리라면 더없이 좋을 것이다. 정호는 유리가 깰까 봐 숨소리마저 더욱 낮추고, 아무리 봐도 질리지 않을 그 얼굴을 마냥 바라보았다.

메아리 없이 산산이 흩어진 말을 언젠가 네게 직접 들려줄 수 있기를. 그리하여 너의 그 예쁜 입술에서도 수줍은 대답이 흘러나오길. 내가 널 안심하고 사랑해도 된다고. 그래도 괜찮다고, 나를 향한 그 예쁜 입술 위에도 미소가 걸리길.

정호는 뻐근해지는 가슴 한구석을 느끼며 유리에게서 눈을 떼었다. 다시 한숨을 내쉬며 천장을 바라보며 누웠는데. 그때, 가슴속이 아닌 실제 가슴에 격한 통증이 찾아왔다.

"어어……."

퍽!

"허억."

유리가 바로 누웠던 자세를 옆으로 돌렸다. 허공을 가볍게 가르고 날아든 손이 정호의 가슴 위를 강타하며 떨어졌다. 내뱉은 신음이 채 흩어지기도 전에 2차 공격이 찾아왔다.

퍽!

"으윽!"

이 밤에 뭘 그렇게 잘못했다고 발로 뻥 차는 것인지. 종아리 옆 부분을 걷어차인 정호는 생각지도 못한 습격에 얼떨떨한 표정으로 유리를 보았다. 깊이 잠든 그녀의 얼굴은 평온하기만 했다.

"시작됐네……."

심각한 상황은 잠깐도 허락하지 못하는 이 대책 없는 잠버릇을 잠시 잊고 있었다. 침대가 좁든 넓든, 다 자기 공간인 줄 알고 몸부림을 치는 유리의 옆에서는 새연조차도 동침을 꺼렸다. 비 오던 날, 옥탑에서 잘 때도 기꺼이 유리에게 침대를 내어 주고 정호는 소파에서 잤다.

이 작은 모텔 방에는 침대만 하나. 소파는 없다. 유리의 옆이 아니라면 바닥에서 자야 하는데, 침구도 따로 없는 이 딱딱한 바닥에서는 도저히 무리였다.

퍽!

그녀의 꿈속에는 괴물이라도 나오는 것일까. 무언가와 사투 중인 유리가 연이은 어퍼컷을 날리자 정호는 쫓겨나듯 침대에서 얼른 일어났다. 바닥에 선 채 유리를 내려다보니 더욱 가관이었다.

"으으음. 짭."

유리는 입맛을 다시며 침대 가운데를 떡하니 차지하고 있었다. 피곤할 때 저 몸부림이 더 심해진다고는 했었는데, 지금 보니 옥탑에서 잘 때보다 조금 더 씩씩해진 것 같았다.

많이 피곤한가. 애처로운 눈빛으로 보던 것도 잠시, 다시 사지를 뻗으며 휙 돌아가는 몸을 내려다보자니 저절로 인상이 찌푸려졌다.

"할 수 없네."

정호는 비장한 각오를 하고, 다시 침대 위로 올라갔다. 유리의 팔을 모으게 한 후 옆으로 굴렸다. 그리고 그녀의 뒤에 누우며 품에 꽉 껴안았다. 옆으로 누운 두 사람의 몸이 완벽히 포개어졌다.

꿈틀하고 움직이려는 유리의 몸을 제 품에 가두며 정호가 팔에 더욱 힘을 주었다. 굳센 품에 갇혀 잠결에 낑낑거리던 유리가 이내 힘이 빠졌는지 그의 팔을 잡았다. 쿵쿵. 뛰는 제 심장이 그녀의 등과 맞닿았다. 유리의 흐트러진 머리카락에서 샴푸 향이 물씬 풍겼다.

"……이래저래 괴롭다."

정호는 눈을 감았다. 힘든 밤이 될 것은 자명한 사실. 몸부림이 잦아들었지만 제 품에서 놓아줄 생각은 없었다. 이래도 괴롭고 저래도 괴롭다면, 그냥 품에 안고 괴로운 편이 낫지 않을까. 밤은 길지만 이 순간에도 시간이 흘러간다는 것이 아쉽기만 하였다.

뭔가 갑갑한 기운에 유리는 눈을 번쩍 떴다. 모텔 안 조그만 창문으로 밝은 빛이 쏟아져 들어오고 있었다. 아침인 모양이다. 단단히 결박당한 기분이 든 것도 그때였다. 유리는 시선을 아래로 내려 자신을 가두고 있는 것이 정호의 팔임을 확인했다.

"끄응……. 얘, 뭐야."

손 하나 까딱하지 않고 밤을 보낼 것처럼 굴더니. 이렇게 단단하게 안은 팔이라니. 유리의 얼굴이 붉어졌다. 정호의 품에서 빠져나오려고 하는데 그가 더욱 힘을 주며 안았다.

잠이 깊이 든 모양인지 정호의 고른 숨소리가 목뒤에 와서 닿았다. 그의 가슴이 등에 바짝 닿아 있고, 그리고 또 엉덩이에 닿은 이건 뭐…….

"흡, 이게 ……야아, 이, 일어나."

유리가 불편하게 느껴진 엉덩이를 앞쪽으로 쭉 빼어 정호에게서 떨어지려 애쓰며 바둥거렸다.

"흐음. 으음……?"

그럴수록 정호가 제 날카로운 코를 유리의 머리카락에 비비며 더 세게 안는 것이 아닌가. 모, 몸 붙이지 마! 심하게 단단한 것이 점점 더 확연히 느껴져 유리가 기겁했다. 그에게서 필사적으로 벗어나고자 했다.

"왜……."

이제야 잠이 깼는지 말소리라고 할 만한 것이 정호의 입에서 흘러나왔다. 힘이 약해진 틈을 타서 얼른 빠져나온 유리가 베개를 품에 꼭 끌어안았다.

"일어났어?"

침대에 누운 정호가 채 뜨지 못한 눈에 가득 웃음을 머금고 자신을 올려다보았다. 잠이 묻은 눈에는 맑은 빛이 흠뻑 실려 있다.

이 자식은 왜 아침부터 예쁜 거야. 그의 나른하고도 아름다운 얼굴을 보자 유리의 가슴도 세차게 두근거렸다. 여전히 적응 안 되는 것이 있기는 했지만.

"뭐, 뭐야! 너 왜 안고 있었어!"

"아. 네가 어제 날 죽이려고 들잖아."

"내가?"

"너 잘 때 UFC 선수 같은 거 알지?"

"몰라!"

"내가 할 수 없이 제압한 거야. 나도 이대로 죽을 순 없지."

무슨 상황인지는 알겠다. 어젯밤 몸부림이 좀 심했던 모양이다. 그게 창피할 겨를도 없이 유리는 정호의 누운 몸을 한 번 다시 스윽 훑어보고는 베개를 들어 정호의 얼굴을 팡 내리쳤다. 물론 적응 안 되는 그것을 외면할 유리는 아니었다.

"그렇다고…… 그렇게 꽉 안고 있으면 어떡해!"

"뭐, 뭐!"

두 번째 공격을 피하며 정호가 팔을 올렸지만 유리는 그 위를 가차 없이 팡팡 내리쳤다.

"아무리! 아무리 그래도, 좀 떨어져 있을 것이지, 이…… 변태 자식아!"

"아! 또 변태! 내가 왜!"

침대 위에서 첫 밤을 보내고 맞이한 아침은 결코 로맨틱하지 않았다.

"네가 그걸 몰라?"

"아……."

정호가 벌떡 일어나 앉았다.

"이건 남자라면 지극히 정상……."

"설명하지 마! 저리 가!"

잠결에 날리는 스핀킥보다 백 배는 더 정확하고, 천 배는 더 강한 힘이었다. 유리가 퍽 뻗은 발에 옆구리를 차인 정호가 침대에서 떨어졌다. 그는 느른한 손짓으로 맞은 부위를 문지르며 문 쪽을 향해 걸어갔다. 그 걸음걸이가 그리 편해 보이지는 않았다.

"어, 어디 가!"

"가라며."

"……."

"산책하고 올게."

정호가 돌아보며 웃었다.

"그리고, 난 죄 없다."

자신을 품에 꽉 안고 밤새 수행 끝에 잠이 들었을 정호. 그에게 죄가 있을 리 없다. 알면서도 유리는 아침에 만난 그가 못 견디게 낯설었다. 익숙해지는 날이 과연 오기나 할까.

무죄를 주장한 정호가 눈을 비비며 문을 열고 밖으로 나갔다. 탁, 문이 닫히고 후끈한 방에 혼자 남은 유리는 멍하니 있다가 무릎을 끌어모아 그 사이에 얼굴을 묻어 버렸다.

"아아아! 정말! 심장 터져 버리겠네!"

　중평도는 규모가 작은 섬으로 주민이 100명도 채 되지 않았다. 서원은 간단한 혈당, 혈압 검사 등을 해 주고 몸에 불편한 점이 있는지 살펴봐 주는 정도였다. 하지만 육지로 나가 병원에 찾아가기 번거롭고 어려운 실정인 주민들은 정기적인 날짜에 찾아와 주는 서원이 늘 고마웠다.

　이번에는 그와 함께 온 카페 식구들에게도 진심으로 고마워하였다. 그저 공짜로 나누어 주는 커피와 음료 한 잔 때문이 아니었다. 흔하게 마시기 어려운 핸드 드립 커피나, 신선한 생크림을 보기 좋게 올린 커피, 새콤달콤하게 갈아 낸 과일 음료 등은 보는 재미까지 주었다.

　보건소 마당에 자그맣게 차린 간이 노천카페에서 스피커를 통해 들려오는 음악과 함께 맛보는 커피는 무척 향긋하였다. 고단했던 일상에서 잠시나마 휴식을 안겨 주는 시간이었다. 물론 낯선 커피 맛에 고개를 절레절레 젓는 어르신도 계셨다.

　"대체 이게 뭔 맛이랴! 밍밍하니 쓰기만 하고."

　"우리 할무니 입맛에 딱 맞는 커피도 여기 있죠!"

　할머니의 타박에 준은 당황하지 않았다. 생글생글 웃으며 준비해 두었던 믹스 커피를 꺼냈다. 물을 잘 맞추어 진하게 타 낸 믹스 커피를 두 손 모아 전해 드렸다.

　"맨날 먹는 이 코피도 이쁜 총각이 주니까 이렇게 맛있네!"

　"어디, 나도 하나 타 줘 봐."

"네, 타 드릴게요!"

준이 그렇게 믹스 커피로 어르신들을 사로잡고 있을 때, 은강은 커피를 내리다 말고 어느 한 곳을 응시하였다. 옆에서 마미가 준비해 둔 쿠키를 세 명의 아이에게도 나누어 주고 있었다. 이 섬마을에 아이들이라고는 저 세 명이 전부라고 했던 것 같았다. 아작아작 쿠키를 씹던 한 여자아이가 은강과 눈이 마주치자 웃으며 말했다.

"전 커피 말고 사이다 주세요."

은강은 아이를 빤히 쳐다보았다. 아이 역시 고개를 갸웃하며 그를 바라보자, 이내 은강이 입을 열었다.

"몇 살."

"일곱 살이요. 얜 여섯 살, 쟨 저랑 같은 일곱 살이구요."

다른 남자아이 둘을 가리키며 말하는 여자아이를 보고 은강은 또 한 번 물었다.

"이름."

"저는 김이슬, 얜 제 동생 김풀잎, 쟨 조남준이에요. 왜요?"

마미가 깜짝 놀라며 말했다.

"어머! 우리 카페 오는 이슬이랑 이름이 같구나. 너처럼 예쁜 아이가 우리 동네에 있거든. 걔는 이름이 채이슬이야."

물론 은강은 놀라지 않았다. 아까 남준이라는 남자아이가 '김이슬!' 하고 부르는 소리를 듣고 일부러 이름을 물어본 것이었다.

"우와. 이슬이가 또 있어요?"

"그래. 우리 동네에 있는 이슬이도 너처럼 일곱 살이던가, 그럴걸."

"우와, 나이도 똑같네요."

"그래, 신기하다."

마미가 이슬과 다정하게 이야기를 나누고 있는데, 옆에서 은강이 무어라 중얼거리듯 작게 말했다. 혼잣말은 아닌 것 같았다. 마미는 고개를 돌려 물었다.

"응? 뭐라고 했어?"

은강이 꾹 다물었던 입술을 다시 열고 말했다.

"채이슬, 여덟 살이에요."

"아! 그런가? 그렇구나. 맞네, 학교 다닌다고 했으니까. 얘, 이슬아, 너보다 한 살 언니다."

마미는 나이를 정정해 준 은강에게 크게 신경 쓰지 못하고, 그저 웃으며 아이들에게 더 줄 것이 없나 찾기 시작하였다. 은강은 믹서기에 잘라 둔 바나나를 넣기 시작했다. 사이다를 찾은 이슬이었지만, 바나나 스무디를 만들어 줄 생각이었다. 채이슬처럼 얘도 이걸 좋아하겠지, 하면서.

"유리 씨 곧 도착하겠네요."

마미가 건넨 아이스커피를 마시면서 서원이 말했다. 오전에 진료를 보면서도 수시로 시계를 보고 시간을 확인했던 서원이었다.

"이제 배 탔다고 하니까 30분 안에는 들어오겠지."

점심까지 먹고 들어오는 두 사람을 기다리는 서원의 마음은 타들어 가고 있었다. 내색이야 하지 못하고 있었지만 말이다.

"그나저나 이 힘든 일을 어떻게 두 달에 한 번씩이나 매번 했대. 최 선생님 정말 대단하시네."

마미의 말을 듣고 있던 준이 옆에서 엄지를 추켜올렸다.

"저도요, 놀랐어요. 쌤, 진짜 짱 대박 훌륭하세요."

"그런 말씀 마세요. 부끄럽습니다."

서원은 엷게 웃으며 조용히 대꾸했다. 고요한 바다 같은 얼굴빛이었다. 어쩜 저렇게 인품이 점잖고 됨됨이가 바를까 생각하며 마미는 미소 지었다. 딸만 하나 더 있었으면 당장 사위 삼고 싶을 정도로 서원이 마음에 들었다. 딸이 하나라 아쉬울 뿐이었다.

점심을 마치고 다시 오후 진료에 들어갔다.

"혈압이 지난번보다 많이 좋아지셨네요."

"선생이 먹지 말라는 거 내 다 끊었지. 운동도 열심히 하고."

"정말 잘하셨어요."

한 분, 한 분의 상태를 자상하게 살펴 드리면서도 서원은 보건소 마당 너머를 계속 바라보았다. 한 아이의 가슴에 청진기를 대고 있던 그때, 저 멀리 그녀가 드디어 모습을 드러냈다.

겨우 하루 못 본 것뿐인데 예정에 없었기 때문인지, 갑자기 어젯밤 오지 못하게 되었다던 유리에 대한 반가움은 훨씬 컸다. 아이의 심장 소리보다 자신의 소리가 더 클 것만 같았다.

"누나랑 정호 형님 오셨어요."

마당 저쪽에서 준의 큰 목소리도 들렸다. 커피를 내리던 은강도, 빈 컵을 정리하던 마미도 고개를 들고 이제 막 도착한 그들을 바라보았다.

유리와 정호는 나란히 걸어오면서도 툭툭 장난을 치며 앞서거니 뒤서거니 하고 있었다. 반가움도 잠시, 허물없이 친근한 그 모습에 어쩐지 서원의 마음이 무거워졌다. 늘 보는 광경이지만 그때마다 항상 가슴이 쓰렸다.

친구 사이라는 것을 알긴 하지만…… 자신은 범접할 수 없을 만큼 오랜 기간 쌓아 온 인연이라는 것을 알기는 해도…… 시린 마음은 어찌할 도리가 없었다.

"야, 똑바로 잡아 봐. 흔들리잖아."

정호는 의자를 붙잡고 있는 유리를 내려다보며 말했다.

"꽉 잡고 있어. 설마 너 무서운 거야? 이 겁쟁이 토깽아."

"누가 무서워! 일부러 흔드는 것 같으니까 그렇지."

형광등 하나 갈아 끼우는 데 티격태격 싸우고 있는 정호와 유리의 모습을, 벽 쪽에 앉은 장 씨 할머니가 웃으며 바라보고 있었다.

섬에 도착한 후, 정호와 유리는 커피 대접하는 일을 돕다가 이제는 이장이 알려 준 몇몇 집들을 돌아다니고 있었다. 거동이 불편한 어르신 분들이 홀로 살고 계신 곳이었다.

육지에 사는 자식이 보내 주었다는 편지를 읽어 드리기도 하고, 아프신 다리를 주물러 드리기도 했다.

지금은 이곳에 들어오자마자 깜빡거리는 형광등을 보고 교체해 드리는 중이었다. 이장 댁에 같은 사이즈의 형광등 여분이 있어 다행히 얻어 올 수 있었다.

"됐다! 됐어요, 할머니."

"아이고! 됐네."

정호가 의자에서 내려와 불을 탁 켰다. 장 씨 할머니가 손뼉을 짝짝짝 쳤다.

어린아이처럼 좋아하시는 모습은, 그저 형광등을 새로 바꾸었다고 보이는 것이 아닐 터였다. 젊은 사람들이 집에 들어와 환히 밝아진 분위기에 기분이 좋으신 모양이었다.

"그런데 할머니, 할머니 혼자 사시는데 이 집 너무 크다. 청소하기 힘들진 않으세요?"

정호가 장 씨 할머니에게 와서 어깨를 꾹꾹 주물러 드리며 말했다. 할머니가 한숨처럼 내쉬는 웃음 끝에 먹먹한 슬픔이 가득했다.

"식구가 많았어. 지금은 다 떠나서 그래."

유리가 할머니 앞에 앉아 손을 잡아 드렸다.

"다 갔어. 다 가 버렸지."

안방 한쪽 벽 위에는 흑백 사진부터 빛바랜 컬러 사진까지 가족들의 모습이 빼곡했다. 열여섯 살에 시집와 팔 남매를 낳고 다복하게 살았지만, 자식들은 커서 하나둘 육지로 다 나갔다고 했다.

"젊은 애들이 이렇게 답답한 곳에서 어디 잠깐이나 살겠어. 요즘 같은 세상에. 여기도 사람이 많이 줄었지. 예전보다 참 많이 줄었어."

부부가 서로 의지하며 여생을 보내던 중, 할아버지가 세상을 떠난 건 이십 년 전이라고 했다.

"할머니 이십 년 동안 혼자 사셨어요?"

장 씨 할머니의 손을 잡은 유리의 손에도 힘이 들어갔다. 사방이 바다로 둘러싸인 작은 섬에서, 자식들이 북적이던 이 집에서 혼자 남은 할머니는 얼마나 외로우셨을까.

처음 유리가 집에 들어설 때부터 보는 시선이 남달랐던 할머니는 이내 눈물을 보이셨다.

"하, 할머니."

그 눈물이 맞잡은 손등 위로 툭 떨어지자, 유리는 놀라서 고개를 들었다.

"할머니……."

세월의 무게가 만들어 낸 눈물에 위로조차 지독히 가볍다고 여겨져 유리는 차마 뭐라 말을 이을 수가 없었다. 자글자글 깊게 팬 주름 사이로 눈물이 고였다가 떨어졌다.

장 씨 할머니는 작은 경대 서랍에서 사진을 한 장 꺼내 유리에게 내밀었다. 투피스 정장을 입고 나무 아래에서 웃고 있는 여자의 사진이었다.

"막내딸이야."

도회적인 미인. 웃는 미소가 유리와 매우 닮은 여인이었다.

"아……."

"아가씨 기분 나쁠까 봐 말을 못 했는데, 우리 막내딸을 닮았네, 아가씨가."

"왜 기분이 나빠요, 제가. 어우, 아니에요. 이렇게 미인이신데. 제가 다 죄송하네요. 지금은 어디 계세요?"

"……영감 죽고 나서, 나 혼자 있으니까 우리 막내딸이 여 들어와 살았지."

할머니가 말을 이었다.

"은행원이었어. 시집도 안 가고 혼자 살아 속 썩이더니 그렇게 오지 말라해도 기어이 왔는데……."

"……."

"그 좋은 직장도 관두고, 여 들어와 할 게 고기 잡는 것밖에 더 있나. 그러고 살다가 하루는 내가 백숙이 먹고 싶다고 했더니."

"……."

"신선한 닭을 사 온다며 뭍으로 나갔지. 그 닭이 뭐라고."

정호가 숙연히 고개를 떨구었다.

유리는 아랫입술을 지그시 깨물었다.

"……시내 나갔다가 차에 치였더라고. 인사도 제대로 못 하고 그렇게 가버렸어. 그게 십오 년 됐지."

남편을 잃고 막내딸과 산 지 오 년 만에 그렇게 할머니는 또 혼자가 되신 모양이었다.

"내 그래서 아까 아가씨 들어오는데, 꼭 우리 영아가 온 것 같아서……."

당연히 아닌 줄 아니 아무렇지 않게 대하려고 했지만, 대화를 나누다 보니 감정이 북받친 듯하였다.

자신의 손을 꽉 잡아 주는 유리의 따스한 체온에 별안간 또 외로움이 밀려들었을 것이다.

늘 사람이 그립고, 정이 그리우셨을 할머니에게 유리는 애잔한 감정이 들었다.

할머니를 먹먹한 눈길로 바라보는 유리에게 정호의 시선도 가만히 스며들었다.

저녁이 되자 마을 회관 마당에 있는 널따란 평상에는 이장을 비롯하여 섬마을 어부들이 잡아 온 해산물로 크게 한 상 차려졌다.

"저희가 해 드린 것도 별로 없는데, 괜히 신세만 지네요. 이렇게 귀한 음식들까지……. 감사해요. 잘 먹을게요."

"무슨 소리세요. 어제, 오늘 고생하셨는데. 드릴 게 별로 없어 민망하네요."

이장이 사람 좋은 웃음을 지으며 마미의 인사에 대꾸했다.

"차린 건 없지만 많이 드시고 다들 푹 쉬세요."

진심으로 고마워한 섬 주민들의 마음을 대신 전하며 이장이 간 후, 다들 저녁 식사를 시작했다.

"최 선생님 덕분에 좋은 경험도 하고. 고마워. 앞으로 기회 되면 또 따라와도 되지?"

마미가 서원의 잔에 술을 채워 주며 인사했다.

"그럼요. 저야말로 정말 좋습니다."

"저도 좋았어요. 역시 사람 많으니까 훨씬 재미있고 좋은데요."

간호사 영미도 밝은 얼굴로 술잔을 받으며 말했다. 은강과 준, 정호와 유리의 잔에도 소주가 채워지고 가벼운 마음으로 모두 잔을 부딪쳐 건배했다.

잔이 돌고, 음식을 나누어 먹으며 이틀 동안 있었던 일들을 이야기하는 동안 웃음소리가 끊이질 않았다.

"천천히 좀 마셔라."

정호가 옆에 앉은 유리의 잔을 잡았다.

"밥도 좀 먹고. 어째 넌 밥보다 술을 더 먹으려고 드냐."

"내가 뭐, 맨날 이렇게 마셔? 가끔 마시는 것까지 참견이야."

둘이 속닥거리듯 작은 소리로 실랑이하였다.

마미와 준, 영미가 이야기 나누는 목소리가 점점 커지면서 두 사람에게는 아무도 신경 쓰지 않고 있을 때, 단 한 사람의 시선만 정호와 유리에게로 향했다.

"너 이따 잘 때 조심해라. 술 마시고 정신 못 차리고 자다가 영미 씨 얼굴에 멍들게 하지 말고. 아니, 자면서 주먹은 대체 왜 쥐는 거야. 얼마나 아픈 줄 아냐."

"너나 지금 조심해라. 당장 주먹 나가는 수가 있으니까."

"아이고, 겁나."

"이거나 먹어!"

회를 넣고 만든 깻잎쌈을 정호의 입에 쑤시듯 넣어 주었다. 다소 과격한 행동은 여느 때와 같았고, 딱 유리다웠다. 두 사람의 분위기는 평소와 다름 없어 보여 누구도 개의치 않았다.

하지만 서원은 자꾸만 신경이 쓰였다.

두 사람이 항구 근처에서 하룻밤을 보내고 오는 동안 몹시 애가 탔던 서원이었다. 지금도 찰싹 달라붙어 이런저런 장난을 치고 서로를 구박하는 정호와 유리 사이에 끊을 수 없는 강한 기운이 느껴졌다.

서원은 아픈 가슴을 누르며 술잔을 꺾었다.

"이러지 말자, 진짜. 우리 준배, 너 대체 호텔이 몇 개야. 파리에다가 호텔 짓지 마!"

"싫어요! 지을 거예요!"

연이어 준의 땅에 걸려 계속 돈을 물어냈던 정호가 절규했지만, 준은 아랑곳하지 않았다. 하필 준은 비싼 호텔만 지어 댔고, 또 하필 거기에 계속 걸리는 사람은 이 방에 정호뿐이었다.

저녁을 다 먹고 모여 앉아 부루마블 게임을 하는 중이었다. 마미는 주사위를 던지는 은강을 보며 말했다.

"너희 그러고 싸워 봤자 다 소용없다. 진짜 부자는 은강이잖아."

의외로 이 게임에 순순히 참여한 은강은 좋은 성적을 올리고 있었다. 게임판 사면 중 한 면을 거의 다 점령한 은강은 처음부터 계획적이라고밖에 볼 수 없었다. 아무리 주사위를 잘 던져도 대부분 그 한 면에서는 꼭 걸려들 수밖에 없었다. 그렇게 은강은 조용히 사람들의 돈을 쓸어 담고 있었다.

"아주 무서운 놈이야."

정호가 정신을 차리고 은강을 보며 말했다. 은행을 맡아 건물과 돈을 관리하고 있던 영미가 고개를 끄덕이며 동조했다.

그사이 맥주를 마시며 노트북으로 인터넷 상담 건을 처리하던 유리가 일어섰다.

"지금 아이스크림 먹을 사람."

게임에 집중하던 사람들이 일제히 손을 들었다. 숫자를 세던 유리가 고개를 갸웃거렸다.

"그런데 서원 쌤이 안 계시네. 어디 가셨지?"

"보건소 선생님이랑 잠깐 이야기한다고 가셔서 아직 안 오셨어요."

"아아, 네."

유리는 영미의 말에 대답한 뒤 마을 회관에서 나섰다. 길을 따라 조금만 걸어가면 슈퍼가 나오니 아이스크림을 사 올 생각이었다. 술자리가 끝나지 않은 상태에서, 급한 상담 건 때문에 혼자 노트북만 들여다보고 있었더니 답답하여 바람을 쐬고 싶었다. 사실 정호랑 산책도 할 겸 같이 나오고 싶었지만, 지금 그는 세계 각지에 땅 사고 건물 짓는 데 영혼까지 바칠 수도 있는 상황이었다.

조용히 빠져나온 유리는 슈퍼에서 아이스크림을 샀다. 콘 아이스크림을 하나 뜯어 입에 물고 다시 마을 회관으로 향했다. 바닷가 짠 내음이 바람에 실려 왔다. 철썩, 가만히 치는 파도 소리도 듣기 좋았다.

마을 회관에 다시 도착한 유리는 마당에 있는 평상에 앉았다. 양반다리를 하고 앉아 아이스크림을 마저 먹으면서 앞에 펼쳐진 검은 밤바다를 바라보았다. 마음이 평온해졌다. 이곳 참 좋구나, 하는 생각이 들었다.

"왜 나와 있어요?"

슈퍼 쪽과 반대편 길에서 서원이 나타났다.

"아. 얘기 잘 하고 오셨어요?"

"네?"

반갑게 맞아 주는 유리에게 오히려 서원이 의아한 듯 되물었다.

"보건소 선생님이랑 얘기하고 오신다고. 영미 씨가 그러시던데요."

"아아. 네, 맞아요."

서원은 고개를 끄덕이며 유리의 옆에 앉았다. 유리가 내려 두었던 검은 봉지를 부스럭거리며 열었다. 그리고 자신의 것과 같은 콘 아이스크림을 하나 꺼냈다.

"드세요. 이건 선생님 거예요."

"제 것도 있었어요?"

"그럼요."

서원의 아이스크림까지 숫자를 계산해 사 온 유리는 싱긋 웃었다. 그리고 제 아이스크림의 포장 껍질을 돌려 까며 바삭한 과자 부분을 베어 먹었다. 잠깐 침묵이 이어졌지만 그게 그리 불편한 느낌은 아니었다. 살랑거리며 불어온 밤바람이 서원과 유리를 부드럽게 감싸고 지나갔다.

서원은 콘 아이스크림의 포장도 벗기려다 말고 그대로 손에 쥔 채 멈추었다. 그는 고개를 숙여 그것을 가만히 바라만 보았다. 나온 지 한참이나 된, 스테디셀러인 이 콘 아이스크림.

"이거 제가 어렸을 때 동생이랑 진짜 많이 사 먹었는데 아직도 있더라고요. 반가워서 집어 왔어요. 선생님도 아시죠?"

"알죠."

"어릴 때 아빠가 편찮으셔서 병원에 오래 계셨는데, 그때 병원에서 만난 어떤 사람이 이 아이스크림을 처음 사 줬었거든요. 원래는 내가 먼저 사 주려고 했던 건데, 받고 나니 어린 마음에 위로가 되더라고요. 달고 맛있어서, 이것만 먹으면 기분이 좋아지곤 했어요."

유리의 말에 서원은 잠시 멈칫했다. 아마 이십 년 전일 것이다. 서원은 당시 처음 출시되었던 아이스크림을, 어린 남매에게 사 준 적이 있었다. 그때와 포장의 디자인이나 크기는 달라졌지만 같은 아이스크림이다. 어린 남매의 누나가 제게 아이스크림을 사 주겠다며 따라오라 했던 상황까지 같았다.

우연의 일치일 뿐인데도, 결국 의미를 부여하고 마는 자신의 어리석은 심장에 한숨이 새어 나왔다. 하지만 어쩌면.

"선생님."

침묵을 가르며 유리가 부르는 소리에 서원은 겨우 고개를 들었다.

"제가 사실은 의사라는 직업을 가진 분들, 그리고 병원에 대해서……."

"……."

"그리 좋은 감정이 있지는 않아요."

서원의 가슴이 꽉 죄는 듯 답답해졌다. 의사, 병원이라는 단어는 지금껏 보냈던 제 인생 모두를 설명하는 것이 아니던가.

"편견 같은 거 가지면 안 되는 줄 아는데, 그냥 저 개인적으로 가진 마음이에요. 일종의 트라우마죠."

무슨 일이 있었는지, 그녀가 가지고 있다는 트라우마는 제 존재를 완전히 부정하게 하고 있었다.

"좋은 의사 선생님들과, 훌륭한 병원 재단도 많다는 건 당연히 알고 있었지만, 딱히 관심을 기울이지 않았어요. 병원 자체를 보기만 해도 끔찍해서."

"……."

"그런데 선생님 보면서 이렇게 성실하고 열심히 하시는 분들도 계시는데, 내가 너무 속 좁게 마음을 닫고 살았구나 싶더라고요."

유리가 천천히 내뱉는 말을 듣는데 서원의 가슴이 돌연 따끔거렸다. 형언할 수 없는 기운이 단번에 그를 잠식했다.

"괜히 죄송한 마음마저 들었어요. 편견은 참 무서운 법인데……."

"혹시 병원에서 뭐, 안 좋은 추억이라도…… 있었어요?"

설마, 싶었다.

"안 좋은 추억이라……. 지난 일 생각해서 뭐 하겠어요. 어쨌든 선생님은 지금처럼 계속 좋은 일 많이 해 주세요. 이렇게 훌륭하신 분들도 많이 계셔야……."

유리가 별로 떠올리고 싶지 않다는 듯, 그걸 구구절절 서원 앞에 털어놓을 생각은 없다는 듯 말을 돌렸다. 그리고 그 말을 끊으며 서원이 말했다.

"혹시."

"네?"

"태경병원."

그의 입에서 흘러나온 단어에 유리의 어깨가 흠칫 굳어 버렸다.

"유리 씨 어렸을 때, 아버님께서 입원하셨던 병원이 혹시 태경병원이에요?"

입에 담기도 싫은 그 병원 이름을 들은 유리는 놀란 눈으로 서원을 바라보았다.

"……그걸 어떻게 아세요?"

유리의 말에 서원 역시 적잖이 놀랐다.

설마 싶었는데. 어쩌면, 혹시, 하는 기대감에 떨리는 이 가슴은 한낱 의미 없는 것이라고만 생각했었는데. 유리가 정말 그 아이일 수도 있다는 생각이 들었다. 유리가 병원에 안 좋은 기억이 있다는 말을 들었기 때문일까. 그 한마디가 서원을 강하게 잡아당겼다.

서원은 뭐라 말해야 할지 마음이 조금 복잡해졌다. 안 그래도 오늘 밤 따로 불러내어 진심을 전하고 싶었는데, 이렇게 생각지도 못했던 그 이야기가 풀리게 될 줄 정말 몰랐다.

"태경병원이랑…… 무슨 연관 있으세요?"

부쩍 날카로워진 목소리로 유리가 경계심을 보였다.

"……있죠."

"무슨 연관인데요?"

태경병원과 관련이 있다면, 없던 정도 떼어 내겠다는 듯 단호한 말투였다. 서원은 담담히 입을 열었다.

"저희 아버지께서도 태경병원에 입원했던 적이 있으셨어요."

"아, 그러셨군요. 그것뿐이세요?"

"네, 그뿐이에요."

유리가 경계심을 보인 것이 의사와 병원 재단에 안 좋은 감정을 갖게 된 이유와 관련이 있던 모양이었다. 단지 입원했던 환자의 아들일 뿐이라는 서원의 말에 날이 섰던 그녀의 목소리가 한층 누그러졌다.

"그런데 저희 아버지께서 태경병원에 입원했던 건 어떻게……."

서원이 손에 쥐고 있던 콘 아이스크림을 들어 보였다.

"설마 싶었는데."

"……."

"이십 년 전에 태경병원에서 제가 어떤 꼬맹이 남매한테 이 아이스크림 사 준 적이 있었어요."

"……."

"그 남매 중 누나가, 지금 유리 씨인 것 같아서요."

유리는 미간을 모으며 아이스크림을 바라보았다.

"남동생…… 있죠?"

확인하듯 묻는 말에 유리가 고개를 끄덕였다.

"……네. 있어요."

서원이 옆에 앉은 유리를 먹먹한 눈빛으로 바라보았고 그녀는 어색하게 웃었다. 거짓말은 아닐 것이다. 단순히 이 아이스크림 이야기를 했다고 끼워 맞춘 기억이라 하기에는, 너무도 정확했다.

"그래도 단지 그것만으로 어떻게 기억을……."

"잊기 힘든 꼬마였으니까요. 유리 씨도 이 아이스크림을 먹던 날을 잊지 못한 것처럼 저도요."

"……."

"많이 닮았다고 생각은 했는데, 진짜 같은 사람일 줄은 몰랐어요."

"혹시 지난번 얘기했던 첫사랑이……."

자신을 말하는 것이냐 묻는 유리에게 서원이 천천히 고개를 끄덕여 주었다.

맑은 바람이 잔잔히 불어 들었다. 밤. 봄. 바다. 바람. 이 모든 것이 완벽한 지금, 서원이 고백하였다.

"허락 없이 가슴에 담고 살아서 미안했어요. 내 첫사랑도 ……이렇게 모르고 좋아해 버린 유리 씨도, 결국 제겐 같은 사람이었네요."

유리는 할 말도 잊고 그저 서원의 얼굴을 바라보았다.

'첫사랑이랑 닮았다는 이유로 눈길을 끈다는 게 ……썩 기분 좋은 일만은 아니네요.'

'……'

'여자라면 누구나. 상대방에게 유일무이한 존재가 되고 싶지 않을까요.'

유일무이한 존재. 서원에게는 바로 지금의 유리였다.

"단지 첫사랑을 닮았다는 이유만으로 보게 된 게 아니었다는 걸 저도 지금 알았어요. ……유리 씨라서 좋았던 겁니다. 이유는 그것 하나뿐이었어요."

수면 아래로 가라앉았던 그날의 기억이 조금씩 위로 떠올랐다. 서원에게 있어서 가장 잊고 싶은 날이었고, 한편으로는 죽어도 잊을 수 없는 날이었다.

아버지가 쓰러지셨다는 연락을 받은 건, 중학생이었던 서원이 막 기말고사가 끝났을 때였다.

온 신경이 시험에만 쏠려 있던 서원은 뒤늦게 전화를 받자마자 택시를 잡아 탔다. 교복을 입은 소년이 가쁜 숨을 몰아쉬며 말한 행선지는 태경병원이었다.

"아저씨, 빨리요. 제발 빨리 좀 가 주세요."

오전에 쓰러진 아버지는 의식을 회복하지 못하고 있어 위중한 상태라 하였다. 서원의 마음이 타들어 가는 것만 같았다.

유독 막내아들인 서원을 아끼는 아버지였다. 물론 어머니와 두 명의 누나 역시 서원에게 다정했지만, 아버지의 지극한 아들 사랑에는 당해 낼 사람이 아무도 없었다.

택시에서 뛰어내린 서원은 아버지가 입원해 계시다는 VIP 병동 엘리베이터로 질주했다. 병동 입구에서 신원을 확인하고 통과하여 아버지의 병실로 들어갔을 때, 눈물이 글썽글썽 맺힌 누나들이 서원을 붙잡았다.

"아빠 어떡하니. 어떡해, 서원아."

"마, 많이 안 좋으셔……?"

두려움이 왈칵 솟구쳤다. 이제 겨우 열다섯의 나이였다. 열여덟, 스물의 누나들도 어리다면 어린 나이였고. 서원은 막막한 마음으로 아버지의 침대에 다가섰다.

이대로 가시면 안 되는데…….

울지 않겠다고 마음을 굳게 먹었다. 산소 호흡기가 아버지의 얕은 숨으로 하얗게 물드는 걸 지켜보던 서원은 이내 불안한 기운을 느끼며 밖으로 나왔다. 어머니의 손이라도 잡아야 조금 안심이 될 것 같았다.

어디 계시는지 보이지 않는 어머니를 찾아 서원은 걸음을 옮겼다. 열려 있는 빈 병실에서 어머니의 목소리가 들리는 듯하여 서원은 멈추어 섰다.

복도에는 아무도 없었다. 서원은 그 안으로 들어갔다. 응접실을 지나 안쪽에서 말소리가 좀 더 크게 들렸다. 그러나 어머니 품에 안기고 싶다는 생각만으로 더 가까이 다가가던 서원의 걸음이 우뚝 멎고 말았다.

"그러니까 차라리 유학을 보내 버리자는 것 아니에요!"

"사모님, 그게 그렇게 쉽게 생각하실 일이 아닙니다."

어머니의 격앙된 목소리.

"아니, 박 변호사! 그럼 쟬 이대로 그냥 두라는 말이에요?"

"이런 상황에 서원이가 혼자 유학을 갈 리가 있습니까. 설득할 명분이 없습니다. 감정적으로 생각하실 게 아니란 말씀입니다."

서원은 문 옆 벽에 붙어 섰다. 늘 고아한 미소를 짓던 어머니. 그녀가 이 순간 전혀 다른 사람처럼 느껴졌다.

"전에 물어봤을 때, 서원이도 유학 가는 것, 좋다고 했었어요. 그이 깨어나기 전에 적당히 안심시켜서 그냥 보내야겠어요. 애들 아빠 깨어나 봐요. 고비 넘기고 깨어나면 정신이 확 들어서 서원이 앞으로 단단히 챙겨 두려고 할 거예요. 게다가 아버님까지 서원이를 얼마나 싸고도는지. 아마 그이 잘못되어도 어떻게든 아버님이 저 애한테…… 그러니까 일단 서원이를 멀리 보내 놓는 수밖에 없어요."

"사모님……."

"박 변호사는 모릅니다! 내가 피를 토하는 심정으로 이 세월을 어떻게 견뎠는지! 아신다면 그렇게 편하게 말씀하실 수 없을 거예요!"

서원의 몸이 벽을 타고 주르르 미끄러져 내려갔다. 웅크려 무릎을 끌어안은 채 서원은 화살이 되어 날아드는 그 말들을 꼼짝없이 받아 내었다.

"서원이 존재만으로도 사족을 못 쓰는 저 부자! 안 그래도 뭘 못 해 줘서 안달인데. 이런 상황에서 그이 곁에 지극정성으로 매달려 있는 쟬 보면 얼마나 더 감격하겠어요. 나랑 우리 애들 것까지 다 뺏어다가 안겨 줘도 모자랄 거예요. 난 그 꼴은 못 봐요. 절대 못 봐요. 지금까지는 견뎠지만 더는 못 해요. 쟤 당장 내 눈앞에서 치워 달라고요! 보기 싫어, 진짜!"

서원은 가슴을 움켜쥐었다.

'아들. 우리 아들.'

다정하게 부르던 그 목소리의 주인공이 지금은 자신을 증오하며 절규하고 있었다.

"저 애 보면 끔찍해."

'우리 아들'이 아닌 '저 애'가 되어 있었다. 타인, 그것도 너무나 먼 타인.

"그 여자랑 눈빛이 똑 닮았단 말이에요. 징그러워. 정말 싫어요. 커 갈수록 너무나 끔찍해! 저 애가 죽어 가는 내 남편 붙들고 '아빠!' 하면서 울면서 매달리는 거, 상상만 해도 몸 위로 뱀이 지나가는 것 같다고요. 지금까지는 돈 때문에라도 어떻게든 버텼지만, 이젠 끝을 준비할 거예요. 그나마 저 애 엄마가 죽었으니까 데리고 있었지, 난 정말 더 이상은 못 합니다. 우리 서린이가 회사 물려받게 할 거고, 그렇게 만들기 위해 난 무슨 짓이든 할 거예요!"

당연하다고 여겼고, 진심이라고 믿었던 어머니의 애정이었다. 그것의 이면을 보게 되어 버린 서원은 공기마저 유리 조각처럼 산산이 부서져 제 가슴으로 박혀 드는 것만 같았다.

"서원이 의사고 뭐고 되고 싶은 것도 많다고 했잖아요. 그거 다 시켜 준다고 해요. 박 변호사님 말이라면 더 잘 들을 거예요. 아직 어려서 뭘 모르잖아요. 경영 공부만 빼고 다른 건 다 시켜 줘요. 그렇게 내 눈앞에서…… 마녀의 새끼 같은 저 애 좀 제발 치워 줘요."

서원은 간신히 일어섰다. 다리에 힘이 없었지만 더 주저앉아 있다가는 어머니의 눈에 띌 게 분명했기에 사력을 다해 걸어 나왔다. 곧바로 엘리베이터를 타고 내려와 병원 건물 밖으로 나왔다.

오후 햇빛은 눈이 부시도록 찬란하기만 했다. 해를 피하며 눈을 찡그리는데, 갑자기 눈물이 쏟아졌다. 열다섯의 소년이 견디기에 버거운 상황들이 잠깐 사이에 폭풍처럼 몰아닥쳤다. 언제 깨어날지 모르는 아버지의 위독한 상태와, 자신을 증오하고 있었던 어머니의 마음.

세상 밖으로 사라지고 싶었다. 머리가 빙빙 도는 가운데 얼굴 가득 눈물만 하염없이 번져 나갔다. 생모가 따로 있었다는 사실. 돈 때문에 자신을 억지로 견뎠다는 어머니. 모든 게 거짓말처럼 느껴졌다.

그냥 죽어 버릴까. 나 같은 거 없어져도 되지 않을까. 벤치에 앉은 서원은 닦아 내도, 또 닦아 내도 계속해서 흐르는 눈물을 포기한 채 고개를 푹 숙였다.

그때 저쪽에서 앙칼진 여자아이의 목소리가 들려왔다.

"울긴 왜 울어! 뚝 그치지 못해?"

그 소리가 얼마나 또렷했던지, 서원의 정신이 바짝 들어 버리고 말았다. 소매로 눈물을 훔치며 시선을 돌렸다. 알 수 없는 힘에 이끌려 저도 모르게 목소리가 들려온 쪽으로 천천히 걸어갔다.

조그만 여자아이가 자신보다 더 조그만 남자아이를 앞에 두고 서 있었다. 이쪽으로 다가온 서원과 시선이 마주치자, 여자아이가 눈을 부릅떴다.

"아, 오빠한테 한 말 아니니까 쳐다보지 말고 가던 길 가세요. 지금 얘 울어대는 것만 해도 제가 머리가 다 빠질 지경이거든요?"

멍하니 놀란 서원은 다시 한번 눈물을 훔쳐 내었다. 어느덧 말라붙은 눈물이 젖은 소매에 말끔히 지워졌다.

흐어엉. 남자아이는 여전히 울고 있었다.

"아, 진짜! 언제까지 그렇게 울 거야!"

"으어어엉. 누나. 누나. 아빠 죽으면 어떡해! 어떡해!"

"죽긴 왜 죽어! 아빠 이름 몰라? 김! 강 자! 철 자! 김강철이잖아! 강철로 만든 우리 아빠가 죽긴 왜 죽냐고! 멍청한 소리 그만하지 못해?"

서원은 걸음을 옮길 생각도 하지 못하고 그저 선 채로 남매를 바라보았다. 남동생을 윽박지르는 누나의 눈가는 붉게 짓물러 있었다. 어디선가 혼자서 실컷 울고 온 모양이었다. 한참을 혼내던 여자아이가 이내 남자아이를 품에 꼭 끌어안았다.

"아빠 안 죽어. 그냥 잠깐 쓰러지신 거야. 치료하면 금방 나으신댔어. 그러니까 걱정하지 마."

토닥토닥 두드리는 그 손길이 화를 내던 아이답지 않게 차분하고 따스해 보였다. 보고 있는 서원의 가슴까지 어루만져지는 기분이었다.

"……오빠도 힘들어요?"

홱 노려보듯 뜬 눈과 달리 건네는 말의 내용은 한없이 따뜻했다.

"그래."

이제 초등학교 3, 4학년이나 되었을까. 중학교 2학년인 자신이 보기엔 한참 어린 여자아이였지만, 오히려 아이는 단단한 목소리로 말했다.

"따라와요. 아이스크림 사 줄 테니까."

"……."

"다 큰 중학생 오빠가 울기나 하고."

아이는 남동생의 손을 붙잡아 끌면서 서원이 뒤따라오는지 아닌지를 계속 확인했다.

"빨리 와요!"

병원 지하에 있는 슈퍼에 가자, 언제 아빠를 걱정하며 울었냐는 듯 동생인 남자아이가 눈을 반짝거리며 아이스크림을 골라냈다. 새로 출시된 콘 아이스크림을 잡고 생글생글 웃는 남자아이 옆에서 그 아이도 같은 아이스크림을 두 개 잡았다. 그리고 하나를 서원에게 주었다.

"이거 새로 나왔네요. 처음 먹어 보는데 오빠도 같이 먹어요. 무슨 일이든, 아이스크림 하나 까먹고 나서 또 열심히 살아가면 돼요."

"……."

"인생 뭐, 별거 없대요."

붉게 충혈된 눈으로 씩 웃어 보인 아이가 계산대 앞으로 갔다. 서원이 앞질러 뛰어가 아이보다 먼저 돈을 내었다.

"어, 내가 사 주려고 한 건데."

아쉬운 듯 아이가 말했고, 서원은 거스름돈을 받아 주머니에 넣은 후 허리를 숙여 아이의 눈을 마주 바라보았다.

혼자 우느라 너도 무척 아팠겠구나. 아닌 척하느라 너도 참 힘들었겠구나.

서원은 싱긋 웃었다. 조금 전까지만 해도, 제 인생에서 다시 웃을 일은 절대 없을 것이라고 생각했었는데.

"이 아이스크림 먹고."

"……."

"나도 열심히 살아 볼게."

웃어 보인 건 고마워서였다. 그렇다고 상황이 나아질 리 없겠지만, 견딜 힘을 얻은 건 분명했다. 가슴이 저릿했다. 끔찍했던 순간 끝에 생각지도 못한 선물을 받은 기분이었다. 짧지만 강한 만남이었다.

유학이고 뭐고 설득당하고 결정할 틈도 없이 아버지는 다음 날 숨을 거두었다. 서원은 앞으로 나서서 울어 대지 않았다. 가족의 사랑을 듬뿍 받으며 어떤 행동을 하든 거리낌이 없었던 서원은 이제 모든 것에 몸을 사렸다.

혼자 울었다. 혼자 가슴을 쥐어짰다. 자신에게 한 번도 친어머니가 아닌 것을 내색하지 않았던 어머니 역시 얼마나 괴로웠을지 점점 이해가 되었다. 그 대화를 엿듣지 않았다면, 어머니는 아마도 평생을 자신의 친어머니로 살아 주셨겠지.

돈 때문이든, 체면 때문이든 그건 중요치 않았다. 어머니가 쓴 가면이 제 마음을 할퀴어 대도, 그 역시 자신이 감내할 몫이라 여겼다. 어머니에게 자신은 분명, 불쾌한 존재일 테니까.

자신 역시 죽도록 증오했을지도 모를 마음을 바꾸어 준 건 바로 그 아이였다. 힘들 때마다 아이스크림을 하나 사서 먹었다. 인생 뭐, 별거 없대요. 아이의 목소리가 들려오는 듯했다.

서원은 조용히 떠났다. 아직 엄마의 손길이 필요한 나이에 홀로 유학 생활을 시작했다. 혼자 견뎠다. 혼자 이겨 내었다. 여전히 혼자 울었고, 혼자 가슴을 쥐어짰다.

한참이 지나고 나서야 그 아이가 나를 살게 했구나, 깨달아 버렸다. 울어도 살아 있었고, 가슴을 쥐어짜도 살아 있었다. 인생 까짓것 뭐, 별거 없었다. 지금까지 그렇게 버틴 서원이었다.

그 아이가 지금 거짓말처럼 제 눈앞에 있다. 닮은 게 아니라, 진짜 그 아이다. 포기하지 못할 특별한 이유는 더욱 떨치지 못하게 되었다. 이 아이스크림을 지금껏 기억하고, 또 그녀 역시 힘들 때 이로 인해 위로를 받고 있었다니, 조금 욕심이 나는 것도 사실이었다.

"유리 씨, 꼭 당장 절 돌아봐 달라는 말은 아니에요. 제가 유리 씨를 생각하는 마음이 진심이니까 언제든……."

"선생님."

딱딱하게 말을 가르는 유리의 목소리는 차갑기만 했다. 얼음장이 날아와 제 가슴에 박히는 것처럼 서원은 숨이 막혔다.

"지금 뭐라고 대답할 필요 없어요. 유리 씨가 아직 절 깊게 생각하지 않는다는 건 충분히 알고 있으니까."

"그게 아니고, 선생님."

버림받기 싫다. 자신을 살게 한 유일한 존재에게만은, 지금까지 버티게 한 그 아이에게만은. 서원의 내면에는 어두운 불안감이 잔뜩 피어올랐다. 슬픈 예감은 한 번도 빗나가는 적이 없었다.

"제가 따로 좋아하는 사람이 있어요."

"……."

"저, 지금 그 사람이 정말 좋아서."

"……."

"아무리 기다리신다고 해도, 제가 선생님께 가는 일은 절대로 없을 거예요."

몹시 차가운 바람이 불어와 가슴을 할퀴고 지나갔다. 아이스크림이 서원의 손안에서 녹아내리고 있었다.

서원에게 또 한 번 거절의 말을 내뱉는 유리의 마음도 편하지 않았다. 지난번에도 제법 확실하게 선을 그었다고 생각했는데, 이번엔 그보다 더 높은 벽을 세워 올렸다. 어린 시절의 자신을 첫사랑이라고까지 하는 서원의 마음을 받아들이지 못하고 있으니 불편한 감정이 가슴을 묵직하게 짓눌렀다.

"선생님, 저 먼저 들어갈게요."

유리가 평상에서 내려왔다. 망연한 눈빛을 검은 바다에 던지고 있는 서원에게 꾸벅 허리 숙여 인사했다.

"죄송합니다."

상당한 거리감이 느껴지는 인사였다. 고백하고 이런 사과를 받는 서원은 비참한 기분을 느낄지도 모르겠다. 하지만 괜한 희망을 주는 것이 더 나쁘다고 생각했다. 지금은 죄송해도, 이렇게 하는 것이 서로를 위해 옳은 일이라 생각했다.

"그럼."

결국 끝까지 서원에게 예의를 갖추어 인사한 유리가 몸을 돌렸다. 그때, 마을 회관 입구에 어두운 그림자가 슥 사라지는 것이 보였다. 유리는 서둘러 입구 쪽으로 갔다. 복도 끝 큰방에 사람들의 웃음소리가 왁자지껄하게 새어 나오고 있었다. 그림자는 없어졌다.

아무도 없는 복도에 유리 혼자 서 있었다. 그림자가 빨리 사라진 것을 보니 누군가 화장실에 갔다가 다시 방으로 들어간 모양이었다.

피곤함이 밀려들었다. 유리는 방 쪽을 향해 걸었다. 건물이 그리 크지 않아 금방 다다르게 되었는데, 순간 옆에서 튀어나온 팔이 그녀를 붙들었다. 그리고 블랙홀로 빨려 들 듯 훅 당겨졌다. 삽시간에 유리는 열린 방문 안으로 이끌려 들어갔고, 벽으로 몸이 밀렸다. 달빛만이 가득 찬 방에서 그렇게 검은 그림자와 마주하게 되었다.

방문이 탁 닫혔다.

창가에 희미한 빛이 밀려들었다. 베일 듯 날카로운 콧날을 기점으로 얼굴의 절반에 그림자가 드리워져 있었다. 유리는 그림자의 주인공을 올려다보다가 겨우 입술을 떼었다.

"기, 김정호."

"쉿."

자신을 가만히 바라보던 그가 엄지로 유리의 입술을 눌렀다. 손바닥으로 그녀의 볼을 자연스럽게 감싸면서. 단지 그 이유만으로 숨이 막히는 건 아니었다. 둘 사이의 거리가 지나치게 가까웠다.

숨소리마저 죽인 채 그와 시선이 닿았다. 벽에 등을 바짝 붙이고 선 유리는 침을 꿀꺽 삼켰다. 옆방에서 '우와아오오아아!' 하는 정체 모를 함성과 웃음소리가 터졌다.

벽 너머에서 아득히 들려오는 그 소리에 유리의 등줄기가 서늘해졌다. 사람들이 한데 모여 있는 가운데, 정호와 단둘이 암흑 속에 갇혀 있으니 마치 다른 세계에 뚝 떨어져 있는 기분이었다.

놓아 보라고 말하려 해도 입술은 엄지에 눌리고, 손은 잡혀 있어 할 수 있는 것이 없었다. 아, 다른 한 손이 남아 있기는 했다. 이걸로 정호를 밀쳐 내면 되는데…… 유리는 그러지 못했다. 아니, 그러지 않았다.

남은 손을 벽에 짝 붙인 채로 그저 정호를 올려다보기만 했다. 달빛이 걸린 서늘한 눈매. 마음을 꿰뚫듯 강렬한 시선. 살짝 찡그려진 미간. 날카로운 선으로 이루어진 그의 얼굴. 빛을 받은 얼굴의 반, 그리고 어둠에 잠긴 얼굴의 나머지 반이 확연한 대비를 이루었다. 한창 물이 오를 대로 오른 미모에서 흘러넘치고 있는 건 색기라고밖에 할 수 없었다. 이런 상황에서 보니 더더욱 그렇게 느껴졌다.

그의 유려한 입술 끝이 천천히 움직였다.

"안 보내."

밑도 끝도 없이 터지듯 나온 말에 유리는 의아한 시선을 던졌다. 여전히 그의 엄지에 입술이 눌린 채 아무 말도 할 수 없었다. 그는 대답을 바라지 않는 모양이었다. 대답을 들을 필요도 없는 것일까. 속삭이듯 아주 작지만, 분명한 음성으로 정호가 말했다.

"누가 널 좋아한다고, 데려가고 싶다고 해도."

"……."

"데려가서 절대 고생시키지 않고, 너 하나만 사랑하고, 너에게 정말 좋은 애인, 좋은 남편이 되어 주겠다고 약속을 해도."

"……."

"그 사람이 아무리 나보다 훌륭하고 근사한 남자라고 해도."

짙은 숨소리가 뒤섞였다.

"나는…… 김유리, 나는 절대로."

"……."

"너 못 보내. 안 보내. 그러니까 그냥 내 옆에만 있어. 딴생각하지 말고, 어디 가지 말고."

자신의 곁에 머무는 것 외에는 어떤 것도 허락하지 않고, 용서하지 않겠다는 마음이 담긴 강인한 그 목소리에 유리의 심장이 덜컹거렸다.

정호가 입술을 누르고 있던 엄지를 옆으로 치워 냈다. 하지만 그것도 잠시. 공기 중에 겨우 드러난 입술은 다시 막혀 버렸다. 이어진 건 매우 깊은 입맞춤이었다.

"흐으읍."

단단한 벽과, 그보다 더 단단한 것만 같은 정호의 몸 사이에 속절없이 갇힌 채로 유리는 그의 입술을 받아들였다.

어째서 이럴까. 나는 왜 네가 이럴 때마다 꼼짝없이, 아무것도 할 수 없는 바보가 되어 버릴까. 유리는 눈을 감아 버렸다. 그의 고개가 한 번 틀어지고, 오뚝한 코가 스치며, 입술 사이로 숨결이 담뿍 들이쳤다.

그녀는 다른 손을 들어 정호의 팔을 붙들었다. 의지하지 않고는 견디기 힘들었다. 입술 안 모든 것이 포박을 당해 버렸다. 물러나면 따라오고, 돌아서 숨으면 찾아왔다. 유리는 이내 그가 주는 모든 것을 받아들이고 함께 나누었다. 달빛이 스미고, 온기는 더해졌다.

천천히 입술이 떨어졌다. 여전한 어둠 속에 가쁜 숨이 제멋대로 흩어졌다.

"……나 어디 안 가."

유리가 도로 숨을 삼키며 말했다. 서원과 자신이 이야기 나누는 모습을 정호가 본 모양이었다. 멀리 있으니 대화는 듣지 못했겠지만, 꽤 오랫동안 함께 앉아 있었으니 지켜보던 정호의 기분이 좋지는 않았을 것이다. 서원이 제게 고백을 했다는 것도 충분히 예상했을 터였다.

불안했던 걸까. 겁이 난 걸까. 뭐가 그렇게. 애초에 서원에게 관심을 전혀 보이지 않았던 자신이었는데. 결혼은커녕 연애도 하지 않겠다는 생각을 바꾼 건, 상대가 정호였기 때문이었다. 지금 다른 사람은 그녀에게 아무런 의미가 없었다.

유리는 정호의 팔을 잡았던 손을 올려 그 볼을 감쌌다.

"그러니까 걱정하지 마."

두 사람 사이에서는 그동안 상상할 수 없었던 야릇한 분위기가 이제 아무렇지 않게 흘러들었다. 점차 진짜 연인이 되어 가고 있었다.

정호가 붙잡고 있던 손을 천천히 놓아주었다. 그 어떤 근사한 남자가 와도 자신을 절대로 놓아주지 않겠다는 정호의 품에 유리가 먼저 안겨 버렸다.

"네 옆에만 있을게."

유리가 하는 말이 먹먹한 울림처럼 그의 품속에 갇혔다. 그녀는 정호의 허리를 바짝 안고 등을 어루만졌다.

잠시간의 포옹 후 몸을 떨어뜨린 유리는 웃어 보였다.

"이제 그만 가야지. 우리 어디 갔나 다들 찾겠다."

아직도 웃음소리가 요란한 것을 보니, 두 사람이 없어진 것도 모르고 게임을 하느라 정신이 없는 모양이었지만. 사람들의 눈을 피해 숨어든 상황이 더 오래 길어져도 안 될 것 같았다. 더구나 다른 이는 몰라도 서원은 사라진 두 사람을 의식하고 있을 것이다.

"나 먼저 나간…… 아얏."

문을 열기 위해 몸을 트는 유리의 손목을 정호가 다시 잡아챘다. 이 방으로 끌어당길 때도, 절절한 고백 같은 말을 쏟아 낼 때도, 키스를 퍼부을 때도, 자신을 붙잡은 지금도…… 정호는 몹시 뜨거웠다.

"서울 가면 협약서 따위, 다 찢어 없앤다."

"뭐야, 왜……."

"너 쿨한 거 좋아하잖아. 그냥 쿨하게 다 까고 연애해."

유리는 갑자기 목이 탔다. 아무리 몸이 달았다고 해도, 이건 충동적으로 뒤집을 문제가 아니었다.

"쿨한 거랑 이거랑은 다르지."

정호의 감정이 자신과 비할 수 없을 정도로 오래되었고, 또 깊다는 건 이미 알았다. 눈앞의 이 남자, 친구라는 이름의 이놈은 봄날에 흩날리는 민들레 홀씨보다 더 가벼운 듯 굴어 대지만, 사실은 전혀 아니라는 것도, 그렇기에 쉽게 변할 마음이 아니라는 것 또한 알고 있다.

그의 마음을 믿지 못해 시간을 두려는 것이 아니었다. 지금이라도 손을 잡고 저 방으로 뛰어 들어가, '우리가 연애하고 있어요!'라고 당장 외치지 못하는 이유는…… 아직은 완벽한 확신이 없어서였다.

낯설기만 한 이 감정들에 홀린 상황에서 벗어나 들뜬 마음이 가라앉을 때까지 기다리고 싶기 때문이었다. 유리 역시 결코 가벼운 마음으로 시작한 건 아니었으니까.

그래서일까. 평소의 그녀와는 다르게 '연애해, 까짓것 마음 식으면 헤어지면 되지.'라고 할 수 없다. '쿨'할 수 없었다. 그를 정말 좋아하고 있기 때문에. 사랑하고 연애하는 데 '쿨'한 게 얼마나 말이 안 되는 일인지 알아 버렸다.

그 마음이 어느 정도인지조차 스스로 모르기에 시간이 필요할 뿐이었다. 후에 닥칠 그 어떤 결과도 본인이 책임지기 위해서는 반드시 알아야 할 마음이고, 가져야 할 시간이라고 생각했다.

"자세한 얘기는 서울 가서 다시 하자. 아무튼 우리 연애하는 동안, 내가 한눈파는 일 없을 테니까 쓸데없는 걱정하지 말고. 일단 가자."

이 정도면 서원에 대한 대응도 확실했고, 정호를 안심시켜 주는 대답도 분명하다고 생각했다.

유리는 고개를 쏙 내밀어 복도에 아무도 없는 것을 확인했다. 그리고 다시 고개를 돌려 안에 있는 정호를 보고 생긋 웃었다.

"그럼 나 먼저 들어간다."

다시 어둠에 잠긴 정호의 표정이 어떠했는지 유리는 보지 못했다. 일부러 밝게 웃어 보이고는 복도로 나와 방 쪽으로 향했다.

몰래 나눈 키스로 인해 잔뜩 달아오른 볼에다가 아이스크림 봉지를 대고 열을 식혔다. 그새 녹아 버린 아이스크림들이 비닐봉지 안에 뒤엉켜 있었다. 다리가 조금 후들거리는 것 같았다. 분명 그는 지나치게 뜨거웠다.

다음 날, 아침.

458

밀려든 햇살에 준이 눈을 비비며 몸을 일으켰다. 어젯밤 꽤 늦게까지 술을 마시며 게임을 하고 이야기를 나누었다. 새벽에 잠든 덕분에 온몸이 무겁고 머리는 어지러웠다.

아, 조금만 더 잘까. 둘러보니 정호와 서원조차 아직 깊은 잠에 빠져 있었다. 건너편 방도 조용한 걸 보니 여자들도 아직 깨지 않은 것 같았다.

오늘은 섬을 떠나 서울로 돌아가는 날이었다. 낮에 들어오는 배 시간에 맞추어 이따 떠날 준비만 하면 되니, 지금은 더 자도 괜찮을 듯했다. 휴대폰을 들어 시간을 확인한 준은 찌뿌둣한 몸을 다시 이불 위에 대고 잠을 청하려 했다.

그때 뭔가 이상한 기운이 느껴졌다. 바로 고개를 돌려 반대쪽을 바라보았다. 은강이 벽에 기대어 앉아 있었다. 다만 의아한 점은, 1분 후라도 당장 떠날 수 있을 듯 모든 준비를 마친 모습이라는 것이다.

은강은 일찌감치 씻기까지 한 모양이었다. 뽀얗고 말간 피부에 정돈된 머리, 옷을 갈아입고 가방까지 모두 챙겨 떠날 준비를 모두 끝마친 상태였다. 아직 누구도 일어나지 않은 이 시간에.

"형."

준이 잠에 취해 탁해진 목소리로 은강을 불렀다. 휴대폰을 내려다보고 있던 은강은 지루한 기색이 역력한 얼굴로 준을 보았다. 표정을 보니 저렇게 준비가 끝난 것도 한참 된 모양이었다.

"뭐야, 왜 이렇게 빨리 일어났어."

어제 만만치 않게 술을 마신 은강이 아니던가. 조용히 빠르게 술잔을 비워 가던 모습이었는데, 저렇게 쌩쌩하니 맑은 얼굴로 모든 준비를 마치고 앉아 있는 것이 놀라울 뿐이었다.

"배 시간 아직 많이 남았는데, 더 자……."

더 자라고 하는 말이 무안할 정도로 은강은 완벽한 차림이었지만.

"난 신경 쓰지 마."

은강은 다시 휴대폰으로 시선을 내렸다. 준은 고개를 갸웃거렸다.

"서울에 꿀 발라 놨어? 얼른 가고 싶어 안달 난 것 같네."

"누가 안달이 나."

퉁명스레 대꾸하고 여전히 휴대폰 화면만 만지작거렸지만, 오늘 올라온 기사를 이미 다 읽어 버린 은강은 딱히 할 게 없었다.

"모르는 사람이 보면, 형 서울에 애인 두고 여기 억지로 끌려온 줄 알겠다."

준은 비몽사몽인 중에도 웃으며 농담하더니 이내 다시 잠에 빠져들었다. 은강은 배를 타러 가길 기다리며 의미 없는 시간을 보냈다. 3일이 이렇게 길게 느껴질 줄은 몰랐는데. 마지막 날인 오늘 하루는 더욱 더디게 흘러갈 것이다. 두고 온 것이 뭔지도 모르고 은강은 서울에 가기만을 기다렸다.

답답해진 그는 일어서서 방 밖으로 나왔다. 마을 회관 앞길 너머로 바다가 펼쳐져 있었다. 밖에 나오니 그나마 좀 시원해지는 기분이 들었다. 평상에 올라가 누운 은강은 팔을 올려 머리를 벤 채 하늘을 올려다보았다. 둥실둥실 떠가는 구름을 가만히 바라보고 있는데, 갑자기 누군가의 얼굴이 시야에 들어왔다.

"뭐 해?"

유리였다. 흠칫 놀란 은강이 몸을 비켜 일으켰다. 유리는 싱긋 웃으며 앉았다.

"다들 아침 먹을 생각도 없이 자나 봐. 일어날 기미가 안 보여. 그 방도 너 말고 아무도 안 일어났지?"

은강은 고개를 끄덕였다. 대뜸 유리가 뒤통수를 쳤다.

"대답 좀 해라, 대답을."

아프지는 않았지만 과격한 행동에, 몸을 앞으로 기울이며 은강이 인상을 찌푸렸다.

"넌 꼭 대답을 안 하더라. 누가 무슨 말을 하면 소리 내서 대답하세요. 알았지?"

은강은 순간 그녀의 남동생이 불쌍해졌다. 아니, 멀리 갈 것도 없이 유리에게 늘 맞고 사는 정호가 가장 불쌍했다.

"……네."

물론 대답은 했다. 이어 유리가 머리를 쓰다듬어 주며 웃었다.

"아니, 이렇게 다정다감하게 생긴 양반이 뭘 먹고 그렇게 무뚝뚝해지셨을까. 속을 통 알 수가 없단 말이야."

"……심심하세요?"

아침부터 저를 붙들고 시비를 거는 유리에게 은강이 불퉁하게 내뱉었다.

"아, 맞다. 나 지금 아래 내려가려던 참이야. 여기 바로 밑에 있는 파란 대문 집, 예쁜 할머니. 그 할머니가 감자 많이 쪄 놓는다고 아침에 와서 먹으라고 하셨는데, 김정호 이 새끼는 같이 가기로 해 놓고 일어날 생각을 안 하더라. 너 같이 갈래?"

"됐어요."

"하긴, 너 연상녀 싫어하지. 할머니가 곱긴 하신데 좀 심하게 연상이야, 그치? 50살 연상쯤 되시려나."

혼자 뭐가 그렇게 재미있는지 신나게 웃는 유리를 물끄러미 바라보았다. 지금 저 말에도 대답해야 하는 건가 헷갈리는데, 유리가 이어 말했다.

"그 할머니 막내딸이 나랑 닮았더라고. 그 따님 지금은 고인이 되셨지만."

"……."

"그럼 난 할머니와의 오붓한 시간을 보내고 올게! 다들 준비하는 시간까지는 올 거야."

"네."

아마도 유리는 일부러 아침 일찍 일어난 모양이었다. 은강은 고개를 끄덕이며 소리 내어 대답했다.

"아, 내가 휴대폰 배터리가 나가서 충전기 꽂아 놨거든. 그래서 여기 두고 가니까 혹시 나 찾을 일 있으면 그 집으로 와.”

“네.”

“일어나서 감자 먹고 싶은 사람도 오라고 하고.”

“네.”

“아이구. 우리 은강이 이제 대답을 떡 먹듯이 잘도 하네.”

유리가 함박웃음을 지으며 은강의 등을 향해 손을 뻗었다. 움찔 놀라긴 했지만, 다행히 강스매싱이 아닌 따뜻한 두드림이었다.

“그럼 나 간다.”

“네.”

끝까지 은강의 대답을 챙겨 받은 유리는 손을 흔들더니 길을 따라 경쾌한 발걸음을 옮겼다. 사라지는 유리의 모습을 보고 있던 은강은 다시 발랑 누워 버렸다.

연상녀……. 문득 이슬의 엄마 송화가 몇 살인지 궁금해졌다. 얼굴로만 봐서는 자신과 별 차이가 없을 것 같은데, 이슬이 벌써 8살이니 무조건 28살은 넘지 않았을까 싶었다. 저와 최소 한 살 이상은 차이가 날 게 분명한 연상녀. 후우우, 한숨이 새어 나왔다. 그 여자 나이가 저와 무슨 상관이라고 이렇게 생각을 하나 싶었다. 밀어내려 해도 그녀의 얼굴은 자꾸만 앞에 어른거렸지만, 이 감정이 무엇을 말하는지는 이때의 은강은 깨닫지 못했다.

한참 동안 평상에 누워 흘러가는 구름을 바라보고 있었더니, 어느덧 하나둘씩 일어난 사람들이 움직이기 시작했다. 은강에게는 지루한 기다림이 계속되었다.

“얘는 아침부터 어딜 간 거야.”

막 씻고 나왔는지, 젖은 머리를 수건으로 털어 내면서 정호가 마당으로 나왔다. 일어나 앉은 은강이 정호를 돌아보았다.

“혹시 유리 봤냐?”

그의 물음에 역시나 싶었다. 같이 있으면 못 잡아먹어 안달이지만, 또 떨어져 있으면 항상 서로 찾고는 하는 두 사람이었다.

"아까 나갔어요."

"어딜."

"어떤 할머니 댁에."

"아아. 감자 먹으러."

정호가 어느 집인지 알겠다는 듯 고개를 끄덕였다.

"네."

굳이 대답을 덧붙인 은강에게 정호가 의외라는 듯 웃어 보였다.

"그런데 너, 오늘 왜 이렇게 친절하냐? 뭐 잘못 먹었어?"

은강은 아침부터 뒤통수를 거하게 얻어맞았다고는 말하지 못했다. 그렇지만 정호는 알 만하다는 듯 다시 웃으며 몸을 돌렸다. 상황은 보지 않아도 뻔했다.

아침부터 싸가지 없는 은강의 의식 개조에 힘쓰다니, 내 애인이 참 부지런하기도 하지. 정호는 픽 웃고 말았다. 들어가서 어서 짐을 챙겨 놓고 유리에게 가 봐야겠다고 생각하며 정호가 마을 회관 건물로 들어설 때였다.

"불이에요! 불! 불!"

쾅. 고요하던 심장에 폭풍우가 몰아닥쳤다. 돌아보던 정호의 몸이 굳어 버렸다.

"장 씨 할머니 집에 불이 났어요!"

눈물범벅이 된 아이가 달려오며 소리를 지르고 있었다. 벌써 길 아래쪽은 소란스러워져 있었다.

건물에서 마미와 준이 뛰쳐나왔다.

"뭐? 불?"

"무슨 일이에요!"

평상에서 일어선 은강 역시 당혹스러운 눈빛으로 정호를 바라보았다.

그 집이라면…….

갑자기 너무 큰일이 닥치면 판단이 흐려지는 법이다. 지금 돌아가는 이 상황이 무엇을 말하는지 머리가 멍해져 아무런 생각도 할 수 없었다. 둥둥 뛰는 심장 소리만 들었다.

그러다가.

'……나 어디 안 가. 그러니까 걱정하지 마. 네 옆에만 있을게.'

유리의 목소리가 들려왔다.

툭툭. 눈에서 핏줄이 터지는 기분이었다.

"형!"

준이 부르는 소리가 뒤로 멀어졌다. 정호는 길을 따라 내달렸다. 곧 땀이 뒤범벅되어 그곳에 도착했다.

마당으로 사람들이 모여들었다. 불길이 치솟았다. 집은 이미 걷잡을 수 없을 정도로 거센 화마에 잠식되어 있었다. 눈앞에서 보는 거대한 화염은 사람을 미약하게 만들어 버렸다. 누구 하나 차마 가까이 다가가지 못했고, 여자들은 울기 시작했다.

"어째! 할머니 불쌍해서 어째!"

"서울에서 온 아가씨도 저기 있잖아!"

영문도 모른 채 달려온 마미는 그 안에 유리가 있다는 사실을 알고 다리에 힘이 풀려 쓰러졌다. 마미를 받아 안은 준 역시 불길 위로 퍼지는 검은 연기에 망연해져 버렸다.

"유리야, 유리야아아!"

오열하는 마미를 꽉 안은 채 준은 어깨를 떨었다. 안 돼요. 위험해요.

"내 새끼. 내 새끼 유리야. 유리…… 유리야아아."

철선으로 실어 오는 소방차가 도착할 때까지 시간이 걸릴 것이다. 화재 초기에 불을 끌 수 있는 동력 소방펌프를 설치하기로 한 것도 얼마 전의 일이었다. 지금으로써는 방법이 없었다.

할머니와 유리가 갇힌 집을 보며 사람들은 그저 발을 동동 굴렀다. 각 집에 있는 소화기들을 모두 들고 나왔지만 그것만으로는 불길을 잡기에 어림도 없었다.

"형! 미쳤어요?"

은강이 정호의 팔을 잡았다. 정호가 뛰어들듯 그 불구덩이 속으로 들어가려고 했기 때문이었다. 돌아보는 정호의 눈은 지독히 붉었다. 눈물이 그득 차올라 있다. 힘껏 어금니를 깨물고 있던 그가 간신히 입술을 열었다.

"······저 안에 있잖아."

내 여자가. 내 사랑이. 내······ 모든 것이.

선택이라는 것을 할 수 있었다면, 애초에 그녀를 사랑하지도 않았을 것이다. 하지만 불가능했다. 이대로 흘러가는 인생에 전부를 걸기로 했다. 훗날 그녀가 자신을 제대로 알고 등지는 일이 생길지라도. 지금은 목숨을 다해 사랑하는 것밖에는······. 다른 식으로 살아가는 법은 전혀 알지 못했다.

정호는 은강을 뿌리치고, 자신을 붙잡는 모든 사람의 손을 힘겹게 떼어 냈다.

"정호야! 정호야아!"

마미의 울음 섞인 목소리가 귓가에 박혔다. 정호는 툇마루에 뛰어 올라가 안방 문을 먼저 열었다.

"김유리!"

자욱한 연기 속으로 들어가 그녀를 찾았다. 유리는 이곳에 없었다. 나가서 다른 방도 찾아야겠다고 생각하며 티셔츠를 끌어 올려 코와 입을 막았다. 숨을 쉬기 어려울 정도의 연기가 정호를 짓눌렀다.

쿠와아아아앙! 순간 엄청난 불길이 눈앞에 떨어졌다. 들어온 문 쪽 바로 위 천장이 화염과 함께 내려앉았다. 타오르는 불과 연기 속에 그는 완전히 갇히고 말았다.

10. 가짜 아닌 진짜

"아이구. 저를 어째. 불이 났는가 보네!"

저 멀리 불이 났는지 검은 연기가 하늘 위로 자욱하게 올라가고 있었다. 산책하고 돌아오는 길이었다. 장 씨 할머니의 팔을 붙잡고 걸음을 맞추어 천천히 걷던 유리는 미간을 찡그린 채 그쪽을 바라보았다.

"어머! 할머니. 저기 할머니 집……!"

식별할 만큼 거리가 가까워졌을 때 그곳이 할머니의 집인 것을 알고 더욱 놀랐다.

"저…… 저…… 저를 어째……! 감자 더 삶는다고 올린 불을, 하이고!"

단번에 불이 번진 이유를 떠올릴 만큼 할머니는 정신이 또렷하였다. 그러니 한낱 실수에 불과한 일이었다. 그로 인해 집 한 채가 훌훌 불타오르고 있었다. 할머니가 휘청거렸고, 유리가 단단히 붙들었다.

시집와 60년 넘게 살았던 집이 아닌가. 모든 추억이 그대로 살아 숨 쉬는 곳. 할머니가 경대 서랍에 곱게 넣어 둔 막내 따님의 사진마저, 저 불길 속에 있을 것이다.

어쩌나. 이를 어쩌나. 황망한 얼굴로 할머니와 함께 집까지 걸어와 마당에 들어섰다. 사람들의 울음소리와 비명이 가득했다. 할머니와 자신의 이름이 불리고 있었다. 그만 유리의 정신이 아득해졌다.

"유리야아!"

"엄마……."

유리는 숨이 넘어갈 듯 오열하는 마미를 붙잡았다. 준에게 팔이 잡혀 바닥에 머리를 대고 끄어억 울음을 토해 내던 마미가 고개를 들어 딸을 바라보았다. 믿을 수 없다는 듯 마미의 눈이 동그랗게 벌어졌다.

"……유, 유리야!"

"누나!"

자신과 장 씨 할머니를 본 사람들은 하나같이 귀신을 본 얼굴을 하고 있었다. 그리고 일제히 불길에 휩싸인 집을 돌아보았다.

"혀, 형! 정호 형!"

준이 그쪽을 향해 정호의 이름을 불러 댔다.

대체 왜 이렇게 난리인 건데. 대체 왜…… 이렇게 정호를 찾는 건데.

유리는 눈앞의 집이 아닌 제 가슴속에 화염이 들끓는 것처럼 뜨겁고 찢어질 듯 아팠다. 발끝부터 서서히 굳어 갔다. 시간이 멈추었다. 불길이 어른거리는 움직임마저 뚝 멎었다.

'나는…… 김유리, 나는 절대로.'

'……'

'너 못 보내. 안 보내. 그러니까 그냥 내 옆에만 있어. 딴생각하지 말고, 어디 가지 말고.'

절절하던 그의 목소리만이 유리의 주변을 빙빙 돌았다.

'너 쿨한 거 좋아하잖아. 그냥 쿨하게 다 까고 연애해.'

'쿨한 거랑 이거랑은 다르지.'

십수 년간 제게로 흐르던 그의 마음을 막아 왔고, 마음껏 사랑하고 싶어 애타게 끓는 그의 마음을 또 막고 있었다.

모든 건 자신의 잘못이었다. 그게 마지막이어서는 안 되었다. 너와 내가 마주 볼 수 있는 현실보다 중요한 것이 어디 있다고. 서로의 품에 안길 수 있다는 사실보다 중요한 것이 대체 어디 있다고, 나는 왜 그렇게 어리석었을까.

뭐가 그렇게 복잡해서. 뭐가 그렇게 걸리는 게 많아서. 너를 이대로, 내가 어떻게 너를 이대로.

그때, 쿠우우우웅!

정호가 들어갔다는 문 앞쪽으로 불에 타던 윗부분이 내려앉았다. 입구가 막혀 버렸다.

"아아아아악! 저, 정호! 정호야아아아아!"

이성을 잃은 유리가 불길 앞으로 달려 나갔다. 그보다 더 빠르게 그녀를 붙잡아 품에 안은 건 서원이었다.

찰나였다. 샤워하고 나와 뒤늦게 불난리를 보고 달려왔던 서원은 도착하자마자 금세 상황을 알아차렸다. 가까스로 유리가 뛰어들려는 것을 붙잡아 막더니 이내 은강에게 던지듯 그녀를 안겨 주었다.

"놔아아! 놔, 제발! 놓으라고! 정호야! 정호야!"

유리가 은강의 팔에서 빠져나오려고 몸부림을 치며 울었다. 주변의 모두가 어찌할 바를 몰랐다. 서로를 구하겠다고 불길에 뛰어들려던 두 사람. 결국 한 명은 불 속에 갇혀 버렸고, 다른 한 명은 그 불 앞에서 제 가슴을 쥐어뜯고 있었다.

화재 상황은 좀 전보다 훨씬 더 위험해져 있었다. 이내 결심한 듯 서원이 움직였다. 이번에는 누구도 붙잡을 사이도 없었다. 장비도 없이, 게다가 구조 훈련을 받은 것도 아닌 서원이 빠르게 불 속으로 뛰어 들어갔다.

요란한 비명을 뒤로한 서원은 침착하게 연기 속에서 이 집의 구조를 떠올렸다. 장 씨 할머니의 집은 서원이 직접 살펴 드리기 위해 몇 번이고 방문

한 적이 있었고, 그건 불과 어제도 마찬가지였다. 그렇기에 서원은 문 쪽이 무너졌어도 정호를 데리고 나올 방법을 알고 있었다.

불에 타오르지 않는 곳을 디디며 천천히 뒤쪽으로 돌아갔다. 뒤편 부엌을 지나 안방으로 통하는 문이 또 하나 있었다. 아마 정호가 앞문을 열고 들어갔다면, 자욱한 연기 속에서 뒷문은 발견하지 못하고 있을 수 있었다.

쿠우웅! 콰아아! 약한 천장에서 불길이 떨어졌다. 찰나에 그 화염을 피한 서원은 다시 걸음을 옮겼다. 유독 가스에 질식될 수 있기에 조금도 지체할 수 없었다. 먼저 불 속에 들어온 정호가 위험한 상태일 것이다.

아마도 화재의 진원지인 것이 분명한 부엌은 그 연기가 더욱 지독했다. 서원은 간신히 부엌을 통과하여 더듬더듬 벽에서 문을 찾았고, 그 문을 벌컥 열었다.

"김정호!"

시야가 확보되지 않은 상태에서 정호를 불렀다.

"정호야! 김정호!"

서원은 누군가 심장을 강하게 쥐어짜는 듯한 아픔을 느꼈다. 미친 사람처럼 소리를 지르며 불 속으로 뛰어들려던 유리의 모습이 생생했다. 간신히 잡아채 품에 안았을 때 그 울음 섞인 떨림도.

'제가 따로 좋아하는 사람이 있어요. 저, 지금 그 사람이 정말 좋아서. 아무리 기다리신다고 해도, 제가 선생님께 가는 일은 절대로 없을 거예요.'

누구를 말하는지 눈치는 채고 있었다. 하지만 이보다 더 잔인한 확인 사살이 어디 있을까. 자신의 앞에서 그 남자를 위해 목숨도 버리려는 유리를 본 순간, 서원의 가슴은 처절하게 무너졌다. 그리고 그녀를 대신해 지금은 이 불길 속에 서 있었다.

"김정호! 이 자식……! 있으면 대답 좀 해 봐!"

방독면조차 없이 매캐한 연기를 그대로 들이마시며 서원은 정호를 애타게 불렀다. 팔을 뻗으며 그를 찾으려 했다. 불길이 제대로 눈앞에 있는 걸 보니 천장의 상당 부분이 내려앉은 듯했다.

"허어억, 형……!"

그때 다리를 꽉 잡는 손길이 느껴졌다. 정호였다.

"정호야!"

괜찮은지 물어볼 겨를이 없었다. 서원은 얼른 정호를 부축해 일으켰다. 어서 이곳에서 빠져나가야 했다. 조금만 더 늦어도 이 집은 완전히 무너질 터였다. 정호의 팔을 제 어깨에 두르고 그의 허리를 안았다. 정호가 다른 손에 무언가를 꽉 쥐고 있었다.

다행히 정호는 걷기에 큰 무리가 없는 것 같았다. 들어온 길을 되짚어 다시 부엌을 지나고 앞으로 돌아 나갔다. 아까보다 불이 더욱 번져 있었다.

뒤로 쿠우웅, 또 천장이 내려앉았다. 땀이 줄줄 흐르고 숨이 막혔다. 바닥 전체에 불이 붙은 게 아니라서 간신히 피해 가며 걸을 수 있었다. 서원은 정호를 부축하여 불길 사이로 빠져나왔다.

웅성거리는 소리가 조금씩 크게 들려왔다. 마침내 정호를 붙잡아 불길에 휩싸인 집에서 완전히 벗어났다. 뜨거운 기운이 잡아먹을 듯 등 뒤에서 이글거렸다. 그곳에 있었다는 것을 실감할 수 없었다.

아, 살았구나. 이제 되었구나. 연신 기침을 하며 마당으로 쓰러질 듯 위태롭게 걸어 나왔다.

무사한 두 사람을 본 섬마을 사람들의 입에서는 탄성과 함성, 그리고 울음이 뒤섞여 터져 나왔다. 타오르는 불보다 더 요란하게 그 소리가 울려 퍼졌다.

불타고 있는 집에서 벗어나 안전한 위치까지 걸어 나온 서원은 이내 정호를 놓아주고, 허리를 숙이며 기침을 했다.

그때, 유리가 뛰어와 서원을 지나쳤다. 그녀가 지나가며 일으킨 바람은 가슴속까지 시릴 만큼 서늘했다. 예상했으면서도, 마음이 아픈 것은 어쩔 수 없었다. 서원은 고개를 들지 못했다. 눈으로 보면 견딜 수 없을지도 몰랐다. 이내 기침이 터지는 입을 막으며 등을 돌렸다.

유리의 세상은 모두 하얗게 부서지고, 오로지 숨을 쉬고 있는 정호만 보였다. 그을음에 엉망이 된 얼굴로, 먹먹한 눈빛으로, 벅찬 감정으로 자신을 내려다보고 있는 정호만이 유리의 전부였다.

"……정호야."

유리는 두 손을 뻗어 그의 볼을 감쌌다. 너 맞지. 진짜 너 맞지. 더듬듯 볼을 만지는 그 손길은 애타기만 하였다.

"이 멍청아. 바보야. 이…… 또라이, 나쁜 놈."

그를 만지며 유리는 눈물을 쏟아 냈다. 그러고는 정호를 힘껏 끌어안았다. 고마워. 살아 줘서 고마워.

그의 심장 소리를 느끼며, 얼굴을 파묻고 끅끅 울었다. 허리를 당겨 안고, 등을 어루만지며. 살아 있구나. 숨 쉬고 있구나. 그 사실이 얼마나 감사한 것인지를 마음껏 느꼈다.

팔을 늘어뜨리고 있던 정호가 천천히 유리의 어깨를 잡고 떨어뜨렸다. 유리가 눈물이 엉망으로 번진 얼굴로 올려다보았다. 불과 연기 속에서 할 수 있는 것이 없어 얼마나 절망적이었는지. 네가 어디 있는지 알 수 없어 얼마나 가슴이 타들어 갔는지.

정호는 그때 느꼈던 아찔한 감정이 되살아났다. 입구가 무너지고 그렇게 갇혀 버렸던 그때.

'아아아아악! 정호! 정호야아아아아!'

바깥에서 들리던 절규. 유리가 밖에 있었다. 자신이 빠져나가지 못한다는 사실보다 그 사실이 더 먼저 다가왔다. 다행이다. 유리가 불 속에 있는 게 아니구나. 그러고 나서야 빠져나갈 방법이 없다는 걸 알았다. 자신을 구하러 온 서원이 아니었다면, 어쩌면…….

제 몸에서 떨어뜨린 유리의 어깨를 잡고 들여다보았다. 자신을 잃는다는 생각만으로도 격한 슬픔에 빠져 있던 여자가 제 앞에 있었다. 생사 앞에서 무엇이 더 문제일까. 자신과 같은 마음으로 서 있는 여자가 바로 여기 있는데.

정호는 유리를 당겼다. 그녀의 뒤통수를 받치고 입술을 내리눌렀다. 뜨겁고, 짜고, 매운 입술 맛이 느껴졌다. 그 어느 때보다 애틋하고 강렬한 키스였다. 힘껏 그녀를 안고, 입술을 탐했다.

유리가 허리를 바짝 껴안았다. 감은 눈에서 눈물이 쉴 새 없이 쏟아졌다.

불난 집에서 빠져나오는 순간에도 정호가 손에 꽉 쥐고 있던 것은 할머니의 막내딸 사진을 비롯해 가족사진들이 든 수첩이었다. 그리고 바지 주머니에서 통장, 도장, 금반지가 든 파우치, 얼마간의 현금이 쏟아져 나왔다.

불길 속에서 나갈 방법을 찾기 위해 움직이다가 무언가 발에 걸렸고, 그게 경대라는 것을 알았다. 할머니가 그 서랍에서 따님의 사진을 꺼내지 않았던가.

얼른 열어 보니 이것저것 손에 잡혔다. 아무래도 할머니의 가장 소중한 보물 상자인 모양이었다. 나가면 이것도 같이 가져가야지 싶어서 몇 개는 주머니에 쑤셔 넣고, 여러 장의 사진이 든 수첩을 손에 쥐었다.

불에 탄 집에서 건져 낸 것은 그것뿐이었고, 할머니는 그것이 온전히 전부라도 되는 것처럼 눈물을 흘리며 정호를 끌어안았다.

"고맙네. 고마워. 정말 고마워……."

모든 것을 다 잃었다고 생각했을 때 받아 든 것이라 할머니는 그것들이 더욱 소중하게 느껴졌다. 더욱이 유리의 손을 붙잡고 산책을 나왔기에 다친 곳이 없어 다행이기도 하였다. 목조로 된 집이라 그만큼 불길이 번져 가는 속도도 빨랐기에 하마터면 정말 큰일 날 뻔했다.

뒤늦게 도착한 소방차로 남은 불이 진압되었고, 당분간 할머니는 이장 아줌마 부부 댁에서 생활하기로 하였다. 나머지는 중평도 주민분들이 일을 처리하기로 하였다.

경황이 없는 가운데 병원과 카페 식구들은 가까운 시일 내에 다시 찾아 뵙겠다고 인사를 드린 후 섬에서 나왔다. 그리고 시내의 큰 병원으로 가서 간단한 검사들을 받았다. 겉으로 화상을 입은 부분은 없었지만, 뜨거운 화기와 독성 매연이 기도와 폐에 들어가 입게 되는 흡입 화상이 우려되었다.

다행히 불 속에서 보낸 시간이 그리 길지는 않았다. 빨리 구조된 덕분에 몸에 큰 이상은 없었다. 정호도, 서원도 두 사람 모두 무사하였다.

"아, 정말……. 무슨 일 나는 줄 알고."

준이 아찔했던 순간들을 떠올리며 어깨를 떨었다. 생각만 해도 끔찍했었다. 병원까지 오고 나서야 긴장이 풀리는 듯했다. 아무런 준비도 없이 그저 눈이 뒤집혀 불 속으로 뛰어들려던 사람들을 온몸으로 막느라 준도 기진맥진해 있었다. 그건 은강도 마찬가지였다.

마미야 딸이 불 속에 있다니 그럴 수 있다 쳐도, 정호와 유리는 정말 의외였다. 서로를 구하겠다고 뛰어들던 사람들. 두 사람이 사랑하는 사이라는 것은, 처음 알게 된 사실이었다. 모두의 앞에서 그렇게나 격한 키스를 나누었으니, 이제 세상이 다 아는 이야기가 되어 버렸다.

두 분은 연인 관계를 공개해도 어쩜 저렇게 화끈하게 하실까. 준은 새로운 눈으로 정호와 유리를 보았다.

입원은 정호만 하게 되었다. 하루 더 경과를 보자고 해도 서원은 굳이 서울로 가겠다고 고집을 부렸다. 유리는 서원과 따로 복도로 나왔다.

"죄송하고, 감사합니다. 정말. ……선생님."

"그런 말씀 하지 마세요. 정호가 아니라 누가 있었어도 전 마찬가지였을 거예요."

그의 마음을 거절한 지 하루도 되지 않아 결국 자신이 사랑하는 사람은 정호라는 것을 보여 주고 말았다. 두 사람이 서로의 존재를 확인하고 사랑을 느끼는 순간이, 서원에게는 얼마나 잔인한 광경이었을지. 뒤늦게야 미안함이 밀려와 유리는 고개를 들 수가 없었다.

"그런데…… 알죠? 내가 먼저 좋아했는데."

서원의 웃음 섞인 목소리.

"두 사람 세월엔 당할 수 없다고 생각했었는데 ……따지고 보니 내가 먼저 좋아한 거잖아요."

이십 년 전부터 유리를 마음에 품고 남은 생 모두를 살아온 남자였다.

"그래서 조금 억울하긴 하지만."

"……"

"뭐, 할 수 없죠."

서원은 웃어 보였다. 그 미소가 무척 쓸쓸했지만.

"세월이 전부가 아니었네요. 어차피 유리 씨에겐 저는 아니었나 봐요. 인정하기 힘들어서 그렇지, 완전히 알았어요."

"……"

"전 다른 분들이랑 먼저 서울에 가 있을게요. 그리고 내일 올라오시면, 다시 웃는 얼굴로 봅시다."

유리의 마음을 편하게 해 주고 싶었다. 돌이킬 수 없는 상황이 되어 버렸다면, 자신의 존재가 걸림돌이 되는 것은 원하지 않았다. 쓰린 가슴에 술을 한 잔 삼킬지라도, 그건 온전히 자신만의 일이어야 했다. 유리가 그 짐을 지도록 하고 싶지 않았다.

"담백하게. 2층 선생님과, 1층 카페 사장으로요."

서원이 웃으면서 한 말은, 유리가 지난번에도 했던 말이었다. 명확하게 선을 그으며 하던 그녀의 말을 이제야 돌려주었다. 더 이상 감정이 나아가 서는 안 된다는 것을 알기에 더욱 마음이 아렸지만, 이제는 여기서 끝을 맺어야 했다.

"감사해요, 선생님."

제게 편하게 구는 모습 한 번 보여 주지 않고 여전히 그녀는 예의 바르게 인사했다. 쓸쓸하고도 씁쓸한 실연이었다.

"제가 정말, 정호 구해 주신 은혜는 두고두고 갚을게요. 감사해요."

"그러지 마세요. 유리 씨가 정호 대신 갚아 주는 거, 나한테 끝까지 너무 잔인한 겁니다."

"아…… 그런가요. 그럼 은혜 갚기는 김정호가 셀프로 하게 할게요."

유리가 이내 웃었다. 이제야 완전히 거절의 종지부를 찍었고, 그녀 역시 가슴이 아팠다. 어떤 이유로든, 사람의 마음을 밀어낸다는 것이 분명 쉬운 일은 아니었으니까.

환자복을 입고 침대에 누운 정호를 내려다보며 마미와 준, 은강이 복잡한 눈을 하고 있었다.

아침나절, 너무도 많은 일이 한꺼번에 일어났기에 혼이 쏙 빠지는 것만 같았다. 상황이 정리되자 이제 정호에게 어떠한 이야기든 듣고 싶었지만, 검사가 끝난 후로 병실에 돌아온 정호는 여전히 눈을 감고 있었다.

"우리 이제 출발할 건데, 그래, 인사도 안 할 거니?"

마미가 나지막한 목소리로 물었다. 정호가 눈을 반짝 떴다. 벌떡 일어나 앉았다.

"가시려구요? 하하. 그럼 유, 유리도 같이 데려……."

"유리가 왜 서울에 가. 우리만 갈 거야."

"네?"

"낯선 이 병원에서 하루를 보내야 하는데 널 어떻게 혼자 두고 가?"

"……."

"아주 절절 끓는 사랑인데. 유리는 여기 남아야지."

마미의 말에 준이 옆에서 말없이 엄지를 척, 올려 보였다.

"형. 와! 다시 봤어요. 진짜. 상남자. 우와아아. 박력 쩔어."

입술을 우우, 내밀며, 키스하던 순간의 두 사람을 놀리기까지 했다.

정호는 눈빛을 번뜩였다. 내 저놈의 주둥아리를……. 정호의 마음을 알았는지, 옆에 있던 은강이 준의 입술을 손으로 잡아 늘였다.

"아아아파! 형!"

준이 입술을 문지르는 사이 마미가 날카로운 말투로 물었다.

"그래서 언제까지 감추려고 했어? 언제부터 시작했고?"

"아, 저, 일부러 숨긴 건 아니구요. 때가 되면 천천히 말씀드리려고……."

"그렇게까지 마음이 깊은데, 내가 눈 뻔히 다 뜨고 있는 상황에서 지금까지 몰래 만나다니. 그게 숨긴다고 숨겨지는 거야?"

두 사람의 시작되는 사랑을 탐탁지 않아 하시는 모양이었다. 그러고 보니 유리가 오늘 여기 남아야 한다고 할 때의 말투도 그리 부드럽진 않으셨다.

심상치 않은 분위기에 준과 은강은 장난을 그만두었다. 팔짱을 끼고 내려다보는 마미를 향해 정호는 얼른 침대 위에서 무릎을 꿇었다.

"죄송합니다. 제가 생각이 짧았습니다."

"……."

476

"유리가 일단 말씀드리자고 하는 걸, 좀 더 안정되면 밝히자고 제가 막은 바람에."

병실에 들어서던 유리가 그 말을 듣고 입을 벌렸다. 쟤가 지금 뭐라고 하는 거야. 엄마는 또 왜 저렇게 찬바람 쌩쌩이야.

"그래서, 언제까지 속이려고. 이 일 아니었으면 둘이 그렇게 계속 몰래 만나고 그러려고 했어?"

"죄송합니다. 면목이 없습니다."

정호는 고개를 숙였다. 유리와 함께 밤을 보낸 날들이 몇 번 있었다. 그거야 다 친구 사이라는 것을 아시기에 묵인해 주셨을 것이다. 그러는 동안 둘 사이에 어떤 일들이 있었을지, 온갖 추측들로 인해 배신감이 드는 것도 당연할 터였다.

"엄마!"

관계를 숨긴 것은 정호의 잘못이 아니라고 유리가 말하려던 찰나, 팔짱을 탁 낀 마미가 입을 열었다.

"그것도 모르고. 내가 마음고생한 걸 생각하면 참. 내 딸한테 무슨 문제가 있는 건 아닌가, 이제나저제나 둘이 잘될 때도 됐는데, 하고 마음 졸이던 나는 뭐가 되니. 사귀면 사귄다고 빨리빨리 얘기해야 할 것 아니야."

"네?"

반전된 분위기에 정호가 고개를 들었다. 허리를 숙여 눈을 맞추며 마미가 싱긋 웃었다.

"그래서, 결혼은 언제 할래?"

"엄마! 결혼은 무슨 결혼이야, 벌써!"

유리는 기겁하여 마미의 팔을 붙잡았다.

"때가 되면 결혼도 하는 거지, 내가 뭘 어쨌다고 난리야."

그 팔을 냉정하게 쳐 내며 마미가 당당한 어조로 말했다.

"그리고 너희가 뭐, 나이나 적어? 재미로 사귀는 것도 아닐 테고."

침대에 무릎을 꿇고 앉아 있던 정호는 차마 편하게 앉지 못하고 그 자세를 계속 고수했다. 무릎을 펼 타이밍을 놓친 탓에 서서히 다리가 저리는 것을 그대로 느껴야만 했다. 준과 은강이 정호를 안됐다는 듯 짠한 눈빛으로 바라보았다.

유리와 마미와의 설전은 계속되었다.

"내가 이래서 말을 못 했던 거야. 우리 사귄 지 열흘 정도밖에 안 됐단 말이야. 결혼이고 뭐고 그런 소리 꺼내지 마."

"그럼 결혼 생각도 안 하고 무작정 사귀는 거야? 너희가 애들이야?"

"공개는 어쩔 수 없이 하게 됐지만, 정말로 나는 되도록 밝히고 싶지 않았어. 그러니 우리가 사귀고 있다는 사실, 그냥 조용하게 받아들여 줬으면 좋겠어."

"시끄럽게 오픈할 때는 언제고, 왜 조용하게 받아들이래."

"아니, 엄마, 생각을 해 봐. 우리가 잘 사귀다가 만약 헤어지면 이후에는 어떻게 할 거야. 나랑 쟤, 헤어지게 되면 우리 주변 사람들을 어떻게 보냐고. 하나둘 엮인 것도 아니고, 모든 인간관계가 거의 다 얽혀 있는데. 어느 한 사람이 전부 다 버리고 외국으로 떠나지 않는 이상, 서로 멀쩡한 얼굴로 살 수나 있겠냐고."

스무 살 무렵 잠시 만났다가 헤어진 후에도 친구로 잘 지낼 수 있었던 것은, 가짜 연애였기 때문에 가능한 일이었다.

지금은 다르다. 헤어지면 정말…… 예전처럼 잘 지낼 자신이 없었다. 이건 진짜니까.

"너는 왜."

듣고 있던 마미가 입을 열었다.

"이제 사귀기 시작했다면서, 벌써 헤어질 생각부터 하는 건데?"

순간 유리가 할 말을 잃었다.

"한창 좋아 앞뒤 분간 없이 정신 못 차리고 빠져드는 것도 모자란 시기에, 왜 헤어진 후의 걱정만 하고 있냐고, 너는."

"……아니, 난 그냥 걱정돼서."

"너 이 기집애야. 지금 네 상황 같아서는 정호 없으면 아마 잠깐도 못 살 거다. 헤어지면 이렇고 저렇고, 따지면서 사서 걱정하고 있을 때가 아니라고. 네 마음 뭔지 모르겠어?"

"……엄마."

"어디 가서 내 딸이라고 하지 마라. 공부만 죽어라고 했지, 세상모르는 것 천지에, 아주 헛똑똑이가 따로 없어요. 어디 말랑말랑한 구석이 좀 있어야지. 눈에 그렇게 독기만 잔뜩 들어 가지고, 이거 들키면 안 되는데! 이러고 부릅뜨고 있으면, 그 연애가 퍽도 재미있겠다!"

퍼붓던 마미가 고개를 확 돌려 정호를 보았다.

"넌 대체 뭐가 좋다고 쟤를 만나니!"

"네?"

"내 딸이지만 참! 정호 네가 훨씬 아깝다!"

분한 듯 쏟아 내는 마미를 향해 정호는 저린 다리를 어쩌지 못하고 어색하게 웃어 보였다. 이런 상황은 생각해 본 적이 없어서 뭐라 대답을 해야 할지 난감하기만 했다.

예쁨받는 거 맞지, 나. 그런데 왜 이렇게 무서운 걸까. 정호는 여전히 어색한 미소를 입술에 걸고 있었다.

"알았어, 엄마. 그만해."

그 기에 눌린 유리가 끝내 항복의 깃발을 올렸다. 마미가 미소를 지으며 돌아보았다. 이제 와 부드럽게 웃는다고 아까의 그 카리스마가 어디 가는 것도 아니지만 말이다.

"결혼은 1년 후도 좋고, 3년 후도 좋고, 5년 후에도 해도 좋아. 당장 하라고 들들 볶는 거 아니야. 그래도 서로 모르는 사이도 아니고, 연애 오래 해 봐야 피곤하기밖에 더 해. 내 생각에 결혼은 빠르면 빠를수록 좋고, 결혼한 다음에 하는 연애도 꽤 괜찮아. 그러니까 두 사람, 열심히 만나 보고 결혼도 잘 생각해 봐."

무릎을 꿇고 있던 정호가 뒤에서 비장한 목소리로 대답했다.

"알겠습니다, 장모님. 감사합니다."

"야!"

유리가 버럭 소리를 질렀고, 마미가 딸의 입을 막으며 친절하게 웃어 보였다.

"내 딸이 좀 사납고 독하긴 하지만, 잘 부탁하네, 사위."

"서원 형도 출발 잘 했지?"

침대에 걸터앉아 있던 정호가 물었다. 배웅을 마치고 병실로 돌아온 유리는 고개를 끄덕이며 침대 곁으로 다가왔다.

"응. 엄마 차 먼저 가고, 선생님 차 그다음에."

"형한테는 고맙다는 인사도 제대로 못 했네. 경황이 없어서."

"선생님 아니었으면 너 정말 어떻게 됐을지……."

생각만 해도 아찔하고 끔찍한 듯 유리의 미간에 금이 생겼다.

정호가 유리의 손을 잡아 제게로 당겼다. 쉽게 이끌려 온 유리의 허리를 꼭 끌어안았다. 그녀의 품에 얼굴을 묻고 달콤한 체취를 흠뻑 들이마셨다.

서 있던 유리가 천천히 정호의 머리를 쓰다듬었다.

살아 있음을 느끼고, 살아 있음에 감사한 순간이었다. 아직도 눈앞에 치솟던 불길이 생생하기만 했다. 불과 반나절 전의 일이었다.

"그런 의미에서."

나지막한 정호의 음성이 들려오자 유리가 귀를 기울였다.

"……우리."

"……."

"결혼은 언제 할까?"

"얘 뭐래."

사랑을 확인한 것도 좋고, 모두의 앞에 두 사람 사이를 공개한 것도 좋다. 다 좋은데, 왜 갑자기 결혼 얘기로 난리들인지.

난데없는 결혼 공격에 유리가 몸을 떨어뜨리려고 하는데, 정호가 놓아줄 수 없다는 듯 그녀를 안은 손에 힘을 꽉 주었다.

"놔, 김정호 좀 놔 봐."

"싫어."

"일단 놓고 얘기해."

"싫다니까."

유리가 버둥거리며 벗어나려고 했지만 물론 쉽지 않았다.

"장모님이 결혼 빨리하라고 하셨잖아. 내가 뭐, 잘못 말했냐?"

"뭐, 장모님? 누가 네 장모님이야!"

든든한 배경이 생긴 정호는 이 기회를 놓칠 수 없었다. 하고 싶은 소리 다 하고, 포박한 덕분에 등짝도 얻어맞지 않았으니 일거양득이다. 정호는 유리의 허리를 꽉 안은 채 그 품에 얼굴을 묻고 있었다.

"장모님이 장모님이시니까 장모님이라고 불러야지, 그럼 내가 너희 어머님을 시어머니라고 해야겠냐?"

자신을 밀어내려는 유리를 안은 채 정호는 계속해서 궤변을 늘어놓았다.

"마미님께 내가 사위지, 며느리는 아니잖아? 호칭 확실히 해야지, 너 벌써 헷갈리고 그러면 안 된다. 마미께서 장모님이고, 내가 사위야."

"헐, 마미라고 부르란 것도 어이 터졌는데, 이제 장모님까지! 엄마 유치하게 왜 그러셔, 진짜. 넌 또 왜 그러고!"

"받아들일 건 받아들여야지, 이게 거부한다고 되는 일이 아니야."

이렇게 꽉 안고 있으면 맞지 않을 수 있어 좋다. 비겁하면 좀 어떤가. 안고 있으니 행복한데. 결혼 이야기는 상상만으로도 더 좋고. 폭신폭신한 그녀의 가슴에 파묻힌 얼굴 위로 미소가 퍼지는 건 물론이었다.

결혼, 그 꿈같은 이야기도 현실로 이룰 수만 있다면, 얼마나…… 좋을까. 그렇게 될 수만 있다면……. 내가 가진 모든 것을 다 주고 너 하나 얻는다면, 그걸로 나는 충분히 행복할 텐데…….

유리의 몸부림이 딱 멎었다. 병실 안에 고요한 공기가 내려앉았다. 그녀의 가슴에 제 얼굴을 묻고, 허리를 끌어안고. 제 다리 사이에 서 있는 그녀를 가둔 채 그렇게 한참을 안고 있었다.

아무도 없는 병실이니 이대로 유리의 몸을 돌려 눕히고 입을 맞추면 어떨까 생각했다. 점점 검은 마음이 정호의 내면을 잠식해 갈 때쯤, 그녀가 대뜸 물었다.

"야, 김정호. 근데 너 결혼 생각, 진심이야?"

"진심이지, 농담이냐?"

"아니, 이게 미쳤네, 진짜. 무슨 프러포즈를 이딴 식으로 하냐고."

무슨 소리지 싶은 순간, 유리가 정호의 어깨를 밀치고 그 품에서 빠져나왔다. 눈을 흘기며 내려다보는 유리에게서 묘한 기운이 감지되었다. 경계령이 발동되었다.

"너 지금 결혼이 장난이야? 이준원 프러포즈한 거 얘기 못 들었어?"

이준원 주의보. 청담동 레스토랑 '담'의 스타 셰프, 대한민국 남자들의 공공의

적, 이준원의 프러포즈 영향권에 접어들어 그 피해가 예상되는 시점이었다.

정호는 딴청을 부리며 목을 긁었고, 유리가 이어 말했다.

"결혼하자는 얘기가 나오려면, 야, 그 정도는 해야지 얼렁뚱땅 결혼은 무슨! 이게 프러포즈라고? 지금 어디서 날로 먹으려고 들어."

발효된 이준원 주의보는 전국 남성들의 원활한 연애 활동에 극심한 타격을 주므로, 만일의 사태를 대비하여 정신을 똑바로 차리고 대응할 필요가 있었다.

"김유리, 네가 뭐라고 했냐. 남과 비교하지 말라며. 남하고 비교하는 순간 지옥에서 살게 된다면서. 지금 이준원이랑 비교하는 거야?"

이럴 때 쓰라고 한 말은 아니었겠지만, 일단 그녀의 입에서 나온 말을 그대로 가져다 쓰는 것이 효과적일 터. 유리가 움찔하며 그 기세가 한층 수그러진 데 의의가 있었다.

정호는 여세를 몰아 말을 보탰다.

"이준원이 한새연한테 프러포즈한 거, 오글거린다고 신나게 욕하던 사람이 누구더라. 김유리 님 아니셨나."

"아니, 내가 또 무슨 욕을 했다고 그래……."

이준원 주의보는 세력이 한층 약해지면서 해제될 가능성을 내보이고 있었다.

"솔직히 이준원도 그러면 안 되지. 세상 혼자 사는 것도 아니고, 무슨 프러포즈를 그렇게 거하게 해서, 이건 남자들 다 죽으라는 거지. 예의가 없어도 너무 없어요. 그런 거에 감화, 감동받고 그러면 못 쓴다. 이렇게 마음 확인한 것만 해도 어딘데 무슨 프러포즈를……."

"이제 그만해라."

다다다다 내뱉는 정호를 얄밉다는 듯 바라보던 유리가 나지막하게 말했다. 정호는 얼른 입을 다물었다. 유리는 그 입술을 손으로 톡톡 때리듯 두드렸다.

"이거 이거, 입만 살아서."

푸푸푸, 정호가 입술을 내밀고 고개를 저으며 유리의 손길을 열심히 피했다. 아마 유리가 제대로 반격을 시작한다면, 사실상 이야기는 산을 넘고 물을 건너 어디로 가는지 모르게 한참을 흘러갈 테니 밤을 새워도 모자랄 것이다.

정호와 유리가 말싸움을 하고 있으면, 종종 오총사 중 한 명인 혁준이 옆에서, '사내놈끼리 싸울 때 주먹을 써야지, 입만 쓰고 있으면 되겠냐.'고 농담을 하곤 했으니까. 이제 동성 친구인 것처럼 장난스러운 말을 건넬 사이는 아니지만, '입만 살아 있는' 건 여전했다. 사람은 쉽게 바뀌는 게 아니었다.

사실 이대로가 좋다. 이런 식으로 계속 연애를 하게 되겠지. 어쩌면 근사하고 로맨틱한 프러포즈 같은 건 평생 없을지 몰라도, 이 순간 이렇게 함께 있을 수 있다는 사실이 그저 행복할 뿐이었다.

정호는 기습적으로 유리의 몸을 안고 돌려 침대에 풀썩 눕혔다. 물론, 이런 행동을 할 수 있는 사이가 되었다는 점이 가장 고무적이다. 고이 간직했던 흑심을 현실로 드러낼 수 있다니, 이 얼마나 아름다운 관계인가. 연애는 행복하다. 어떤 일이 일어날지 미래에 대한 걱정만 잠시 접어 둔다면, 순간의 감정은 분명 행복하였다.

"야, 왜, 왜 이래. 이거 놔, 여기 병실이야."

침대에 누워 몸이 깔린 채 얼굴이 붉어진 유리가 정호를 올려다보며 말했다. 말과는 달리 밀어내지 않는 모양새가 그리 싫지는 않은 듯했다. 그런 유리가 자신을 얼마나 설레게 하는지.

정호는 입을 맞추려고 얼굴을 내렸다. 언제 거부하는 말을 했는가 싶게 유리가 천천히 눈을 감았다. 불 앞에서 나누었던 그 절절하고 애틋한 키스와 다르게, 촉촉하고 따뜻한 기운이 가슴속으로 밀려들었다. 가만히 입술을 스치고 건드리는 그 움직임에 몸이 녹아내리는 듯했다.

한참을 달게 맛보고 느끼던 입술이 떨어졌다.

정호의 시야에 키스의 여운이 깊게 스며든 유리의 눈 감은 얼굴이 들어왔다. 위험할 정도로 아름다운 모습이었다. 자신이 이대로 미쳐 버리면 어쩌려고 무방비하게 이런 얼굴을.

……이곳이 어딘지 잊지 않으려 정호는 한 가닥 남은 이성의 끈을 단단히 부여잡았다. 눈을 한 번 질끈 감았다가 뜨고, 정호가 가볍게 웃으며 말했다.

"충분히 벗어날 수 있었을 텐데. 이거 놓으랄 땐 언제고, 이렇게 또 키스를 즐기신다."

"뭐?"

역시나 그녀의 얼굴에서 야릇한 여운이 단박에 사라졌다. 아쉽긴 하지만 그래도 병실에서 진도를 나가면 안 되니 할 수 없었다.

유리는 반응이 참 단순하여 예상하기 좋다는 장점이 있었다. 그 반응이 너무 격한 것이 탈이기는 하지만.

"이게 사람을 놀려."

퍽. 손을 뻗어 베개를 쥔 유리가 정호의 얼굴을 정확히 가격하였다.

"왜, 왜. 내가 틀린 말 했어? 맞을 땐 맞더라도 한 번만 더 하고 맞자. 이리 와 봐."

베개로 얼굴을 맞은 충격이 보통은 아니었지만 꿋꿋하게 정호가 팔을 뻗었다.

"싫어, 이 새끼야, 저리 가!"

자신의 가슴을 발로 뻥 차고 여전히 베개를 휘두르는 유리는 가히 여전 사급이었다.

그때 병실에 막 들어서던 간호사가 놀라서 말했다.

"보, 보호자분, 환자 패시면 안 돼요! 병실에서 싸우시면 안 됩니다……."

유리가 정호에게 격정적인 구타를 선사하는 그 시각, 서재 컴퓨터 앞에 앉아 있던 새연이 밝은 얼굴로 소리쳤다.

"예약 성공!"

책을 보고 있던 준원이 고개를 들었다.

"됐어?"

"응!"

준원이 의자에서 일어서서 새연의 뒤로 왔다. 그리고 함께 화면을 들여다 보고는 새연의 어깨를 가만히 주물러 주었다.

"고생했네."

"와, 예약하기 진짜 힘들었어. 이게 뭐라고 그렇게 치열하냐."

"우리도 가 볼까?"

"우린 튼튼이 때문에 좀 그렇지."

새연이 방긋 웃으며 자신의 배를 손으로 쓰다듬었다.

"여름에는 예약하기 더 힘들다더라. 그나마 지금 5월에 하는 거라 좀 나은 거야. 어쨌든 예약해서 속 시원하다."

"김정호랑 김유리가 이런 정성을 알기나 할까."

준원의 말에 새연이 결의에 찬 시선을 화면에 꽂으며 말했다.

"김정호 이 답답이, 아직 고백도 못 했다니 우리가 안 나설 수가 있어? 섬에까지 갔어도 난 기대 안 해. 고백은커녕 맞고 오지나 않으면 다행이지."

정호가 여전히 유리에게 구타당하는 건 맞지만, 예전과는 이유부터 전혀 다르다는 것을 이들 부부는 아직 모르는 탓에 몰래 대업을 도모하고 있었다. 새연은 두 눈을 초롱초롱 빛냈다.

"이번 기회에 확실하게 둘이 붙여 버려야지, 도저히 안 되겠어."

정호와 유리가 이미 사귀는 사이가 되었다는 건 까맣게 모르는 두 사람이었다.

카페는 나흘 만에 다시 열렸다. 은강은 점심때쯤 밀려든 학생들에게 정신 없이 커피를 만들어 준 후 이제야 숨을 돌리고 창밖을 내다보았다.

"형, 왜? 밖에 뭐 있어?"

내내 밖을 향한 은강의 시선에 결국 준이 의아해하며 물었다. 누굴 기다리기라도 하는 것인지.

"있긴 뭐가 있어."

별거 아니라는 듯 은강이 태연하게 컵을 정리하기 시작했다.

"어, 왔네."

그것도 잠시, 마미의 목소리에 은강은 빠르게 돌아보았다가 김이 샌 얼굴로 다시 컵을 잡았다. 카페 문을 열고 정호와 유리가 나란히 들어서고 있었다. 병원에서 하루를 보낸 두 사람은 점심때가 지나서야 도착하였다.

"몸, 정말 괜찮다고 한 것 맞지?"

"네, 괜찮대요."

마미의 걱정에 정호가 대답했고, 보다 못한 유리가 중간에 끼어들었다.

"어휴, 괜찮대, 괜찮대. 오전에 다시 한번 싹 살폈고, 여기까지 운전도 내가 해서 모셔 왔어. 엄마, 오버 좀 하지 마셔."

"그럼 그래야지. 너 구하겠다고 그 불길 속에 뛰어 들어간 사람인데. 너, 앞으로 정호한테 잘해."

"그런 거 생각하면 정호는 2층 선생님 아주 업고 다녀야겠다."

"은혜도 모르고 말만 많은 것 좀 봐."

마미의 손이 유리의 등짝으로 향하려고 하자, 정호가 잽싸게 그 앞을 막았다.

"차라리 절 때리세요."

진짜 때릴 마음은 없었던 마미의 손이 허공에서 딱 멈추었다. 절벽 위에 피어난 꽃처럼 참으로 절절하고도 대단한 사랑 나셨다.

"저건 또 무슨 애틋한 시추에이션이래."

계산대 앞에 서 있던 준이 그 모습을 보고 샐샐 웃으며 중얼거렸다.

"형, 저기 좀 봐. 세 분 진짜 웃기지. 케미 쩔어."

준이 은강의 팔을 툭툭 치며 웃었지만, 그는 별 반응을 보이지 않은 채 여전히 컵만 정리할 뿐이었다. 언제는 뭐, 반응이 있었나 싶어서 준은 다시 혼자 그쪽으로 시선을 돌렸다.

"준배 너, 거기서 비웃는 거 다 보인다. 입 다물자."

음산한 정호의 목소리가 들리자 준은 입술을 합, 안으로 말며 고개를 끄덕였다. 시끌벅적한 로(Law) 카페는 역시 유리 누나님과 정호 형님이 오셔야 완성이 되는 느낌이었다. 다만, 두 분이 공개적으로 연애를 시작했다는 것만이 이전과 다를 뿐.

벚꽃이 완전히 지고 녹음의 계절이 푸르게 찾아들었다. 카페 창밖을 가득 채운 나무의 초록빛은 이전보다 더욱 짙어졌다. 봄의 막바지, 사랑의 기운이 물씬 퍼지고 있었다. 예정에 없이 월요일 한나절을 날린 터라, 유리와 정호는 급한 일을 처리하기 위해 바로 사무실로 들어갔다.

곧바로 마미가 두 사람의 커피를 준비해 주셨고, 가져다주기 위해 준은 노크를 하고 안으로 들어갔다. 커피를 책상 위에 내려놓으며 준이 수상쩍은 시선으로 두 사람을 번갈아 보았다.

"커피 고마워. 근데 왜 자꾸 봐?"

컴퓨터 모니터를 응시하고 있던 유리가 준에게 물었다.

"아니, 두 분…… 잘 어울리셔서요."

"그래, 고맙다."

유독 짧게 대답하는 유리와, 소파 위에 어색하게 앉아 있는 정호. 어제 두 사람의 모습을 실컷 보기는 했지만, 준은 아무래도 영 적응이 되지 않았다. 섬에 가기 전까지만 해도 못 잡아먹어 안달이던 사이가, 갑자기 로맨스 영화의 주인공이 되다니.

"그럼 즐거운 시간 되세요."

준이 인사하며 물러가려고 하자 유리가 버럭 소리를 쳤다.

"우리 일하는 거야!"

그 말에 준이 천천히 고개를 갸웃거렸다.

"제가 뭐랬나요."

"즈, 즐거운 시간 되라며. 사, 사무실에서 일하는데 즐겁긴 뭐, 뭐가!"

크게 소리를 낼수록 더 수상하다는 것을 모르는 모양이었다. 씨익 웃으며 준이 다시 인사했다.

"그럼 즐겁게 꼭! 일, 하, 는, 시간 되세요."

그리고 뿌우, 입술을 내밀어 허공에 뽀뽀를 날리는 흉내를 내었다.

"내 저 잡것을 그냥!"

유리가 벌떡 일어서는데 정호가 얼른 다가와 팔을 붙들어 주었다. 그 덕분에 준은 얼른 사무실에서 빠져나왔다.

그가 돌아서면서 키득키득 웃었다. 유리 누나 놀리는 것이 이렇게 스릴 넘치고 긴장감이 느껴질 줄이야. 준은 새로운 재미를 터득하고야 말았다. 아래로 뚝 떨어지기 직전의 롤러코스터에 올라와 있는 기분이었다.

나오면서 준은 사무실 문을 반쯤 열어 두었다.

"준아, 문을 왜 열어 놓고 나와. 닫아야지."

지나가던 마미가 준에게 사무실 문을 가리키며 말하자, 준은 안에서 들으라는 듯 크게 말했다.

"에이! 안에 성인 남녀 둘이 있는데! 막 문 닫아 놓고 그러면 안 돼요! 무슨 일이 생길 줄 알구요! 꽉 닫아 놓고 그럼 큰일 나요!"

"야! 배준, 너!"

유리의 목소리가 사무실에서 팍 터져 나오다가 또 멎은 것을 보니, 정호가 다시 말리는 모양이었다. 그때 준의 뒤통수에 빡, 불이 났다.

"으악!"

사실 소리만 요란했지 그리 아프진 않은 걸 보면 때리는 것도 요령인 모양이었다. 준이 뒤통수를 괜히 손으로 문지르며 돌아보니 마미가 무서운 눈을 하고 있었다.

"준이 네가 나한테 큰일 좀 나 볼래? 빨리 가서 닫아."

"……네."

준은 순순히 대답하며 가서 사무실 문을 닫았다. 문 앞에 서서 마미가 말했다.

"준이 너, 이 문, 이제 함부로 열지 마."

"네."

"노크 꼭 하고."

"네."

"한 번 해서 대답 없으면 한 번 더 해, 알겠지?"

"네."

바로 문 앞인지라, 아마 준이 마미에게 교육을 받는 소리는 안에서도 다 들릴 것이다. 다소 민망해하고 있을 두 사람의 얼굴이 생생히 그려졌다.

준이 두 사람을 놀리려면 마미의 벽부터 넘어야 할 듯했다. 난관이 하나 더 있으니 스릴과 재미도는 더욱 상승할 것으로 예견되었다. 찰떡같이 대답을 하면서도 준은 속으로 쿡쿡 웃었다. 다음부터는 꼭 마미가 자리에 있는지 없는지부터 살펴야 할 것 같았다.

"어, 이슬이 왔구나."

"이슬아!"

마미와 준이 카페 출입문 쪽을 보며 반색하며 인사했다. 그 소리에 은강이 컵을 손에 쥔 채 고개를 들었다. 어깨에 멘 가방끈을 꽉 움켜쥔 이슬이 카페 문을 열고 들어서는 모습이 보였다.

그제야 은강의 입가에 천천히, 환하게 미소가 번졌다. 자신도 모르게 웃어 버린 은강은 얼른 손을 올려 흠, 하고 헛기침을 하며 가렸다. 다만 순간의 미소를 보았는지 눈을 동그랗게 뜬 이슬이 도도도 빠르게 걸어 바 앞으로 다가왔다.

"지금 웃었죠? 웃은 거 맞죠?"

"아니."

"에이, 웃었잖아요. 이렇게."

이슬이 제 입꼬리를 양옆으로 늘리며 씨익 웃는 흉내를 냈다. 그 모습이 귀여워 옆에 선 마미가 웃어 버렸다.

"은강이가 이슬이 오랜만에 봐서 반갑다고 웃었던 모양이네. 이슬이 주말에 잘 지냈지?"

"네. 오늘은 엄마가 조금 빨리 오신다고 해서 잠깐만 있으면 돼요."

은강은 냉장고에서 이슬에게 갈아 줄 키위를 꺼냈다. 이제 주문도 받지 않고 그날그날 신선한 재료로 주스를 만들어 주고 있었다.

창가에 앉은 이슬이 여지없이 책을 꺼내어 읽기 시작했다. 키위를 갈아 주스를 만든 은강은 컵을 손에 쥐고 있다가 천천히 바에서 나왔다.

직접 이슬의 옆으로 다가가는 은강의 뒷모습을, 마미와 준이 바라보며 고개를 갸웃거렸다. 왠지 은강이 조금 친절해진 것 같다고 생각하면서.

"어린이."

자신을 부르는 목소리가 저쪽 바가 아닌 바로 옆에서 들려오자 이슬이 화들짝 놀라며 올려다보았다. 은강이 들고 온 원목 쟁반을 테이블에 내려 주었다.

"히익."

아까는 웃더니, 지금은 주스를 가져다주기까지! 이슬이 다소 두려운 시선으로 은강을 바라보았다. 쟁반 위 키위 주스 옆에는 여러 가지 모양의 쿠키까지 놓여 있었다.

"맛있게 먹어라."

툭 던지듯 하는 말이었지만, 평소의 은강을 생각하면 과도해도 너무나 과도한 친절이었다.

"잘 먹겠습니다."

활짝 웃으며 다시 창문을 향해 앉은 이슬은 주스와 쿠키를 맛있게 먹기 시작했다. 그리고 잠시 후, 이슬이 이제 가 볼 생각인지 쟁반을 가지고 총총걸어 픽업대 앞으로 왔다.

"이슬이 벌써 가려고?"

마미가 묻자 이슬이 대답했다.

"네, 오늘은 엄마가 집으로 오신댔거든요. 여기 잠깐만 있다가 집으로 바로 들어오라고 했어요."

"그렇구나. 조심해서 들어……."

"어린이."

인사를 건네는 마미의 말을 막으며 은강이 이슬을 불렀다.

"네?"

"이거 남겼잖아."

쿠키의 3분의 1 정도가 남겨져 있었다.

"……초록 쿠키는 별로 안 먹고 싶은데."

달콤한 초코 쿠키와 버터 쿠키는 다 비웠지만, 초록색 쿠키는 그대로 남은 상태였다. 시계를 흘깃 본 은강이 쿠키 접시를 내밀었다. 이슬을 지금 보내지 않을 생각이었다.

"시금치 쿠키야. 음식 남기면 벌 받아. 다 먹어."

이슬이 울상이 된 얼굴로 구원을 요청하며 마미를 바라보았다. 마미가 웃으며 접시에 손을 뻗었다.

"은강아, 그거 내가 먹을……."

하지만 은강이 쿠키 접시를 마미에게서 멀리 떨어뜨리며 말했다.

"어린이, 꾀부리지 말고 어서 여기 앉아."

픽업대 바로 앞의 테이블을 손으로 톡톡 쳤다. 도와주려던 마미가 아무래도 안 되겠다 싶어 이슬에게 어깨를 들썩여 보였다. 은강이 작정하고 이슬에게 시금치 쿠키를 먹이려는 모양이었다.

"그건 진짜 먹기 싫은데……."

"음식 가리는 거 아니다. 앉아."

이슬은 입술을 내밀며 자리에 앉았다. 남긴 쿠키가 다시 앞에 돌아왔다. 목이 멜까 우유도 한 잔 놓아 준 은강이 앞에 팔짱을 턱 끼고 앉았다. 은강의 감시 아래 시금치 쿠키를 베어 문 이슬이 우물우물 씹고 삼켰다.

"우리 엄마가 나 집에서 기다릴 텐데. 걱정할 텐데……."

"너 안 오면 찾으러 오시겠지. 말할 시간에 어서 먹기나 해."

은강의 말에 이슬은 다시 쿠키를 먹었다. 아까 자신이 들어설 때 그렇게 나 활짝 웃더니, 아무래도 잘못 보았던 모양이다. 시금치 쿠키를 억지로 먹이다니.

그렇게 이슬이 쿠키 접시를 비워 갈 때, 문을 열고 송화가 들어섰다.

"이슬아, 여기 있었구나."

시간이 되어도 집에 오지 않은 이슬을 걱정했던 모양이었다.

"엄마아!"

드디어 살았다는 듯 이슬이 송화에게로 달려갔다. 악당에게서 벗어났다는 듯 기쁜 표정이었다. 시금치 쿠키의 지배자 은강 역시 천천히 자리에서 일어났다.

"어머, 너 초록색 쿠키 먹었어?"

"응. 시금치 쿠키야."

"시금치 싫어하잖아."

이슬이 먹고 있던 쿠키 접시를 내려다본 송화가 놀란 어조로 물었다.

"으응. 이 오빠가 먹으라고 해서."

송화는 다시 한번 접시를 본 후, 고개를 들어 은강을 보았다.

"얘가 싫어하는 음식은 어떻게 해도 안 먹으려고 하는데, 신기하네요."

그러고는 엷게 웃으며 인사를 덧붙였다.

"……고마워요."

"송화 씨, 이제부터 이슬이가 절대 안 먹는 음식인데 꼭 먹여야 할 것 있으면 싸서 카페로 보내면 되겠네. 은강이한테 먹이라고 하게."

옆에서 마미가 웃으며 농담했다.

송화는 이슬의 손을 잡고 모두에게 인사한 후 카페에서 나왔다. 그리고 집으로 돌아가면서 여전히 신기한 듯 이슬을 보며 물었다.

"그런데 이슬아, 정말로 시금치 쿠키 반이나 먹은 거야?"

"응. 먹어야 집에 보내 준다고 하잖아. 엄마 온 덕분에 살았어. 그 쿠키는 너무 써."

"그랬구나."

싫어하는 음식을 먹은 것치고는 이슬의 표정이 밝았다. 아마 정말 싫어했더라면 은강도 억지로 먹이진 않았을 거라 생각하며 송화가 고개를 끄덕이는데, 이슬이 방긋 웃으며 말했다.

"그런데 엄마, 오늘 그 오빠가 나 카페에 막 들어가는데 나보고 웃었다?"

"웃었다고?"

"응. 진짜 예쁘게 활짝 웃는 거야. 엄마도 봤어야 하는데."

"……엄마가 왜."

"그 오빠 절대 안 웃으니까, 내가 한번 보고 싶다고 했더니 엄마도 보고 싶다고 했었잖아. 아무튼 나는 봤으니, 엄마도 꼭 나중에 봐 봐."

송화는 이슬과 함께 걸으며 고개를 돌려 뒤를 돌아보았다. 밝은 기운이 넘치는 로(Law) 카페. 그곳에 있다가 오면 이슬이 유독 활기찬 모습을 보여 주니 그녀로서는 감사할 뿐이었다.

이슬이 점차 커 가면서, 자신이 채워 줄 수 있는 부분의 한계를 느끼기 시작했던 송화는 괜히 가슴이 뭉클해졌다. 세상이 꼭 힘들기만 한 것은 아니라는 생각이 들었다. 물론 아직은, 힘든 부분이 훨씬 더 많긴 하지만……

송화와 이슬 모녀가 카페에서 나간 후 접시와 컵을 정리하고 있는 은강에게 준이 다가왔다.

오늘 준의 촉이 여러 군데에서 발동 걸리며 매우 바쁜 상태였다.

"형, 혹시."

"……."

"이슬이네 엄마 좋아하지?"

준의 짐작에 은강의 움직임이 잠시 멈추었다. 찰나의 정적이 심상치 않았다. 은강은 준의 어깨를 밀며 싱크대 쪽으로 다가갔다.

"쓸데없는 소리 하지 말고 저리 비켜."

"이슬이한테 유난히 잘해 주고, 아까 이슬이 보고 웃었다고도 하고."

"아니야."

사실 싫다는 쿠키를 억지로 먹인 것도, 이슬을 잡아 두기 위함이었다. 시간이 늦어지면 송화가 데리러 온다기에.

"이슬이 엄마가 형보다 나이가 많긴 해도 그래 봤자 두 살 차이니까."

"……스물아홉 살이야?"

"어, 몰랐어? 스물아홉. 형보다 두 살 위."

결혼하기도 전에 남편 될 사람이 교통사고로 죽어서, 송화가 이십 대 초반에 가진 아기를 홀로 낳고 키운다는 건 이미 알고 있었다. 정확히 스물아홉 살이라는 건 지금 준에게 들어 처음 알게 됐지만.

"하긴, 아니겠지. 형은 연상녀 싫다고 누누이 말했으니까. 게다가 애 엄만데."

잠시 송화에 대한 은강의 마음을 의심했던 준은 이내 고개를 저었다. 준이 계산대로 간 후, 은강은 컵을 세척하며 생각에 잠시 빠졌다.

섬에 봉사를 하러 갔던 주말 내내 이슬과 송화가 어찌 지내는지 궁금했던 이유, 여전히 송화의 얼굴이 어두운 것이 신경 쓰이는 이유……. 자신도 파악하지 못할 이상한 감정에 가슴속이 복잡하고 답답해졌다.

더 이상 깊이 생각하지 않기로 했다. 보면 당연하고 안 보면 궁금한, 그저 인간에 대한 호기심과 연민…… 그 정도가 아닐까. 좋아한다니, 말도 안 된다. 그럴 리가 없었다. 게다가 아이까지 있는 여자인데.

은강은 눈을 감고 애써 생각을 비우려 노력했다. 그러나 그럴수록 송화의 얼굴이 더욱 짙게 새겨지듯 떠올랐다. 마음 깊은 곳에서 한숨이 울컥하니 올라왔다.

늦은 밤, 정호는 책상 위에 걸터앉아 새 명패를 손으로 쓰다듬었다.

〈변호사 김정호〉

묵직한 유리 명패의 차갑고도 매끄러운 감촉이 피부에 전해졌다.

섬에서 돌아온 후 바로 다음 날, 사무실에는 책상과 컴퓨터가 새로 들어왔다. 정호는 정식으로 변호사 등록을 했고, 이제 두 사람은 본격적으로 같은 공간에서 파트너로서 일을 시작하게 되었다.

그 모습을 가장 흐뭇하게 웃으며 지켜보는 사람은 마미였다.

이제 억지로 점심을 같이 먹게 할 필요도 없고, 사무실 정리를 하게 할 필요도 없다. 이제 그 모든 것은, 두 사람이 당연하게 함께하는 일상이 되어 버렸다. 마미가 바랐던 순간이었다.

건물에 카페가 들어올 때와는 많이 달라진 정호의 모습도 뭉클하게 가슴을 울렸다. 꾸미고 다니는 겉모습만이 아니었다. 절대 법조계에서 일하지 않겠던 정호가 마음을 바꾸어, 제 딸과 함께 작은 일부터 하나씩 해 가는 모습이 어찌 예쁘지 않을 수가 있을까.

간절히 바라는 것은 하늘이 들어주시는 모양이었다. 마미는 이제부터 두 사람의 행복이 끊이지 않고 계속되기만을, 마음을 다해 바라기로 하였다. 이런 날들만 계속되면 좋겠다고 생각했다.

이렇게 사무실로 들어오기로 했을 때 정호는 이미 복잡한 마음이야 다 떨쳐 낸 후였다. 이제는 정식으로 시작하게 되었다. 일도, 사랑도. 어쩌면 그의 인생에 새로운 시작과도 같은 중요한 시점이었다.

공부하고 검사가 되기까지, 그에게는 어떠한 사명감도 존재하지 않았다. 그렇기에 자리를 버리는 일도 어렵지 않았다. 털어 내듯 툭 버리면 그만이었다.

남들이 말하는 엘리트 코스도 정호에게는 별 감흥이 없었다. 그저 유리보다 먼저 자리를 잡고 고백이나 해야지, 하는 안일한 생각이 전부였다.

그렇게 보낸 시간에 부여했던 의미가 사라져 버린 후, 나락으로 떨어지고, 도저히 유리 앞에 고개를 들 수 없다고 생각했을 때.

고백은 무슨 고백. 사랑은 무슨 사랑. 나까짓 게. 나 따위가. 나 같은 놈이 감히 무슨 자격으로. 끝없는 자학으로 자신을 괴롭혔다. 그래도 끝나지 않을 문제였다.

차라리 유리 앞에 남자가 되지 않으면 상관없을 일이다. 그럼 이대로 친구로 있어도 좋다고, 이 정도만이라도 감지덕지라고, 얼굴만이라도 보면서 살게 해 달라고. 그렇게 생각하며 버텨 왔다.

그런데 이제 이렇게 욕심내어도 좋을까. 너에게 이만큼 다가가도, 나 벌 받지 않을까. 몇 번씩이나 가슴을 쥐어짜는 통증에 괴로웠던 순간들을 뒤로하고, 이제는 그녀의 옆에 바짝 다가섰다. 다 놓아 버려야겠다고, 그녀에게로 흘러가야겠다고 생각했던 순간 그 모든 죄책감 따위는 잊은 지 오래였다.

사랑만이 남았다. 돌고 돌아 그녀에게 왔으니, 이제 제게 남은 건 사랑 하나였다. 자신을 이끈 것도, 자신을 달리게 한 것도, 자신을 벼랑 끝에서 민 것도, 자신의 손을 잡아당긴 것도 ……자신을 일으킨 것도. 여지없이 사랑, 그녀였다.

"명패 진짜 잘 나왔어."

카페 식구들이 다 퇴근을 한 후에도 서류 정리를 하기 위해 남아 있던 유리가 허브티를 두 잔 들고 들어오다가 말했다. 정호는 명패에서 시선을 떼고 유리를 보았다.

"이리 와."

낮게 가라앉은 소리가 공기 중에 스몄다.

"얘가 또 왜 이래."

싫지 않은 얼굴로 흠, 새침하게 헛기침을 한 유리가 찻잔을 내려놓으며 다가왔다. 책상에 앉아 있던 정호가 바닥으로 내려섰다. 그리고 허리를 조금 숙이며 유리를 안고 그녀의 어깨에 턱을 얹었다.

스킨십이 부쩍 잦아진 정호에게 안겨 유리는 조금 어색해지는 기분을 떨치며 말했다.

"내일 준원이랑 새연이 만나기로 했잖아. 걔들, 우리 사이 상상도 못 하고 있다가 엄청 놀랄 텐데. 누가 얘기할래? 내가 할까?"

대답 없이 정호가 가만히 눈을 감았다.

"쉿."

잠시 침묵이 이어졌다. 그리고 정호가 천천히 말했다.

"사랑해."

예고 없이 밀려든 사랑 고백에 유리의 심장이 멎는 듯 아찔해졌다.

"자격도 없는 내가, 너를 사랑해서 미안해."

묵직한 울림이 지그시 사랑을 말했다. 처음 한 사랑 고백에는 미안하다는 사과가 덧붙여졌다. 진심이 섞인 말 속에서 유리의 귓가에는 오로지 '사랑'한다는 말만이 새겨졌다. 다른 건 전혀 들리지 않았다.

터지지 않은 폭탄을 홀로 품은 채, 정호가 다시 한번 마음을 꾹꾹 눌러 고백했다.

"사랑해. 무슨 일이 있어도 나는, 너를 사랑해."

태경병원 재단 이사장 비서실.

이편웅 이사장이 들어서자 자리에 앉아 있던 송화가 벌떡 일어나 허리를 굽혀 인사했다.

"꿀물 좀 타 가지고 들어와요."

"네."

먼저 대답을 한 건 비서실장인 박연희였다. 이사장실에 들어가려던 이편웅이 걸음을 멈추고 뒤를 돌아보았다.

"아니, 박 비서 말고. 채 비서가 타 주지. 나는 채 비서가 타 주는 꿀물이 입에 딱 맞던데."

점심때가 다 지나서 출근하는 이편웅의 몸에서는 술 냄새가 진동했다. 올해 50대에 접어드는 이편웅은 늘 관리를 하는 몸과 피부 덕에 나이보다 훨씬 젊어 보였다. 잘 빗어 넘긴 헤어스타일이 조금 느끼했지만 말끔한 인상을 주기는 하였다.

이사장의 뒤를 따르던 남자 수행 비서 김민수도, 먼저 대답했던 비서실장 박연희도 송화를 바라보았다. 서 있던 송화는 이내 고개를 숙이며 대답했다.

"네, 알겠습니다."

"그래요."

이편웅이 흡족한 얼굴로 웃으며 이사장실 안으로 들어갔다.

"이사장님 어제 과음하셨나 보네. 이렇게 늦게 출근하시고 아니, 그런데 송화 씨는 꿀물이면 꿀물, 커피면 커피, 어쩜 그렇게 이사장님 입에 딱 맞추는 거야. 내가 그 기술 좀 배워야지, 이러다가 나 잘리고 송화 씨만 남는 거 아닌지 몰라."

박연희의 입가에 가벼운 미소가 걸렸다.

박연희는 원무과에서 오래 일하다가 작년에 비서실로 오면서 실장이 되었다. 이전에 근무하던 비서실장이 그만두는 시점에 맞물려 송화도 입사하였으므로, 두 사람은 비슷한 시기에 비서실에서의 근무를 시작한 셈이었다.

송화가 맡은 업무 자체는 그리 힘들지 않았다. 재단 이사장인 이편웅이 병원의 실질적인 운영과 관리는 모두 아랫사람들에게 맡겨 놓았으니, 그를 보필하는 업무가 딱히 힘들 것이 없었다.

가장 바쁜 곳은 아마 홍보실일 거라고 송화는 생각했다. 이편웅이 직접 하지 않은 일들까지 그의 노고로 잘 포장되어 세간에 알려지는 데에는 홍보실의 역할이 지대하였다. 태경병원의 이미지가 훌륭한 것 역시 모두 홍보실의 공이었다. 물론 그걸 알고 있는 것은 비서실 송화뿐이겠지만.

"송화 씨, 뭐 해? 꿀물 타러 안 가?"

키보드를 두드리던 박연희가 묻자 송화는 얼른 서랍에서 손을 떼었다.

"네, 가요."

뱀이 등줄기를 타고 기어 올라오는 듯 끔찍한 기분에 손끝이 미세하게 떨려 왔다. 송화는 무거운 발걸음을 옮겨 탕비실로 향했다.

송화의 서랍 안에는 한 달째 꺼내지 못한 사직서가 들어 있었다.

늦은 오후.

사무실 밖이 조금 소란해진 것을 느끼고 유리가 책상 앞에서 일어섰다. 준원, 새연 부부와 저녁 약속이 있어 일찌감치 일을 정리하고 나가려던 참이었다.

사무실 문을 열자 정호의 뒷모습이 보였다. 옷을 갈아입고 내려온다며 조금 전에 옥탑으로 올라갔던 정호였다. 그런데 군데군데 앉은 학생들 몇몇이 정호 쪽을 보며 들뜬 기운을 감추지 못하고 술렁이고 있었다.

그가 면도를 착실하게 하고 말끔한 차림으로 다닌 후에는 흔히 보던 풍경이었다. 유리의 속이 부글부글 끓었다. 추또일 때가 마음 편하고 좋았다. 그래서 다시 추리닝을 입히려고 했었는데, 그마저도 실패하지 않았던가.

자신이 마음을 비워야지 싶어 유리가 한숨을 크게 한 번 쉬고 다가서려는데.

"유리야, 정호랑 어디 나간다면서."

마미가 자신을 발견하고 하는 말에, 정호가 고개를 돌렸다.

세상에. 돌아보는 그의 얼굴이 새삼스럽게 잘생겨 보였다. 늘 옆에 있을 때는 잘 모르겠는데, 갑자기 떨어져 있다가 보면 비주얼의 진가를 비로소 깨닫는다.

그래, 저 자식 누구나 돌아볼 정도로 잘생긴 놈이었지. 저 굳게 다문 매력적인 입술이, 1초 단위로 헛소리를 쏟아 내던 바로 그 입이던가. 저 아련한 듯 깊은 눈에, 베일 듯 날카로운 콧대라니. 이런 김정호는 낯설기까지 하다.

옷은 또 오늘따라 왜 이렇게 멋있게 빼입고 내려왔는지. 심장을 말려 죽이려고 아주 작정한 모양이었다.

"그래, 어디 간다고?"

"S호텔이요."

마미의 질문에 정호가 태연히 대답했다. 옆에서 듣고 있던 준이 과장하며 되물었다.

"호오오테에엘? 어우! 당당하게 호텔이라니! 두 분 진짜! 너무 개방적이십니다!"

유리가 준의 양 볼을 잡아 쭈욱 늘렸다.

"네 입을 아주 개방적으로 찢어 줄까? 이제 내가 만만하지, 응? 요놈이 요즘 자꾸 머리 꼭대기로 기어오르네."

"우으으응으웁. 즈을믓흐쓰으(잘못했어요)."

물론 호텔이라는 소리에 주변에 있던 학생들조차 술렁거렸으니, 정호는 얼른 덧붙였다.

"준원이랑 새연이랑 다 같이 만나는 저녁 약속이에요. 밥 먹으러 가는 건데. 하하, 오해하신 거 아니시죠?"

정호의 말에 마미가 싱긋 웃었다.

"오해하면 좀 어때. 오해가 사실이면 또 어떻고."

"네?"

"혼수가 먼저면 어떻고, 혼인 신고가 먼저면 어떠니?"

"……네?"

"S호텔 거기가 준원이랑 새연이 결혼식 했던 곳이지?"

대뜸 묻는 말에 정호가 네, 하고 대답했다.

"가서 저녁 맛있게 먹고, 좋은 기운 많이 받고 오렴."

"엄마! 그만 앞서 나가. 안 그래도 이 자식이 우리 결혼은 언제 하냐고 자꾸 엉뚱한 소리만 해 대는데, 다 엄마 때문이야."

유리의 불만 섞인 말을 들은 척하지도 않고 마미는 정호를 보며 옷깃을 매만져 주었다.

"그래, 결혼은 언제 할 건데?"

"따님이 허락해 주시는 대로 최대한 빨리하도록 하겠습니다, 장모님."

"오케이, 좋아. 분발해서 허락을 빨리 받길 바라네."

"넵."

주고받는 말을 들으며 유리는 인상을 찌푸렸다. 정호가 그런 유리를 향해 고개를 숙이며 말했다.

"따님! 이분을 제 장모님으로 주십……."

"그만해라, 좀. 그만해."

'어머님! 따님을 제게 주십시오.'도 아니고, 결혼의 당사자에게 거꾸로 허락을 구하는 정호의 능청을 듣다 못한 유리가 귀를 잡아 늘였다.

"아아아아아아퍼어."

대단히 멋있게 차려입은 남자가 여자에게 귀가 잡힌 채로 질질 끌려 나갔다. 카페 손님들은 어안이 벙벙한 얼굴로 그 모습을 바라보았다.

"잘 다녀와! 늦게 들어와!"

마미가 손을 흔들며 웃는 얼굴로 배웅했다.

어둑해지는 하늘 아래 자잘한 꼬마전구들이 풀장 주변의 나무 가득 매달려 아름다운 빛을 내고 있었다. 수영장의 바닥을 비추며 푸르게 물든 물 위로 그 빛이 반사되어 알알이 퍼져 갔다.

화려하게 차려입은 사람들이 샴페인 잔을 들고 드문드문 서 있었고, 한쪽으로는 세련된 타이포로 무언가 적힌 현수막이 걸려 있었다.

<Romantic Night>

호텔에서 주최하는 커플 대상의 행사인 모양이었다.

"레스토랑 잘못 알았나 봐. 여기 풀 사이드 아니고, 실내에 있는 곳 아니야? 새연이한테 전화 좀 해 봐야겠다. 얘네는 어디 있지?"

유리가 휴대폰을 꺼냈다. 옆에서 잠시 생각에 빠져 있던 정호는 이내 헛웃음을 흘렸다. 이거 분명 한새연 짓이겠지, 정말 한새연답다, 한새연다워. 길 한쪽으로 빠진 유리는 정호도 함께 들을 수 있도록 스피커폰으로 놓고 통화를 했다.

"새연아, 너 어디야? 우리 지금 여기 왔는데. 풀 사이드……."

-콜록, 콜록.

"한새연?"

-어어어. 콜록. 어우, 야! 나 감기…… 에에에에취!

정호는 소리 없이 픽 웃었다. 연기를 해도 어쩜 저렇게 못할까.

"오월에 무슨 감기야."

-그, 그렇게 돼써어어허허허취! 아이코. 콜록, 콜록!

"그래서, 뭐야. 못 온다고? 우리 여기 호텔 도착했는데."

어색한 연기를 유리도 느꼈는지 새연을 대하는 말투가 점점 까칠해져 갔다.

-어어, 미안. 너희끼리 저녁 먹어야겠다. 콜로오오옥!

"근데 좀 이상해. 뷔페라고 하지 않았어? 셰프 특선 뭐, 그런 거라며. 지금 여기 웬 사람들 모여서 파티하고 있어. 로맨틱 나잇? 뭐 그런 거 쓰여 있고."

-흠, 흠.

새연이 목청을 가다듬는 건지, 마음을 가다듬는 건지 시간을 잠시 흘려보낸 후에야 말했다.

-아아, 내가 날짜를 잘못 알아서 실수했네. 준원이가 말한 뷔페 그건 내일인 것 같기도 하고?

"뭐, 내일?"

-이왕 그렇게 된 거 그 풀 사이드 파티에서 샴페인도 주고, 맛있는 음식도 주고 그러거든. 예약 다 해 놨으니까 김유리 이름 대고 들어가서 정호랑 둘이 저녁 맛있게 먹어. 재미있는 게임 같은 것도 한다니까 열심히 해서 상품도 타고. 코, 콜록.

"오늘 이 파티가 무슨 파티인 줄 너 어떻게 알았는데?"

-아이고, 배야! 튼튼이가 나오려나! 나 끊는다!

혼을 쏙 빼놓으며 새연이 전화를 끊었다. 유리가 기가 찬 얼굴로 휴대폰을 내려다보았다.

"한새연 이게 지금 뭐라는 거야?"

횡설수설하다가 전화를 끊어 버린 새연이 어이없는 듯 유리는 불편한 기색을 감추지 못했다. 이건 다 준원과 새연이 준비한 자리임을 안 정호가 웃으며 말했다.

"그래, 이왕 이렇게 된 거 들어가서 저녁이나 먹자."

사귀기로 한 이후 제대로 된 데이트 한 번 해 본 적 없었다. 이제 다 공개도 했겠다, 하나하나 같이 해 보고 싶은 일들이 많은 시점에서 로맨틱한 분위기에서의 저녁 식사도 그리 나쁠 건 없다고 생각했다.

"저길 우리가 왜 들어가. 어우. 싫어."

화려하게 반짝거리는 파티 장소를 바라보며 유리가 진저리를 쳤다.

"저녁만 먹고 나오면 되잖아. 아아아, 배고프다."

정호가 배를 부여잡고 어색하게 미간을 찌푸리자, 할 수 없다는 듯 유리가 걸음을 옮겼다.

"그래. 딱 저녁만 먹고 나오는 거야."

정갈한 베이지색 H라인 스커트에 목까지 단추를 채운 흰색 블라우스를 입은 유리가 이 자리와 그렇게 잘 어울리는 것은 아니었다. 법원 계단을 또각또각 밟으며 내려오는 모습으로는 괜찮을지 몰라도, 이토록 불빛이 환하게 이지러지는 풀 사이드에서는 조금 딱딱해 보이긴 했으니까.

주위를 둘러보니 다른 여자들은 아직 쌀쌀한 기운이 감도는 늦은 봄의 저녁인데도 불구하고 화려하고 가벼운 의상을 주로 입고 있었다. 오히려 방금까지 막 일을 하다가 나온 유리의 오피스 룩이 눈에 띌 정도였다.

배정받은 자리에 다리를 꼬고 앉은 유리가 턱을 괴고는 마음에 들지 않는다는 눈빛으로 포크를 테이블 매트에 콕콕 찍어 댔다.

"밥만 맛없어 봐. 이것들 머리카락을 다 뽑아 묶어서 내가 아주 그냥 줄넘기를 해 버릴 거니까."

"살벌하다, 살벌해."

"너도 알고 있었지?"

"뭘."

"한새연이 이런 장난치는 거. 너도 알고 있었던 거 아니야?"

준원과 새연이 두 사람의 관계를 모를 거로 생각하니, 이것도 그저 장난일 뿐이라 여기는 모양이었다.

뷔페가 아닌 코스 형식으로 음식이 나오기 시작했다. 정호는 의자에 등을 기대고 앉아 서빙되는 음식을 바라보다가 웨이터가 물러간 후 말했다.

"장난치는 거 아니야. 사실은…… 내가 너 좋아하고 있는 거 두 사람은 벌써 눈치챘었어."

"뭐?"

"내가 답답해서 말해 버리기도 했고."

잠시 말이 없어진 유리가 접시 위의 음식을 멍하니 바라보았다. 그리고 천천히 입을 열었다.

"두 사람이 도와주려고 한 거구나. 너 추리닝 태우고, 면도시키고 한 것도 다 그래서……."

"그래. 헛똑똑이 김유리 이제야 머리가 돌아가네. 혼자 내가 얼마나 애타는 밤을 보낸 줄 아냐."

"야, 너는 그렇게까지 힘들었으면 나한테 진작 말하지……."

자신이 얘기해 놓고도 유리는 한숨이 나왔다. 하긴, 정호가 먼저 얘기를 했으면 아마 십 년 전 그때처럼 뒤로 물러섰을 것이다. 그럼 이렇게 마주 앉기까지 아마 더 오랜 시간이 걸렸겠지.

미안함과 안타까움이 뒤섞였다. 그를 혼자서만 좋아한다고 여긴 그 시간 동안 스스로 얼마나 힘들었는지 경험해 보았기에 알 수 있었다. 자신의 몇 배, 아니 몇십 배 긴 시간 내내 제 뒷모습만 보고 있었다니. 바보 같은 그의 깊은 사랑에 괜히 눈물이 왈칵 쏟아질 것만 같았다.

"그럼 준원이랑 새연이는 아직 우리가 사귀는 거 모르고 있지?"

"네가 말하지 말라며. 얘기 안 했어. 찔려 죽는 줄 알았다."

정호의 말에 유리는 심호흡하며 포크와 나이프를 들었다.

"이런 자리까지 만들어서 붙여 놓으려고 애쓰다니. 우리가 이미 사귀고 있는 거 알면 뒤로 넘어가겠다. 이왕 이렇게 된 거 맛있게 먹고 가자. 덕분에 처음으로 호텔 데이트도 하고 좋네."

유리의 눈가에 걸린 미소가 잔잔히 부서졌다. 가만히 흩어지는 그 웃음이 내려앉은 불빛보다 더 아름답게 빛났다.

멀찍이 떨어진 테이블마다 로맨틱한 느낌의 촛불과 꽃이 가득했고, 맛있는 음식들이 준비되어 더없이 아름다운 저녁 식사가 이어졌다. 한편에 마련된 무대에는 요즘 핫하다는 가수가 라이브로 팝 발라드곡을 부르고 있었다.

"분위기가 좋긴 좋다."

이런 분위기 정말 자기 스타일 아니라며 들어오기 싫다고 했던 유리도 이제 조금 적응이 된 모양이었다.

"그런데 여기까지 와서 진짜 밥만 먹고 갈 거야?"

"그럼?"

정호가 와인 잔을 손으로 잡으며 싱긋 웃었다.

"나 술 마시면 운전 못 하는데. 술 좀 깨고 갈 겸 체크인할까?"

호텔 객실 건물 쪽을 가리키며 정호가 말했다. 잠시 주위를 둘러본 유리가 가방에서 파일 뭉치를 꺼내 둘둘 말아 정호의 팔을 가볍게 툭툭 쳤다.

"대리운전! 대리운전 부르면 되잖아, 이 자식아."

"으아, 아퍼. 나 중상을 입어서 아무래도 체크인해야 할 것 같은데."

"이게 어디서 또 개수작이야."

"이러니까 빨리 결혼을 해야 하는데. 대체 언제쯤 마미를 내 장모님으로 허락해 줄 거냐."

로맨틱한 촛불 앞에서의 구타는 참 이질적이지만 이들 사이에서는 지극히 자연스럽기만 했다.

아프지도 않은 파일 뭉치 매를 손으로 막으며 고개를 돌리는데, 정호의 시야에 한 사내가 들어왔다. 건방진 자세로 앉은 남자는 껄렁껄렁한 시선을 이쪽으로 두고 있었다.

의자를 끌어 옆에 찰싹 달라붙어 앉은 여자가 연신 남자의 시선을 제게로 돌리려 노력 중이었다. 가슴을 한껏 모아 골을 드러낸 홀터넥 원피스를 입은 여자는 딱 봐도 화려한 미인상이었지만, 남자는 그저 이쪽, 그것도 유리를 보고 있었다. 정호의 피가 차갑게 식었다.

"왜 그래. 어딜 봐? 누구, 아는 사람 있어?"

장난스럽게 구타를 지속하던 유리가 고개를 돌리려고 했다. 정호는 벌떡 일어서서 유리의 양 볼을 잡고 가볍게 입술을 맞추었다.

쪽. 닿았다가 떨어지는 버드 키스. 멍하니 자신을 바라보는 그녀에게 정호가 웃어 보였다.

"아는 사람은 무슨. 저쪽에 쓰레기가 쌓여 있기에 잠깐 본 거야. 자, 지금부터는 때리고 싶으면 이렇게 입술 때리는 것만 허락하겠어. 살벌한 이 몽둥이는 이제 집어넣자."

유리의 몸이 테이블을 향해 자리를 잡도록 의자를 밀어 주고, 그녀가 매로 쓰던 파일 뭉치를 펼쳐 다시 가방에 넣어 주었다.

느긋하게 이어지는 정호의 행동에 오히려 당황한 유리가 얌전히 순응했다. 평소 같으면 패고도 남을 일이지만 정호가 이렇게 태연스럽게 나오면 사실상 유리가 할 수 있는 건 아무것도 없었다. 작정하고 설레게 하는데 당해 낼 재주 따위 없었으니까.

정호는 그사이, 스윽 제 어깨 너머 뒤편으로 다시금 날카로운 시선을 던졌다. 남자는 제게 달라붙은 여자를 귀찮은 듯 밀어내며, 여전히 이쪽을 바라보고 있었다.

일순, 바짝 날이 선 정호의 눈빛이 형형하게 타올랐다. 신경 또한 한껏 곤두섰다. 유리가 그를 보지 않았으면 했다. 봐서 좋을 인연이 아니었다.

유리는 포크를 내려놓으며 풀장의 수면 위로 아롱거리는 불빛을 응시하고 있었다.

"저녁만 먹고 간다고 했지?"

정호가 확인하듯 묻자 그녀는 고개를 끄덕였다.

"응. 집에 빨리 가고 싶다. 로맨틱은 무슨. 결국 퀴즈니 게임이니. 유치하다."

이후에 이어질 프로그램에 참여하지 않으면 부딪칠 일도 없을 것이다. 유리의 마음이 바뀌기 전에 어서 이곳을 떠나는 게 나을 듯했다.

사실, 정호는 그 유치하다는 게임들도 다 참여하고 싶은 생각이 있었다. 함께하는 시간이라면 숨 쉬는 순간까지 기록하고 싶을 만큼 소중한데, 하물며 이건 명색이 첫 데이트가 아니던가. 좋아서 정신없는 상황에 유치하면 어떻고 아니면 또 어떻다고.

여자들의 미모 자랑이니, 남자들의 힘자랑이 앞서는 게임이야 유리가 진저리 칠 만큼 눈꼴사납다고는 해도, 같이하면 조금은 재미있지 않을까.

이런 것들 역시 하나의 추억이 되리라 생각했었다. 그래서 유리를 설득해서 끝까지 남아 있으려고 했었는데 저 인간이 같은 공간에 있는 한, 잠시도 머물러서는 안 되는 자리가 되어 버렸다.

정호는 유리의 어깨 너머, 한때 그녀의 첫 남자 친구였던 성준을 쏘아보았다. 이쪽에서 시선을 잠시 거둔 그가 옆에 끼고 앉은 여자의 둥근 어깨를 손으로 지분거리며 웃고 있었다.

대학 1학년 때.

"뭐, 뭘 해?"

유리의 입에서 흘러나온 소리에 오총사가 기겁을 했다. 상상하지도 못했던 말을, 스무 살 유리는 아무렇지 않게 하고 있었다.

경영학과 4학년 김성준은 좋은 집안에 훌륭한 두뇌, 눈에 띄는 외모까지, 한국대 최고의 킹카였다. 엄청난 스펙을 자랑하는 그의 여자 친구가 된 유리를 대놓고 부러워하는 이들이 부지기수였다.

그런 김성준과 사귄 지 얼마 되지도 않았는데, 지금 유리의 입에서 튀어나온 소리에 오총사는 당황할 수밖에 없었다.

"임신."

어안이 벙벙해진 친구들을 앞에 두고, 유리는 빨대로 쪼오옥, 태연스럽게 오렌지 에이드를 빨아들였다. 과외비 받은 기념으로 밥을 사겠다며 패밀리 레스토랑에 우르르 끌고 와서는 한다는 소리가 대뜸 '임신했어.'였으니 다들 놀라지 않을 수 없었다.

"임신이라니⋯⋯. 누가?"

답답해진 새연이 물었다. 설마 유리 자신이 임신했다는 소리를 하는 건 아니겠지. 준원, 혁준, 정호도 아무 말도 하지 못한 채 그저 유리의 얼굴을 쳐다보고만 있었다. 왠지 화를 누르려는 듯 잠시 심호흡을 한 유리가 천천히 스테이크를 썰며 말했다.

"김성준 여자 친구가."

여자 친구라면 유리 자신이 아닌가.

"뭐? 야, 지금 너 임신했다고, 하는 거야?"

새연이 목소리를 죽이며 조그맣게 물었다. 잔뜩 울상이 된 얼굴이, 제발 아니
라고 대답해 달라는 듯했다. 유리는 친구들을 천천히 돌아보더니, 오른손에 쥐
고 있던 나이프를 힘차게 스테이크 위로 내리꽂았다.

탁! 고기를 뚫고 접시 바닥과 마찰한 칼끝이 소리를 냈다. 허공 어딘가를 향
한 분노의 눈빛이 이글이글 불타오르고 있었다. 유리가 천천히 말했다.

"이 빌어먹을 개나리 신발 끈 씹다 버린 후라보노 시베리아허스키 같은 새키."

친구들이 헙, 숨을 들이켜는 것도 상관하지 않고 유리는 어금니를 꽉 물었다.
분이 쉽게 풀리지 않았다. 그렇다고 테이블을 뒤집을 수도 없고, 다시 크게 심호
흡을 한 유리는 두려움에 떨고 있는 친구들 앞에 사실을 고했다.

"나 말고, 여자 친구가 두 명이나 더 있었댄다."

"뭐어?"

눈이 동그래진 새연이 되물었다.

"우리 학교에는 나, 그리고 제일대 간호학과 한 명, 또 하나는 고등학교 동창
인 회사원 한 명. 세 다리 중에 하나였어, 나는."

끓어오르는 화를 누르며 유리가 다시 썰어 둔 스테이크를 한 조각 입에 넣었
다. 잘근잘근 씹는 것이 과연 고기인지 분노인지 알 수 없었다. 남자인 친구들
가운데 조용한 성격의 준원조차 화가 나는 듯 얼음물을 들이켰고, 혁준이 주먹
으로 테이블을 탕 내리쳤다.

"뭐, 그런 자식이 다 있어? 미친놈이네!"

유리가 말을 이었다.

"임신은 그중에 회사원이라는 그 동창 여친. 일이 알려지고 김성준 아버지가
열 받아서, 그 여자는 병원에, 김성준은 외국으로 보내 버렸어."

"뭐?"

"그 여자는 울고불고 아버지 회사에까지 찾아갔다가 쫓겨나고 그랬다는데. 정작 일을 낸 새끼는 외국에 가 있고. 간호학과 언니랑 나는 그 새끼가 여러 여자 만나고 있었다는 것도 이번에 처음 알았고."

"헐."

"나는 대체 어디에 대고 화를 내야 하는 거지?"

분노를 쏟아 낼 대상이 없으니 망연해진 상황이었다.

"쓰레기 같은 새끼."

듣고 있던 정호가 낮게 중얼거렸다. 친구들은 저마다 소리 내어 성준을 욕하고, 유리를 위로했다. 그래도 연애 기간이 더 길어지지 않은 것이 어디냐, 너까지 큰일 날 뻔했다, 동창이라는 그 여자는 불쌍해서 어쩌냐 등 여러 이야기가 오고 갔다.

"어차피 나는 그 전에 이미 헤어졌었어. 아니, 차였지. 그 새끼가 일주일도 넘게 전화도 안 받더니만 문자만 달랑 보내서 헤어지자고 하더라고. 그것도 열 받아. 내가 먼저 알고 뻥 차 버렸어야 했는데."

어이없는 이별이 너무도 갑작스럽고 황당해서 친구들에게도 말하지 못하고 있다가 이제야 김성준이 벌인 쓰레기 짓을 알게 된 것이다.

"내가 이제부터 남자 새끼 사랑 고백을 믿으면 사람이 아니다. 다시는 남친 안 사귈 거야."

잔뜩 상처로 얼룩진 말이었지만, 유리는 무너지지 않으려 안간힘을 쓰는 중이었다. 친구들 앞에서 눈물 한 방울 흘리지 않았고, 미친 듯 화를 내며 폭발하지도 않았다. 정호는 그런 유리가 심장에 박힌 가시처럼 내내 아프기만 했다.

그리고 학교에서는, 성준과 유리의 연애에 쏟아졌던 관심만큼 혼자 남겨진 유리를 향해 수군거리는 말들이 많아졌다.

'쟤야, 쟤. 김성준한테 당한 애.'

'김성준이 쟤도 어떻게 하고 버린 거 아니야?'

'어휴, 불쌍하다. 1학년이.'

남의 말 하기 좋아하는 사람들은 당사자의 입장 따위 고려해 주지 않았다. 자퇴 처리를 하고 외국으로 쫓겨나듯 떠난 성준에 대해 실컷 떠들고 남은 시간에는 유리를 입에 올렸다. 상처를 받은 건 이쪽인데, 점점 동정을 가장한 조롱이 도를 넘어서고 있었다.

"김정호."

캠퍼스 안, 단풍이 화려하게 물들던 그 계절에 유리가 부탁했다.

"내 남친 좀 되어 주라."

"뭐?"

"내가 다른 건 다 참겠는데, 멍청하고 불쌍한 년 되는 건 진짜 싫어서 그래. 그 새끼한테 미련이 있어서 다른 남자 못 만나는 것도 아닌데. 그냥 다 싫고 귀찮아서 그러는 건데. 무슨 말들이 그렇게 많은지 모르겠다."

"……."

"그리고 그 새끼랑 했던 건 연애도 아니야. 연애고 애인이고 사랑이고 남친이고, 다 우습고 질린다. 싹 잊고 싶어."

"……."

"그러니까 네가 내 남자 친구라고 하자."

스무 살, 가짜 연애는 그렇게 시작했었다.

호텔.

"나 화장실 좀 다녀올게."

식사를 마친 유리가 가방을 집어 들었다.

정호는 재빨리 화장실 위치를 확인했다. 성준이 앉은 테이블과는 완전히 반대쪽이라, 유리가 그를 발견하지 않고 지날 수 있는 경로였다. 그제야 정호는 웃으며 고개를 끄덕였다.

"자기야, 빨리 와. 나 외로우니까."

그가 장난스럽게 하는 말에 유리는 기함하며 물러섰다.

"미쳤나 봐."

"응. 너한테 미쳤지."

정호가 테이블에 턱을 괴며 태연스럽게 대꾸했다. 연이은 닭살 멘트는 괴롭힘의 또 다른 방법인 것을 알기에 유리가 저걸 죽일까, 하는 눈빛으로 노려보았다.

"아이고, 무서워."

후식으로 나온 아이스크림을 먹으며 정호가 눈웃음까지 생글생글 치자 유리가 홱 돌아섰다. 더 때리지는 못하겠고, 얄미워 죽겠는가 보다. 저를 놀리는 행동에 씩씩거리는 유리를 보니 그 단순한 반응이 그저 귀엽기만 했다.

유리가 돌아서서 화장실로 향하자, 정호의 눈빛이 다시 차갑게 가라앉았다. 시선이 향한 곳은 성준의 테이블이었다.

성준의 곁에 애교를 부리며 붙어 있던 여자가 일어섰다. 눈짓하자 친구인 듯 옆 테이블의 다른 여자도 같이 일어섰다. 두 여자가 무언가 서로 귓속말을 하더니, 남자들에게 말을 건네고 테이블에서 벗어났다. 유리가 향한 화장실로 가려는 듯했다.

"하여튼. 안심이 안 되니, 내가 그냥 앉아 있을 수가 있나."

정호는 천천히 일어섰다. 여자 화장실 앞에 서 있는 게 모양 빠지는 일인 줄은 알지만, 별수 없었다. 바지 주머니에 두 손을 찔러 넣고 어슬렁어슬렁 화장실 쪽으로 향했다.

유리는 대체 새연이 이곳을 예약하며 돈을 얼마나 쓴 것인지 따져야겠다고 생각했다. 화장실마저 돈으로 덕지덕지 처바른 곳에 들어와 있자니 왠지 심기가 불편했다. 본전을 생각하자면 이따 이어질 프로그램에서 상품 한두 가지라도 타면 될 텐데, 그건 못내 싫었다.

이렇게까지 안 해도 되는데, 꼭 사람 부담스럽게. 생각해 보니 일부러 티 나게 비싼 곳으로 예약했을 수도 있겠다. 부담 꽉꽉 느끼고 관계 좀 발전시켜 보라고 주도면밀한 꼬맹이 같으니. 배 속의 튼튼이만 아니었어도 내 이것을…….

그때 문밖에서 여자들의 목소리가 들려왔다.

"이런 자리에 하고 온 꼬라지 봤지? 촌스럽게."

"그러게 말이야. 꼭 이런 데 아니더라도, 저기 로비 바에만 가도 그런 차림은 창피하다는 걸 모르나 봐."

"어디 회사 말단 신입인가 보지. 급하게 퇴근하고 허겁지겁 달려오니 그런 거 아니겠어?"

"나이도 많아 보이던데, 설마 신입 사원일까?"

"아니면 한 십 년째 계약직 경리?"

호호호, 웃는 소리가 이어졌다.

"가방 봤어? 아무 무늬도 없는 까만 핸드백. 난 또 뭐, 명품이나 되는 줄 알았지. 보니까 그냥 삼만 원짜리 보세겠더라. 걘 십 년째 그것만 가지고 다녔을 거야, 아마."

"남자는 멀쩡하던데, 그 앞에서 도도한 척하는 거 웃겨 죽겠어. 지가 잘나서 만나 주는 줄 아나 봐. 다른 남자들이 쳐다보는 것도 지 예뻐서 보는 줄 알고. 눈빛 보니까 아주 공주병 쩔어."

"그러니까. 꽉 막힌 오피스 룩 입고 앉아 있으니 신기해서 쳐다보는 거지, 누가 지 얼굴 보는 줄 알고 여왕처럼 굴긴. 재수 없게."

"얼굴도 보니까 다 뜯어 고쳤더구만. 이마에 보형물 넣고 코 하고 눈 찢고 턱 깎으면 개만 한 얼굴 아닌 애들이 요즘 어디 있냐?"

"그러니까 말이야. 아, 우리 준이 씨랑 놀다가 객실 올라갈까 해서 티켓 구해 달라고 한 건데 괜히 왔나 봐. 예약하기도 어렵다더니 다 뻥인가. 별 시답잖은 것들이 판치고 있게."

"이따 게임이고 뭐고 다 참여해서 상품 쓸어 가려고 왔을 거야, 아마. 상품 보니까 장난 아니긴 하더라. 나도 그 크리스털 샴페인 잔은 타고 싶긴 하던데."

유리는 차분한 손길로 변기 뚜껑을 닫고 레버를 눌렀다. 쑥 물이 내려가는 소리가 시원했다.

문을 쾅 열었다. 화장을 고치던 여자 두 명이 거울을 통해 유리를 흘깃 바라보았다. 전혀 놀라지 않는 모습을 보니 들으라고 일부러 해 댄 말들이 분명했다. 차림이며, 화장이 꽤 화려했다. 어디 가면 제법 예쁘다는 말 좀 들을 여자들이다.

유리는 무표정한 얼굴로 세면대 앞에 다가섰다. 물을 틀고 손을 씻는 동안, 여자들은 입을 다물고 유리를 힐끔 쳐다보기만 했다. 그렇게 대놓고 신나게 떠들더니, 막상 가까이에서 느껴지는 카리스마에는 주눅이 든 모양이었다.

유리는 손을 씻고 종이 타월을 톡 뽑아서 천천히 물기를 닦기 시작했다. 그리고 고개를 한쪽으로 기울이며 거울을 통해 여자들에게 말했다.

"언니들."

딱 봐도 그녀들은 이십 대 초중반으로 어려 보이는 얼굴이었지만, 유리는 언니라고 불러 주었다. 그러나 목소리는 지극히 음산했기에 그녀들은 립스틱을 덧바르다 말고 입을 벌린 채 유리를 바라보았다.

"나도 좀, 공주병에 여왕병 쩌는 타입이라 찔려서 물어보는 건데."

"뭐가요?"

밀리지 않겠다는 듯 한 명이 새침하게 되물었고, 유리는 손가락 하나하나 물기를 뽑아내듯 닦으며 물었다.

"언니들이 데려온 남자들이 자꾸 나 쳐다보니까 재수 없다고 까는 거 맞아?"

"누, 누가 그쪽 얘기래요?"

"아, 미안. 내가 공주병이랬잖아. 내 얘긴 줄 알고."

유리가 싱긋 웃으며 덧붙였다.

"게다가 내가 마침 십 년째 계약직 경리인 데다가, 이 가방이 삼만 원짜리라 나도 모르게 찔려서 그만. 그리고 계약직이 어떻고 경리가 어때서? 열심히 일해서 월급 받는 생활인들 훌륭한 거 모르는 걸 보니, 언니들 인성도 영 글러 먹은 모양이네? 그 입이 아무 말이나 함부로 지껄이라고 터져 있는 건 아닐 텐데."

그녀들은 화장실에 와서 대놓고 표독스럽게 욕하면 유리가 질겁해서 도망갈 줄 안 모양이었다. 아니면 자존심에 큰 상처라도 입을 줄 알았던지. 상대가 이렇게 여유 있게 웃으며 나올 줄 몰랐던 그녀들은 오히려 당황한 얼굴로 아닌 척 얼버무렸다.

"……뭐, 뭐래. 그쪽 말한 거 아니라니까요."

유리는 물기에 젖은 종이 타월을 구겨서 휴지통에 쏙 넣었다.

"아니면 다행이고."

가방에서 립스틱을 꺼낸 유리는 거울을 보며 태연스럽게 덧발랐다. 이내 립스틱 뚜껑을 톡 닫곤 몸을 돌리더니, 세면대에 엉덩이를 기대며 그녀들을 아래위로 훑었다.

"그런데 언니들."

유리가 한 명이 어깨에 메고 있는 가방을 바라보며 말했다.

"케이트 바바라 올해 SS 신상 한정판 구하기 어렵다던데, 언니 능력 되게 좋네."

흠, 헛기침하며 그녀가 가방끈을 움켜쥐었다. 유리가 비웃으며 마지막 일 침을 가했다.

"그런데…… 한정판 버클에는 로고가 음각으로 되어 있는데, 짝퉁 기술자가 그건 미처 캐치를 못 했나 봐. 아니면 저작권 때문에 일부러 다르게 만든 건가."

음각 처리 없이 매끈한 버클을 쏘아보며 하는 말에 그녀가 화들짝 놀라 가방을 제 품에 가두었다. 옆에 서 있던 여자가 그거 남친에게 선물 받았다 면서, 가짜였냐며 입술을 벌렸다. 워낙 작은 차이라 언뜻 보면 티가 나지 않 는 부분이었다.

로펌에서 사직할 때, 긴밀한 관계를 유지했던 클라이언트인 한 기업의 오 너가 유리에게 선물로 보내왔던 가방이었다. 당시 유리는 과하다고 생각했 고 개인적인 감사의 표시라고 하니 더욱 받을 수 없어 돌려보냈었다.

기어이 다시 보내온 가방은 어느 브랜드의 것도 아니었다. 가죽 명인에게 개 별적으로 주문하여 지극히 소탈하고 꾸밈없는 디자인으로 만든 걸 다시 보내왔 고, 그러한 성의조차 거절할 수 없어 유리는 그 선에서 감사히 받기로 하였다.

그때 받은 가방이 지금 들고 있는 것이었고, 그러니 아마 삼만 원보다는 훨씬 비싸지 싶었다. 명품이라면 짝퉁도 마다하지 않고 드는 이의 눈엔 그 가치가 보이지 않는 모양이지만.

"그럼, 이따가 샴페인 잔 쟁탈전에서 만나, 언니들."

"뭐?"

"내가 그지 근성이 있어서, 그건 꼭 받아 가야겠거든. 언니들 무서우니까 이따 좀 살살 해 줘."

생긋 웃어 보인 유리가 유독 바르고 곧게 편 자세로 우아하게 걸어 화장실을 빠져나갔다. 유리가 화장실 밖으로 나오자, 벽에 기대고 서 있던 정호가 보였다.

"아아악!"

안에서 분한 듯 요란하게 내지르는 소리에 아랑곳하지 않고, 유리가 여유롭게 웃으며 물었다.

"너 왜 여기 서 있어?"

정호 역시 알 만하다는 듯 피식 웃었다.

"안에 있는 여자들 걱정돼서 와 봤지."

"내가 아니고?"

"널 걱정하느니, 내가 개미랑 시비 붙은 최홍만을 걱정하겠다."

"이게 죽을라고."

헤드록을 걸려는 유리의 팔을 자연스럽게 피하면서 정호가 그녀의 어깨를 감싸 안았다.

"그런데 너 따라 들어간 여자, 약간 개미 닮았던데."

김성준과 함께 왔던 여자를 말하는 것이었다. 유리는 수긍하며 고개를 끄덕였다. 그러게, 허리도 개미허리더니, 얼굴도 예뻐서 딱 공주 개미를 닮았네, 하고.

"김유리, 이제 집에 가자."

"아니. 나, 게임 참여할 거야."

"뭐?"

"생각이 바뀌었어. 상품 좀 싹 쓸어 갈라고."

정호의 얼굴이 굳어 버렸지만, 유리는 뒤쪽의 화장실을 툭 쏘아보고는 깍지 낀 손을 앞으로 쭉 뻗었다. 공주 개미야, 가만히 있는 사람은 건드리는 게 아니란다.

-2권에서 계속-